Backvergnügen wie noch nie

Back vergnügen wie noch nie

Das erste große Bild-Backbuch für alle Anlässe. Mit den 555 besten Back-Ideen der Welt - ganz in Farbe.

Die Rezepte - darunter ihre beliebtesten und erfolgreichsten - stellten CHRISTIAN TEUBNER und ANNETTE WOLTER zusammen.

Die Bilder gestaltete CHRISTIAN TEUBNER

Gräfe und Unzer

Ein Wort zuvor

Mit »Backvergnügen wie noch nie« – dem ersten großen farbigen Bild-Backbuch, praktisch nach Anlässen gegliedert – legen wir allen Freunden der Backkunst ein umfassendes Werk mit den 555 besten Back-Rezepten vor. Jedes der selbsterprobten Rezepte wird nicht nur ausführlich durch Text, sondern auch im Bild vorgestellt. Sie können also auf einen Blick feststellen, wie der Kuchen, die Torte oder die Plätzchen, die Sie zum Nachbacken ausgesucht haben, fertig aussehen sollen. Das ist eine große Hilfe bei der Arbeit, vor allem, wenn es um letzte Feinheiten geht, das Zusammensetzen separater Teile oder das Verzieren.

Bei der Auswahl der Rezepte haben wir uns gefragt: Wann wird gebacken? Für welche Feste, welche Gelegenheiten? Und was sind dabei jeweils die beliebtesten Gebäckarten? So wurden aus der Vielzahl der Backrezepte die bekanntesten und die besten ausgewählt: altüberkommene Rezepte, Rezepte mit berühmten Namen, traditionelle und moderne Rezepte. Besondere Anlässe wie Weihnachten, Jahreswechsel, Ostern, Familienfeste, Parties, kleine und große Einladungen wurden in einschlägigen Kapiteln berücksichtigt. Natürlich gibt es auch Kapitel für Obstkuchen, für feine Torten und Teegebäck. »Großmutters Backgeheimnisse« und »Kuriositäten der Geschichte« bieten einen kleinen Ausflug in die Vergangenheit.

Wer sein Brot einmal gern selbst backen oder wissen möchte, was man alles aus Vollkornmehl herstellen kann, findet auch dafür Anregungen.
Alle Rezepte gelingen zuverlässig, denn sie wurden mehrmals erprobt und für die heutige Küchentechnik eingerichtet. In einem umfangreichen Teil des Buches ist das Wissen von der Backkunst zusammengefaßt. Grundrezepte mit detailliert beschriebenen Arbeitsphasen zeigen dem noch Ungeübten, worauf es jeweils besonders ankommt. Alle einschlägigen Backgeräte werden beschrieben; die Funktion der Backherde wird erklärt; auf Einkauf und richtiges Behandeln der wichtigsten Backzutaten wird eingegangen. Wie man Kuchen richtig aufbewahrt und einfriert, erfahren Sie in dem entsprechenden Kapitel; für das Einfrieren von Kuchen gibt es zudem eine große Übersichtstabelle.
Damit Ihre eigenen Back-Werke nicht weniger schön aussehen als die abgebildeten, haben wir den Themen Füllungen, Glasuren und Verzierungen ausführliche Kapitel gewidmet, ebenso dem Formen von Gebäck. Handwerkliche Kniffe und wichtige Arbeitsphasen werden in den Abschnitten über das Grundwissen durch viele Zeichnungen veranschaulicht.
Wenn Ihnen trotz eingehender Beschreibung eine Verzierung als zu schwierig erscheint, dann denken Sie daran: Kunst kann auch im Weglassen bestehen! Versuchen Sie es zunächst mit einfacheren Beispielen, und stellen Sie keine zu hohen Anforderungen an sich selbst. Wie überall, macht auch hier die Übung den Meister.
Die 555 besten Back-Ideen der Welt erlauben ungezählte Variationsmöglichkeiten. Jahrelang können Sie Familie und Gäste mit immer neu abgewandelten Kuchen, Torten, Törtchen, Hörnchen, Schnecken, Plätzchen und Brötchen überraschen, vor allem, wenn Sie außerdem eigene Einfälle verwirklichen und Ihre Phantasie spielen lassen.
Neben dem großen Rezept- und Sachregister von A bis Z enthält das Buch aber auch noch eine Zusammenstellung der Rezepte nach Teigarten, nach der Art des Belages oder der Füllung und nach den speziellen Zutaten. Möchten Sie also einen Sonntagskuchen aus Rührteig backen oder den reichlichen Obstsegen des Gartens für Kuchenbelag verwenden, dann suchen Sie nach Vorschlägen in der jeweiligen Rubrik. Mit beiden Registern zusammen können Sie sich dieses Buch vollständig erschließen und so den größtmöglichen Nutzen daraus ziehen.
Viel Spaß beim Entdecken Ihrer Lieblingsrezepte, gutes Gelingen, viel Erfolg und reichliche Anerkennung, kurz – Backvergnügen wie noch nie wünschen Ihnen die Autoren

Christian Teubner
und
Annette Wolter

Sie finden in diesem Buch

Die Grundrezepte für Teig

Bunt, süß und zart

Erprobte Kniffe

Wenn Gäste kommen

Party-Gebäck für Viele

Backen für Familienfeste

Menügebäck mit Tradition

Große Weihnachtsbäckerei

Gebäck zum Jahreswechsel

Oster-Überraschungen

Kuriositäten der Geschichte

Vollkorngebäck

Brot und Brötchen

Großmutters Backgeheimnisse

Rasch und resch: Blitzgebäck

Back-Wissen im Überblick

Zum Nachschlagen

Die Grundrezepte für Teig

Für jedes Gebiet des Kochens gibt es Grundrezepte. Doch lassen sie sich beliebig abwandeln, und ihr Gelingen hängt nicht unbedingt vom exakten Nacharbeiten ab. Beim Backen allerdings steht und fällt der Erfolg mit der genauen Beachtung aller Arbeitsphasen und dem richtigen Verhältnis der Zutaten zueinander. Phantasie darf beim Backen erst dann entwickelt werden, wenn alle Vorgänge wie im Grundrezept beschrieben genau befolgt wurden. Kaum etwas kann passieren, wenn man Gebäck nach eigenen Vorstellungen formt oder verziert oder die würzenden Zutaten austauscht.
Wer noch wenig Backerfahrung hat, sollte außer dem gewählten Rezept auch das jeweilige Teig-Grundrezept durchlesen. Dort werden nämlich die für jede Teigart spezifischen Arbeitsvorgänge ausführlich beschrieben, während in vielen Rezepten deren Kenntnis bereits vorausgesetzt wird. Sie finden außerdem für jede Teigart gleich mehrere erprobte Grundrezepte, weil es entweder regionalbedingte Unterschiede in der Methode und bei den Zutaten gibt, oder weil man von einem Grundteig leichtere oder schwerere Varianten bereiten kann. Beherrscht man die wichtigsten Grundrezepte, dann kann man sich, einige Erfahrung vorausgesetzt, immer neue Abwandlungen für Torten, Kleingebäck oder Brot ausdenken.
Backen ist eine Kunst – aber eine, die sich von jedermann erlernen läßt, wenn er nur etwas Geduld mitbringt, Freude an exakter Arbeit hat und ein bestimmtes Maß an Grundkenntnissen besitzt. Und deshalb sollten Sie die folgenden Seiten besonders aufmerksam lesen.

Der Hefeteig

Gebäck aus Hefeteig ist eine rustikale Köstlichkeit. In früheren Jahrzehnten gehörte der Hefeteig zum festen Back-Programm jedes Haushalts. Heute kauft man Gebäck aus Hefteig meist beim Bäcker oder Konditor. Viele Hausfrauen glauben nämlich, Hefeteig zu bereiten sei besonders mühsam und zeitraubend. Gewiß läßt er sich nicht im Schnellverfahren herstellen, aber im Zeitalter der modernen Herde und gleichmäßig temperierten Wohnungen hält sich der Arbeitsaufwand doch in Grenzen. Zudem ist kein Teig so vielfältig verwendbar wie Hefeteig: Man kann ihn süß oder herzhaft würzen, Trockenobst oder Nüsse untermischen, ihn mit Früchten oder mit Wurst, Speck, Zwiebeln und Tomaten belegen.
Bei Hefeteig wird zwischen leichtem, schwerem und gerührtem Teig unterschieden. Leichter Hefeteig kann geformt auf dem Backblech gebacken und je nach Rezept auch gefüllt werden. Schwerer Hefeteig mit größerem Fettanteil und weiteren Zutaten verarbeitet man beispielsweise für Christstollen, Mandelstollen oder Osterbrote.
Der Heferührteig gleicht dem leichten Hefeteig, doch werden mehr Eier und mehr Flüssigkeit zugegeben. Er ist zähflüssig und wird nicht geschlagen und anschließend geformt, sondern, wie der Name sagt, gerührt und anschließend in der Form gebacken, zum Beispiel als Napfkuchen. Auch Plundergebäck wird auf der Grundlage von Hefeteig zubereitet. Wir haben das Grundrezept

für Plundergebäck jedoch dem Kapitel Blätterteig zugeordnet, wo es der Arbeitstechnik wegen hingehört.
Wundern Sie sich nicht, wenn Sie später unter den vielen Rezepten für Hefeteiggebäck kaum dem unveränderten Grundrezept begegnen. Aber schließlich besteht die Kunst der Bäckerei ja darin, aus einfachen Grundrezepten durch immer wieder andere Zutaten, durch raffinierte Füllungen und phantasievolle Verzierungen originelle Schöpfungen zu machen.
In den Rezepten sind die Angaben für das Zubereiten eines Hefeteigs stets in Kurzfassung gebracht, zuweilen wird sogar auf das Grundrezept verwiesen. Sie tun also gut daran, erst einmal das Grundrezept nachzulesen, ehe Sie mit der Arbeit nach dem eigentlichen Rezept beginnen, und die wichtigsten Arbeitsvorgänge so exakt wie möglich zu befolgen.
Zunächst aber wollen wir uns etwas ausführlicher mit der Hefe, dem entscheidenden Bestandteil des Hefeteigs, beschäftigen.

Hefe richtig behandeln

- Hefe ist eine lebendige Substanz aus Kleinstpilzen, die sich in Verbindung mit Flüssigkeit und eventuell Zucker bei entsprechender Temperatur immer wieder teilen, »sprossen«. Dabei entsteht Kohlensäure, und sie ist es, die den Teig lockert und treibt.
- Abgepackte Hefe ist in Päckchen zu 40 g im Handel. Sie muß frisch sein. Frische Hefe fühlt sich geschmeidig weich an, ist hellgrau bis hellgelb und bricht in muschelartige Stücke. Sie zeigt keine Risse und keine bräunlichen Flecken. Ausgetrocknete Hefe ist hart, rissig und stellenweise dunkel gefärbt; sie hat dann ihre Triebkraft weitgehend verloren.
- Da fast niemand mehr über einen kühlen Vorratsraum verfügt, dem idealen Aufbewahrungsort für Hefe, muß man sie wohl oder übel im Kühlschrank lagern. Dort hält sie sich im Butterfach, zweimal in Alufolie gewickelt, 3–4 Tage. Man kann frische Hefe aber eingefrieren und vier Monate im Gefriergerät vorrätig halten. Nach dem Auftauen ist die Hefe allerdings breiig, besitzt jedoch dieselbe Triebkraft wie frische Hefe.
- Trockenhefe im Beutel entspricht 25 g frischer Hefe. Sie behält kühl gelagert ihre Triebkraft bis zu dem auf dem Päckchen angegebenen Datum. Trockenhefe stets genau nach Vorschrift auf dem Päckchen verwenden! Kenner bevorzugen allerdings frische Hefe, da ihrer Erfahrung nach die Backresultate weit befriedigender sind.
- Hefe entwickelt ihre Triebkraft am besten bei 37 °C. Deshalb soll sie nach der Kühlschranklagerung oder nach dem Auftauen Raumtemperatur annehmen und nicht mit kalten (Ausnahme: kalte Führung → Seite 11) oder heißen Substanzen in Berührung kommen. Alle Backzutaten rechtzeitig auf Raumtemperatur bringen, erwärmte Zutaten (Milch oder Fett), die zum Teig gegeben werden, dürfen keine höhere Temperatur als 35–37 ° haben.
- Die Entwicklung der Hefe kann durch direkte Berührung mit Salz, Eigelb und Fett beeinträchtigt werden. Man vermeidet dies, indem man den Hefevorteig nur mit Milch (manchmal auch Zukker) und Mehl bereitet. Das spätere Mischen mit den genannten Zutaten kann nicht mehr schaden. Salz, Eigelb und Fett kommen daher erst zum Teig, wenn der Hefevorteig mit dem gesamten Mehl vermengt wird.
- Den Hefevorteig – auch Hefeansatz oder Hefedämpfel genannt – rührt man meistens in einer Mulde an, die in die gesamte Mehlmenge gedrückt wird. Die Hefe wird für süße Teige mit etwas Zucker, für salzige Teige ohne Zucker zwischen den Fingern zerbröckelt und mit lauwarmer Milch (Wasser) und wenig Mehl verrührt. Dieser Hefebrei wird mit Mehl bestäubt und muß zugedeckt gehen, bis das Mehl auf der Oberfläche starke Risse zeigt. Das dauert etwa 15 Minuten bei einer Raumtemperatur von 20–25 °. Verlassen Sie sich aber lieber auf Ihre Augen als auf die Uhr, wenn Sie beurteilen wollen, ob der Hefevorteig genügend gegangen ist. Wichtig allein sind die gut sichtbaren Risse auf der Mehloberfläche.
- Bei manchen Rezepten wird der Hefevorteig nach einer anderen Methode bereitet. Die Hefe wird dazu mit Zucker und lauwarmer Milch, zuweilen auch nur mit Zucker, zu einem Brei verrührt und muß in einer kleinen Schüssel, getrennt vom Mehl, gehen. Für das Gelingen des Gebäcks ist diese Methode ohne Bedeutung. Sie findet sich mitunter in traditionellen Rezepten, die auch wir unverändert weitergeben wollten.
- »An einem warmen Ort gehen lassen« heißt es in vielen Rezepten. Diese Anweisung stammt aus der Zeit, in der die Küche nur in unmittelbarer Nähe des Herdes die für die Hefe richtige Wärme bot. Die Raumtemperatur heutiger Küchen genügt zum Gehenlassen des Hefevorteigs und des Hefeteigs. Mit einem Tuch zugedeckt soll der Teig aber immer werden, damit er vor eventuellem Luftzug geschützt ist, denn das könnte sich nachteilig auswirken. Außerdem kann sich unter dem Tuch die Wärme gut speichern.
- Sollten Wohnung und Küche aus irgendeinem Grund einmal nicht genügend temperiert sein, dann können Sie den Hefevorteig und später auch den Hefeteig zugedeckt bei 50 ° im Backofen gehen lassen. Die Backofentür wird dann durch einen eingesteckten Kochlöffel oder einen gefalteten Topflappen einen Spalt offengehalten, damit genügend Luft an den Teig gelangt. Auch wenn der Teig im Backofen geht, ist es besser, dem Augenschein zu vertrauen als der Uhr und ihn erst dann aus dem Ofen zu nehmen, wenn die Mehlschicht starke Risse zeigt oder das Volumen des fertigen Hefeteigs sichtbar zugenommen hat.
- Im allgemeinen rechnet man für einen Kuchen aus 500 g Mehl 30–40 g Hefe. Je mehr Hefe im Verhältnis zum Mehl zugefügt wird, desto lockerer und höher gerät das Gebäck. Der benötigte Hefeanteil ist aber nicht allein von der Mehlmenge abhängig, sondern auch von der Schwere des Teigs, und die wiederum wird durch Zutaten wie Trockenfrüchte oder Fett bestimmt.

Hefeteig richtig zubereiten

Die folgenden, sehr genau beschriebenen Arbeitsphasen gelten grundsätzlich für alle Arten von Hefeteig, sei es nun der beschriebene für einfache Brötchen, ein Napfkuchen oder ein schwerer Stollenteig. Zunächst gehen wir von den Zutaten aus, die für einen Teig unbedingt erforderlich sind.

Warme Führung
Unter »warmer Führung« versteht der Fachmann das Bereiten eines Hefeteigs bei einer Temperatur von 20–25 °.

Beispiel für die Zutaten für einfache Brötchen:

500 g Mehl
30 g Hefe
1/4 l lauwarme Flüssigkeit (Wasser oder Milch)
1/2 Teel. Salz

Der Arbeitsablauf:

- Alle Zutaten in die Küche stellen, damit sie vor Backbeginn Raumtemperatur erreichen.
- Alle benötigten Zutaten und Backgeräte bereitstellen. Feste Bestandteile exakt abwiegen. Die Flüssigkeit genau abmessen oder ebenfalls abwiegen und auf die benötigte Temperatur bringen.
- Das Mehl in die Rührschüssel sieben. In die Mitte des gesiebten Mehls eine Vertiefung drücken und die Hefe hineinbröckeln. Die Hefe mit der lauwarmen Flüssigkeit und mit etwas Mehl zu einem dickbreiigen Teig verrühren. Über diesen Hefevorteig Mehl stäuben, die Schüssel mit einem Tuch zudecken, damit sich die Wärme darunter speichern kann, und den Hefevorteig an einem zugfreien Ort 15 Minuten gehen lassen, mindestens aber so lange, bis die Mehlschicht auf der Hefe starke Risse zeigt. – Der Fachmann nennt dieses erste Gehenlassen die erste Gare.
- Den Hefevorteig mit der gesamten Mehlmenge verkneten. Hierzu verwendet man am besten einen großen, starken Holzlöffel.
- Den verkneteten Teig schlagen, bis er Blasen wirft, zäh und trocken ist, sich vom Schüsselrand löst und nicht mehr an der Schüssel klebt. Dieses Schlagen kann ebenfalls mit dem Holzlöffel geschehen. Besser aber schlagen Sie Ihren Hefeteig mit den Händen. Kein Rührlöffel kann die Hand ersetzen. Nur mit der Hand spüren Sie genau die Konsistenz des Teigs. Bleibt der Teig etwas zu feucht zwischen den Fingern haften, muß er weiterhin kräftig geschlagen werden. Wenn nötig, kann man einen Eßlöffel Mehl nach und nach unter den Teig arbeiten.
- Es gibt Hausfrauen, die das Schlagen des Hefeteigs zu mühsam finden. Sie formen aus dem Hefteig einen großen Ballen und werfen diesen mindestens hundertmal auf eine leicht bemehlte Arbeitsfläche. Sie müssen herausfinden, welche Methode Ihnen mehr zusagt. Der fertiggeschlagene Hefeteig wird wiederum mit Mehl bestäubt und mit einem Tuch bedeckt. Er muß mindestens weitere 15 Minuten gehen und soll dabei sein Volumen verdoppeln. – Der Fachmann nennt diesen Vorgang die zweite Gare.
- Der gut gegangene Hefeteig wird nun wie im jeweiligen Rezept beschrieben geformt, ausgerollt oder in eine Form gegeben. Backblech oder Form werden zuvor, wie im Rezept angegeben, leicht mit Fett bestrichen oder ausgestrichen und/oder mit Mehl bestreut. Der backfertige Hefeteig wird in der Form auf dem Backblech oder aber auch auf der Arbeitsfläche mit einem Tuch bedeckt und muß nochmals 10–25 Minuten (oder wie im Rezept vorgeschrieben) gehen. – Der Fachmann nennt dies die dritte Gare.
- Den Backofen auf die im jeweiligen Rezept vorgeschriebene Temperatur vorheizen, für die einfachen Semmeln auf 220 °.
- Das Gebäck nach Belieben oder nach Rezept bestreichen oder bestreuen und anschließend in den Backofen schieben: ganz flaches Gebäck auf die mittlere Schiebeleiste, mittelhohes Gebäck auf die zweite Schiebeleiste von unten, hohes Gebäck auf die unterste Schiebeleiste.
- Das Gebäck je nach Größe und Konsistenz so lange backen, wie im Rezept angegeben. Vor dem Herausnehmen aus dem Backofen die Stäbchenprobe machen (→ Seite 298) und eventuell einige Minuten nachbacken.
- Hefegebäck kann statt im Backofen auch in der Pfanne auf der Herdplatte gegart, im Waffeleisen gebacken oder schwimmend im heißen Fett fritiert werden. Entscheidend ist dabei die Konsistenz des Teigs.
- Das fertige Hefegebäck weiterbehandeln wie im jeweiligen Rezept beschrieben.

Kalte Führung

Den gleichen Hefeteig können Sie auch nach einer anderen Methode bereiten, der sogenannten kalten Führung, wie der Fachmann das nennt. Der Vorteil dieser Methode: Die Hefe kann bei der kalten Zubereitung und Lagerung ihre Triebkraft nur minimal entfalten. Sie können daher den Teig am Abend zubereiten und morgens frische Brötchen oder anderes Gebäck daraus backen. Außerdem bietet die kalte Führung beim Herstellen von Plundergebäck besondere Vorteile (Plundergebäck → Seite 21).

Auch bei der kalten Führung gehen wir aus von den Zutaten für einfache Brötchen:

500 g Mehl
30 g Hefe
1/4 l kalte Flüssigkeit (Wasser oder Milch)
1/2 Teel. Salz

Der Arbeitsablauf:

- Die Hefe in der kalten Flüssigkeit auflösen und sofort mit der gesamten Mehlmenge verkneten. Den Teig zu einem Ballen formen und locker in Alufolie oder Pergamentpapier einwickeln. Den Teig im Kühlschrank bei etwa +3 ° bis + 8 ° nicht länger als 12 Stunden lagern.
- Der Teig nimmt trotz kalter Lagerung merklich an Volumen zu. Den kalten Teig nach Belieben formen oder ausrollen und vor dem Backen 15–20 Minuten zugedeckt gehen lassen.
- Das Gebäck auf der entsprechenden Schiebeleiste im vorgeheizten Backofen, im Waffeleisen, auf der Herdplatte oder in der Friteuse garen.

Leichter Hefeteig

Dieses Rezept für den »Ur«-Hefeteig, ob warm oder kalt geführt, ist die Basis für alle Hefeteig-Varianten, gleichgültig, ob es sich um gesalzenen Teig mit Wasser für Brot oder Brötchen, um leichten Teig für einen Frühstückszopf, einen Blechkuchen oder einen schweren Stollen mit vielerlei Zutaten handelt.
Für einen lockeren Hefezopf, für gefüllte Hörnchen, knusprige Milchsemmeln oder für einen Kuchenboden vom Blech wird man nach unterschiedlichen Rezepten einen leichten Hefeteig bereiten. »Leicht« ist er deshalb, weil in diesem Teig nur wenig Fett, wenig Eier und wenig sonstige Zutaten wie Trockenfrüchte oder Nüsse enthalten sind.

Der Hefeteig

Beispiel für die Zutaten:

500 g Mehl
30 g Hefe
60 g Zucker
1/4 l lauwarme Milch
60 g Butter
1 Ei
1 Prise Salz
abgeriebene Schale von 1 Zitrone

Der Arbeitsablauf:

- Alle benötigten Zutaten rechtzeitig auf Raumtemperatur bringen.
- Alle benötigten Zutaten und Backgeräte bereitstellen. Feste Bestandteile exakt abwiegen, die Flüssigkeit genau abmessen oder abwiegen und auf die benötigte Temperatur bringen.
- Das Mehl in eine Schüssel sieben, in die Mitte eine Vertiefung drücken, die Hefe hineinbröckeln und mit etwas Zucker, der Milch und wenig Mehl verrühren. Den Hefevorteig mit Mehl bestreuen und zugedeckt mindestens 15 Minuten gehen lassen, bis das Mehl auf der Oberseite deutliche Risse zeigt.
- Den restlichen Zucker, die geschmolzene, aber nicht heiße Butter, das Ei, das Salz und die Zitronenschale auf dem Mehlrand verteilen und alle Zutaten mit dem gesamten Mehl und dem Hefevorteig verrühren. Den Teig schlagen, bis er Blasen wirft und sich vom Schüsselrand löst. Den Teig noch einmal mit Mehl bestäuben und zugedeckt mindestens 15 Minuten gehen lassen, bis er deutlich an Volumen zugenommen hat.
- Den Teig auf einer leicht bemehlten Arbeitsfläche ausrollen, auf ein leicht gefettetes Backblech legen und mit einer Gabel mehrmals einstechen. Oder mit bemehlten Händen den Teig zu Kugeln formen oder zu Strängen rollen und dann formen und ebenfalls auf ein leicht gefettetes Backblech legen.
- Das Gebäck mit einem Tuch bedecken und weitere 15–20 Minuten gehen lassen. – Ausnahmen: Soll ein Kuchenboden auf dem Blech mit Obst oder einem anderen Belag versehen werden, braucht er für die letzte Gare nicht zugedeckt zu werden.
- Den Backofen auf die im Rezept angegebene Temperatur vorheizen, für flaches oder halbhohes Gebäck auf etwa 220 °.
- Das gegangene Gebäck je nach Rezept bestreichen oder bestreuen und auf der entsprechenden Schiebeleiste 25–35 Minuten backen.
- Das Gebäck nach der vorgeschriebenen Garzeit aus dem Backofen nehmen. Kleine Gebäckteile sofort mit einem Spatel vom Backblech heben und auf einem Kuchengitter abkühlen lassen. Kuchen vom Blech auf dem Backblech 5 Minuten abkühlen lassen, dann in Stücke schneiden und mit einem Spatel auf ein Kuchengitter legen.
- Das Gebäck nach der jeweiligen Rezeptvorschrift bestreuen, besieben oder bestreichen.

Schwerer Hefeteig

Festliche Spezialitäten aus Hefeteig werden meist aus einem schweren Teig mit hohem Fettanteil, gegebenenfalls auch mit beachtlichen Mengen an Trockenfrüchten bereitet. Das folgende Rezept ist für einen Kuchen aus schwerem Hefeteig bestimmt, der in der Form gebacken wird. Von viel festerer Konsistenz muß schwerer Hefeteig jedoch für geformtes Gebäck sein, beispielsweise Christstollen.

Beispiel für die Zutaten:

500 g Mehl
30 g Hefe
120 g Zucker
1 Tasse lauwarme Milch
375 g weiche Butter
1/2 Teel. Salz
abgeriebene Schale von je 1/2 Orange und Zitrone
5 Eier
150 g Rosinen

Der Arbeitsablauf:

- Alle benötigten Zutaten vor Backbeginn auf Raumtemperatur bringen.
- Das Mehl in eine Schüssel sieben, in die Mitte eine Vertiefung drücken, die Hefe hineinbröckeln und mit etwas Zucker, der Hälfte der Milch und wenig Mehl zu einem breiigen Hefevorteig verrühren. Den Hefevorteig mit Mehl bestäuben und zugedeckt 20 Minuten gehen lassen, bis das Mehl auf der Oberfläche starke Risse zeigt.
- Den restlichen Zucker und die restliche Milch zum Hefevorteig geben und mit etwas Mehl verrühren.
- Die weiche Butter in Flöckchen über dem Teig verteilen und unterkneten. – Wichtig: Beachten Sie stets ganz genau, ob ein Rezept flüssiges oder festes Fett vorschreibt. Für Gebäck mit einem hohen Anteil an Trockenfrüchten ist dies ausschlaggebend, wenn es gelingen soll.
- Das Salz, die Orangen- und die Zitronenschale sowie die Eier unter den Teig rühren und den Teig anschließend schlagen, bis er Blasen wirft.
- Die Rosinen abspülen, mit einem Tuch trockenreiben und in etwas Mehl wenden. Die Rosinen rasch unter den Hefeteig kneten.
- Eine Gugelhupfform mit Butter ausstreichen und mit Mehl ausstäuben. Den Teig in die Form füllen und mit einem Tuch zugedeckt so lange gehen lassen, bis sich sein Volumen verdoppelt hat. Das dauert 20–30 Minuten.
- Den Backofen auf 200 ° vorheizen. Den gegangenen Kuchen auf der untersten Schiebeleiste 50 Minuten backen.
- Nach 50 Minuten Backzeit die Stäbchenprobe machen (→ Seite 298) und feststellen, ob der Kuchen wirklich gar ist; wenn erforderlich, noch einige Minuten nachbacken.
- Den fertigen Kuchen aus dem Backofen nehmen und etwa 20 Minuten in der Form abkühlen lassen, dann vorsichtig auf ein Kuchengitter stürzen und völlig erkalten lassen. Je nach Rezept den Kuchen mit einem Guß überziehen oder mit Puderzucker besieben und nach Belieben verzieren.

Gerührter Hefeteig

Diese Abwandlung vom Grundrezept wird ausschließlich für Gebäck aus der Kuchenform verwendet. Der Teig darf fettreich sein, man kann aber auch wenig Fett verwenden und es können Trokkenfrüchte untergemischt werden. Immer gehören aber viele Eier in den Teig. Außerdem wird dieser Hefeteig nicht geschlagen oder geknetet, sondern wirklich gerührt. Hierfür ist das elektrische Rührgerät gut geeignet; allerdings sollte es niemals auf Hochtouren laufen.

Beispiel für die Zutaten:

350 g Mehl
20 g Hefe
1 Tasse lauwarme Milch
4 Eier
40 g Zucker
1/2 Päckchen Vanillinzucker
1/2 Teel. Salz
150 g Butter

Der Arbeitsablauf:

- Alle benötigten Zutaten auf Raumtemperatur bringen.
- Alle Backgeräte und benötigten Zutaten bereitstellen. Feste Bestandteile exakt abwiegen, die Flüssigkeit genau abmessen oder ebenfalls wiegen und auf die benötigte Temperatur bringen.
- Das Mehl in eine Schüssel sieben, in die Mitte eine Vertiefung drücken, die Hefe hineinbröckeln und mit der lauwarmen Milch und etwas Mehl verrühren. Den Hefevorteig mit Mehl bestreuen und zugedeckt mindestens 15 Minuten gehen lassen, bis das Mehl auf der Oberfläche deutliche Risse zeigt.
- Die Eier mit dem Zucker schaumig rühren, den Vanillinzukker, das Salz und die erwärmte Butter untermischen und mit dem Hefevorteig und dem gesamten Mehl verrühren. Den Teig so lange rühren, bis sich alle Zutaten gut gemischt haben und der Teig leichte Blasen wirft.
- Den Teig mit Mehl bestäuben und zugedeckt weitere 15 Minuten gehen lassen.
- Eine Gugelhupfform oder eine Kranzform mit Butter ausstreichen und mit Mehl ausstäuben. Den gegangenen Teig in die vorbereitete Form füllen. Die Form darf nur halbvoll sein, da der Teig noch stark aufgeht. Den Teig in der Form mit einem Tuch bedecken und so lange gehen lassen, bis sich sein Volumen verdoppelt hat; das dauert mindestens 15 Minuten.

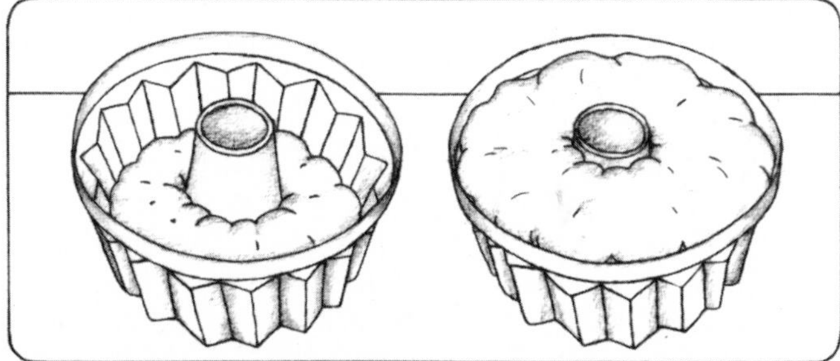

Während der dritten Gare soll der Hefeteig in der Form sein Volumen verdoppeln. Die Form daher niemals zu voll füllen.

- Den Backofen auf 220 ° vorheizen und den Kuchen auf der untersten Schiebeleiste 30–40 Minuten backen. Die Stäbchenprobe (→ Seite 298) nicht vergessen!
- Den Kuchen in der Form etwa 10 Minuten abkühlen lassen, dann auf ein Kuchengitter stürzen und nach Belieben oder nach Rezept besieben, bestreichen und verzieren.

Unsere Tips

- Für einen Kuchenboden vom Backblech wird der Teig in Größe des Backblechs auf einer leicht bemehlten Arbeitsfläche ausgerollt. Den Boden auf das leicht gefettete Backblech legen und mit den Händen einen niederen Rand formen.
- Den Boden mit der Gabel mehrmals in gleichmäßigen Abständen einstechen, damit er beim Backen keine Blasen wirft.

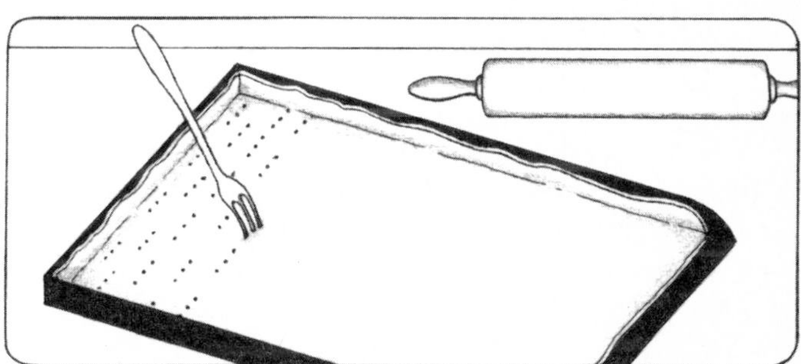

Vom Teig entlang den Kanten des Backblechs einen niederen Rand formen und den Boden mit einer Gabel einstechen, damit beim Backen keine Blasen entstehen.

- Handelt es sich um einen sehr flüssigen oder leichten Teig, der während des Backens von der offenen Seite des Backblechs tropfen könnte, formt man entweder einen besonders hohen Rand aus dem Teig, oder aber man schließt das Backblech an dieser Seite durch zweifach gefaltete Alufolie ab.
- Werden dem Hefeteig Trockenfrüchte wie Orangeat, Zitronat, Nüsse oder Rosinen zugegeben, so mischt man diese Früchte stets möglichst schnell unter den fertig geschlagenen Teig, da er sonst eine graue Farbe annimmt. Nach dem Unterheben der Trockenfrüchte den Teig noch einmal gehen lassen.
- Stollen, Zöpfe oder als Laib geformtes Hefegebäck werden direkt auf dem Backblech gebacken. Um ein Dunkelwerden der Unterseite zu verhüten, kann man mehrere Backoblaten im Format 11,5 × 19 cm unter den Stollen legen oder auf das Backblech ein Stück Wellpappe, mit gefettetem Pergamentpapier überzogen. Es bildet eine gute Isolierung zwischen Blech und Gebäck.
- Macht der Anteil an Trockenfrüchten mehr als die Hälfte der gesamten Mehlmenge aus, so werden sie am besten nicht unter den Teig gerührt oder geknetet, sondern folgendermaßen untergemischt: Den gesamten Hefeteig auf einer leicht bemehlten Arbeitsfläche zu einem großen Oval ausrollen. Die gemischten und gewürzten Trockenfrüchte auf das Teigblatt geben, den Teig zusammenklappen, an Enden und Rändern gut zusammendrücken und rasch durchkneten. Den Teig danach mindestens noch einmal 30 Minuten gehen lassen, ehe er in die gewünschte Form gebracht und gebacken wird.

Der Hefeteig

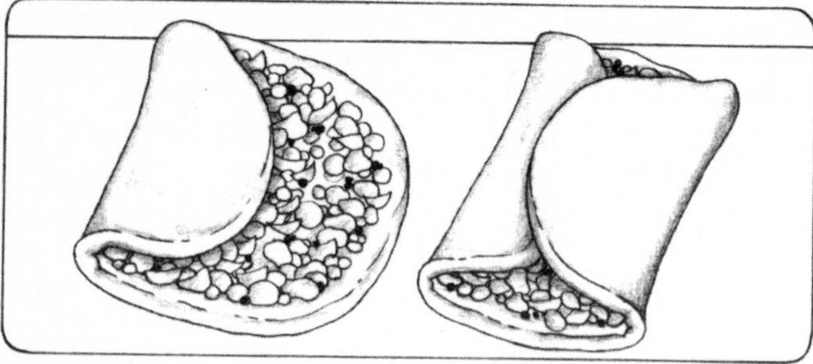

Bei einem hohen Anteil an Trockenfrüchten den Teig zu einem Oval ausrollen, die Früchte darauf verteilen und den Teig übereinanderschlagen. Die Ränder zusammendrücken und den Teig rasch durchkneten.

- Das Formen eines Stollens: Den fertigen und gegangenen Teig zu einem dicken Rechteck mit wulstigen Längsenden ausrollen, längs übereinanderklappen und anschließend durch Eindrücken mit beiden Händen in Längsrichtung zu einem Stollen formen.
- Wenn Sie ganz sicher sein wollen, daß der Stollen während des Backens nicht zu breit auseinanderläuft, so können Sie eine Backhaube speziell für Stollen benützen, eine sogenannte Stollenform, aus der man den Stollen nach dem Backen stürzt. Sie können aber auch doppeltgefaltete Alufolie auf das Backblech unter den Stollen legen und die Längsseiten der Folie vierfach umknicken.

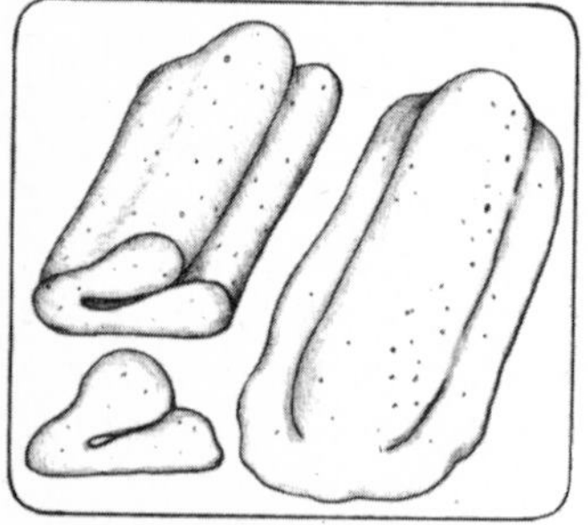

Zum Formen eines Stollens den Teig zu einem dicken Rechteck mit wulstigen Längsenden ausrollen. Die Längsenden übereinanderklappen und seitlich mit den Händen leichte Mulden eindrücken.

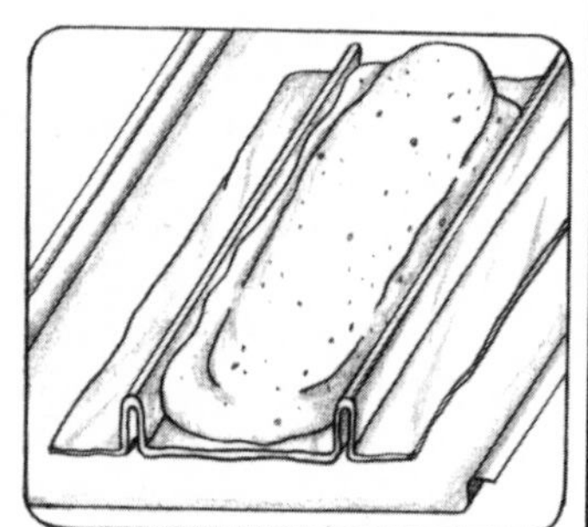

Aus doppelt gefalteter Alufolie können Sie für den Stollen eine leichte Form falten. Die Längsseiten der Folie werden vierfach umgeknickt, dann kann der Stollen nicht breitlaufen.

- Eine besonders gefällige Art, einen gefüllten Hefezopf zu bereiten, möchten wir Ihnen hier beschreiben. Die Zeichnung gilt für das Rezept Gefüllter Hefezopf auf Seite 65: Der fertige und gegangene Hefeteig wird auf einer leicht bemehlten Arbeitsfläche zu einem 1 cm dicken Rechteck ausgerollt. Man markiert auf dem Teig der Länge nach drei gleich große Felder. Die Füllung wird dick auf das mittlere Feld gestrichen. Die beiden äußeren Felder zerschneidet man in 2 cm breite Streifen und legt sie zopfartig über die Füllung.

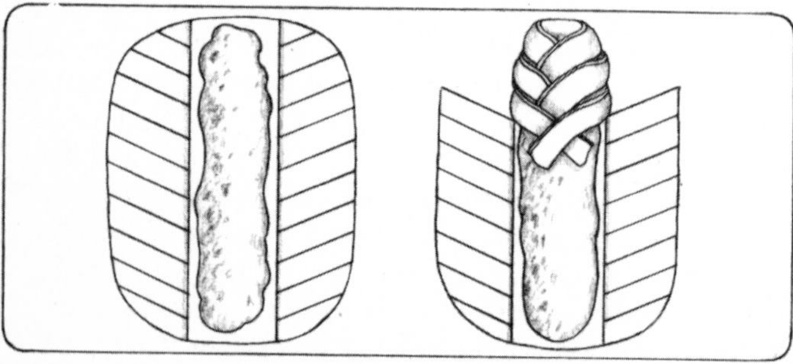

Für den Gefüllten Hefezopf schneiden sie die beiden äußeren Teigfelder in Streifen und legen diese zopfartig über die Füllung.

- Kleine, geformte Hefeteile können Sie auch fritieren (→ Seite 27). Allerdings ist das jeweilige Rezept für fritiertes Hefegebäck meist eine Variante des Grundrezepts, da es darauf ankommt, ob das Gebäck locker und luftig oder fest sein soll. Berliner Pfannkuchen oder Silvesterkrapfen (→ Seite 190) werden zum Beispiel aus einem sehr lockeren Hefeteig hergestellt. Für das Füllen der Krapfen gibt es zwei Methoden, die wir Ihnen nachstehend erklären wollen.

Methode 1

Aus dem fertig gegangenen Hefeteig eine etwa 2 cm dicke Platte ausrollen und daraus runde Plätzchen von 8 cm ∅ ausstechen. Jeweils in die Mitte eines Plätzchens 1 Teelöffel Marmelade geben und die Ränder der Plätzchen darüber gut zusammenziehen und -drücken. Die Krapfen mit der »Naht« nach unten auf eine bemehlte Arbeitsfläche legen und zugedeckt 15 Minuten gehen lassen. Die Krapfen anschließend fritieren, und zwar werden sie zuerst mit der Oberseite ins heiße Fett gelegt und zugedeckt 2–3 Minuten gegart, dann mit dem Schaumlöffel gewendet und in der offenen Friteuse fertiggebacken.

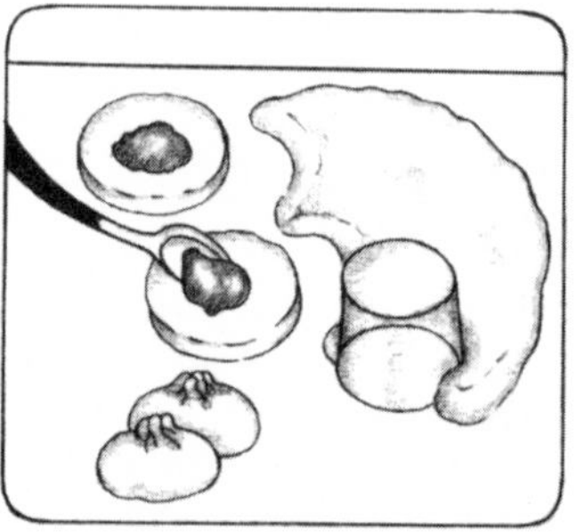

Für Methode 1 die Teigkreise mit der Füllung belegen, den Teig darüber zusammenziehen und gut zusammendrücken. Mit der »Naht« nach unten gehen lassen.

Sie können aber auch zwei dünne Teigplatten ausrollen, eine in gleichmäßigen Abständen mit der Füllung versehen und die zweite Teigplatte darauflegen.

Methode 2

Aus dem gegangenen Hefeteig 50 g schwere Stücke abschneiden und mit bemehlten Händen zu Kugeln rollen. Die Kugeln auf ein bemehltes Brett legen, flachdrücken und mit einem Tuch zugedeckt mindestens so lange gehen lassen, bis sie sich im Umfang verdoppelt haben. Die Krapfen nach dem Gehenlassen wie in Methode 1 beschrieben fritieren und auf Küchenkrepp abtropfen lassen. Eine Gebäckspritze (im Fachgeschäft erhältlich) mit Marmelade füllen. Die Spitze der Spritze in die helle Mittelnaht der Krapfen stecken und Marmelade hineinspritzen.

- Wie Sie Gebäck jeder Art in die beliebtesten Formen bringen können, finden Sie in dem Kapitel über spezielle Arbeitsanleitungen. Unabhängig von der Teigart zeigen wir Ihnen dort, wie man Zöpfe, Hörnchen, Halbmonde und Figuren formt.

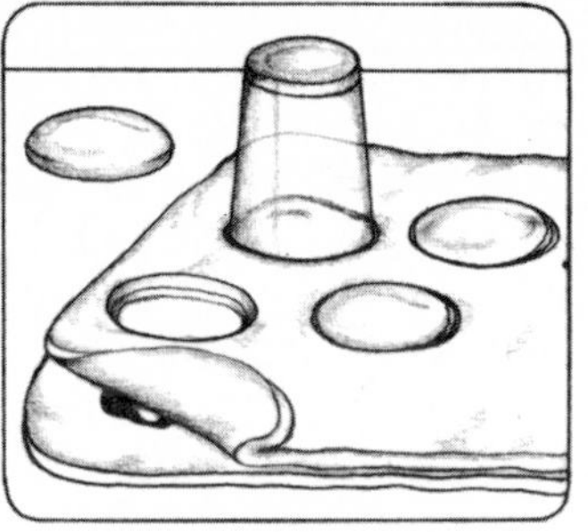

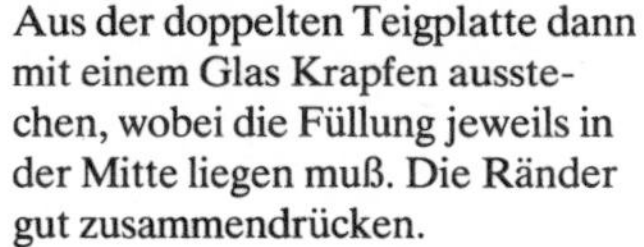

Aus der doppelten Teigplatte dann mit einem Glas Krapfen ausstechen, wobei die Füllung jeweils in der Mitte liegen muß. Die Ränder gut zusammendrücken.

Nach Methode 2 formen Sie ungefüllte Teigkugeln, drücken sie etwas flach und fritieren sie. Danach werden die Krapfen mit der Gebäckspritze gefüllt.

- Wenn Sie Hefeteig nicht mit der Hand schlagen wollen und deshalb das elektrische Handrührgerät oder die Küchenmaschine benützen möchten, so beginnen Sie in jedem Fall mit dem Ansetzen des Hefevorteigs wie in den Grundrezepten beschrieben. Verteilen Sie die angegebenen Zutaten nach dem Gehen des Hefevorteigs auf dem Mehlrand, und verrühren Sie dann den Hefeteig von innen nach außen mit dem gesamten Mehl und den restlichen Zutaten. Hierfür verwenden Sie die Knethaken des Elektrogeräts bei Schaltstufe 1–2. Allerdings, so versichert Christian Teubner, ist die Qualität eines nach dieser Methode bereiteten Hefegebäcks auch nicht annähernd mit der von Gebäck aus handgeschlagenem Hefeteig zu vergleichen.

Der Rührteig

Kritische Leute behaupten, letztlich würden die Zutaten für fast jeden Teig durch Rühren gemischt. Das stimmt jedoch nur bedingt. Auch wenn beispielsweise Hefeteig oder Biskuitteig in bestimmten Phasen ihrer Herstellung gerührt werden, so erhält der Hefeteig seine besondere Konsistenz doch durch kräftiges Schlagen, der Biskuitteig durch das Unterheben aller Zutaten. Beim Rührteig dagegen müssen sich alle Zutaten durch langes, gleichmäßiges Rühren zu einer zähflüssigen, homogenen Masse verbinden. Der Name hat also durchaus seine Berechtigung.

In alten Backrezepten können Sie lesen: Butter, Zucker und Eier mindestens 30 Minuten – manchmal sogar 60 Minuten – rühren, und zwar nur in einer Richtung!

Wir schaffen es heute schneller, denn der Zucker ist nicht mehr so grobkörnig wie der damalige Haushaltszucker, der billiger als der feine Tafelzucker war und deshalb zum Backen verwendet wurde. Von Hand, mit Schneebesen und Rührlöffel, muß ein Rührteig insgesamt 15–20 Minuten gerührt werden, mit dem elektrischen Handrührgerät oder mit der Küchenmaschine schafft man es in 5 Minuten.

Die Grundbestandteile eines Rührteigs sind Fett (Butter oder Margarine), Zucker, Eier und Mehl, das häufig mit einem Anteil von Speisestärke gemischt wird. Selbstverständlich genügen für ein feineres Rührkuchenrezept diese wenigen Grundbestandteile nicht. Es kommen je nach Rezept weitere Zutaten hinzu.

Rührkuchen mit Backpulver

Ist die Mehlmenge bei Rührkuchen im Verhältnis zu Fett und Zucker groß und entspricht etwa dem Gewicht von Fett und Zucker zusammen, so wird dem Teig Backpulver als Triebmittel zugegeben.

Beispiel für die Zutaten:

250 g Butter oder Margarine
250 g Zucker
4 Eier
$^{1}/_{16}$ l Milch
1 Päckchen Vanillinzucker
1 Prise Salz
300 g Mehl
200 g Speisestärke
1 Päckchen Backpulver

Der Arbeitsablauf:

- Alle benötigten Zutaten für den Kuchen bereitstellen, feste Bestandteile exakt abwiegen, die Flüssigkeit abmessen oder ebenfalls wiegen. Das Mehl grundsätzlich vor dem Verwenden sieben, um Schmutzteilchen oder Klümpchen zurückzuhalten; gegebenenfalls das Mehl mit der Speisestärke und dem Backpulver sieben, damit sich alle Bestandteile gut miteinander mischen.
- Butter oder Margarine, Eier und Milch müssen rechtzeitig aus dem Kühlschrank genommen werden, damit sie vor Backbeginn Raumtemperatur annehmen. Zu kalte Zutaten können nämlich bewirken, daß der Teig gerinnt. Er sieht dann grießartig aus.
- Butter oder Margarine sollen vor dem Verarbeiten geschmeidig sein. Dies wird rascher erreicht, wenn das kalte Fett kleingeschnitten in die Rührschüssel kommt.
- Wird im Rezept steifer Eischnee verlangt, so trennt man die eben aus dem Kühlschrank genommenen Eier gleich in Eigelb und Eiweiß. Dabei von jedem Ei zunächst Eiweiß und Eigelb gesondert in Tassen geben, damit schlechte oder gar faule Eier sofort entfernt werden können und nicht die gesamte Eimasse verderben. Die Eigelbe nehmen dann rasch Raumtemperatur an. Die Eiweiße am besten sofort schlagen und den Eischnee in den Kühlschrank stellen, bis er gebraucht wird.
- Während die kalten Zutaten Raumtemperatur annehmen, kann man die Backform nach Anweisung im Rezept ausfetten, mit Mehl oder Semmelbröseln ausstreuen oder mit Papier auslegen. Außerdem stellt man alle benötigten Backgeräte bereit. So wird die Wartezeit gut genutzt.
- Sie können außerdem weitere Zutaten schon vorbereiten: Zitronen- oder Orangenschale abreiben, Zitronen- oder Orangensaft auspressen, Orangeat, Zitronat oder Nüsse fein wiegen oder reiben, Rosinen waschen, trockenreiben und in Mehl wenden.
- Den Backofen auf die im Rezept vorgeschriebene Temperatur – 180–190 ° – vorheizen und den Gitterrost auf die entsprechende Schiebeleiste legen.

Der Rührteig

● Den Zucker zum geschmeidigen Fett in die Rührschüssel schütten und mit dem Rührlöffel oder mit den Rührbesen des elektrischen Handrührgeräts oder der Küchenmaschine cremig rühren. Unter diese Creme werden nacheinander die ganzen Eier oder die Eigelbe – je nach Rezept – gerührt. Das nächste Ei oder Eigelb immer erst dann zugeben, wenn das vorige völlig mit dem Teig gemischt ist.

● Werden die Eier im Ganzen zugegeben oder sind die Eier einmal zu kalt, so kann die Fett-Zucker-Masse gerinnen. Die Zugabe von 1 Eßlöffel Mehl zu jedem Ei hilft dies verhindern. Gerinnt der Teig trotzdem und bekommt eine grießartige Konsistenz, so stellt man die Rührschüssel in ein warmes Wasserbad und rührt weiter. Das Fett wird in der Wärme weicher und verbindet sich leichter mit den Eiern zu einer cremigen, homogenen Masse.

● Sieht das Rezept, wie in unserem Fall, zusätzlich zu den Eiern eine Flüssigkeit vor, so rührt man sie nach den Eiern, ebenfalls unter Zugabe von 1 Eßlöffel Mehl, unter den Teig. Sollte der Teig dabei gerinnen, so hilft wiederum das Wasserbad-Verfahren.

● Je nach Rezept werden nun die würzenden Zutaten wie Vanillinzucker, Salz, abgeriebene Zitronenschale, Vanille, Rum oder anderes unter den Teig gemischt.

● Eischnee wird mit dem Schneebesen, mit den Rührbesen des Handrührgeräts oder der Küchenmaschine steif geschlagen und mit der Hälfte der Zuckermenge gemischt: Den Eischnee schlagen, bis er weich und flaumig ist, dann den Zucker – möglichst von einem gefalteten Pergamentpapier – langsam einrieseln lassen und gut unter den Eischnee rühren. Der Eischnee muß zuletzt so steif sein, daß der Schnitt eines Messers darin sichtbar bleibt. Den Eischnee bergartig auf den Teig füllen und mit einem Rührlöffel – keinesfalls mit dem elektrischen Rührgerät! – unter den Teig heben. (Das Rührgerät würde die Luftbläschen des Eischnees zerstören, und damit wäre der Lockerungseffekt dahin.)

● Als letzte Zutat wird beim Rührteig immer das Mehl zugegeben, je nach Rezept mit der Speisestärke und dem Backpulver gemischt und gesiebt. Bei Rührteig ohne Eischnee können Sie für diesen Arbeitsvorgang außer dem Rührlöffel auch die Knethaken des Handrührgeräts oder der Küchenmaschine bei niedrigen Touren benutzen. Bei Rührteig mit Eischnee darf das Mehlgemisch nur von Hand unter den Teig gezogen, aber ja nicht gerührt werden!

● Sind für den Kuchen Trockenfrüchte vorgesehen (Rosinen, Orangeat, Zitronat, Nüsse), so werden sie mit dem Mehl gemischt und unter den Teig gezogen. Dadurch wird vermieden, daß die Früchte beim Backen auf den Boden des Kuchens sinken.

● Den Teig in die vorbereitete Backform füllen, die Rührschüssel mit dem Teigschaber gründlich leeren und die Oberfläche des Teigs glattstreichen.

● Den Kuchen in den vorgeheizten Backofen schieben. Während der ersten 15–20 Minuten den Backofen nicht öffnen (ausgenommen im Rezept ist eine anderslautende Anweisung gegeben). Nach etwa ²/₃ der angegebenen Backzeit nachsehen, ob die Oberfläche des Kuchens zu rasch bräunt. Ist dies der Fall, ein doppeltgefaltetes Stück Pergamentpapier auf den Kuchen legen; so kann die Oberfläche nur noch geringfügig weiterbräunen.

● Gegen Ende der angegebenen Backzeit mit Hilfe der Stäbchenprobe (→ Seite 298) prüfen, ob der Kuchen ganz durchgebacken ist; gegebenenfalls noch einige Minuten nachbacken.

● Ist der Kuchen zwar gut durchgebacken, aber an der Oberfläche noch zu hell, die Temperatur des Backofens um 20 ° höherstellen, den Kuchen auf dem Gitterrost um eine Schiebeleiste höher einschieben und weitere 5–10 Minuten backen; dabei aber wiederholt prüfen, ob die Oberfläche nicht zu stark bräunt.

● Den Kuchen aus dem Backofen nehmen und etwa 10 Minuten in der Form abkühlen lassen, dann auf ein Kuchengitter stürzen und völlig erkalten lassen.

● Den Kuchen erkaltet oder noch warm, je nach Rezeptvorschrift, mit Puderzucker besieben, mit einer Glasur überziehen oder mit anderen Zutaten verzieren.

Rührkuchen ohne Backpulver

Auf Backpulver kann verzichtet werden, wenn die Fett- und Zuckermengen zusammen im Verhältnis zur Mehlmenge groß sind. Hier genügt dann die Triebkraft der Eier in Verbindung mit Fett und Zucker.

Beispiel für die Zutaten:

200 g Butter oder Margarine
180 g Zucker
4 Eier
300 g Mehl
Je nach Rezept gehören noch würzende Zutaten und etwas Flüssigkeit zum Teig.

<u>Der Arbeitsablauf:</u>

● Der Arbeitsablauf entspricht vollkommen dem für einen Rührkuchen mit Backpulver. Kleine Abwandlung: Die Eier werden hier stets in Eigelb und Eiweiß getrennt und die Eiweiße als steifer Schnee unter den Teig gehoben.

Rührteig für Obstkuchenboden

Soll der Rührteig nur einen flachen Boden für Obstkuchen ergeben, werden selbstverständlich geringere Mengen benötigt. Wiederum kann die Zusammensetzung des Teigs von Rezept zu Rezept variieren. Grundsätzlich gelten aber die gleichen Regeln wie für den Rührkuchen mit Backpulver.

Beispiel für die Zutaten:

75 g Butter oder Margarine
75 g Zucker
2 Eier
150 g Mehl
1 gestrichener Teel. Backpulver

<u>Der Arbeitsablauf:</u>

● Das Fett und die Eier 1–2 Stunden vor Backbeginn aus dem Kühlschrank nehmen, damit sie Raumtemperatur annehmen.

● Die Butter oder Margarine in Flöckchen in die Rührschüssel geben und mit dem Rührlöffel oder mit den Rührbesen des elektrischen Handrührgeräts oder der Küchenmaschine cremig rühren. Den Zucker langsam einrieseln lassen und gut mit dem Fett verrühren.

- Die Eier nacheinander in eine Tasse schlagen und dann einzeln unter den Teig rühren. Das nächste Ei erst zugeben, wenn das vorhergehende völlig verrührt ist. Den Teig so lange rühren, bis eine weißliche Schaummasse entstanden ist.
- Das Mehl mit dem Backpulver sieben und portionsweise unter den Teig rühren.
- Eine Obstkuchenform oder eine Springform mit Butter oder Margarine ausstreichen und mit Mehl ausstreuen. Den Teig in die Form füllen und die Oberfläche glattstreichen.
- Den Backofen auf 200 ° vorheizen und den Kuchenboden 20 Minuten auf der mittleren Schiebeleiste backen.
- Das Obst waschen, entkernen und in Stücke der gewünschten Größe schneiden. Obstsorten, die sich rasch dunkel verfärben, mit Zitronensaft beträufeln und zugedeckt aufbewahren.
- Den fertiggebackenen Kuchenboden etwa 10 Minuten in der Form abkühlen lassen, dann zum völligen Erkalten auf ein Kuchengitter legen.
- Den Kuchenboden mit 1–2 Eßlöffeln beliebiger Marmelade oder auch mit Pudding bestreichen und darauf das Obst verteilen. Saures oder mit Zitronensaft beträufeltes Obst mit etwas Zucker bestreuen. Nach Belieben Mandelblättchen oder Mandelstifte aufstreuen oder den Belag mit Tortenguß aus dem Päckchen überziehen.
- Wird der Obstkuchen auf die beschriebene Weise zubereitet, bleibt der Kuchenboden locker und trocken. Wird das Obst dagegen auf dem Kuchenboden mitgebacken, wird dieser besonders saftig.

Sandkuchen aus Rührteig

Beispiel für die Zutaten:

9 Eier
450 g Zucker
250 g Speisestärke
1 gestrichener Teel. Backpulver
300 g Mehl
abgeriebene Schale von 1/2 Zitrone
1 gestrichener Teel. Vanillinzucker
500 g Butter

Der Arbeitsablauf:

- Alle Zutaten 1–2 Stunden vor Backbeginn aus dem Kühlschrank holen, damit sie Raumtemperatur annehmen. Alle benötigten Backgeräte und Zutaten bereitstellen, feste Bestandteile exakt abwiegen oder abmessen. Das Mehl sieben, um Klümpchenbildung zu vermeiden.
- 3 Eier in Eigelbe und Eiweiße trennen. Die Eigelbe mit den übrigen 6 Eiern und 400 g Zucker mit dem Rührlöffel oder den Rührbesen des elektrischen Handrührgeräts oder der Küchenmaschine zu einer flaumigen Masse verrühren.
- Die Eiweiße mit dem Schneebesen oder den Rührbesen des elektrischen Handrührgeräts oder der Küchenmaschine schlagen, bis eine weiche, flaumige Masse entstanden ist. Nach und nach unter Rühren den restlichen Zucker einrieseln lassen. Weiterrühren, bis der Eischnee steif ist. Den Eischnee bergartig auf die Eigelbmasse geben und mit dem Rührlöffel – keinesfalls mit dem elektrischen Rührgerät! – unterheben.
- Die Speisestärke mit dem Backpulver und dem Mehl sieben und mit der Zitronenschale und dem Vanillinzucker unter die Ei-Zucker-Masse ziehen.
- Die Butter schmelzen lassen und warm – jedoch nicht heiß – unter den Teig rühren.
- Eine Sandkuchenform mit Butter ausstreichen und mit Semmelbröseln ausstreuen. Den Teig in die vorbereitete Form füllen und die Oberfläche glattstreichen. Den Backofen auf 180–190 ° vorheizen. Den Sandkuchen auf der untersten Schiebeleiste 50–60 Minuten backen.
- Nach Ende der angegebenen Backzeit durch die Stäbchenprobe (→ Seite 298) prüfen, ob der Kuchen durch und durch gar ist; gegebenenfalls einige Minuten nachbacken.
- Den Kuchen aus dem Backofen nehmen und in der Form 10–15 Minuten abkühlen lassen. Den Kuchen dann auf das Kuchengitter stürzen, vorsichtig umdrehen und völlig erkalten lassen.
- Den Kuchen je nach Rezept mit Puderzucker besieben, mit Glasur überziehen oder anderweitig verzieren.

Unsere Tips

- Rührteig darf niemals dünnflüssig sein, aber auch nicht zu fest. Er hat die richtige Konsistenz, wenn er zähflüssig, »reißend«, vom Löffel fällt.
- Wenn das gesamte Mehl gut mit dem Teig verrührt ist, mit dem Rühren aufhören. Der Teig wird sonst »überrührt« und ist dann zäh.
- Will man aus hellem und dunkel gefärbtem Rührteig einen Marmorkuchen backen, so verrührt man die Hälfte des Teigs je nach Vorschrift im Rezept mit Kakaopulver und zusätzlich etwas Zucker. Zuerst den hellen in die Backform füllen und den dunklen Teig daraufgeben. Mit einer Gabel oder mit dem Stiel eines Rührlöffels beide Teigarten spiralförmig durcheinanderziehen.
- Einen abgekühlten Rührkuchen können Sie wie einen Tortenboden ein- bis zweimal quer durchschneiden und mit Creme füllen (zum Beispiel Frankfurter Kranz Rezept Seite 255).
- Sie können den Rührkuchen auch in einer Springform backen und auf den ungebackenen Teig entsteinte Kirschen, Stachelbeeren, Apfelscheibchen, Rhabarberstücke oder anderes Obst legen. Das Obst sinkt während des Backens in den Teig ein. Sie erhalten auf diese Weise einen »versunkenen« Obstkuchen.

Der Blätterteig

Der Blätterteig

Es macht schon etwas Mühe, diesen vielseitig verwendbaren Teig selbst herzustellen. Wer aber aus Liebe zur Backkunst Zeit und Arbeit nicht scheut und seinen Blätterteig selbst – und natürlich nur mit Butter – bereitet, kann dafür stolz ein besonders zartes und delikates Gebäck servieren. Um das Gelingen braucht man sich keine Sorgen zu machen. Werden die einzelnen Arbeitsvorgänge der Grundrezepte genau befolgt, kann nichts schiefgehen; man muß nur genügend Geduld aufbringen.
Die Grundbestandteile des Blätterteigs sind Mehl, Wasser und Fett (Butter, allenfalls auch Margarine). Die blättrige, feine Struktur entsteht, weil zwei Teige, ein Butterteig und ein Mehl-Wasser-Teig, zusammen verarbeitet werden. Beim Backen sorgt dann das Fett dafür, daß der Teig aufgeht, »blättert«. Zwischen den einzelnen Arbeitsgängen muß der Teig immer gekühlt ruhen. Viele Hausfrauen haben aber einfach nicht die Zeit, selbst Blätterteig herzustellen. Sie müssen trotzdem nicht auf das herrliche Gebäck verzichten: Es gibt ausgezeichneten tiefgefrorenen Blätterteig, den man nur noch weiterzuverarbeiten braucht.

Tiefgefrorener Blätterteig

Tiefgefrorenen Blätterteig gibt es in Paketen zu 300 g. Der Inhalt besteht entweder aus einzelnen Teigblättern oder aus einem Teigblock. Tiefgefrorener Blätterteig muß vor dem Verarbeiten aus der Verpackung genommen werden und bei Raumtemperatur auftauen. Man legt dazu die einzelnen Teigblätter nebeneinander. Sie tauen in etwa 20 Minuten auf. Teigblöcke benötigen zum Auftauen 1–2 Stunden. Aufgetauter Blätterteig wird anschließend wie selbstbereiteter verarbeitet.

Selbstbereiteter Blätterteig

Für das Herstellen von Blätterteig gibt es verschiedene Methoden. Die bekanntesten sind die deutsche und die französische, daneben gibt es aber noch zahlreiche Kombinationen. Welche Methode auch angewendet wird: Grundsätzlich kommt es darauf an, die Butter beziehungsweise das verwendete Fett nicht mit dem Teig zu verkneten, sondern in hauchdünnen Schichten zwischen den Grundteig zu wirken, damit es beim Backen als Triebmittel die vielen Teigschichten blättrig voneinander trennen kann. Im Privathaushalt wird man am besten nach der deutschen Methode arbeiten. Für die französische Methode wäre beispielsweise eine kühle Marmorplatte nötig, um den Erfolg zu gewährleisten.
Hier das von uns erprobte Grundrezept für Blätterteig nach der deutschen Methode:

Beispiel für die Zutaten:

500 g Mehl
1/8 l Wasser
1/2 Teel. Salz
550 g Butter
100 g Mehl

Der Arbeitsablauf:

- Das Mehl auf ein Backbrett sieben und eine Mulde in die Mitte drücken. Das Wasser und das Salz hineingeben und mit den Händen sehr rasch von innen nach außen Wasser und Mehl zu einem festen Teig mit glänzender, glatter Oberfläche verkneten.
- Den Teig zu einem Ballen formen und diesen an der Oberfläche kreuzweise einschneiden; durch die Einschnitte kann sich der Teig während der Ruhezeit gut entspannen. Den Teig zugedeckt 15 Minuten im Kühlschrank ruhen lassen.
- Die möglichst kalte Butter mit kühlen Händen (mehrmals in kaltes Wasser tauchen) mit dem gesiebten Mehl verkneten, ebenfalls zu einem Ballen formen und zugedeckt für 15–20 Minuten in den Kühlschrank stellen.
- Den Mehl-Wasser-Teig auf einer schwach bemehlten Platte zu einem 30×50 cm großen Rechteck ausrollen.
- Den Butter-Mehl-Teig auf Pergamentpapier zu einer Größe von 22×25 cm ausrollen.
- Diesen Butterblock auf die linke Seite des größeren Teigblatts legen und die Ränder rundherum mit Wasser bestreichen.
- Den freien Teil des Teigs über den Butterblock klappen und die Ränder gut zusammendrücken.

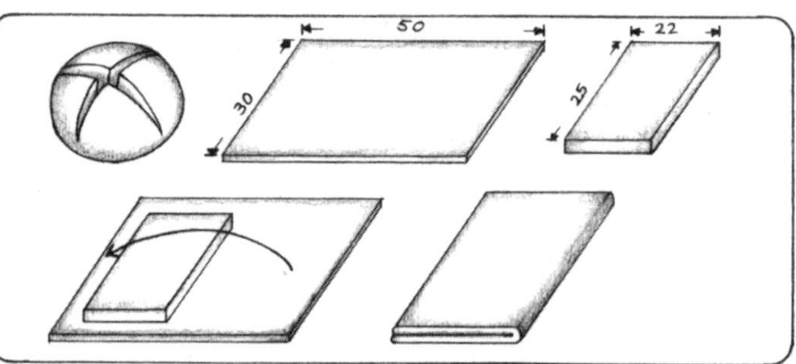

Für Blätterteig zunächst den zum Ballen geformten Wasser-Mehl-Teig einschneiden und kühl lagern. Danach zu einer Größe von 30 × 50 cm ausrollen. Den Butter-Mehl-Teig 22 × 25 cm groß ausrollen, auf die linke Hälfte des großen Teigblatts legen, dieses übereinanderschlagen und die Ränder zusammendrücken.

- Das Teigblatt nun abwechselnd von unten nach oben und von links nach rechts ausrollen, bis ein Rechteck von 30×60 cm Größe entstanden ist.
- 20 cm der linken Teighälfte zur Mitte hin umklappen und die 20 cm der rechten Hälfte darüberschlagen. Dieses Formen nennt der Fachmann eine einfache Tour. Den so zusammengeschlagenen Teig locker in Pergamentpapier einwickeln und 15–20 Minuten im Kühlschrank ruhen lassen.
- Nach der Ruhezeit den Teig wieder zu einer Platte von 30×60 cm ausrollen; dabei stets von unten nach oben und von links nach rechts rollen. Von dieser Teigplatte den linken und den rechten äußeren Teil 15 cm nach innen schlagen, so daß sich die zusammengeschlagenen Teigenden fast in der Mitte berühren. Den Teig dann noch einmal falten. Dieses Zusammenschlagen nennt der Fachmann die doppelte Tour. Den Teig wiederum locker in Pergamentpapier einwickeln und 15–20 Minuten im Kühlschrank ruhen lassen.
- Den Teig danach wiederum von unten nach oben und von links nach rechts zu einer Platte von 30×60 cm ausrollen. Den

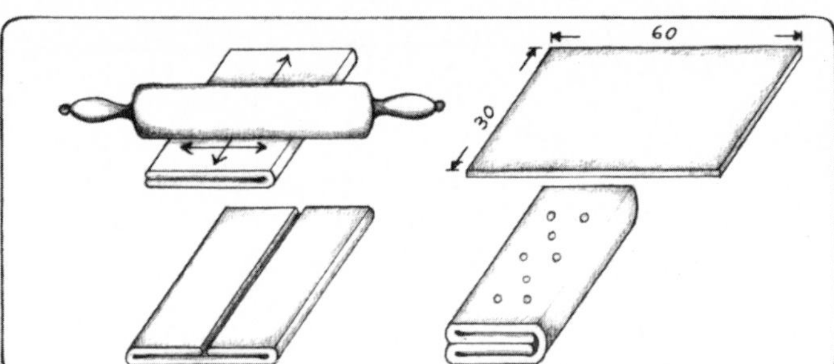

Den zusammengeschlagenen Teig von unten nach oben und von links nach rechts zu einer Größe von 30 × 60 cm ausrollen. Für die doppelte Tour die Außenkanten 15 cm nach innen schlagen und nochmals falten. Für jede einfache Tour ein Loch in den Teig drücken, für jede doppelte zwei. Dann wissen Sie immer, wie weit Sie mit dem Teig sind.

Teig in der einfachen Tour zusammenschlagen und im Kühlschrank ruhen lassen. Den Teig danach erneut ausrollen, in der doppelten Tour zusammenschlagen und im Kühlschrank ruhen lassen.

- Nach der letzten doppelten Tour hat der Teig ein Format von 15 × 30 cm. Den Teig auf einer schwach bemehlten Arbeitsfläche nun nach den Angaben im Rezept ausrollen, die gewünschten Formen zurechtschneiden oder ausstechen. Gegebenenfalls formt man den Teig auch mit der Hand.
- Ein Backblech oder die benötigten Backformen mit kaltem Wasser ab- und ausspülen, die Teigstücke darauf- oder hineinlegen und mindestens 15 Minuten möglichst kalt lagern (ideal wäre eine Lagerung im Kühlschrank). Das kalte Abspülen des Backblechs oder der Backformen dient beim Backen der Dampfentwicklung. Der Fachmann nennt dies »Schwaden geben«.
- Den Blätterteig bei einer Temperatur wie im Rezept angegeben, mindestens aber bei 220 ° backen. Blätterteig verträgt starke Hitze, da er keinen Zucker enthält und deshalb langsam bräunt.
- Das Blätterteiggebäck ohne Ruhepause vom Blech nehmen oder aus der Form stürzen und wie im einzelnen Rezept vorgesehen weiterverarbeiten.

Unsere Tips

- Blätterteig stets auf einer nur leicht bemehlten Arbeitsfläche ausrollen. Wichtig beim Ausrollen: Den Teig niemals nur in einer Richtung rollen, sondern stets in zwei Richtungen, nämlich von unten nach oben und von links nach rechts. Wird Blätterteig nur in einer Richtung ausgerollt, so schrumpft er beim Backen ebenfalls nur an einer Seite zusammen.
- Blätterteig mit einem sehr scharfen Teigrädchen schneiden oder mit einem dünnen, scharfen Messer. Sind Teigrädchen oder Messer nicht scharf genug, werden die Teigschichten gedrückt statt geschnitten; die Ränder kleben dann leicht aneinander und können beim Backen nicht gleichmäßig aufgehen.
- Wenn Sie Blätterteig mit Eigelb bestreichen, so sparen Sie die Schnittkanten so sorgfältig wie möglich aus, da der Teig an den Kanten sonst zusammenklebt und das luftige Aufgehen verhindert wird; unter Umständen gerät das Gebäck dadurch schief.
- Blätterteigreste können übereinandergelegt, locker zusammengedrückt und nochmals ausgerollt werden. Sie gehen allerdings nicht so stark auf, eignen sich aber gut für kleine Plätzchen oder Streifen, mit denen man das Gebäck verziert. Sie werden mit Eigelb auf das größere Gebäck gesetzt.
- Wird Blätterteig zum Auslegen von Förmchen oder von einer Springform verwendet, so sollte der Teig erst in Streifen oder Stücke geschnitten, locker zusammengedrückt und dann ausgerollt werden. Er wird dadurch zwar nicht so blättrig und leicht, ist aber stabiler und fällt nicht so schnell zusammen, wenn eine Füllung oder Obst daraufkommt.
- Blätterteig stets auf ein mit kaltem Wasser abgespültes Backblech legen (Förmchen oder eine Springform entsprechend behandeln) und vor dem Backen 15 Minuten ruhen lassen.
- Fertiggebackene Blätterteigstücke etwas abkühlen lassen und wie im Rezept vorgesehen entweder mit Glasur überziehen oder anderweitig verzieren.
- Blätterteig schmeckt frisch am besten. Er kann und darf sogar noch warm gegessen werden.
- Etwas abgelagertes Blätterteiggebäck kann man auch aufbaken; es wird dadurch wieder knusprig und frisch. Allerdings dürfen solche Gebäckstücke nicht mit einer Glasur überzogen sein, da sie beim Aufbacken verbrennen würde.
- Kleine Hilfe für die Touren: Damit Sie nicht vergessen, wieviele Touren der Teig schon hinter sich hat, können Sie in den zusammengeschlagenen Teig pro einfache Tour ein kleines Loch, pro doppelte Tour zwei kleine Löcher mit dem Finger drücken.

Blitzblätterteig

Wer Blätterteig schneller und einfacher selbst herstellen möchte, kann es mit dem Blitzblätterteig versuchen. Er ist allerdings nicht von derselben Qualität wie der klassische Blätterteig. Der Blitzblätterteig eignet sich vor allem für Böden, die für Törtchen, Torten und Kuchen bestimmt sind.

Beispiel für die Zutaten:

500 g Mehl
¼ l Wasser
½ Teel. Salz
400 g Butter

Der Arbeitsablauf:

- Das Mehl auf ein Backbrett sieben und in die Mitte eine Mulde drücken.
- Das Wasser hineingießen und das Salz hineinstreuen, die Butter in Würfeln auf dem Mehlrand verteilen.
- Mit möglichst kühlen Händen alle Zutaten rasch zu einem Teig zusammenwirken; die Butterwürfel bleiben dabei als Klümpchen erhalten, dürfen sich also nicht völlig mit dem Mehl verbinden.
- Den Teig zu einer Platte von 30 × 60 cm ausrollen, wie im klassischen Rezept für Blätterteig beschrieben, dreimal in doppelten Touren zusammenschlagen und nach jeder Tour 5–10 Minuten in den Kühlschrank legen. Den Blätterteig nach dem letzten Lagern im Kühlschrank wie im jeweiligen Rezept beschrieben verarbeiten, dabei alle Regeln beachten, die auch für den klassischen Blätterteig gelten.

Der Blätterteig

Falscher Blätterteig

Auch der falsche Blätterteig ist schneller zubereitet als der klassische. Er enthält weniger Fett, dafür aber Quark.

Beispiel für die Zutaten:

250 g Mehl
3 gestrichene Teel. Backpulver
250 g Quark
250 g Butter

Der Arbeitsablauf:

- Das Mehl mit dem Backpulver auf ein Backbrett sieben und in die Mitte eine Mulde drücken.
- Den Quark und die in Stücke geschnittene Butter in die Mulde geben. Quark und Butter mit wenig Mehl bedecken und mit kühlen Händen von innen nach außen alles zu einem glatten Teig verarbeiten.
- Den Teig auf einer schwach bemehlten Arbeitsfläche zu einem Rechteck von 30 × 60 cm ausrollen, zweimal in doppelten Touren zusammenschlagen und danach locker eingewickelt über Nacht im Kühlschrank ruhen lassen.
- Den Teig am nächsten Tag auf einer leicht bemehlten Arbeitsfläche zu einer Platte von 30 × 60 cm ausrollen und beliebiges Gebäck daraus formen. Beim Verarbeiten des falschen Blätterteiges ebenfalls die Grundregeln beachten, die für den klassischen Blätterteig gelten.

Typisches Gebäck aus Blätterteig

Schillerlocken, Schweinsöhrchen, Königin-Pastetchen oder ein großes Pastetenhaus sind typisches Blätterteiggebäck. Wir wollen Ihnen hier noch einige Tips für das Formen geben.

- Für Schillerlocken (Rezept Seite 83) wird der fertige Blätterteig zu einer Platte von 30 × 16 cm ausgerollt. Mit einem Teigrädchen acht Streifen von 2 cm Breite daraus schneiden.
- Für die Formen der Schillerlocken vier Kreise aus Alufolie von 30 cm ∅ schneiden. Die Kreise halbieren und jeden Kreis zu einer spitzen Tüte aufrollen. Die Tüten mit zerknüllter Alufolie füllen, damit sie stabiler sind.

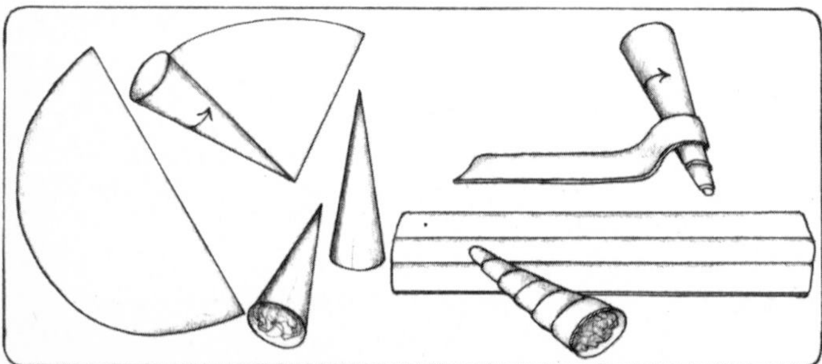

Aus Alufolie Halbkreise schneiden und daraus Formen für Schillerlocken drehen. Die Tüten mit zerknüllter Alufolie füllen, damit sie stabiler werden. Die Ränder der Teigstreifen mit Eigelb bestreichen und von der Spitze her um die Tüten legen, so daß die bestrichenen Ränder über den unbestrichenen liegen.

- Die Teigstreifen an einem Längsrand mit verquirltem Eigelb bestreichen und von der Spitze her so um die Tüten legen, daß die bestrichenen Ränder 1/2 cm über den unbestrichenen Rändern zu liegen kommen.
- Für Schweinsöhrchen (Rezept Seite 251) rollen Sie den fertigen Blätterteig auf einer mit Zucker bestreuten Arbeitsfläche zu einer Platte von 20 × 30 cm aus. Beide Längsseiten zur Mitte hin übereinanderschlagen.
- Das einmal gefaltete Teigblatt noch einmal übereinanderschlagen und von diesem Teigstück 1 cm breite Scheiben abschneiden. Diese dünnen, geschichteten Teigscheiben dehnen und runden sich beim Backen und ergeben die bekannte Form von Schweinsöhrchen.

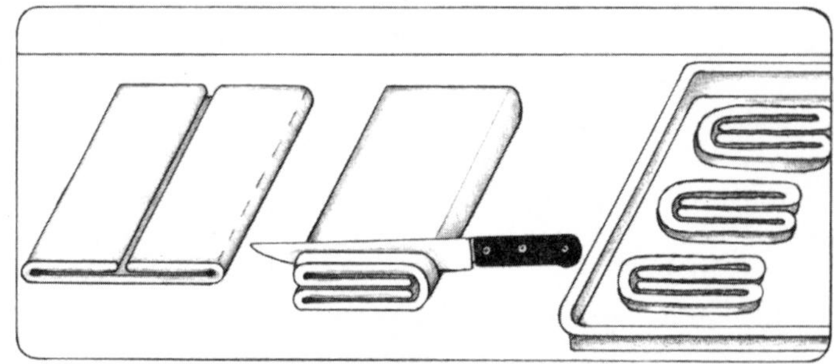

Den Blätterteig für Schweinsöhrchen 20 × 30 cm groß ausrollen, die Längsseiten zur Mitte hin zusammenschlagen, das Teigblatt nochmals falten und Teigscheiben davon abschneiden. Beim Backen gehen die Schweinsöhrchen zur bekannten Form auf.

- Für ein Pastetenhaus (Rezept Seite 140) wird zunächst eine Kugel aus Alufolie hergestellt, die man mit Osterwolle oder kleingerissenen Papierservietten füllt.
- Eine Platte aus Blätterteig von etwa 35 cm ∅ auf ein kalt abgespültes Backblech legen und darauf die Halbkugel aus Alufolie legen.
- Ein genügend großes Teigblatt von etwa 2 mm Dicke über die Alukugel legen.

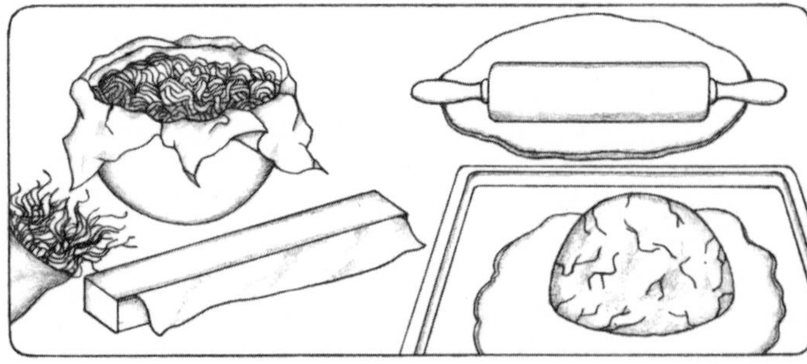

Für das Pastetenhaus zunächst eine Halbkugel aus Alufolie herstellen und mit Osterwolle oder Papierservietten füllen. Die Halbkugel auf ein Teigblatt legen und mit Teig umhüllen.

- Den Teigboden um die Halbkugel mit verquirltem Eigelb bestreichen und beide Teigränder gut zusammendrücken. Mit einem scharfen Teigrädchen aus Metall einen gleichmäßigen etwa 5 cm breiten Rand schneiden.

Den Teigboden um die Halbkugel mit verquirltem Eigelb bestreichen und beide Teigränder gut zusammendrücken. Mit dem Teigrädchen einen 5 cm breiten Rand am Boden um die Kugel schneiden.

Den Teigrand strahlenförmig einschneiden. Plätzchen mit Eigelb auf die Pastete kleben und das Pastetenhaus backen. Von der gebackenen, noch warmen Pastete einen Deckel abschneiden.

- Den Teigrand am Boden in Abständen von 2 cm strahlenförmig einschneiden. Ausgestochene Plätzchen mit Eigelb auf die Pastetenhalbkugel setzen.
- Die Pastete nach Vorschrift im Rezept backen. Solange die Pastete noch warm ist, einen Deckel von der Pastete abschneiden.
- Vorsichtig die Osterwolle aus der Aluhülle holen und zuletzt die Alufolie selbst aus der Pastete ziehen.
- Für Königin-Pastetchen (Rezept Seite 141) wird der fertige Blätterteig zu einer Platte von 16×24 cm ausgerollt. Aus dieser verhältnismäßig dicken Teigplatte mit scharfen Ausstechern sechs Ringe von 7,5 cm Außendurchmesser und 4 cm Innendurchmesser ausstechen. Die Teigreste kurz zusammendrücken, dünn ausrollen und davon sechs Böden von 7,5 cm Durchmesser sowie zusätzlich sechs Plätzchen von 5 cm Durchmesser als Deckel ausstechen. Die Ringe an einer Seite mit verquirltem Eigelb bestreichen und mit der bestrichenen Seite auf die Böden setzen. Die Oberseite der Ringe ebenfalls mit Eigelb bestreichen. Darauf achten, daß die Ränder vom Eigelb frei bleiben.
- Die Pastetchen auf ein kalt abgespültes Backblech setzen, aus Alufolie kleine Rollen formen und diese in die Öffnungen der Ringe stecken. Die Aluröhrchen verhindern, daß die Pastetchen beim Backen nicht gleichmäßig nach oben aufgehen.

Vorsichtig die Osterwolle und die Alufolie aus der Pastete holen und die Pastete nach Belieben füllen.

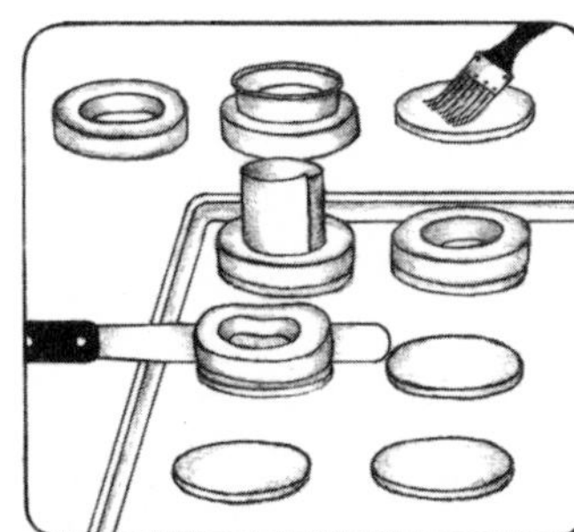

Für Königin-Pastetchen Böden, Ringe und Deckel ausstechen. Die Ringe auf die Böden setzen und Röhrchen aus Alufolie hineinstekken, damit sie beim Backen gerade hochgehen.

Plunderteig

Die Arbeitsweise für Plunderteig entspricht der für Blätterteig. Der Teig wird in drei bis vier einfachen Touren zusammengeschlagen und dazwischen jeweils 15 Minuten in den Kühlschrank gelegt. Soll das Gebäck besonders feinblättrig ausfallen, bearbeitet man den Teig mit mindestens vier Touren, soll das Gebäck jedoch hoch aufgehen, läßt man es bei zwei bis drei Touren bewenden. Alle Feinheiten, die bei der Bearbeitung von Blätterteig zu beachten sind, müssen auch beim Plunderteig berücksichtigt werden. Im Gegensatz zu Blätterteig wird Plunderteig aber auf der Basis von leichtem Hefeteig hergestellt. Da Blätterteig und Plunderteig möglichst kühl bearbeitet werden sollen, bietet sich für das Bereiten des Hefeteigs, der als Grundlage für Plunderteig dienen soll, die kalte Führung an. Reicht jedoch die Zeit nicht für die 8–12stündige kalte Lagerung des Hefeteigs, stellt man den Hefeteig mit warmer Führung her und verlängert die Ruhezeiten im Kühlschrank zwischen den einzelnen Touren um 5–10 Minuten.

Beispiel für die Zutaten:

500 g Mehl
30 g Hefe
1/4 l kalte Milch
50 g Butter
1 Ei
1 gestrichener Teel. Salz
200 g Butter
50 g Mehl
1 Eigelb

Der Arbeitsablauf:

- Das Mehl in eine Schüssel sieben.
- Die Hefe in der Milch auflösen. Die Butter zerlassen, aber nicht erhitzen, mit dem Eigelb und dem Salz verquirlen und dieses Gemisch zusammen mit der aufgelösten Hefe mit dem gesamten Mehl verkneten.
- Den Teig zu einem Ballen formen, locker in Pergamentpapier oder Alufolie wickeln und über Nacht – aber nicht länger als 12 Stunden – im Kühlschrank ruhen lassen.
- Die Butter mit dem Mehl mit möglichst kühlen Händen rasch auf einem Backbrett verkneten, zu einem Ballen formen und in Pergamentpapier eingewickelt etwa 15 Minuten im Kühlschrank ruhen lassen.

- Den Hefeteig auf einer schwach bemehlten Arbeitsfläche zu einer Platte von 20×25 cm ausrollen.
- Das Butter-Mehl-Gemisch zwischen Pergamentpapier zu einer Platte von 15×15 cm ausrollen.
- Die Butterplatte auf die linke Seite des Hefeteigs legen, die rechte Seite darüberklappen, die Ränder mit Wasser bestreichen und gut zusammendrücken (→ Zeichnung Seite 18).
- Den Teig nun mit dem Rollholz jeweils von unten nach oben und von links nach rechts zu einer Größe von 30×40 cm ausrollen. Den Teig von der Schmalseite her zu einer einfachen Tour übereinanderschlagen (→ Zeichnung Seite 19). Den Teig in Pergamentpapier wickeln und 15–20 Minuten im Kühlschrank ruhen lassen.
- Nach der Ruhezeit die einfache Tour insgesamt drei- bis viermal wiederholen und den Teig zuletzt auf einer schwach bemehlten Arbeitsfläche zu einer Größe von 25×40 cm ausrollen. Die Teigplatte für Hörnchen (Croissants) in langgezogene Dreiecke von 10×25×25 cm schneiden. Die Dreiecke von der Schmalseite zur Spitze hin aufrollen und zu Hörnchen formen.

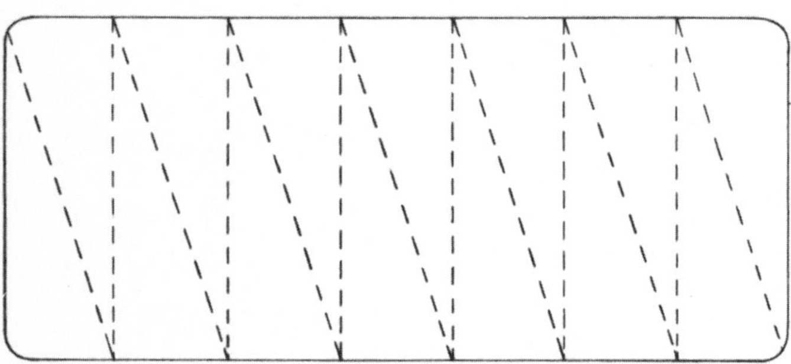

Für Croissants den Plunderteig 25 × 40 cm groß ausrollen und nach dem oben gezeichneten Schema zu Hörnchen mit 10 cm breiten Schmalseiten schneiden.

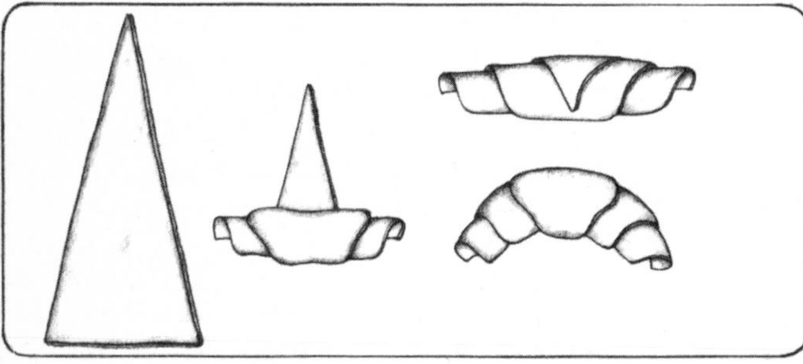

Die Dreiecke von der Schmalseite her aufrollen und zu Hörnchen biegen.

- Das Backblech braucht für Plunderteig nicht eingefettet zu werden, da der Teig genügend Fett enthält. Die Hörnchen mit genügend Abstand voneinander auf das Backblech legen; sie gehen beim Backen noch sehr auf. Die Hörnchen zugedeckt noch so lange gehen lassen, bis sich ihre Größe fast verdoppelt hat.
- Das Eigelb mit etwas Wasser verquirlen und die Hörnchen damit bestreichen.
- Den Backofen auf 230 ° vorheizen. Die Hörnchen auf der zweiten Schiebeleiste von unten 15–20 Minuten backen. Die Hörnchen sollen nach dem Backen knusprig hellbraun und aufgegangen sein. Die Hörnchen einige Minuten auf dem Backblech ruhen lassen, dann auf ein Kuchengitter zum Abkühlen legen.

Typisches Gebäck aus Plunderteig

Wie Plundergebäck auch mit einer Füllung zubereitet werden kann, ersehen Sie aus dem Rezept Orangen-Plunder Seite 90. Zum besseren Verständnis dieses Rezepts hier noch eine Erklärung für das Formen des Gebäcks:

- Nach der dritten Tour wird der Teig zu einer Platte von 40×50 cm ausgerollt. Die Teigplatte mit der im Rezept angegebenen Füllung bestreichen, dabei an den beiden Längsseiten einen 2 cm breiten Streifen freilassen. Diese beiden Streifen werden mit verquirltem Eigelb bestrichen.
- Die Teigplatte nun in der Mitte der Länge nach teilen, so daß zwei Streifen von 20×50 cm Größe entstehen.
- Beide Teigstreifen von der Mitte, also der randlosen Seite her, der Länge nach aufrollen.
- Die Rollen in 5 cm lange Stücke schneiden und jedes Stück in der Mitte mit einem Kochlöffelstiel eindrücken.

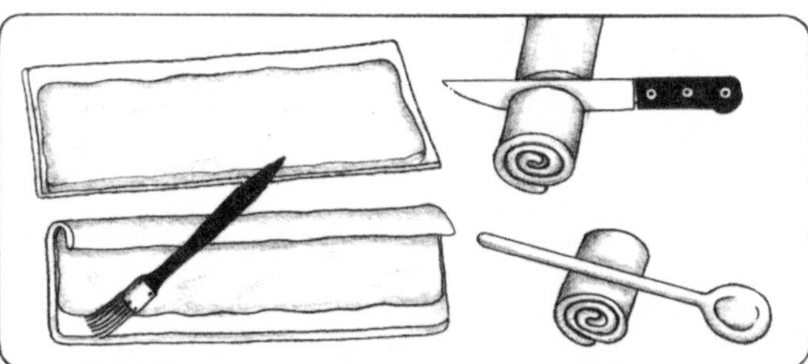

Für Orangen-Plunder die Füllung auf den Teig streichen, dabei die Ränder 2 cm breit frei lassen. Die Teigplatte längs halbieren und von der randlosen Seite her aufrollen. Von den Rollen 5 cm dicke Scheiben abschneiden und die Scheiben in der Mitte mit einem Kochlöffelstiel eindrücken.

- Das Gebäck auf ein ungefettetes Backblech legen und 15 Minuten gehen lassen. Den Backofen auf 220 ° vorheizen. Das Gebäck mit verquirltem Eigelb bestreichen und auf der zweiten Schiebeleiste von unten 15–20 Minuten backen.
- Den Orangen-Plunder einige Minuten auf dem Backblech ruhen lassen, dann auf ein Kuchengitter zum Abkühlen legen und, wie im Rezept vorgeschrieben, mit Glasur bestreichen.

Der Mürbeteig

Wer beim Bereiten von Mürbeteig die Grundregeln beachtet, kann sicher sein, daß das Ergebnis hervorragend ist. Mürbeteig ist leicht und schnell bereitet. Nur für die Ruhepause im Kühlschrank muß man eine längere Zeitspanne einkalkulieren. Obgleich Zucker ein wesentlicher Bestandteil des Teigs ist, läßt sich auch eine salzige Variante herstellen. Dadurch wird der Anwendungsbereich noch größer. Er reicht von herzhaften Pastetchen über zartes Käsegebäck, Böden für Obstkuchen und Torten bis zum raffinierten Kleingebäck und zu den Weihnachtsplätzchen. Und das Grundrezept für Mürbeteig ist so einfach, daß man dafür gar keine besondere Anleitung braucht. Die Formel heißt 1-2-3: Damit sind die Grundbestandteile für Mürbeteig gemeint, nämlich ein Teil Zucker, zwei Teile Fett und drei Teile Mehl. Je höher der Fettanteil gegenüber dem Mehlanteil, um so mürber gerät der Teig. Der Zucker – vor allem Puderzucker in Kleingebäck – sorgt dafür, daß das Gebäck besonders mürbe wird. Eier oder Flüssigkeitszugaben sind nicht notwendig, aber man kann beides zugeben. Sie dienen jedoch lediglich der Bindung und leichteren Verarbeitung. Mürbeteig wird immer ohne Backpulver bereitet.

Der süße Mürbeteig

Die Zutaten nach der erwähnten Formel 1-2-3:

100 g Zucker oder Puderzucker
200 g Butter oder Margarine
300 g Mehl

Der Arbeitsablauf:

- Alle benötigten Zutaten bereitstellen und exakt abwiegen. Das Fett für den Mürbeteig kann Kühlschranktemperatur haben und wird in kleine Flöckchen geschnitten. Das Mehl wird gesiebt, um Schmutzteilchen und Klümpchen zurückzuhalten.
- Da der Teig genügend Eigenfett enthält, ist es nicht nötig, Kuchenformen oder Backbleche für Mürbeteiggebäck einzufetten.
- Den Zucker mit der Butter oder Margarine verkneten, das Mehl darübersieben und alles möglichst schnell zu einem glatten Teig verkneten. Keinesfalls zu lange kneten, da der Teig sonst leicht bröckelig wird.
- Den fertigen Mürbeteig zu einer Kugel formen, in Pergamentpapier oder Alufolie einwickeln und 1–2 Stunden im Kühlschrank ruhen lassen. (Das Einwickeln ist ein unbedingtes Muß. Der Teig wird dadurch vor dem Austrocknen geschützt). Je höher der Fettanteil im Verhältnis zu den übrigen Zutaten ist, desto länger bemessen muß die Lagerzeit im Kühlschrank sein.
- Den Backofen auf die im jeweiligen Rezept angegebene Temperatur vorheizen – etwa auf 200 ° – und den Gitterrost auf die richtige Schiebeleiste legen.
- Nach der Kühlzeit den Mürbeteig formen oder ausrollen. In den meisten Fällen wird Mürbeteig ausgerollt. Dafür das Backbrett dünn mit Mehl bestäuben, den Teigballen darauflegen und mit dem Wellholz einmal kurz darüberrollen. Danach den Teig auch von oben mit wenig Mehl bestäuben. Zwischendurch mit der flachen Hand unter den Teig fahren, ihn anheben und wieder etwas Mehl auf das Backbrett stäuben. So fortfahren, bis der Teig die gewünschte Größe hat. Darauf achten, daß beim Ausrollen und Formen nicht zuviel Mehl unter den Mürbeteig gearbeitet wird.
- Wird Mürbeteig durch langes Verarbeiten wieder weich, so dürfen Sie keinesfalls Mehl zugeben. Das würde die Teigqualität beeinträchtigen. Den Teig vielmehr erneut für mindestens 30 Minuten in den Kühlschrank legen.
- Wird Kleingebäck aus dem Mürbeteig geformt oder soll eine größere Menge Teig verarbeitet werden, so teilt man den Teig in mehrere Portionen und nimmt nur den jeweils benötigten Teil aus dem Kühlschrank.
- Groß ausgerollte Mürbeteigflächen, die im Ganzen gebacken werden, lassen sich schlecht von der Arbeitsfläche zur Form oder zum Backblech transportieren. Teigplatten für eine runde Form deshalb einmal zusammen- und erst in der Form wieder auseinanderklappen. Größere Teigplatten mit Alufolie belegen, mit ihr zusammenrollen und auf dem Blech wieder auseinanderrollen.

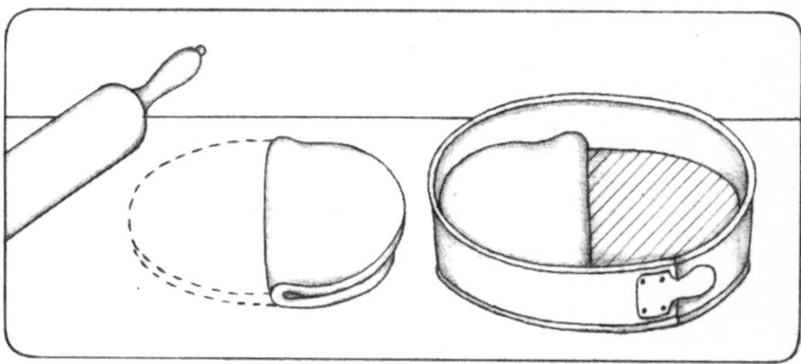

Runde Mürbeteigböden einmal zusammenklappen, in die Form legen und wieder auseinanderklappen.

- Großflächiges Mürbeteiggebäck oder Kuchen- und Tortenböden vor dem Backen mehrmals in kleinen Abständen mit einer Gabel einstechen, um Blasenbildung beim Backen zu vermeiden. Bilden sich während des Backens trotzdem Luftblasen, so können Sie die Blasen nach dem Backen ohne weiteres durch Einstiche beseitigen. Überstehenden Teig am Rand der Form entlang mit dem Messer abschneiden.
- Den Teig in den vorgeheizten Backofen, auf die entsprechende Schiebeleiste, schieben und backen.
- Die im Rezept angegebene Backzeit einhalten, den Teig gegen Ende der Backzeit jedoch prüfen. Maßgebend ist der Bräunungsgrad des Teigs.
- Frischgebackener Mürbeteig bricht leicht. Er soll daher immer einige Minuten abkühlen, ehe er vorsichtig aus der Form gestürzt oder mit einem breiten Messer oder Spatel vom Backblech gehoben wird. Keinesfalls darf Mürbeteig aber vollständig auf dem Backblech oder in der Backform erkalten, weil dann das ausgetretene Fett fest würde und die Gebäckstücke kleben blieben.
- Die Zutaten für Mürbeteig können auch noch nach einer anderen Methode verknetet werden: Das Mehl auf ein Backbrett sieben, in die Mitte eine Mulde drücken und den Zucker hineinschütten. Das Fett in Flöckchen auf dem Mehlrand verteilen und alle Zutaten rasch mit möglichst kühlen Händen zu einem glatten Teig verkneten.

Der Mürbeteig

Unsere Tips

● So problemlos die Herstellung von Mürbeteig auch ist, es gibt einen Punkt, der doch sehr beachtet werden muß. Wird besonders fettreicher Mürbeteig zu lange geknetet, kann er bröckelig werden; der Fachmann nennt dies „brandig". Bröckeliger Mürbeteig läßt sich aber sehr schlecht formen und nicht mehr ausrollen. Wenn Sie jedoch zuerst das Fett mit dem Zucker, eventuell auch mit dem Ei, vermengen und unter dieses Gemisch schnell das Mehl kneten, kann es Ihnen nicht so leicht passieren, daß der Teig bröckelig wird. Sollte es dennoch einmal geschehen, so geben Sie den Teig auf eine schwach bemehlte Arbeitsfläche und kneten sehr schnell 1–2 Eßlöffel Eiweiß unter den Teig. Der Teig wird danach nicht mehr ganz so mürbe, läßt sich aber wieder leicht verarbeiten.

● Die Knethaken des elektrischen Handrührgeräts oder der Küchenmaschine eignen sich zur Herstellung von Mürbeteig nicht besonders gut. Lediglich fettarmer Mürbeteig, der statt dessen einen hohen Anteil an Eiern oder an anderer Flüssigkeit hat, kann mit dem Knethaken hergestellt werden; das Ergebnis ist allerdings nicht mit einem von Hand gekneteten Mürbeteig zu vergleichen.

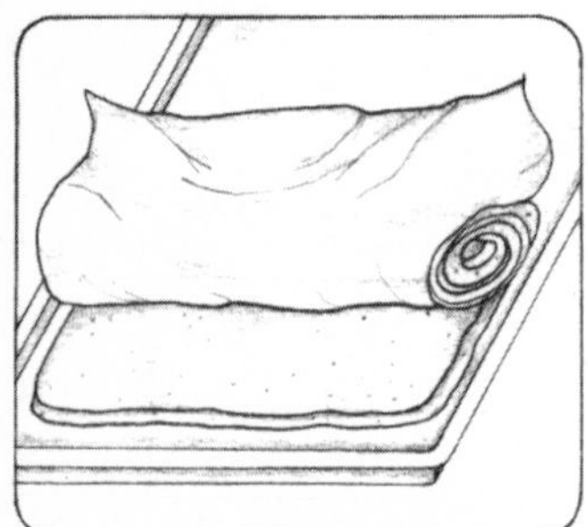

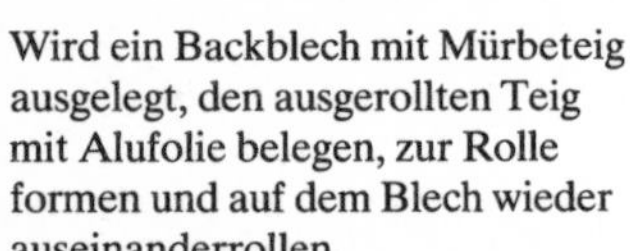

Wird ein Backblech mit Mürbeteig ausgelegt, den ausgerollten Teig mit Alufolie belegen, zur Rolle formen und auf dem Blech wieder auseinanderrollen.

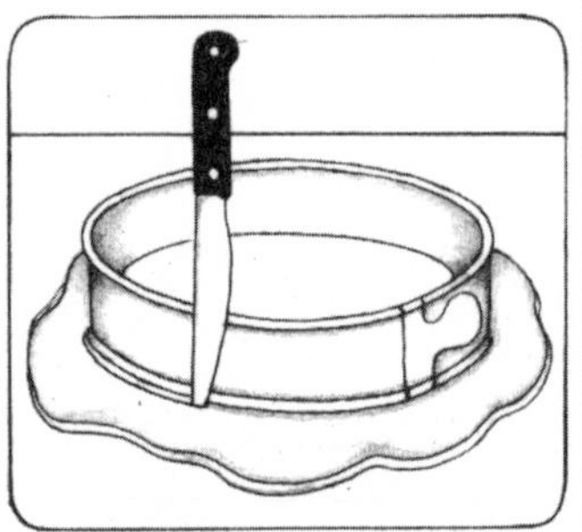

Für den Mürbeteigboden die Springform auf das Teigblatt stellen und mit dem Messer den Teig in der richtigen Größe ausschneiden.

● Sollen für einen Kuchen Boden und Rand einer Springform mit Mürbeteig ausgelegt werden, so legen Sie den Boden der Springform auf den ausgerollten Teig und schneiden mit einem scharfen Messer den Kreis aus. Aus den Teigresten dann einen Streifen für den Rand schneiden, den Rand in die Form legen und mit dem Boden zusammendrücken.

● Wird der Mürbeteigboden blind gebacken, das heißt zunächst ohne Belag vorgebacken, so füllt man getrocknete Erbsen in die Form, damit der Rand beim Backen nicht zusammensinkt. Auch eine andere Methode ist möglich: Formen Sie aus dem restlichen Mürbeteig einen gedrehten Strang und legen Sie diesen als Rand um den Boden. Eventuell den Rand noch durch einen zweiten Strang erhöhen. Bei dieser Methode ist die Gefahr, daß der Rand beim Backen einsinkt, geringer, so daß man auf die getrockneten Erbsen verzichten kann.

● Wenn Sie eine Linzer Torte backen wollen (Rezept Seite 267), so formen Sie einen niedrigen, aber ziemlich dicken Rand um den Tortenboden. Den Boden gleichmäßig mit Marmelade bestreichen. Aus dem restlichen Teig mit dem Teigrädchen gleich breite Streifen ausschneiden und damit ein Gitter über die Marmelade legen. Das Teiggitter vor dem Backen mit verquirltem Eigelb bestreichen.

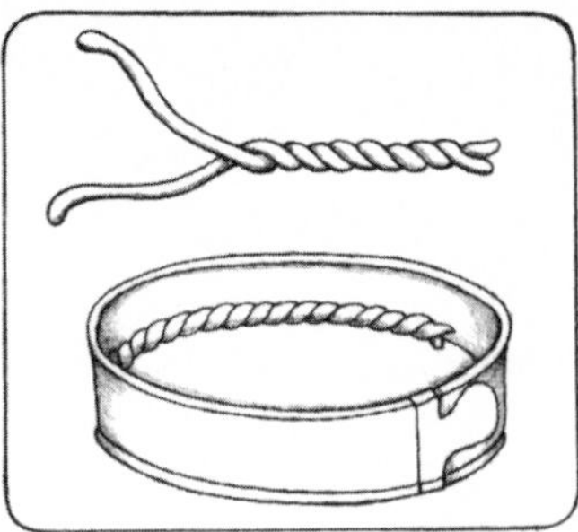

Ein fester Rand um den Mürbeteigboden entsteht, wenn Sie aus Teigresten einen gedrehten Strang formen, ihn um den Boden legen und etwas andrücken.

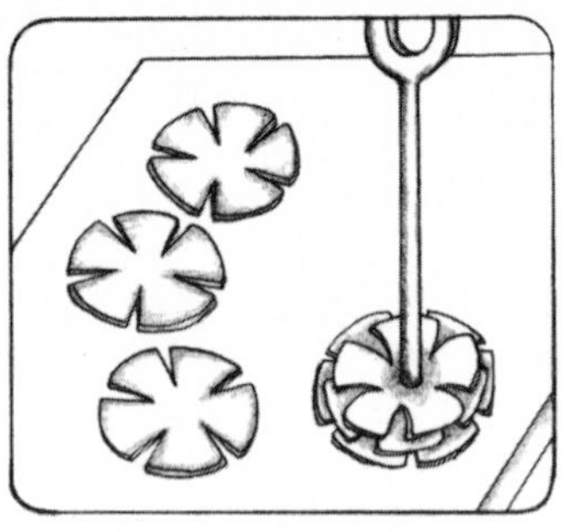

Für die Gelee-Rosen die Teigplätzchen fünfmal einschneiden, drei bis vier Plätzchen versetzt übereinanderlegen und in der Mitte mit dem Kochlöffelstiel eindrücken.

● Bekommt ein Kuchen auch eine Decke aus Mürbeteig, so wird sie dünner als der Boden ausgerollt. Man legt sie auf den Kuchen und drückt den Rand etwas fest. Die Teigdecke mehrmals mit einer Gabel einstechen, damit sie beim Backen keine Blasen wirft.

● Beim Formen von Kleingebäck besonders darauf achten, daß beim wiederholten Ausrollen nicht zuviel Mehl unter den Teig gemischt wird. Für die Gelee-Rosen (Rezept Seite 223) drei oder vier gleich große Teigplätzchen fünfmal einschneiden, so daß sie Blütenblättern gleichen, aufeinanderlegen und in der Mitte mit einem Kochlöffel ein Loch hineindrücken. Die einzelnen Teigscheiben heben sich beim Backen rosenartig nach oben.

● Für Schwarzweiß-Gebäck (Rezept Seite 174) müssen Sie einen Teil des Mürbeteigs mit Kakaopulver dunkel färben. Legen Sie je eine Scheibe vom hellen und vom dunklen Teig übereinander und formen Sie daraus eine Rolle. Von dieser Rolle gleich dünne Scheiben abschneiden und backen. Soll ein Schachbrettmuster entstehen, so formen Sie gleich große quadratische Stränge vom hellen und vom dunklen Teig. Legen Sie diese Stränge auf einem dünn ausgerollten hellen Teig neben- und übereinander, hüllen Sie die Stränge mit hellem Teig ein und schneiden Sie ebenfalls Scheiben ab. Die Scheiben weisen dann ein Schachbrettmuster auf. Damit sich der Teig leichter schneiden läßt, legen Sie die gerollten oder geformten Stangen für mindestens 30 Minuten in den Kühlschrank.

Für Schwarzweiß-Gebäck aus dunklem und hellem Teig eine Rolle formen und Scheiben abschneiden. Oder helle und dunkle Stränge schachbrettartig zusammensetzen, mit hellem Teig umhüllen und in Scheiben schneiden.

Gespritzter Mürbeteig

Beispiel für die Zutaten:

300 g Butter oder Margarine
250 g Puderzucker
125 g Speisestärke
1–1 1/2 Tassen Milch
1 Messerspitze Salz
abgeriebene Schale von 1 Zitrone
550 g Mehl

Der Arbeitsablauf:

- Die Butter oder Margarine mit dem Puderzucker und der Speisestärke mischen, aber keinesfalls schaumig rühren. 1 Tasse Milch, das Salz und die Zitronenschale unter das Butter-Zucker-Gemisch geben, das Mehl darübersieben und unterrühren. Der Teig soll zum Spritzen nicht zu fest sein. Füllen Sie probeweise eine kleine Portion Teig in den Spritzbeutel. Ist er zu fest, dann geben Sie noch etwas Milch dazu.
- Den Teig in einen Spritzbeutel mit großer Sterntülle füllen und Ringe, S-Formen oder Bögen auf das Backblech spritzen. Den Backofen auf 180–190 ° vorheizen und das Spritzgebäck auf der mittleren Schiebeleiste 10 Minuten backen, bis es hellgelb ist.
- Statt mit dem Spritzbeutel können Sie den Teig auch durch den Spritzvorsatz Ihres Fleischwolfs drücken oder eine Gebäckspritze verwenden.

Der salzige Mürbeteig

Beispiel für die Zutaten:

250 g Mehl
125 g Butter oder Margarine
1 kleines Ei
1 Prise Salz
1–2 Eßl. Wasser

Der Arbeitsablauf:

- Das Mehl auf ein Backbrett sieben und in die Mitte eine Mulde drücken. Die Butter oder Margarine in Flöckchen auf dem Mehlrand verteilen. Das Ei und das Salz in die Mulde geben.
- Alle Zutaten mit möglichst kühlen Händen rasch zu einem Teig verkneten und dabei nach und nach das Wasser zugeben.
- Den Teig zu einer Kugel formen, in Alufolie oder Pergamentpapier wickeln und 1–2 Stunden im Kühlschrank ruhen lassen.
- Den Backofen auf 190–200 ° vorheizen.
- Den gekühlten Mürbeteig auf einer schwach bemehlten Arbeitsfläche ausrollen, Tortelette- oder Pastetenförmchen damit auslegen, füllen und eventuell mit einer Teigdecke belegen.
- Werden kleine Törtchen oder Pastetchen mit einem Mürbeteigdeckel belegt, so schneidet man entweder ein fingerhutgroßes Loch aus der Oberfläche, damit der beim Backen entstehende Dampf abziehen kann, oder man sticht die Decke mit der Gabel mehrmals ein. Die Teigoberfläche mit verquirltem Eigelb bestreichen und die Törtchen oder Pastetchen je nach Füllung und Höhe auf der mittleren oder der zweiten Schiebeleiste von unten etwa 20 Minuten backen.

Quark-Ölteig

Der Quark-Ölteig gehört lediglich seiner Herstellung wegen ins Kapitel Mürbeteig. Quark-Ölteig enthält statt Butter oder Margarine Quark und etwas Öl und wird stets mit Backpulver bereitet. Er ist leichter und lockerer als Mürbeteig, kann aber in vielen Anwendungsbereichen Mürbeteig ersetzen. Besonders geeignet ist Quark-Ölteig für gefülltes süßes oder salziges Kleingebäck.

Süßer Quark-Ölteig

Beispiel für die Zutaten:

150 g Quark
75 g Zucker
1 Päckchen Vanillinzucker
1 Prise Salz
6 Eßl. Öl
4 Eßl. Milch
300 g Mehl
1 Päckchen Backpulver

Der Arbeitsablauf:

- Den Quark mit dem Zucker, dem Vanillinzucker, dem Salz, dem Öl und der Milch verrühren.
- Das Mehl mit dem Backpulver über die Quarkmasse sieben, zunächst mit dem Löffel untermischen, dann rasch mit den Händen zu einem geschmeidigen Teig verkneten. Den Teig möglichst nur kurz kneten, da er sonst leicht klebrig wird.
- Den Quark-Ölteig auf einer bemehlten Arbeitsfläche je nach Rezept formen oder ausrollen.
- Backblech und Backformen müssen für Quark-Ölteig stets gut ausgefettet werden.
- Das geformte Gebäck je nach Rezept füllen und die Oberfläche mit verquirltem Eigelb bestreichen.
- Das Gebäck stets in den vorgeheizten Backofen geben. Kleingebäck bei 190 ° 15–20 Minuten, größere Teile bei 200–220 ° 35–45 Minuten backen.

Salziger Quark-Ölteig

Beispiel für die Zutaten:

125 g Quark
1 gestrichener Teel. Salz
2 Eier
3 Eßl. Öl
250 g Mehl
1 Päckchen Backpulver

Der Arbeitsablauf:

- Den Quark mit dem Salz, dem Ei und dem Öl verrühren.
- Das Mehl mit dem Backpulver über den Quark sieben, zuerst mit dem Rührlöffel untermischen, später rasch mit den Händen zu einem Teig verkneten.
- Den Teig auf einer bemehlten Arbeitsfläche formen oder ausrollen, nach Rezept füllen und mit verquirltem Eigelb bestrei-

chen. Auf ein gefettetes Backblech oder in eine gefettete Backform geben.

- Das Gebäck in den vorgeheizten Backofen schieben und 15–20 Minuten bei etwa 200 ° backen.

Unser Tip

Verwenden Sie für Quark-Ölteig stets geschmacksneutrales Öl. Olivenöl ist nur für salziges Gebäck geeignet, das mit Früchten, Meerestieren oder Gemüse aus dem Mittelmeerraum gefüllt wird.

Der Brandteig

Brandteig ist leichter und unkomplizierter herzustellen als viele Hausfrauen meinen. Das einzige, was etwas Mühe macht, ist das erforderliche kräftige Rühren der Masse. Dafür läßt sich aber teilweise das elektrische Handrührgerät einsetzen. Die Bezeichnung »Brandteig« leitet sich aus der Zubereitungsweise her: Das Mehl wird in kochendes Wasser-Fett-Gemisch geschüttet und dort bei starker Hitze »abgebrannt«.
Da Brandteig ohne Zucker bereitet wird, ist er besonders vielseitig zu verwenden, denn er ist ja auf keine bestimmte Geschmacksrichtung festgelegt. Das Grundrezept wird daher unverändert für alle Arten von Gebäck aus Brandteig verwendet.

Das Grundrezept

Die Zutaten:

1/4 l Wasser
60 g Butter
1 Prise Salz
190 g Mehl
4 Eier (240–260 g)

Der Arbeitsablauf:

- Alle benötigten Zutaten bereitstellen, feste Bestandteile exakt abwiegen und die Flüssigkeit genau abmessen. Das Mehl auf ein gefaltetes Stück Pergamentpapier sieben. Die Eier wiegen: Sie sollen alle dasselbe Gewicht von 60–65 g haben.
- Das Wasser mit der Butter und dem Salz in einem Topf zum Kochen bringen. Das gesiebte Mehl vom Papier auf einmal in die kochende Flüssigkeit schütten und unter starkem Rühren so lange kochen lassen, bis sich ein Teigkloß bildet, der sich vom Topfboden löst. Am Topfboden bleibt dann nur ein dünner weißer Belag.
- Den Teigkloß in eine Schüssel geben und etwas abkühlen lassen. Die Eier einzeln aufschlagen und nacheinander unter den Teig rühren. Jedes Ei muß erst gut mit dem Teig gemischt sein, ehe das nächste untergerührt wird. Für diese Arbeitsphase können Sie die Knethaken des elektrischen Handrührgeräts verwenden.

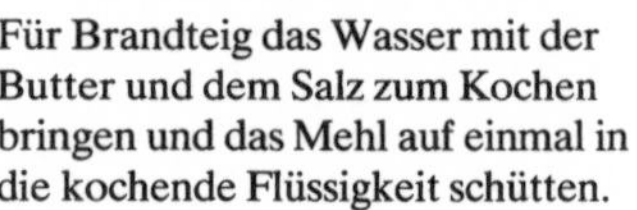

Für Brandteig das Wasser mit der Butter und dem Salz zum Kochen bringen und das Mehl auf einmal in die kochende Flüssigkeit schütten.

Alles unter ständigem kräftigem Rühren kochen lassen, bis sich ein Teigkloß bildet, der sich vom Topfboden löst.

- Der fertiggerührte Brandteig ist weich, glänzend, goldgelb und fällt »schwer reißend« vom Löffel.
- Den Backofen auf 230 ° vorheizen. Das Backblech für Brandteig nicht fetten und keinesfalls mit Mehl bestäuben!
- Den Brandteig in einen Spritzbeutel mit Sterntülle oder Lochtülle füllen, je nach Gebäckart. Für Windbeutel kleine Krapfen auf das Backblech spritzen, für Eclairs Streifen, für Tortenböden Kreise ausspritzen.

Ist kein Spritzbeutel vorhanden, so kann der Brandteig auch mit einem Löffel in kleinen Häufchen auf das Backblech gesetzt oder als Fläche gestrichen werden.

- Flaches Brandteiggebäck auf der mittleren Schiebeleiste, höheres Gebäck auf der zweiten Schiebeleiste von unten backen.
- Das Backblech in den vorgeheizten Ofen schieben und etwa 1/2 Tasse Wasser auf den Boden des Backofens schütten. Der Fachmann nennt dies »Schwaden geben«. Die Backofentür sofort schließen, damit sich starker Dampf im Innern des Ofens bilden kann, der das Aufgehen des Gebäcks unterstützt.
- Während der ersten zwei Drittel der Backzeit darf der Backofen unter keinen Umständen geöffnet werden! Das Gebäck würde sonst unweigerlich zusammenfallen, weil seine Kruste noch nicht stabil genug ist.
- Nach der angegebenen Backzeit von 15–20 Minuten – sie richtet sich nach Größe der Gebäckstücke – das Gebäck aus dem Backofen nehmen, vom Backblech lösen und auf einem Kuchengitter erkalten lassen.
- Die abgekühlten Gebäckstücke je nach Rezept weiterverarbeiten.

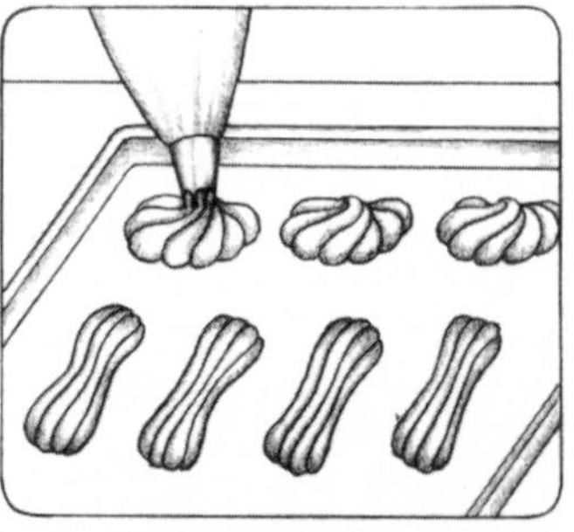

Vom Brandteig mit dem Spritzbeutel kleine Krapfen für Windbeutel oder Streifen für Eclairs auf das Backblech spritzen.

Für fritiertes Gebäck aus Brandteig die Formen auf Pergamentpapier spritzen und im heißen Fett vom Papier gleiten lassen.

● Brandteiggebäck können Sie auch fritieren. Man spritzt dazu die gewünschte Gebäckform auf gefettetes Pergamentpapier und gibt die Stücke in Portionen von drei bis sechs Stück, je nach Größe, ins heiße Fett, indem man sie im Fett vom Papier gleiten läßt. Das Gebäck nach 3–5 Minuten – das hängt von der Größe ab – mit dem Schaumlöffel wenden und fertig fritieren. Das gare Gebäck mit dem Schaumlöffel herausheben und auf Küchenkrepp abtropfen lassen. Zuletzt mit einem Guß überziehen oder mit Puderzucker besieben.

Unsere Tips

● Brandteiggebäck geht beim Backen sehr stark auf. Deshalb zwischen den einzelnen Gebäckstücken auf dem Backblech unbedingt genügend Zwischenraum lassen! Ausnahme: Wenn sich die Gebäckstücke berühren sollen, wie beispielsweise beim Rezept Erdbeerkranz, Seite 56, hält man den Abstand geringer.
● Brandteiggebäck, das gefüllt werden soll, schneidet man am besten noch lauwarm durch.
● Gebäck aus Brandteig ist nicht lange lagerfähig, da die zarte Kruste schnell weich wird. Es sollte daher am besten frisch gegessen werden. Ungefüllte Windbeutel und Eclairs lassen sich aber gut einfrieren. Die Gebäckstücke noch heiß verpacken, beschriften und im Gefriergerät schockgefrieren. Brandteiggebäck aus dem Gefriergerät läßt man 5 Minuten antauen und bäckt es anschließend im gut vorgeheizten Backofen auf, ehe es gefüllt wird.

Der Ausbackteig

Ausbacken ist dasselbe wie fritieren, nämlich Gebäck im heißen Fett schwimmend garen. Charakteristisch für diese Backmethode ist die knusprig-braune Teigkruste um das zarte Innere. Fritiertes Gebäck kann gefüllt werden wie Krapfen. Man kann aber auch Obst, Gemüse, Fisch oder Fleisch mit Teig umhüllen und anschließend ausbacken. Die Teighülle sorgt für ein langsames, gleichmäßiges Garen des Inneren und erhält Aromastoffe und Vitamine weit besser als bei anderen Garmethoden.

Ausbackteig mit Milch

Beispiel für die Zutaten:

150 g Mehl
1 Messerspitze Salz
3 Eigelbe
3/8 l Milch
3 Eiweiße
1 Päckchen Vanillinzucker

Der Arbeitsablauf:
● Das Mehl in eine Schüssel sieben. Das Salz über das Mehl streuen und die Eigelbe zugeben. Alles mit einem Rührlöffel oder mit den Rührbesen des Handrührgeräts verrühren. Nach und nach die Milch zugeben und weiterrühren, bis ein glatter Teig entstanden ist.
● Den Teig zugedeckt 10–30 Minuten quellen lassen.
● Die Eiweiße zu steifem Schnee schlagen, den Vanillinzucker einrieseln lassen und gut unterrühren. Den Eischnee mit einem Rührlöffel unter den Milchteig heben.

Ausbackteig mit Bier

Beispiel für die Zutaten:

125 g Mehl
1/2 Teel. Backpulver
1 Prise Salz
2 Eigelbe
1 1/2 Eßl. Öl
3/4 Tassen helles Bier
2 Eiweiße

Der Arbeitsablauf:
● Das Mehl mit dem Backpulver in eine Schüssel sieben. Das Salz, die Eigelbe und das Olivenöl zugeben und alles mit dem Rührlöffel oder mit den Rührbesen des elektrischen Handrührgeräts glattrühren. Nach und nach das Bier unterrühren.
● Die Eiweiße zu steifem Schnee schlagen und mit dem Rührlöffel unter den Bierteig heben.

Unsere Tips

● Das vorbereitete Fritiergut auf eine Gabel stecken, im jeweiligen Ausbackteig wenden und von der Gabel ins heiße Fett gleiten lassen.
● Den Ausbackteig möglichst rasch verarbeiten, da er sonst leicht zusammenfällt.

Das Fritieren

Beim Fritieren oder Ausbacken werden Gebäck oder Lebensmittel im heißen Fett schwimmend ausgebacken. Zum Fritieren eignen sich nur Fette, die völlig wasserfrei sind und bei hohen Temperaturen nicht rauchen oder verbrennen, also einen hohen »Rauchpunkt« haben. Zu diesen Fetten gehören Öle, Butterschmalz, Palmin, Biskin und Margarineschmalz. Das Fett muß in jedem Fall reichlich bemessen sein, damit das Gebäck darin schwimmen kann.
● Die Temperaturen des Fetts liegen beim Fritieren zwischen 175 und 190 °.
● Bei der elektrischen Friteuse läßt sich jede gewünschte Temperatur einschalten. Das rote Kontrollämpchen erlischt, wenn das Fett die erforderliche Temperatur erreicht hat.
● Wird in einem gewöhnlichen Topf oder einem speziellen Fritiertopf ausgebacken, so erhitzt man das Fett auf der Platte des Elektroherds oder auf dem Gasherd. Die Temperatur läßt sich am besten mit dem Fritierthermometer kontrollieren. Wenn Sie kei-

nes besitzen, so machen Sie die Probe mit einem Wassertropfen. Verzischt er sofort im heißen Fett, ist die benötigte Temperatur erreicht. Sie können auch den Stiel eines Kochlöffels ins heiße Fett halten; bilden sich um den Holzstiel rasch Bläschen, ist die richtige Fritiertemperatur ebenfalls erreicht.

- Größere Mengen backt man portionsweise nacheinander aus. Dabei müssen Sie nach dem Herausnehmen einer Portion warten, bis das Fett wieder die erforderliche Temperatur erlangt hat.
- Zur elektrischen Friteuse und zum Fritiertopf gehört ein Einsatzsieb. Kleine Teile wie Pommes frites oder Muzenmandeln werden im Einsatzsieb gegart. Ist der Fritiervorgang beendet, läßt sich das Einsatzsieb beidseitig an den Griffen so feststellen, daß das Gargut über dem Fett etwas abtropfen kann. Größere Gebäckstücke wie Krapfen oder Strauben können nicht im Sieb fritiert werden. Sie müssen richtig im Fett schwimmen. Man wendet sie mit dem Schaumlöffel und hebt sie, wenn sie fertiggebacken sind, ebenfalls mit dem Schaumlöffel heraus.

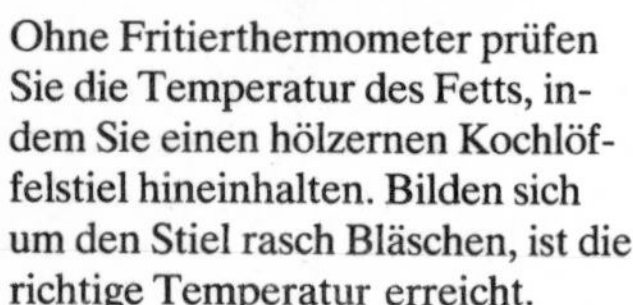

Ohne Fritierthermometer prüfen Sie die Temperatur des Fetts, indem Sie einen hölzernen Kochlöffelstiel hineinhalten. Bilden sich um den Stiel rasch Bläschen, ist die richtige Temperatur erreicht.

Kleines Gebäck wird am besten im Fritiersieb gegart. Es läßt sich so mühelos aus dem Fett heben und kann im Sieb über der Friteuse noch gut abtropfen.

- Nach dem ersten Abtropfen im Sieb oder auf dem Schaumlöffel wird Fritiertes auf Küchenkrepp oder Papierservietten gelegt und soll dort noch weiter Fett abgeben. Ausgebackenes stets erst nach dem Abtropfen salzen, würzen oder mit Zucker bestreuen.

Unsere Tips

- Für kleines Fritiergut im Ausbackteig sollten Sie auf jeden Fall das Fritiersieb benützen, da Sie Tropfreste dann leicht aus dem Fett heben können.
- Zum Ausbacken in Ausbackteig eignen sich wie schon erwähnt kleine Fleischstücke, Fischstücke, zartes Gemüse und verschiedenes Obst. Kirschen werden an den Stielen in Ausbackteig getaucht und ausgebacken. Auf die gleiche Weise fritiert man auch Holunderblüten, große Erdbeeren oder kleine Birnen. Außerdem können Sie jedes beliebige Obst in gefällige Stücke oder in Scheiben schneiden, wie Äpfel für Apfelbeignets (Rezept Seite 225). Geeignet sind auch Ananasringe aus der Dose, mit Zucker gefüllte Pflaumen, Melonenstücke oder Orangenspalten. Ob Sie als Ausbackteig den mit Milch oder den mit Bier angerührten verwenden, ist ausschließlich Geschmackssache.
- Gebäck aus Hefeteig, Mürbeteig und Brandteig läßt sich ebenfalls fritieren.
- Ob die Friteuse beim Fritieren zugedeckt wird oder offen bleibt, hängt vom jeweiligen Rezept ab.
- Das abgekühlte Fritierfett wird durch ein feines Haarsieb oder durch eine Filtertüte gegossen und bis zum nächsten Fritieren in der Friteuse aufbewahrt.
- Nach fünfmaligem Fritieren sollte das Fett nicht ein weiteres Mal zum Fritieren verwendet werden. Es ist aber noch als Bratfett zu gebrauchen.

Der Strudelteig

Strudel, eine Spezialität der österreichischen und süddeutschen Küche, kann mit den verschiedensten Füllungen bereitet werden. Äpfel, Kirschen und Zwetschgen eignen sich ebenso wie Topfen (Quark), Mohn, Nuß oder auch Fleisch. Der Teig jedoch ist immer derselbe, sieht man davon ab, daß mitunter auch eine Blätterteigkruste mit den typischen Strudelfüllungen als Strudel angeboten wird.
Wer noch nie einen Strudelteig selbst geknetet, gerollt und – wichtigste Phase – ausgezogen hat, fürchtet vielleicht ein wenig ums Gelingen. Wir können Ihnen aber versichern, daß die Arbeit längst nicht so schwierig ist, wie sie Ihnen vielleicht erscheint.

Das Grundrezept

Die Zutaten:

250 g Mehl
1/2 Tasse lauwarmes Wasser
1 Ei
1 Messerspitze Salz
1 Eßl. Schweineschmalz (oder Butter/Margarine)

Der Arbeitsablauf:

- Alle benötigten Zutaten rechtzeitig vor Backbeginn auf Raumtemperatur bringen. Das Mehl abwiegen und auf ein Backbrett sieben. Eine Mulde in das Mehl drücken und das Wasser, das Ei sowie das Salz hineingeben. Das Fett zerlassen, in die Mulde gießen und alles von innen nach außen mit dem gesamten Mehl verkneten.
- Den Teig gut durchkneten, bis er glatt und glänzend ist, dann 50–70 mal auf ein bemehltes Brett schlagen.
- Den Teig zu einem Ballen formen und mit einer umgekehrten Schüssel zugedeckt bei Raumtemperatur 1 Stunde ruhen lassen. Inzwischen die Füllung vorbereiten.
- Ein Leinentuch auf dem Tisch ausbreiten und mit wenig Mehl bestreuen. Den Teig mit dem Rollholz so groß wie möglich ausrollen.
- Den Teig dann vom Tuch heben und von der Mitte aus über beide Handrücken vorsichtig dehnen und ziehen, bis der ganze Teig bis zu den Rändern hin gleichmäßig dünn ist. Die Empfeh-

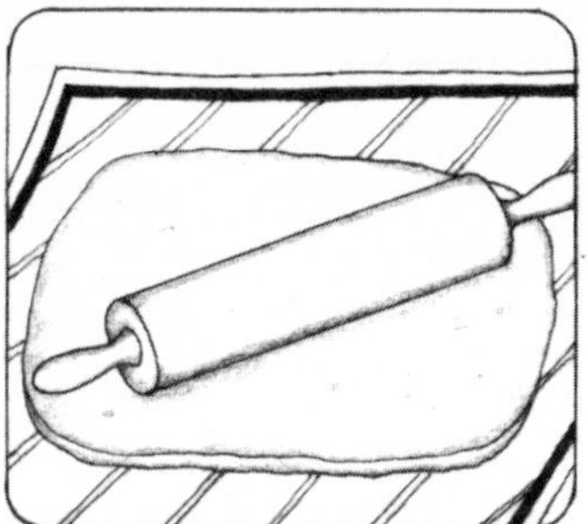

Den Strudelteig auf einem bemehlten Tuch zunächst so groß wie möglich ausrollen.

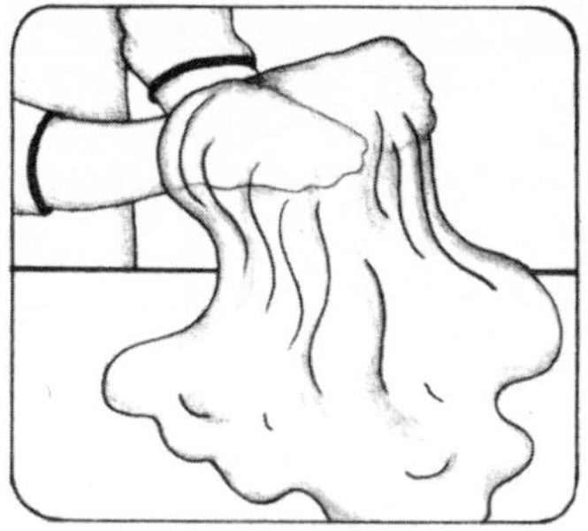

Den Teig dann über die Handrücken legen und dehnen, bis er fast papierdünn ist.

lung, man müsse nach dem Ausziehen des Strudels die Zeitung durch ihn lesen können, ist zwar nicht wörtlich zu nehmen, doch sollte der Teig wirklich papierdünn sein. Entstehen beim Ziehen einmal kleine Löcher im Teig, so werden sie wieder gut zusammengedrückt. Die dickeren Ränder vom Teig abschneiden.

- Den Teig mit zerlassener Butter bestreichen und füllen, wie im jeweiligen Rezept vorgeschrieben, dann mit Hilfe des Tuchs zu einer Rolle formen.
- Den Strudel entweder auf ein leicht gefettetes Backblech oder in eine mit Fett ausgestrichene Bratenpfanne (Bratreine) legen. Den Strudel mit zerlassener Butter bestreichen und im auf 200 ° vorgeheizten Backofen auf der zweiten Schiebeleiste von unten 35–40 Minuten backen. Nach dem Fertigbacken mit Puderzucker besieben und möglichst heiß servieren.

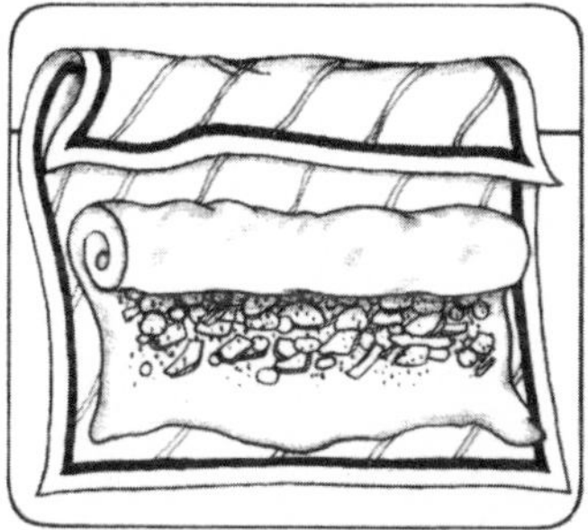

Die Füllung auf den Teig streuen und den Teig mit Hilfe des Tuchs zur Rolle formen.

Den Strudel in Hufeisenform aufs Backblech oder in die Reine legen und mit Butter bestreichen.

Der Biskuitteig

Streng fachlich genommen, ist Biskuit eigentlich kein Teig, sondern eine Masse aus Eiern, Zucker und Mehl – oft mit Speisestärke gemischt – und manchmal mit Butter oder Margarine angereichert. Biskuitböden können außerdem mit und ohne Backpulver gebacken werden. Obstkuchenböden, Tortenschichten und verschiedenartiges Kleingebäck, wie beispielsweise Mohrenköpfe, werden aus Biskuit bereitet. Wie bei den meisten Teigarten gibt es auch für Biskuit nicht nur eine Herstellungsmethode und ein einziges Grundrezept, sondern eine ganze Reihe von bestimmten Zusammensetzungen mit unterschiedlichen Arbeitsabläufen. Manche Biskuittorten – die allerdings nicht gefüllt werden – stellt man sogar aus einer Biskuitmasse her, die kaum oder überhaupt kein Mehl enthält, sondern vorwiegend aus feinstgeriebenen Nüssen oder Mandeln oder auch aus Schokolade besteht. Ein Beispiel dafür ist die Orangentorte auf Seite 75.
Nachstehend folgende Grundrezepte für die wichtigsten Arten von Biskuitteig, wobei jede Art von Biskuitmasse für einen bestimmten Anwendungsbereich typisch ist.

Schnellbiskuit für Obstkuchen

Beispiel für die Zutaten:

2 Eier
1 Eßl. Wasser
75 g Zucker
1 Päckchen Vanillinzucker
100 g Mehl
1 gestrichener Teel. Backpulver

Der Arbeitsablauf:

- Alle Zutaten und Backgeräte bereitstellen. Feste Zutaten exakt abwiegen.
- Eine Obstkuchenform oder eine Springform mit Butter oder Margarine ausfetten (auch den Rand bestreichen) und mit Mehl oder Semmelbröseln ausstreuen. Den Backofen auf 180 ° vorheizen.
- Die Eier nacheinander erst in eine Tasse schlagen, dann in eine Schüssel geben. Die Eier mit dem Wasser verquirlen und mit dem Zucker und dem Vanillinzucker schaumig rühren. Beim Schaumigrühren der Eier-Zucker-Masse ist das elektrische Handrührgerät oder die Küchenmaschine von großem Vorteil (dabei werden die Rührbesen verwendet).
- Das Mehl mit dem Backpulver über die Schaummasse sieben und mit einem Rührlöffel – keinesfalls mit dem Rührgerät! – unter die Schaummasse heben.
- Den Teig in die vorbereitete Backform füllen, mit dem Teigschaber glattstreichen und auf der mittleren Schiebeleiste des Backofens 20–25 Minuten backen. Die Backofentür in den ersten 15 Minuten nicht öffnen, da der Teig sonst zusammenfallen könnte.
- Die Stäbchenprobe (→ Seite 298) machen und den Kuchen nötigenfalls noch einige Minuten nachbacken. Den fertigen Kuchen aus dem Backofen nehmen und in der Form etwa 10 Minuten abkühlen lassen, dann auf ein Kuchengitter stürzen und erkalten lassen.
- Die Oberseite des Kuchenbodens erst mit etwas heiß verrührter Marmelade, dann mit wenig Pudding oder Sahne bestreichen und darauf beliebiges Obst verteilen. Nach Wunsch das Obst mit Tortenguß überziehen.

Biskuit-Tortenböden

Für eine Torte, die aus zwei bis drei Schichten bestehen soll, muß der Tortenboden entsprechend hoch aufgehen, da er ja zum Füllen ein- bis zweimal quer durchgeschnitten wird. Die Masse muß

Der Biskuitteig

also viel mehr Volumen haben als ein einfacher Boden für einen Obstkuchen, daher ist auch die Zusammensetzung eine andere. Bei Tortenböden gibt es ebenfalls die Möglichkeit, mit Backpulver und ohne Backpulver zu arbeiten. Zunächst das Grundrezept für einen

Tortenboden mit Backpulver

Beispiel für die Zutaten:

4 Eigelbe
180 g Zucker
1 Päckchen Vanillinzucker
4 Eiweiße
3–4 Eßl. Wasser
150 g Mehl
100 g Speisestärke
3 gestrichene Teel. Backpulver

Der Arbeitsablauf:

- Alle benötigten Zutaten bereitstellen, feste Bestandteile exakt abwiegen. Das Mehl vor dem Verwenden stets sieben, um Schmutzteilchen und Klümpchen zurückzuhalten.
- Beim Abwiegen des Zuckers am besten ein gefaltetes Blatt Pergamentpapier in die Waagschale legen und den Zucker gleich vom Papier in den Teig oder in den Eischnee rieseln lassen.
- Den Boden – nicht den Rand – einer Springform mit Butter oder Margarine ausfetten und mit Semmelbröseln oder Mehl ausstreuen. Weil der Rand der Springform ungefettet ist, kann der Teig beim Backen nicht abrutschen und steigt gleichmäßig nach oben. Den Backofen auf 180 ° vorheizen.
- Die Eigelbe mit der Hälfte des Zuckers und dem Vanillinzucker mit den Rührbesen des elektrischen Handrührgeräts oder mit der Küchenmaschine gut schaumig rühren.
- Die Eiweiße mit dem Wasser in einer völlig fettfreien Schüssel mit den völlig fettfreien Rührbesen des elektrischen Rührgeräts zu Schnee schlagen. Hat der Eischnee eine weiche, flaumige Konsistenz, den restlichen Zucker einrieseln lassen und so lange weiterrühren, bis der Eischnee ganz steif ist.
- Den Eischnee bergartig auf die Eigelbmasse geben und mit dem Rührlöffel – keinesfalls mit dem elektrischen Rührgerät! – unter die Eigelbmasse heben.

Den Eischnee bergartig auf die Eigelbmasse füllen und mit dem Rührlöffel locker unterheben.

Für Biskuit das Mehl mit der Speisestärke und dem Backpulver zusammen in ein Sieb geben und über die Eier-Zucker-Masse sieben. Dann mit dem Rührlöffel unterheben.

- Das Mehl mit der Speisestärke und dem Backpulver über die Eiermasse sieben und wiederum mit dem Rührlöffel – keinesfalls mit dem elektrischen Rührgerät! – unterziehen.
- Den Teig in die vorbereitete Springform füllen, glattstreichen und auf der mittleren Schiebeleiste des Backofens 25–30 Minuten backen. Während der ersten 15 Minuten Backzeit die Backofentür auf keinen Fall öffnen, da der zarte Teig sonst zusammenfallen könnte.
- Nach 25 Minuten Backzeit die Stäbchenprobe (→ Seite 298) machen. Den Kuchen gegebenenfalls noch einige Minuten nachbacken.
- Den Tortenboden aus dem Backofen nehmen. 10 Minuten in der Form abkühlen lassen, dann den Tortenboden mit einem sehr dünnen Messer vorsichtig vom Rand der Springform lösen, den Rand der Form entfernen, den Kuchenboden auf ein Kuchengitter stürzen und erkalten lassen.
- Je länger ein Tortenboden nach dem Backen ruht, desto leichter läßt er sich in Schichten zerschneiden. Er sollte 2–6 Stunden, besser noch über Nacht ruhen.

Klassischer Biskuitboden

(Tortenboden ohne Backpulver)

Beispiel für die Zutaten:

6 Eigelbe
180 g Zucker
1 Päckchen Vanillinzucker
6 Eiweiße
120 g Mehl
80 g Speisestärke

Der Arbeitsablauf:

- Der Arbeitsablauf entspricht vollkommen dem für den Tortenboden mit Backpulver. Einzige Abweichung: Das Mehl und die Speisestärke werden ohne Backpulver zusammen über die Schaummasse gesiebt und unterzogen.

Schokoladen-Biskuit

Beispiel für die Zutaten:

6 Eigelbe
180 g Zucker
1 Päckchen Vanillinzucker
6 Eiweiße
80 g Mehl
60 g Speisestärke
60 g Kakaopulver

Der Arbeitsablauf:

- Der Arbeitsablauf entspricht wiederum ganz dem des Tortenbodens mit Backpulver. Kleine Abwandlung: Das Mehl mit der Speisestärke und dem Kakaopulver über die Schaummasse sieben und unterheben.

Wiener Masse

Die Wiener Masse wird nicht nur nach einer besonderen Methode hergestellt, sie ist auch eine schwere Biskuitmasse. Aus ihr lassen sich sowohl Tortenböden als auch feine Sandkuchen backen.

Tortenboden aus Wiener Masse

Beispiel für die Zutaten:

5 Eier
120 g Zucker
abgeriebene Schale von 1/2 Zitrone
1 Messerspitze Salz
80 g Mehl
60 g Speisestärke
60 g Butter

Der Arbeitsablauf:

- Jedes Ei erst einzeln in eine Tasse aufschlagen und dann in eine Schüssel geben. Die Eier mit dem Zucker, der Zitronenschale und dem Salz im heißen Wasserbad schlagen, bis die Masse etwa 36 ° erreicht hat. Dazu können Sie die Rührbesen des elektrischen Handrührgeräts – auf höchster Schaltstufe – verwenden. Um festzustellen, wann die Schaummasse die Temperatur von 36 ° erreicht hat, geben Sie einen Tropfen der Masse auf den unteren Rand der Unterlippe. Empfinden Sie dabei den Tropfen als weder heiß noch kalt, ist die richtige Temperatur erreicht.
- Die Eier-Zucker-Masse aus dem Wasserbad nehmen und mit dem Handrührgerät bei kleinster Schaltstufe kalt schlagen.
- Die Speisestärke und das Mehl zusammen über die Eiermasse sieben.
- Die Butter zerlassen und gut warm, aber keinesfalls heiß, mit dem Mehl und der Speisestärke unter die Eiermasse ziehen. Den Teig in eine Springform füllen, die nur am Boden mit Fett ausgestrichen ist, und auf der zweiten Schiebeleiste von unten des auf 190 ° vorgeheizten Backofens 30–40 Minuten backen. Während der ersten 20 Minuten den Backofen unter keinen Umständen öffnen, da die empfindliche Masse sonst zusammenfallen könnte. Vor dem Herausnehmen des Tortenbodens aus dem Backofen die Stäbchenprobe machen (→ Seite 298).
- Den Tortenboden in der Form etwa 15 Minuten abkühlen lassen, dann mit einem dünnen Messer vom Rand der Springform lösen, auf ein Kuchengitter legen und erkalten lassen. Den Tortenboden vor dem Durchschneiden 2–8 Stunden, am besten aber über Nacht, ruhen lassen.

Klassischer Sandkuchen

Beispiel für die Zutaten:

5 Eier
250 g Zucker
1 Prise Salz
1 Teel. abgeriebene Zitronenschale
150 g Mehl
150 g Speisestärke
170 g Butter

Der Arbeitsablauf:

- Der Arbeitsablauf entspricht völlig dem für den Tortenboden aus Wiener Masse.

Biskuitmasse für Rouladen

Beispiel für die Zutaten:

8 Eigelbe
100 g Zucker
4 Eiweiße
80 g Mehl
20 g Speisestärke

Der Arbeitsablauf:

- Die Eigelbe und die Hälfte des Zuckers mit den Rührbesen des elektrischen Handrührgeräts gut schaumig rühren.
- Die Eiweiße flaumig schlagen, unter ständigem Schlagen langsam den restlichen Zucker einrieseln lassen und so lange weiterschlagen, bis der Eischnee gut steif ist.
- Den Eischnee bergartig auf die Eigelbmasse füllen.
- Das Mehl mit der Speisestärke über den Eischnee sieben und beides mit einem Rührlöffel vorsichtig unter die Eigelbmasse heben.
- Ein Backblech vollständig mit Pergamentpapier auslegen.
- Den Biskuitteig gleichmäßig auf das Pergamentpapier streichen.

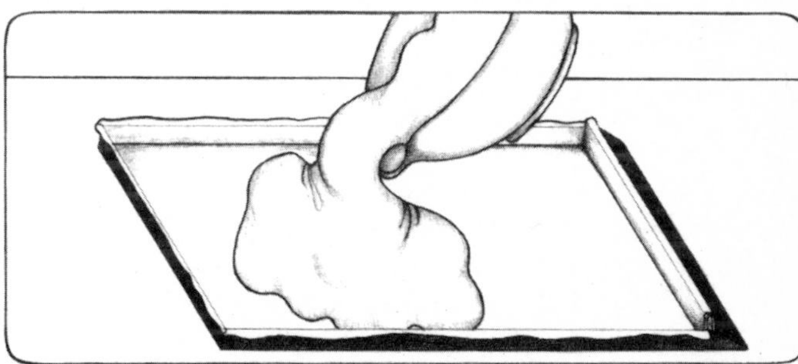

Wird ein Backblech mit Biskuitteig gefüllt, so legt man in die offene Seite des Blechs eine Holzleiste oder verschließt sie durch mehrfach gefaltetes Pergamentpapier, damit der Teig nicht vom Blech tropft.

Den Biskuitteig gleichmäßig auf das mit Pergamentpapier ausgelegte Backblech streichen. Die Teigplatte nach dem Backen auf ein Tuch stürzen, das Pergamentpapier abziehen und den Biskuit mit einem feuchten Tuch bedecken.

Der Biskuitteig

- Den Backofen auf 240–250 ° vorheizen. Das Backblech auf die mittlere Schiebeleiste schieben und die Teigplatte 8 Minuten backen. Sie ist gar, wenn sie goldgelb ist.
- Die Teigplatte auf ein Küchentuch stürzen und das Pergamentpapier abziehen. Die Teigplatte locker mit einem feuchten Tuch bedecken und abkühlen lassen.
- Die Füllung nach dem jeweiligen Rezept zubereiten, die abgekühlte Biskuitplatte damit bestreichen und mit Hilfe des Tuchs zu einer Roulade formen. Sie wird mit Puderzucker besiebt oder anderweitig verziert.

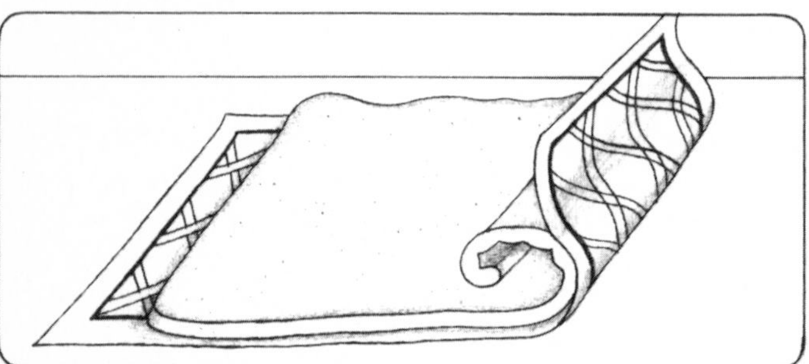

Die Füllung auf den Biskuit streichen und diesen mit Hilfe des Tuchs zur Roulade formen.

Unsere Tips

- Für einen Tortenboden aus Biskuitmasse ohne Backpulver wird immer nur der Boden, nicht aber der Rand der Form mit Fett ausgestrichen und mit Mehl oder Semmelbröseln ausgestreut. Nur wenn der Biskuitteig mit Backpulver zubereitet wurde, fettet man auch den Rand aus.
- Die zarte Biskuitmasse aus Eigelb, Zucker und Eischnee muß rasch verarbeitet werden. Niemals darf der Eischnee unter die Eigelbmasse gerührt werden, da hierbei die Luftbläschen im Eischnee zerstört werden, und die Lockerheit des Teigs verloren ginge. Auch das gesiebte Mehl, das gegebenenfalls mit Speisestärke, Kakaopulver oder Backpulver vermischt wurde, sollte nicht unter den Teig gerührt, sondern untergezogen oder untergehoben werden: Mit einem Rührlöffel wird die Masse vom Grund der Schüssel immer wieder über den Eischnee bzw. das Mehl gehoben, bis alles gut miteinander gemischt ist.
- Biskuitmasse darf nach dem Zubereiten nicht mehr lange stehen, sondern muß sofort in den gut vorgeheizten Backofen geschoben und gebacken werden. Durch längeres Stehen kann der Teig zusammenfallen und an Lockerheit verlieren.
- Wichtig für die Qualität der Biskuitmasse ist der tadellos steife Eischnee. Damit er gelingt, müssen Schüssel und Schneebesen bzw. die Rührbesen des Handrührgeräts völlig frei von Fett und Eigelbspuren sein. Die Eier also sehr sorgfältig in Eiweiß und Eigelb trennen. Das Eiweiß erst ohne Zucker zu einer weichen, flaumigen Masse schlagen. Dann den Zucker langsam einrieseln lassen und weiterschlagen, bis der Eischnee glänzendweiß und steif ist. Ein Schnitt mit dem Messer in die Oberfläche von fertig geschlagenem Eischnee muß sichtbar bleiben.
- Für das Durchschneiden von Tortenböden gibt es mehrere Methoden:

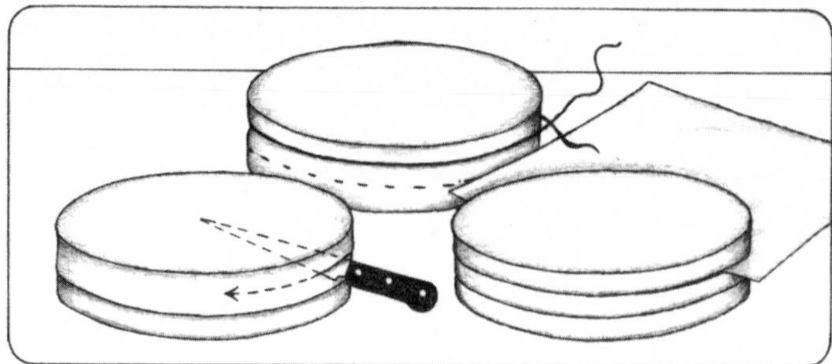

Biskuitböden durchschneiden: Entweder mit einem spitzen, langen Messer bis zur Mitte einstechen und den Boden drehen, bis die Schicht abgetrennt ist; oder die Schichten mit einem starken Faden durchtrennen. Die Schichten am besten mit starkem Papier oder dünner Pappe abheben.

Methode I:
Im gewünschten Abstand von der Oberfläche mit einem spitzen Messer bis zur Mitte des Tortenbodens durchstechen, den Tortenboden drehen und dadurch das Messer weiterführen. Pergamentpapier oder dünne Pappe in die Schnittfläche ziehen oder schieben und die obere Schicht auf diese Weise abheben. Gegebenenfalls weitere Schichten abschneiden.

Methode II:
In den Rand der Torte ein oder zwei Holzspießchen im gewünschten Abstand je nach Dicke der Schichten stecken. Mit einem möglichst dünnen Spatel von den Hölzchen aus die einzelnen Schichten abtrennen und die Schichten ebenfalls mit Pergamentpapier oder Pappe abheben.

Methode III:
Die Schichten mit einem starken Faden trennen. Den Faden um den Rand des Tortenbodens legen und langsam zuziehen, bis die Schicht gleichmäßig abgetrennt ist. Die abgetrennten Schichten wiederum mit Pergamentpapier oder Pappe abheben.

- Für die Schachbrett-Torte (Rezept Seite 258) wird ein Schokoladenbiskuitboden in gleich große Ringe geschnitten. Als Hilfsmittel für das Ausschneiden der Ringe Gläser, Tassen, Untertassen und Teller verwenden. Den untersten ganzen Boden mit Creme bestreichen, dann schichtweise die dunklen Ringe versetzt mit Creme darauflegen, bis alle Ringe verbraucht sind. Den Abschluß bildet ein ganzer Boden. Für eine besonders hohe Torte einen hellen und einen dunklen Biskuitboden in Ringe schneiden.

Die Ringe aus hellem und aus dunklem Biskuit versetzt übereinanderlegen und die Zwischenräume immer mit Creme ausstreichen.

Die Baisermasse

Baisermasse, auch nur Baiser oder Meringe genannt, ist »nichts weiter« als getrockneter Eischnee mit Zucker. Das zarte Gebilde kommt, wie schon der Name sagt, aus Frankreich; dort ist nämlich die meringue à la crème, also das Sahnebaiser, ein beliebtes Dessert, zu dem Mokka gereicht wird. Man kann sich das Mengenverhältnis von Zucker und Eiweiß nach einer einfachen Formel merken: Auf 1 Eiweiß kommen 50 g Zucker. Das Eiweiß wird mit dem Zucker steif geschlagen und bei geringer Hitze im Backofen getrocknet. Neben dieser Faustregel gibt es jedoch auch ein richtiges Rezept. Für Formen wie Baiserschalen, Baiserrosetten oder Baiserböden muß der Zuckerschaum nämlich zusätzlich Stabilität bekommen.

Das Grundrezept

Die Zutaten:

1/4 l Eiweiß (von etwa 8 Eiern)
200 g Kristallzucker
150 g Puderzucker
30 g Speisestärke

Der Arbeitsablauf:

- Die Eiweiße steif schlagen (am besten mit den Rührbesen des elektrischen Handrührgeräts) und unter ständigem Schlagen langsam den Kristallzucker einrieseln lassen.
- Den Puderzucker mit der Speisestärke über den Eischnee sieben und mit dem Rührlöffel – keinesfalls mit den Rührbesen des Handrührgeräts! – unter den Eischnee heben.
- Die Baisermasse in einen Spritzbeutel mit großer Loch- oder Sterntülle füllen und je nach Rezept die gewünschten Formen spritzen.

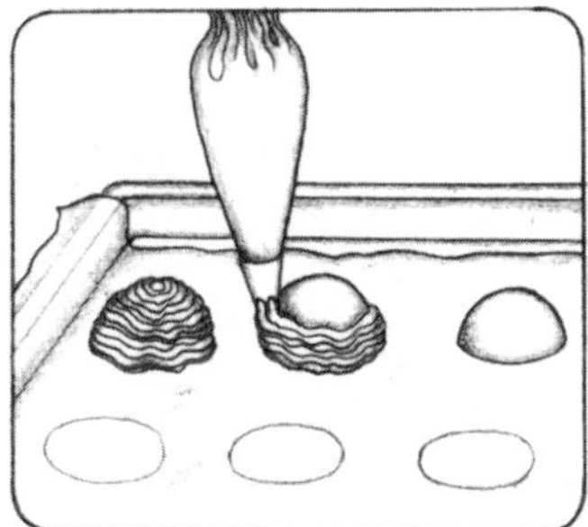

Für Baiserschalen die Masse um spezielle Formen oder halbierte Eierschalen spritzen.

Baisertörtchen erhalten aus Baisermasse einen hübschen Tupfenrand.

- Für die Baisermasse wird das Backblech stets mit Pergamentpapier ausgelegt. Am einfachsten zeichnet man sich zuvor mit Bleistift die gewünschten Formen in entsprechendem Abstand auf das Pergamentpapier und füllt sie dann mit der Schaummasse.
- Den Backofen auf 100 ° vorheizen und die Baisermasse auf der mittleren Schiebeleiste, am besten über Nacht, trocknen lassen; die Tür des Backofens muß während dieser Zeit durch einen Kochlöffelstiel einen Spalt offengehalten werden.

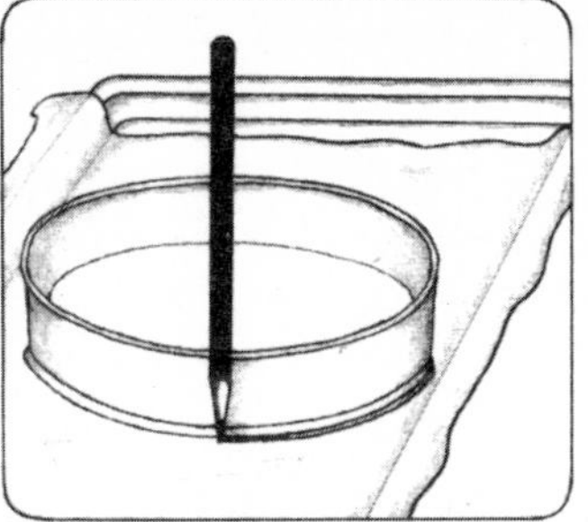

Für einen Tortenboden aus Baisermasse das Backblech mit Pergamentpapier auslegen und mit Hilfe einer Springform den Kreis markieren.

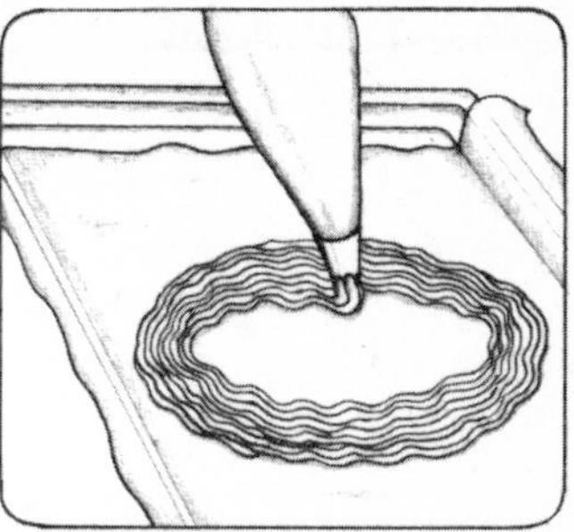

Die Baisermasse in einen Spritzbeutel mit großer Loch- oder Sterntülle füllen und den vorgezeichneten Tortenboden damit ausspritzen.

- Baiserschalen, Baisertortelettes und Baiserkuchenböden können beliebig mit Sahne, Obst oder Eiscreme gefüllt werden.

Mandelbaiser

Mandelbaiser wird genau nach dem Grundrezept hergestellt. Zusätzlich zur Speisestärke gibt man 150 g geschälte, feingeriebene Mandeln zum Eischnee.

Nußbaiser

Nußbaiser wird genau nach dem Grundrezept für Baisermasse hergestellt. Zusätzlich zur Speisestärke gibt man 150 g feingeriebene Hasel- oder Walnüsse zum Eischnee.

Schokoladenbaiser

Schokoladenbaiser wird genau nach dem Grundrezept hergestellt. Zusätzlich zur Speisestärke gibt man 60 g gesiebtes Kakaopulver oder feingeriebene Schokolade zum Eischnee.

Unsere Tips

- Es ist sehr wichtig, daß die Baisermasse stets auf ein mit ungefettetem Pergamentpapier ausgelegtes Backblech gespritzt oder gestrichen wird. Pergamentpapier hat gegenüber Alufolie den Vorteil, daß man darauf die gewünschten Formen mit Bleistift vorzeichnen kann.
- Wenn Sie keinen Spritzbeutel besitzen, können Sie die Baisermasse auch mit der Gebäckspritze auf das Backblech spritzen oder aber die Masse einfach mit einem Löffel auf das Backblech bringen und verstreichen.
- Möchten Sie einen Kuchen mit einer Schicht aus Baisermasse oder mit einem Baisergitter überziehen, so schlagen Sie den Eischnee von 3 Eiweißen mit 150 g Zucker oder Puderzucker und streichen oder spritzen ihn über den Kuchen.

Die Makronenmasse

Makronenmasse besteht aus fast mehlfein gemahlenen Mandeln, Eiweiß und Zucker, ähnlich wie Marzipan, das ebenfalls aus Mandeln und Zucker hergestellt wird. Da Marzipan-Rohmasse eine ausgezeichnete Basis für feines Makronengebäck ergibt, haben wir die entsprechenden Rezepte darauf aufgebaut. Die Ergebnisse sind ganz hervorragend. Die Marzipan-Rohmasse bleibt allerdings nicht ungemischt; es werden noch Eiweiß, Zucker und geriebene Mandeln zugegeben.

Das Grundrezept für klassische Makronen

Die Zutaten:

220 g Marzipan-Rohmasse
100 g geschälte, geriebene Mandeln
220 g Zucker
$^1/_8$ l Eiweiß (von etwa 4 Eiern)

Der Arbeitsablauf:

- Die Marzipan-Rohmasse in einer Schüssel mit den geriebenen Mandeln, dem Zucker und zunächst nur ganz wenig Eiweiß zu einem glatten Teig verkneten.
- Nach und nach das restliche Eiweiß möglichst mit dem Kochlöffel unter die Marzipanmasse rühren. Wenn Sie die Knethaken des elektrischen Handrührgeräts benützen, so müssen sie auf niedrigster Schaltstufe laufen, da die Masse keinesfalls schaumig werden darf.
- Die Makronenmasse in einen Spritzbeutel mit großer Lochtülle füllen. Ein Backblech mit Pergamentpapier auslegen und in genügendem Abstand kleine Häufchen der Makronenmasse darauf spritzen. Die Makronen gehen beim Backen zu doppelter Größe auseinander.
- Den Backofen auf 190 ° vorheizen und die Makronen auf der mittleren Schiebeleiste in 15–20 Minuten hellbraun backen.
- Die Makronen einige Minuten auf dem Backblech abkühlen lassen, dann auf ein Küchentuch stürzen. Das Pergamentpapier mit Wasser befeuchten und abziehen.

Nußmakronen

Statt mit Mandeln, die unbedingt in die klassische Makronenmasse gehören, können Sie dieselbe Masse auch mit 100 g geriebenen Haselnüssen oder Walnüssen herstellen.

Eigelbmakronen

Für Eigelbmakronen verwenden Sie statt der im Rezept für klassische Makronenmasse angegebenen Eiweiße dieselbe Menge von Eigelben. Der Arbeitsablauf bleibt der gleiche.

Die Makronen vom Backblech auf ein Küchentuch stürzen, das Pergamentpapier mit Wasser bestreichen und abziehen.

Grobe Makronenmasse auf eckige Oblaten streichen und die Oblaten in gleich große Schnitten zerteilen.

Grobe Makronenmasse

Diese unklassische Makronenmasse wird hauptsächlich für Makronenschnitten und für Mandelbögen verwendet.

Beispiel für die Zutaten:

4 Eiweiße
250 g Zucker
250 g Mandelblättchen
$^1/_4$ Teel. gemahlener Zimt
4 Oblaten im Format 11,5 × 19 cm

Der Arbeitsablauf:

- Die Eiweiße halb steif schlagen, den Zucker auf einmal zugeben und kurz weiterschlagen. Der Eischnee darf aber nicht ganz steif werden! Die Mandelblättchen und den Zimt unterziehen.
- Die Eiweiß-Mandel-Masse in einen großen, flachen Topf füllen und bei mittlerer Hitze unter ständigem Rühren heiß werden lassen.
- Die Mandelmasse gleichmäßig auf den vier Oblaten verstreichen. Die Oblaten in jeweils 5 Schnitten schneiden.
- Den Backofen auf 150 ° vorheizen. Die Mandelschnitten auf ein Backblech legen und auf der mittleren Schiebeleiste 15–20 Minuten backen.
- Die Schnitten einige Minuten auf dem Backblech abkühlen lassen, dann zum völligen Erkalten auf ein Kuchengitter legen.

Unsere Tips

- Statt Mandelblättchen können Sie auch grob gehackte Mandeln, nach Belieben auch grob gehackte Hasel- oder Walnüsse für die beschriebene Makronenmasse verwenden.
- Gebäck aus der groben Makronenmasse wird nicht weich und zart wie Gebäck aus der klassischen Makronenmasse, sondern knusprig.
- Wenn Sie die Eiweiß-Mandel-Masse im Topf erhitzen, müssen Sie so lange rühren, bis das Eiweiß glänzend weiß und etwas fest wird.

Bunt, süß und zart

Ist Ihnen ein Backwerk gelungen, beispielsweise ein luftiger Biskuitboden, ein goldbrauner Hefezopf, ein hochaufgegangener Gugelhupf oder wohlgeformte Plätzchen, so beginnt der schönste Abschnitt aller Backarbeiten: das Vollenden durch eine Füllung, eine Glasur oder durch das Verzieren. Hier dürfen Sie Ihre Erfingungsgabe spielen lassen! Der Füllung können Sie eigenwillige Geschmacksnuancen geben. Und ist ein Kuchen als Geschenk gedacht, so können Sie durch eine passende Verzierung ihn anstelle von Blumen »sprechen lassen«.
Damit der eigentliche schöpferische Teil des Backens in jedem Fall gelingt, verraten wir Ihnen in den folgenden Kapiteln, welche Möglichkeiten es gibt, ein fertiges Backwerk phantasievoll auszugestalten, und was an handwerklicher Grundlage dazu nötig ist.

Raffinierte Füllungen

Die vier Grundarten für Cremefüllungen erlauben unzählige Variationsmöglichkeiten. Ob nun die Creme auf der Basis von Eiern oder Sahne, Quark oder Butter entsteht: Immer gibt es die verschiedensten Kombinationen, die einer Creme geschmacklich und farblich den gewünschten Effekt verleihen. Wichtig ist nur, daß jeweils das Mengenverhältnis der Zutaten stimmt und die richtige Arbeitsweise angewendet wird.

Leichte Creme

Mit der leichten Creme werden beispielsweise Cremeschnitten gefüllt, flache Kuchen vom Backblech wie Bienenstich oder Streuselkuchen, ein beliebiger Rührkuchen wie Frankfurter Kranz oder auch Torten. Die angegebene Crememenge reicht aus zum Füllen und Verzieren von Kuchen und Torten. Ein Viertel davon genügt zum Bestreichen von Obstkuchenböden; die Creme dient dann als Isolierschicht zwischen Obst und Kuchenboden.

Beispiel für die Zutaten:

$^{1}/_{2}$ l Milch
4 Eigelbe
1$^{1}/_{2}$ Päckchen Vanille-Puddingpulver oder
65 g Speisestärke
30 g Zucker
das Innere von 1 Vanilleschote
4 Eiweiße
150 g Puderzucker

Der Arbeitsablauf:

- 4 Eßlöffel Milch mit den Eigelben, dem Puddingpulver oder der Speisestärke, dem Zucker und der Vanille verrühren.
- Während die Milch zum Kochen gebracht wird, die Eiweiße steif schlagen. Beginnt das Eiweiß fest zu werden, den gesiebten Puderzucker langsam einrieseln lassen und alles so lange weiterschlagen, bis ein steifer Eischnee entsteht.

- Das angerührte Puddingpulver hineingießen und unter Rühren einige Male aufkochen lassen. Den Eischnee unter den heißen Pudding ziehen, noch einmal kurz aufkochen lassen und den Pudding vom Herd nehmen.
- Die Creme unter mehrmaligem Umrühren etwas abkühlen lassen und noch warm auf das Gebäck streichen oder Gebäck damit füllen. Die Creme im gefüllten Gebäck völlig erkalten und festwerden lassen.

Varianten:
Mit Schokoladen-Puddingpulver und zusätzlich 60 g Kakaopulver oder 80 g aufgelöster Kuvertüre bzw. Blockschokolade können Sie eine Schokoladencreme herstellen; wenn Sie Kakaopulver verwenden, so sollten Sie statt 30 g Zucker 50 g Zucker zum Süßen verwenden (die Vanilleschote bleibt dann natürlich weg).
Vanillecreme oder Schokoladencreme kann zusätzlich mit Rum, Arrak oder mit geschmacksintensiven Likören aromatisiert werden.

Buttercreme

Für Buttercreme geben wir Ihnen zwei Rezepte: die bekannte leichte Buttercreme, die mit Pudding zubereitet wird, und die französische Buttercreme, die schwer, aber von hervorragendem Geschmack ist. Beide Cremes werden zum Füllen und Überziehen von Torten, Törtchen, Schnittchen und für Petits fours verwendet. Zum Einfrieren von Gebäck mit Buttercreme eignet sich ausschließlich die französische Buttercreme, da Pudding durch das Tieffrieren leicht gerinnt.

Buttercreme mit Pudding

Beispiel für die Zutaten:

250 g Butter
$^1/_2$ l Milch
1 Päckchen Vanille-Puddingpulver oder
45 g Speisestärke
140 g Zucker
2 Eigelbe

Der Arbeitsablauf:
- Die Butter schaumig rühren.
- 4 Eßlöffel Milch mit dem Puddingpulver, dem Zucker und den Eigelben verquirlen.
- Die restliche Milch zum Kochen bringen. Das angerührte Puddingpulver hineingießen und unter Rühren mehrmals aufkochen lassen. Den Pudding vom Herd nehmen und unter Rühren erkalten lassen.
- Wenn Pudding und Butter die gleiche Temperatur haben, den Pudding löffelweise unter die Butter rühren.

Unser Tip

Damit der Pudding beim Abkühlen keine Haut bekommt, rührt man ihn wiederholt um. Noch einfacher läßt sich die Bildung einer Haut vermeiden, wenn man den heißen Pudding auf eine große Porzellanplatte gießt und mit Puderzucker besiebt oder mit Haushaltszucker bestreut. Den erkalteten Pudding aber vor dem Mischen mit der Butter noch einmal gut glattrühren.

Französische Buttercreme

Beispiel für die Zutaten:

250 g Butter
4 Eier
1 Messerspitze Salz
160 g Zucker
das Innere von $^1/_2$ Vanilleschote

Der Arbeitsablauf:
- Die Butter gut schaumig rühren.
- Die Eier mit dem Salz und dem Zucker verquirlen und im heißen Wasserbad gut warm rühren. Die Eiercreme anschließend aus dem Wasserbad nehmen und wieder kalt schlagen.
- Die Eiercreme nach und nach mit der Butter und der Vanille mischen.

Varianten (sie gelten für beide Arten von Buttercreme):
Möchten Sie statt einer Vanille-Buttercreme eine Schokoladen-Buttercreme, so rühren Sie in die französische Buttercreme entweder 40 g Kakaopulver und zusätzlich 20 g Zucker oder 60 g aufgelöste Kuvertüre. Für Buttercreme mit Puddingpulver wird ein Schokoladen-Puddingpulver verwendet.
Die Buttercreme kann außerdem angereichert werden mit: geriebenen Mandeln oder Nüssen, Marzipan-Rohmasse, die mit etwas Flüssigkeit angerührt wird, aufgelöster Nougatmasse, geschmacksintensiven Spirituosen, der abgeriebenen Schale und dem Saft von Zitrusfrüchten, pürierten Beeren oder anderen Fruchtzusätzen.
Achtung: Fruchtzusätze, Säfte und Spirituosen stets langsam und in kleinen Mengen unter die Buttercreme rühren, damit die Creme nicht gerinnt!

Sahnecreme

Sahnecreme kann einfach aus Schlagsahne bestehen oder aus Sahne mit anderen Zusätzen. Schlagsahne und Sahnecreme lassen sich geschmacklich und in der Konsistenz durch das Zufügen von aromatisierenden Bestandteilen oder bindenden Bestandteilen verändern.
Soll eine Torte oder ein Kuchen nur mit Rosetten aus Schlagsahne verziert werden, so brauchen Sie dafür etwa $^1/_8$ Liter Sahne. Wird die ganze Oberfläche dick mit Schlagsahne bestrichen, ist $^1/_4$ Liter Sahne nötig, während man zum Füllen und Verzieren einer Torte oder einer Roulade $^1/_2$ Liter Sahne rechnet, gegebenenfalls mit anderen Ingredienzen gemischt.

Schlagsahne

Zutaten:

1/2 l Sahne
2–3 Eßl. Zucker

Der Arbeitsablauf:

- Die Sahne bis zum Schlagen möglichst im Kühlschrank lassen. Den Zucker der Sahne sofort zufügen und die Sahne mit dem Schneebesen, den Rührbesen der Küchenmaschine oder des elektrischen Handrührgeräts bei mittlerer Schaltstufe – keinesfalls auf höchster Schaltstufe! – schlagen. Wenn die Sahne beginnt festzuwerden, das elektrische Gerät auf eine niedrigere Stufe zurückschalten und die Sahne fertigschlagen. Die Sahne soll locker, glatt und schnittfest sein, darf aber keinesfalls klumpen.

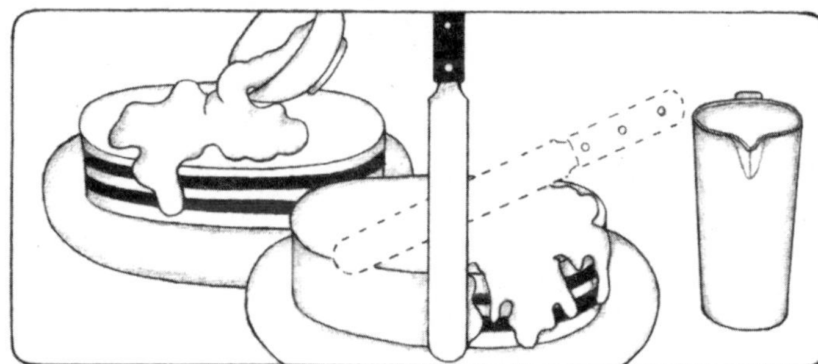

Eine Torte mit Schlagsahne bestreichen: Die Schlagsahne dick auf die Oberfläche füllen und mit einem Spatel Oberfläche und Rand glattstreichen.

Unsere Tips

- Schlagen Sie die Sahne mit demRührgerät bis kurz vor dem Festwerden. Danach wird mit dem Schneebesen in kreisenden Bewegungen weitergeschlagen, bis die Sahne die ideale Festigkeit erreicht; beim Schlagen mit der Hand können Sie diesen Punkt viel genauer bestimmen als mit dem elektrischen Rührgerät.
- Muß die Sahne oder das mit Sahne gefüllte oder verzierte Gebäck länger als eine Stunde bis zum Servieren stehen, empfiehlt es sich, der Sahne ein Steifmittel zuzufügen. Es bewirkt, daß die Sahne keine Flüssigkeit absetzt. Das Steifmittel stets nach Anweisung auf dem Päckchen verwenden.
- Zum Aromatisieren von Schlagsahne dürfen der fertig geschlagenen Sahne stets nur kleine Mengen zugegeben werden, da sie sonst zu dünnflüssig wird. Für 1/2 Liter Sahne rechnet man etwa 2 cl Likör oder andere Spirituosen oder etwa 50 g pürierte Beeren oder 80 g aufgelöste Schokolade, Kuvertüre oder Nougatmasse oder 50 g Kakaopulver mit 1–2 Eßlöffeln zusätzlichem Zucker gemischt. Durch feste Zusätze verliert die Sahne allerdings etwas von ihrer luftigen Konsistenz.

Schlagsahne mit Gelatine

Wenn Schlagsahne, die mit Gelatine gesteift wurde, auch etwas an Luftigkeit einbüßt, so läßt sie sich dafür 1–2 Tage im Kühlschrank steif halten. Außerdem ist es möglich, der Sahne größere Mengen von Fruchtmark oder aromatisierender Flüssigkeit zuzusetzen.

Zutaten:

3–6 Blatt weiße Gelatine oder eine entsprechende Menge gemahlener Gelatine
1/2 l Sahne
2–3 Eßl. Zucker

Der Arbeitsablauf:

- Die Gelatine in wenig kaltem Wasser einweichen, gemahlene Gelatine nach Vorschrift quellen lassen.
- Die Sahne mit dem Zucker steif schlagen.
- Die Gelatine ausdrücken und in wenig Wasser im Wasserbad oder bei sehr milder Hitze auf der Herdplatte unter ständigem Rühren auflösen und unter Rühren abkühlen lassen, bis sie lauwarm ist.
- Die lauwarme Gelatine unter die Schlagsahne rühren und diese anschließend im Kühlschrank erstarren lassen.

Sahnecreme mit Wein

Die angegebene Menge Sahne-Wein-Creme reicht aus, um eine Torte zu füllen. Zum Bestreichen und Verzieren der Oberfläche verwendet man Schlagsahne. Anstelle von Blattgelatine kann immer die entsprechende Menge gemahlene Gelatine verwendet werden.

Beispiel für die Zutaten:

6 Blatt weiße Gelatine
1/8 l Weißwein
1 Eßl. Zitronensaft
100 g Zucker
1 Prise Salz, 1/2 l Sahne

Der Arbeitsablauf:

- Die Gelatine in wenig kaltem Wasser einweichen.
- Den Wein mit dem Zitronensaft, dem Zucker und dem Salz verrühren und gut erhitzen, aber nicht kochen lassen.
- Die Gelatine ausdrücken, in die heiße Weinflüssigkeit rühren und unter Rühren so lange abkühlen lassen, bis sie zu gelieren beginnt.
- Die Sahne steif schlagen und unter die fast kalte Weincreme ziehen. Das Gebäck mit der Creme füllen. Nach Möglichkeit in den Kühlschrank stellen, bis die Creme erstarrt ist.

Sahne-Quarkcreme

Die angegebene Menge reicht aus, um eine hohe Torte zu füllen.

Beispiel für die Zutaten:

8 Blatt weiße Gelatine
1/4 l Milch
200 g Zucker
1 Prise Salz
abgeriebene Schale von 1 Zitrone
4 Eigelbe
1/2 l Sahne
500 g Quark

Der Arbeitsablauf:
- Die Gelatine in wenig kaltem Wasser einweichen.
- Die Milch mit dem Zucker, dem Salz, der Zitronenschale und den Eigelben verquirlen und unter Rühren einmal aufkochen lassen.
- Die Gelatine gut ausdrücken und unter ständigem Rühren in der heißen Milch auflösen. Die Milch kalt stellen, dabei mehrmals umrühren.
- Die Sahne steif schlagen.
- Wenn die Milch fast kalt ist, den Quark und dann die Sahne unterheben. Das Gebäck mit der Sahne-Quarkcreme füllen oder/ und bestreichen. In den Kühlschrank stellen, bis die Creme völlig erstarrt ist.

Pariser Creme

Pariser Creme wird als dünne Füllung für Torten oder Törtchen, zum Zusammensetzen von Kleingebäck und als Füllung für Konfekt – ähnlich wie Nougat – verwendet.

Zutaten:

1/2 l Sahne
1 Vanilleschote
200 g bittere Kuvertüre

Der Arbeitsablauf:
- Die Sahne mit der aufgeschnittenen Vanilleschote aufkochen lassen.
- Die Kuvertüre fein hacken und in der heißen Sahne auflösen. Die Creme so lange rühren, bis sie erkaltet und beginnt, fest zu werden. Das Gebäck mit der Creme füllen oder bestreichen oder Kleingebäck damit zusammensetzen. Anschließend die Creme möglichst im Kühlschrank erstarren lassen.

Die feinen Glasuren

Glasuren verleihen jeder Art von Gebäck ein festliches Aussehen. Sie können je nach Zusammensetzung zum geschmacklichen »Tüpfelchen auf dem i« werden und schützen außerdem vor dem raschen Austrocknen. Das Bereiten von Glasuren ist kinderleicht. Dennoch braucht man dafür etwas Erfahrung und Fingerspitzengefühl; denn schon wenige Tropfen Flüssigkeit zuviel lassen eine streichfähige Glasur zur dünnen Sauce werden.
Bei den Angaben in den Rezepten handelt es sich daher stets nur um ungefähre Mengen, da niemand im voraus ganz genau sagen kann, wieviel Flüssigkeit beispielsweise Puderzucker »schluckt« bis er streichfähig wird. Deshalb sollten Sie in den gesiebten Puderzucker die jeweilige Flüssigkeit immer nur in kleinen Mengen einrühren, bis schließlich die gewünschte Konsistenz erreicht ist. Zudem ist die Konsistenz einer Glasur nicht in allen Fällen gleich. Manche Gebäckarten verlangen eine besonders dünnflüssige Glasur, beispielsweise Spritzkuchen, Blätterteig- oder Plundergebäck. Beim Polnischen Osterkuchen dagegen ist die Glasur etwas dickflüssiger, sie soll an der Oberfläche haften, aber doch so dünn sein, daß sie spitzenartig nach unten laufen kann. Die Punschtorte wiederum wird mit einer glänzenden, streichfähigen Glasur überzogen, die zusätzlich ein Muster aus dunkler Glasur bekommt. Dies verleiht ihr das typische Aussehen.
Als Faustregel kann gelten: Eine Glasur aus 250 g Puderzucker reicht zum Überziehen einer Torte oder eines Kuchens. Wird Kleingebäck glasiert, brauchen Sie für einen Teig aus der gleichen Mehlmenge wie der des Kuchens 300–350 g Puderzucker.
Welche der folgenden Glasuren Sie für eine Gebäckart verwenden, ist in zweifachem Sinne Geschmacksache. Außerdem erhält eine Glasur, die noch warm aufgetragen wird, mehr Glanz, wenn das Gebäck zuvor aprikotiert wird, das heißt, man passiert Aprikosenmarmelade durch ein Sieb und bringt sie unter Rühren mit etwas Wasser zum Kochen. Das noch warme Gebäck wird mit einem Pinsel mit der dünnflüssigen Marmelade bestrichen. Man läßt sie kurz trocknen, ehe man die Glasur aufträgt. Auf glatte Tortenoberflächen streicht man die Glasur mit einem in warmes Wasser getauchten breiten Messer oder Spatel auf, auf kleineres Gebäck oder auf einen Gugelhupf beispielsweise wird die Glasur mit einem Pinsel aufgetragen, und Plätzchen oder Konfekt werden ganz oder teilweise in die Glasur getaucht.

Einen Kuchen noch warm mit erhitzter, gut verrührter und passierter Marmelade – meist Aprikosenmarmelade – bestreichen. Über der getrockneten Marmelade kann man noch eine Glasur auftragen.

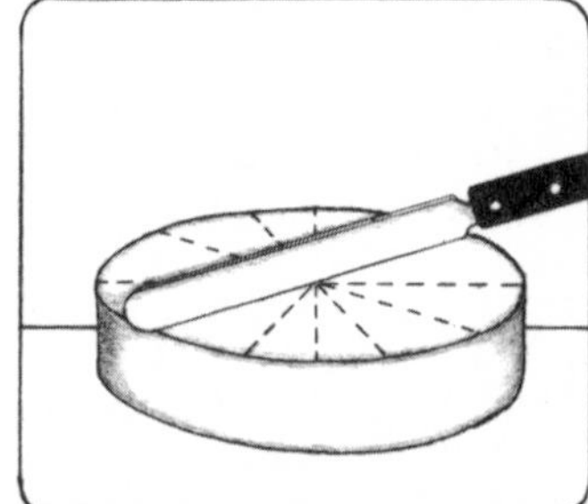

Möchten Sie jedes einzelne Tortenstück verzieren, so teilen Sie die Oberfläche der Torte am besten vorher in gleich große Teile. Das geht gut mit einem Spatel, langen Messer oder auch mit einen stramm über die Torte gespannten Stück Küchengarn.

Puderzuckerglasur

Zutaten:

250 g Puderzucker
4–5 Eßl. heißes Wasser

Der Arbeitsablauf:
- Den Puderzucker sieben und nach und nach mit dem möglichst kochendheißen Wasser verrühren, bis die Glasur die gewünschte Konsistenz hat.

Varianten:
Statt des Wassers können Sie die Zuckerglasur auch mit heißer Milch anrühren, mit erhitztem Fruchtsaft oder mit erhitztem

Die feinen Glasuren

Wein. Je nach Gebäckart kann die Glasur auch mit Rum, Arrak oder einer anderen Spirituose angerührt werden. Außerdem können Sie die Glasur durch einige Tropfen Lebensmittelfarbe färben oder geschmacklich durch Aromazusätze wie Mandelöl, Rosenöl oder Vanille verändern.

Eiweißglasur

Zutaten:

250 g Puderzucker
1 Eiweiß

Der Arbeitsablauf:

- Den gesiebten Puderzucker nach und nach mit dem Eiweiß verrühren. Sollte die Glasur dabei zu dünnflüssig werden, noch etwas Puderzucker zugeben.

Varianten:

Die Eiweißglasur können Sie ebenso wie die Puderzuckerglasur durch Lebensmittelfarbe oder Aromastoffe geschmacklich und im Aussehen verändern. Ist es dabei notwendig, Flüssigkeit zuzugeben, so müssen Sie dies ausgleichen, indem sie zusätzlich Puderzucker unterrühren, bis die Glasur wieder cremig ist.
Wenn Sie zu der angegebenen Menge Eiweißglasur 1 Eßlöffel geschmolzene, aber ja nicht heiße Butter rühren (das Eiweiß darf nicht gerinnen!), so wird die Glasur besonders geschmeidig und läßt sich leicht verarbeiten.

Fondantglasur

Zutaten:

250 g Fondantmasse (beim Konditor fertig zu kaufen)
2–3 Eßl. Wasser

Der Arbeitsablauf:

- Die Fondantmasse mit so viel Wasser verrühren, daß die Glasur die gewünschte streichfähige Konsistenz erhält.

Varianten:

Wenn Sie die Fondantmasse mit Eiweiß statt mit Wasser verdünnen, bekommt die Glasur einen besonders schönen Glanz.
Statt mit Wasser oder Eiweiß können Sie die Fondantmasse auch mit Likör oder mit Fruchtsäften glattrühren. Außerdem kann man der Fondantmasse durch etwas geschmolzene Schokolade oder durch Instant-Kaffeepulver, durch feingemahlene Nüsse oder Mandeln eine besondere Geschmacksnuance verleihen.

Schokoladenglasur

Zutaten:

125 g Blockschokolade oder Kuvertüre
150 g Puderzucker
3 Eßl. Wasser
1 Eßl. Butter

Der Arbeitsablauf:

- Die kleingeschnittene Blockschokolade oder Kuvertüre im heißen Wasserbad unter Rühren auflösen. Den gesiebten Puderzucker, das Wasser und die Butter zugeben und alles so lange rühren, bis sich die Zutaten gut gemischt haben. Die Schokoladenglasur aus dem Wasserbad nehmen und so lange weiterrühren, bis sie beginnt, wieder etwas fester zu werden. Ist die gewünschte Konsistenz erreicht, überzieht man das Gebäck mit der Glasur oder taucht es ein.

Schokoladen-Fettglasur

Schokoladen-Fettglasur brauchen Sie nicht selbst anzurühren. Sie ist gebrauchsfertig in Töpfchen zu 100 g zu kaufen und ganz leicht zu verarbeiten. In vielen Rezepten dieses Buches wird fertige Schokoladen-Fettglasur verwendet. Sie besteht aus Blockkakao, Zucker und Pflanzenfett und ergibt besonders schön glänzende Glasuren, sofern man sich genau an die Gebrauchsanweisung hält.

Kuvertüre

Das Wort Kuvertüre kommt aus dem Französischen und bedeutet nichts weiter als Überzug. Schokoladen-Kuvertüre übertrifft geschmacklich jede andere Schokoladenglasur. Sie besteht aus Kakao mit der Kakaobutter und Zucker. Kuvertüre wird in den Geschmacksnuancen Bitterschokolade, Halbbitterschokolade und Milchschokolade angeboten. So hervorragend Schokoladen-Kuvertüre im Geschmack ist – sie verlangt weit mehr Sorgfalt bei der Zubereitung als beispielsweise Schokoladen-Fettglasur.
Um einen Kastenkuchen, einen Gugelhupf oder eine Torte mit Kuvertüre zu überziehen, brauchen Sie etwa 200 g Kuvertüre.
Die Kuvertüre wird kleingeschnitten und im heißen Wasserbad unter ständigem Rühren erwärmt. Die flüssige Kuvertüre aus dem Wasserbad nehmen und unter ständigem Rühren wieder abkühlen lassen, bis sie fast zu erstarren beginnt. Dann wird die Kuvertüre noch einmal behutsam im Wasserbad auf etwa 30–35 ° erwärmt. Die Temperatur können Sie am besten durch die Lippenprobe feststellen: Halten Sie einen Tropfen der geschmolzenen Kuvertüre an den unteren Lippenrand. Haben Sie keinerlei Ge-

Plätzchen, die mit Schokoladenglasur oder Kuvertüre überzogen werden, auf einer Gabel eintauchen und auf dem Kuchengitter abtropfen lassen. Sie bleiben dort liegen, bis der Überzug erstarrt ist.

Marzipankugeln oder anderes Konfekt auf eine Gabel legen – weiche Stücke auch anspießen – und völlig in die Kuvertüre tauchen.

fühl von Wärme, dann ist die Temperatur richtig. Empfinden Sie den Schokoladentropfen jedoch als warm oder kalt, stimmt die Temperatur nicht. Die auf die richtige Temperatur erwärmte Kuvertüre über das Gebäck gießen und mit einem Messer oder Spatel glattstreichen. Kleingebäck vollständig oder teilweise in die flüssige Kuvertüre eintauchen und anschließend gut trocknen lassen (Gebäck zum Eintauchen auf eine Gabel legen).

Honigkuchenlack

Zutaten:

180 g Kartoffelmehl
1/4 l kaltes Wasser

Der Arbeitsablauf:

- Das Kartoffelmehl in einer Kasserolle unter ständigem Rühren braun rösten. (Das Kartoffelmehl kann auch flach auf ein Backblech gestreut und im Backofen bei etwa 200 ° braun geröstet werden. Das auf dem Backblech geröstete Kartoffelmehl dann in eine Kasserolle schütten.) In das geröstete Kartoffelmehl das Wasser schütten und unter Rühren aufkochen lassen. Diesen Brei durch ein Haarsieb gießen und anschließend noch einmal so lange kochen lassen, bis sich auf der Oberfläche eine feine Haut gebildet hat. Den Brei dann abkühlen lassen und je nach Konsistenz eventuell noch mit etwas Wasser verdünnen. Diese geschmacksneutrale Glasur gibt der Oberfläche von Honigkuchen einen appetitlichen Glanz. Das Gebäck wird noch heiß mit dem »Lack« dünn bepinselt.

Unser Tip

Nicht verbrauchter Honigkuchenlack läßt sich in einem geschlossenen Gefäß bis zu einem Jahr aufbewahren.

Geleeguß oder Tortenguß

Gelee- oder Tortenguß kaufen Sie fertig in Päckchen. Sie können ihn farblos (klar) oder rot wählen. Für hellen oder gemischten Obstbelag paßt der farblose Tortenguß am besten. Wenn Sie rote Früchte auf die Torte oder auf den Kuchen gelegt haben, können Sie auch den roten Tortenguß verwenden. Für eine runde Obsttorte oder für einen runden Obstkuchen brauchen Sie ein Päckchen Tortenguß, für einen Blechkuchen zwei. Den Tortenguß immer genau nach Vorschrift auf dem Päckchen zubereiten und auftragen. Statt mit Wasser können Sie den Tortenguß auch mit Wein oder Fruchtsaft anrühren. Wenn Sie tiefgefrorenes Obst für den Kuchen verwenden, so übergießen Sie die Früchte noch gefroren mit dem heißen Tortenguß. Sie sind aufgetaut, wenn der Tortenguß erstarrt und erkaltet ist. Mandelblättchen, Krokantstreusel oder Schokoladenstreusel, mit denen der Rand des Kuchens oder der Torte garniert werden soll, drückt man mit dem Teigschaber in den noch weichen Tortenguß. Mit Schlagsahne dürfen Sie die Oberfläche des Kuchens erst verzieren, wenn der Tortenguß erstarrt ist.

Hübsch verzieren

Die Bilder zu den Backrezepten in diesem Buch geben Ihnen viele Anregungen für das Verzieren von Kuchen, Torten, Kleingebäck und Plätzchen. Meist lassen sich mit wenig Mühe große Wirkungen erzielen – man muß nur die richtigen Kniffe und Handgriffe kennen. Und die wollen wir Ihnen auf den nächsten Seiten zeigen.

Besieben, Bestreuen

Zum Besieben eignen sich Puderzucker und Kakaopulver. Geben Sie immer nur eine kleine Menge Puderzucker oder Kakao in ein kleines Haarsieb und besieben Sie das Gebäck durch gleichmäßiges Hin- und Herschwenken des Siebs.
Wenn Sie Tortenspitze oder fertig zu kaufende speziell fürs Besieben bestimmte Deckchen als Schablone auf den Kuchen oder die Torte legen, so ergibt sich auf der Oberfläche ein zartes Muster aus Puderzucker oder Kakao. Beim Abheben der Tortenspitze oder des Deckchens müssen Sie allerdings sehr vorsichtig sein, damit Sie das Muster nicht verwischen.
Mit ein wenig Geschick können Sie selbst aus Papier Schablonen zum Besieben ausschneiden, beispielsweise Sterne oder einen Tannenbaum für Weihnachten, kleine Vögel, Blumen oder auch Buchstaben, wenn ein Kuchen für besondere Anlässe mit einer Schrift verziert werden soll.

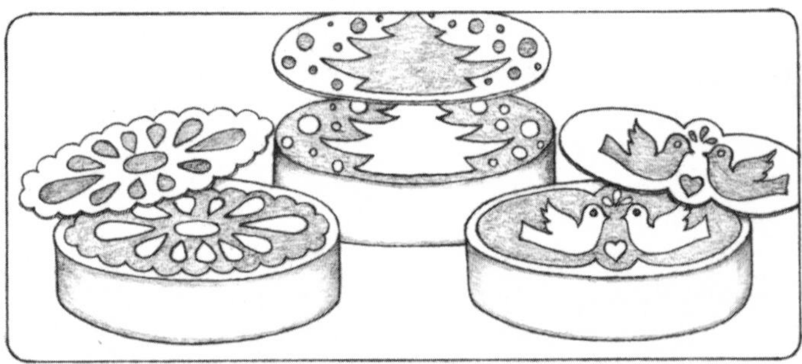

Ob Sie Schablonen zum Besieben selbst herstellen oder kaufen: In jedem Fall kann man mit ihnen Kuchen und Torten ohne große Kunstfertigkeit dem Anlaß entsprechend verzieren.

Zum Bestreuen eignen sich Zuckerstreusel, Schokoladentrüffel, Mandelblättchen, Mandelstifte, geraspelte Kokosnüsse oder andere Nüsse, kleingehackte Trockenfrüchte oder Krokantstreusel. In vielen Rezepten können Sie lesen: »den Rand der Torte mit . . . bestreuen.« Diese Anweisung dürfen Sie allerdings nicht wörtlich nehmen; denn wenn Sie den Tortenrand wirklich bestreuen oder bewerfen, so treffen Sie ganz sicher auch die Oberfläche der Torte. Am besten drücken Sie die Schokoladenstreusel oder Mandelblättchen mit dem Teigschaber aus Plastik gleichmäßig um den Tortenrand.

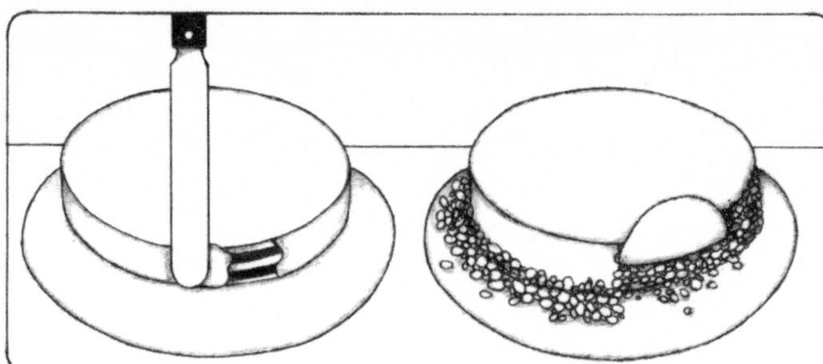

Soll der Rand einer Torte, nachdem er mit Creme bestrichen wurde, mit Mandelblättchen, Schokoladenstreusel oder anderem »bestreut« werden, dann drücken Sie das »Streugut« am besten mit dem Teigschaber aus Plastik gleichmäßig um den Tortenrand.

Rosetten, Girlanden

Rosetten und Girlanden können Sie aus Schlagsahne oder Buttercreme aufspritzen. Dazu brauchen Sie einen Spritzbeutel mit Stern- oder mit Lochtülle. Stern- und Lochtüllen gibt es in verschiedenen Größen. Je kleiner die Öffnung, desto zarter wird das Spritzwerk. Aus der Lochtülle erhalten Sie glatte Stränge, aus der Sterntülle gezackte. Zum Spritzen von Rosetten und Girlanden

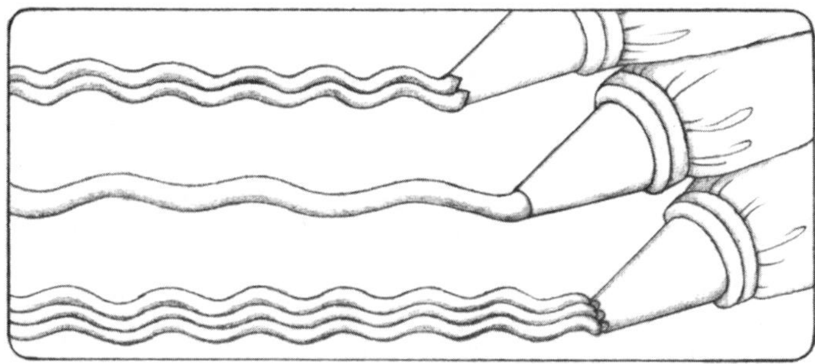

Zum Spritzen von Sahne oder Creme verwendet man Spritzbeutel mit verschieden großen Stern- oder Lochtüllen. Je kleiner die Öffnung der Tülle, desto zarter wird das Spritzwerk.

sollten Sie unbedingt einen Spritzbeutel, keine Plastikspritze verwenden. Wenn Sie die Mühe scheuen, den Spritzbeutel aus Stoff jedesmal nach dem Gebrauch auszukochen, so verwenden Sie Einwegbeutel oder Plastiktüten, von denen Sie eine Ecke für die Tülle abschneiden. Füllen Sie den Spritzbeutel höchstens zur Hälfte mit Creme, damit sich das obere Ende gut halten läßt. Wenn Sie noch keine Übung im Umgang mit dem Spritzbeutel haben, so spritzen Sie das geplante Muster zunächst einmal auf Alufolie (die Creme ist deshalb nicht vergeudet; Sie nehmen sie mit dem Messer von der Folie wieder ab und füllen sie zurück in den Beutel).
Beim Spritzen von Rosetten drücken Sie gleich große Tupfen aus dem Spritzbeutel mit Sterntülle. Eine größere Rosette kann mit einer Kirsche, einer Kaffeebohne oder einer Beere belegt werden. Wenn Sie mehrere kleine Tupfen in Kranzform spritzen und in die Mitte eine größere Rosette, dann ergibt das eine Blütenform. Girlanden aus der Sterntülle können Sie strahlenförmig von innen nach außen auf jedes Tortenstück spritzen und jeweils mit einer Rosette oder stilisierten Blütenform abschließen und diese noch garnieren.
Girlanden können Sie aber auch als Kranz um den Tortenrand spritzen, als Herz oder in einer anderen beliebigen Form, die sich vielleicht auf den Anlaß bezieht, für den die Torte gebacken wurde.

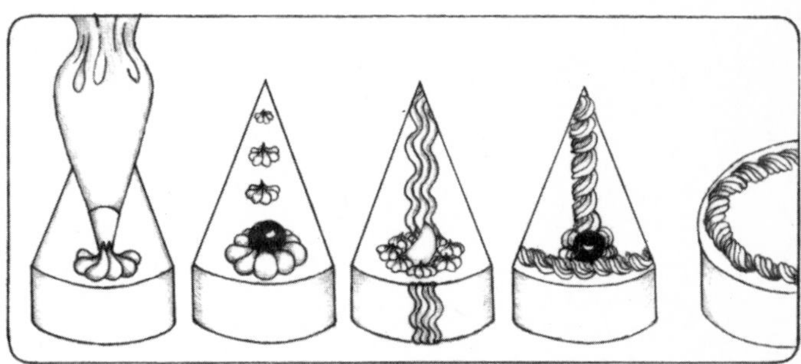

Aus Rosetten und Girlanden, mit der Sterntülle gespritzt, können Sie beliebige Kombinationen auf Torten spritzen. Rosetten werden gern noch mit Früchten belegt.

Süße Schriften und Zahlen

Wenn Zahlen oder Wörter, aber auch Blumen, Schmetterlinge und Figürchen gestochen scharf gespritzt werden sollen, brauchen Sie dazu eine eigene Spritzglasur.

Eiweiß-Spritzglasur

Rühren Sie zunächst eine Eiweißglasur an, wie sie im Rezept auf Seite 39 beschrieben ist. Fügen Sie dann tropfenweise etwas Zitronensaft und so viel gesiebten Puderzucker zu, daß die Glasur standfest ist und einen steifen Brei ergibt. Soll die Glasur bunt sein, so färben Sie sie mit einigen Tropfen Lebensmittelfarbe oder mit etwas Fruchtsaft, dann noch Puderzucker zugeben.

Schokoladen-Spritzglasur

Zur Schokoladen-Spritzglasur brauchen Sie Läuterzucker. Verrühren Sie zunächst 500 g Zucker mit 400 ccm Wasser und lassen Sie ihn unter Rühren so lange kochen, bis er völlig durchsichtig und klar (geläutert) ist. Das dauert etwa 8 Minuten. Der Zucker ist dann flüssig und kann in einer Flasche fast unbegrenzt aufbewahrt werden.
Für die Schokoladen-Spritzglasur zerkleinern Sie 1 gehäuften Eßlöffel Kuvertüre und lösen diese im Wasserbad auf. Die Kuvertüre dann aus dem Wasserbad nehmen und wenn sie fast erkaltet ist nach und nach mit etwa 3 Teelöffeln Läuterzucker verrühren. Die Glasur soll sehr geschmeidig und glänzend sein; wenn nötig, noch 1–2 Teelöffel Läuterzucker zugeben.
Beide Spritzglasuren werden mit Hilfe einer kleinen selbstangefertigten Spritztüte aus Pergamentpapier aufgespritzt; das Anfertigen der Spritztüte beschreiben wir auf Seite 42.

Das Anfertigen der Tüte:
Ein quadratisches Stück Pergamentpapier diagonal falten und in der Mitte durchschneiden, so daß Sie zwei Dreiecke erhalten, die Sie für verschiedenfarbige Glasuren verwenden können.

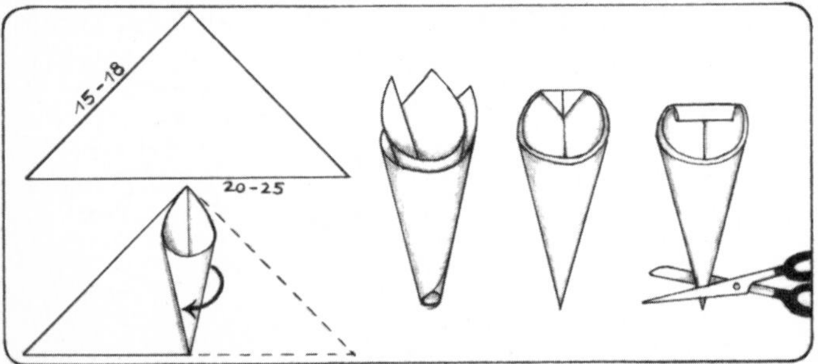

Um eine Spritztüte herzustellen, schneiden Sie ein Dreieck aus Pergamentpapier, drehen eine Tüte daraus und knicken die Enden der Nahtseite zweifach um. Die untere Spitze gerade abschneiden! Je kleiner das Loch, desto feiner der »Spritzfaden«.

Die Dreiecke zu zwei spitzen Tüten drehen.
Die Nahtseite der Tüte oben umknicken, damit die Tüte gut zusammenhält.
Mit der Schere die Spitze der Tüte gerade abschneiden. Gerade ist wichtig, denn nur so erhalten Sie einen gleichmäßigen »Faden«! Je höher Sie die Spitze abschneiden, desto dicker wird der »Faden«.

Am besten versuchen Sie die Schrift oder die Zahlen zunächst auf Pergamentpapier oder auf Alufolie zu spritzen. Achten Sie dabei darauf, daß die Tüte nicht nah an die Schriftfläche gehalten wird. Der Glasur-»Faden« muß freischwebend aus der Tüte kommen; nur so haben Sie genügend Spielraum, um die entstehenden Formen zu beeinflussen.
Eine große Hilfe bedeutet es, wenn Sie sich die gewünschten Formen – Schriften, Zahlen oder Figürchen – auf der Schriftfläche zunächst mit einer dünnen Stricknadel vorzeichnen und dann erst mit der Spritzglasur darübergehen.

Als Anregung für eigene Erfindungen können Ihnen vielleicht die folgenden Muster dienen.

Linien und einfache Figürchen, die Sie spritzen möchten, zeichnen Sie erst auf Papier und übertragen die Zeichnung dann mit einer Stricknadel vorsichtig auf die Torte. So kann sie leicht mit der Spritzglasur nachgezogen werden.

So einfach entsteht beispielsweise die kunstvoll wirkende gespritzte Glasur einer Punschtorte:

Die Punschtorte zunächst mit einer dünnen Platte aus Marzipan belegen.

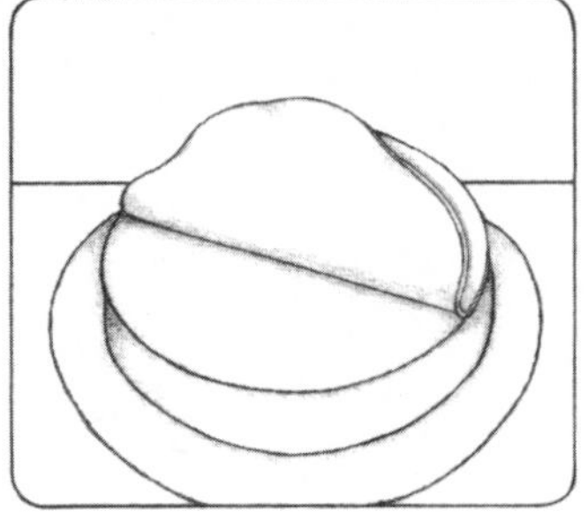

Die Marzipanplatte und den Tortenrand mit heller Glasur überziehen.

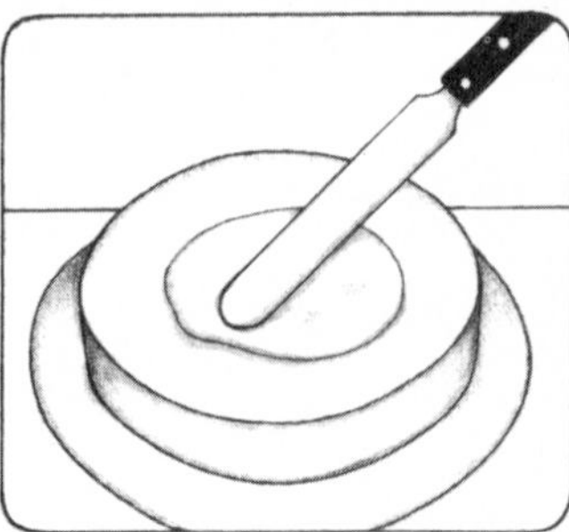

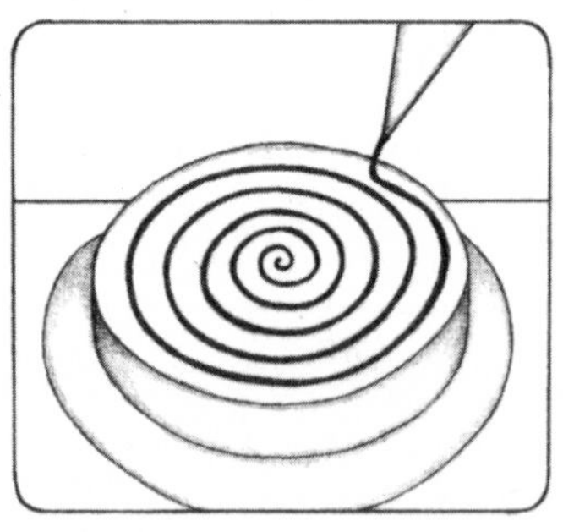

Die dunkle Glasur mit dem Spritztütchen spiralig von innen nach außen auftragen.

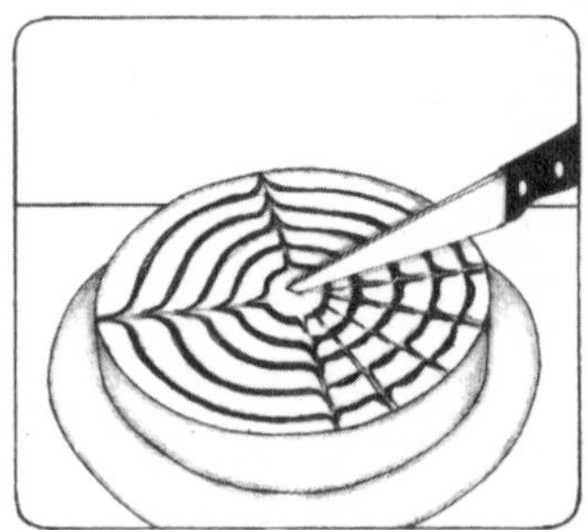

Solange die Glasur noch weich ist, die dunklen Linien mit dem Messer nach außen ziehen. Dabei entsteht das für die Punschtorte typische Muster.

Formen, Rollen, Flechten

Wird zum Backen keine Backform verwendet, müssen Sie den Teig mit den Händen formen. Oder Sie stechen aus ausgerolltem Teig mit Hilfe von Förmchen Plätzchen aus oder schneiden mit dem Messer oder dem Teigrädchen Streifen, Rauten oder ähnliches. Gebäck ohne Backform wird auf dem Backblech gebacken. Zu den einfachsten mit der Hand geformten Gebäckarten gehören beispielsweise Brötchen. Damit alle Brötchen gleich groß geraten, wiegen Sie den Teig am besten in Stücken von 50–60 g ab und rollen diese zwischen den bemehlten Händen zu Kugeln. Die Kugeln können je nach dem gewünschten Aussehen noch etwas flachgedrückt, zu Ovalen geformt oder/und mit Einschnitten versehen werden. Für das Formen von Christstollen finden Sie genaue Anweisungen auf Seite 14. Wie man etwas kompliziertere Teiggebilde formt, zeigen die nachstehenden Zeichnungen.

Formen, Rollen, Flechten

Teig ausstechen

Besitzen Sie keine Ausstechförmchen, so können Sie mit Gläsern unterschiedlicher Größe und mit einem Fingerhut sehr hübsche Plätzchen ausstechen. Oder Sie schneiden, wie schon erwähnt, mit dem Teigrädchen oder einem Messer Streifen, Rauten, Quadrate oder Dreiecke aus.

Gefüllte Teigtaschen

Aus einem etwa $^1/_2$ cm dick ausgerollten Teig Quadrate von 15 cm Seitenlänge schneiden und in die Mitte etwas von der Füllung geben.
Die vier Ecken mit verquirltem Eigelb bestreichen und in der Mitte über der Füllung zusammendrücken.
Aus den Teigresten mit einem Fingerhut oder mit einem kleinen Schnapsglas runde Plätzchen ausstechen und mit Eigelb auf der Mitte festdrücken.

Hörnchen

Aus dem ausgerollten Teig entweder gleich große Quadrate oder langgezogene Dreiecke schneiden. Die Füllung bei den Quadraten in eine Ecke geben, doch so, daß der Rand frei bleibt, bei den Dreiecken über die Schmalseite.
Quadrate diagonal, Dreiecke von der Schmalseite zur Spitze hin aufrollen. Die Spitze mit verquirltem Eigelb bestreichen und auf dem Hörnchen festdrücken. Die Hörnchen leicht biegen.

Halbmonde

Markieren Sie auf einem ausgerollten rechteckigen Teigblatt die Mittellinie und gleich große Querstreifen. Auf eine Seite nahe der Mittellinie zwischen die Querstreifen die Füllung verteilen, das ganze Teigblatt über die Füllung klappen und die Ränder gut festdrücken.
Mit einem Glas Halbmonde aus dem gefalteten Teigblatt stechen, und zwar so, daß die Füllung jeweils in der Mitte des Halbmondes liegt.

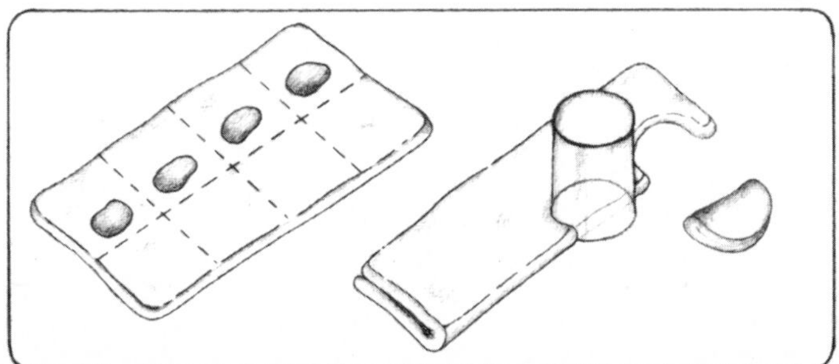

Für gefüllte Halbmonde die Füllung auf eine Seite des Teigblatts geben. Das Teigblatt übereinanderklappen und mit einem Glas Halbmonde ausstechen. Teigreste erneut ausrollen und ebenso verarbeiten.

Brezen

Für Brezen zunächst gleich dicke und gleich lange Teigstränge rollen, deren Enden allmählich dünner werden. Aus den Strängen Brezen formen und die Enden mit leichtem Druck auf den beiden dickeren Seiten befestigen.

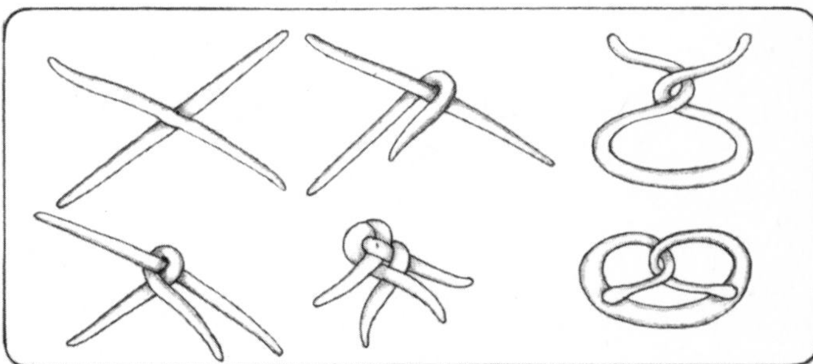

So entstehen Brezen und kleine Viererzöpfe aus zwei Strängen, beispielsweise die Safranzöpfe, Rezept auf Seite 222.

Räder, Schnecken, Schlingen

Die Enden von zwei gleich dicken und gleich langen Teigsträngen oben und unten in entgegengesetzter Richtung leicht einrollen. Die beiden Teigstränge dann in der Mitte übereinanderdrücken und die Enden weiter einrollen, bis sie die Mittelstränge berühren.
Die Enden eines langen Teigstrangs nach den entgegengesetzten Seiten hin zu Schnecken rollen, bis sie sich in der Mitte berühren.

Beliebte Formen für Kleingebäck sind Schnecken und Windräder. Diese Gebilde lassen sich ganz einfach gestalten. (Wichtig für das Rezept für Luxusbrötchen auf Seite 219).

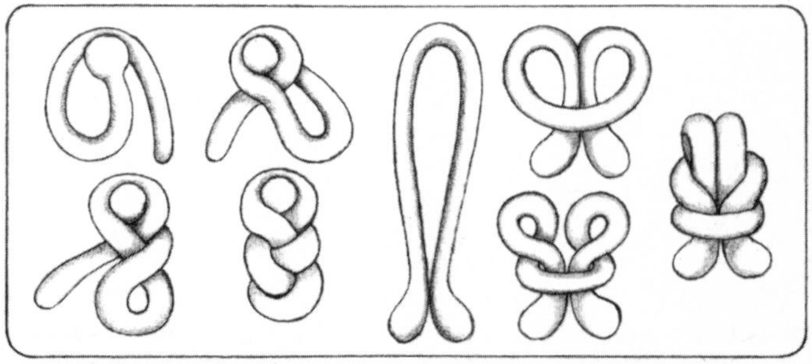

Luxusbrötchen, Rezept Seite 219, können Sie auch aus einem Strang schlingen, der an einem Ende oder an beiden kugelig verdickt ist.

Arbeitspläne

Das Ende eines langen Teigstrangs kugelförmig verdicken. Den Teigstrang der Höhe nach um diese Kugel schlingen und, wie auf der Zeichnung zu sehen, ineinanderflechten.
Beide Enden eines Teigstrangs kugelartig verdicken und den Strang über den beiden nebeneinandergelegten Kugeln ineinanderschlingen.

Teigzöpfe

Für die verschiedenen Zopfarten brauchen Sie entweder gleich dick geformte Stränge oder Stränge, die sich an beiden Enden verjüngen, oder Stränge, die nur an einem Ende dünner werden.

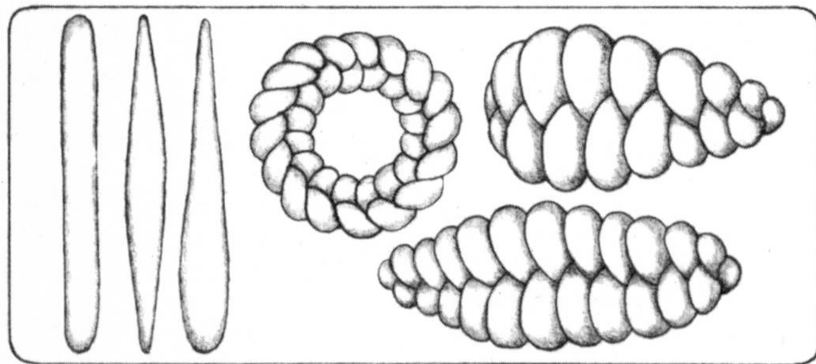

Zöpfe oder Kränze können Sie aus Strängen formen, die entweder gleichmäßig dick sind oder an einem, oder auch an beiden Enden dünn auslaufen. Die Form der Stränge entscheidet über das Aussehen des Backwerks.

Für einen Zopfkranz brauchen Sie drei Stränge, die sich an einem Ende verjüngen. Flechten Sie damit einen ganz normalen Zopf, legen Sie diesen als Kranz zusammen und verbinden Sie die Teigenden so, daß weder Anfang noch Ende zu sehen sind.
Für einen Stollen oder Striezel in Zopfform verwenden Sie am besten gleich dicke Stränge. Ganz gleich, ob Sie einen Zopf aus drei, vier, fünf, sechs oder sieben Strängen flechten, immer wird der Zopf von der Mitte aus begonnen.
Beim Flechten eines Zopfes von mehr als drei Strängen müssen Sie darauf achten, daß die beiden äußeren Stränge jeweils über die inneren Stränge zur Mitte hin gelegt werden.
Haben Sie einen fünfsträngigen Zopf zur Hälfte geflochten, müssen Sie ihn umdrehen, das heißt die bisherige Oberseite wird Unterseite; erst dann können Sie die zweite Hälfte des Zopfes fertigflechten.

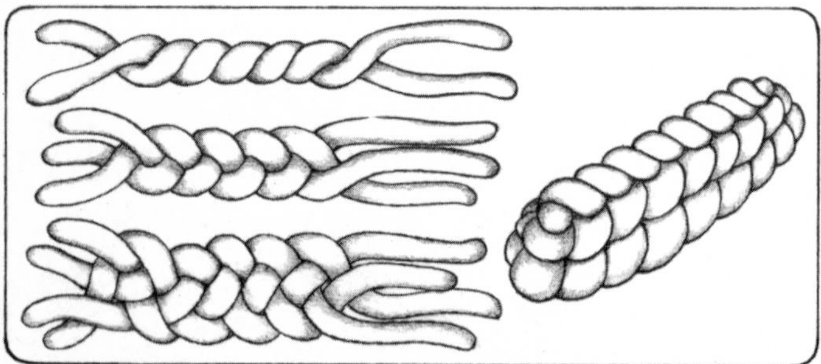

Wird ein Zopf aus mehr als drei Strängen geflochten, so legt man jeweils die beiden äußersten Stränge zur Mitte hin über die anderen. Ein kunstvoller Striezel besteht aus einem Vierer- oder Fünferzopf, auf dem noch ein Dreierzopf und auf diesem ein Zweierzopf liegt.

Arbeitspläne

Für das Knusperhäuschen auf Seite 152 schneiden Sie sich nach den gezeichneten Flächen in entsprechender Größe Pappschablonen aus. Die Bodenplatte und die beiden Dachflächen werden aus einer 1 cm dicken Teigplatte mit einem scharfen, spitzen Messer ausgeschnitten. Die beiden Giebel- und Seitenwände werden aus der gebackenen, noch heißen Blockhausfläche, die aus Teigsträngen besteht, geschnitten. Aus den 1/2 cm dick ausgerollten Teigresten schneiden Sie die Zaunlatten, die Fensterläden, die Tür, die Kaminflächen und kleine Honigkuchen zum Verzieren.

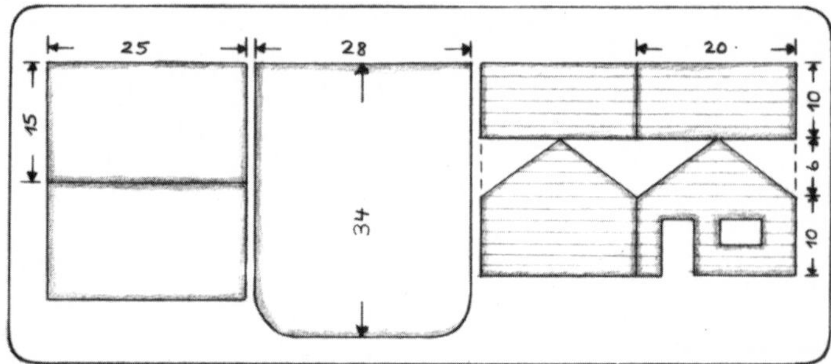

Nach diesem Schema können Sie in den angegebenen Maßen die Schablonen für das Kleine Knusperhäuschen auf Seite 152 zeichnen und ausschneiden. Zusätzlich sollte es natürlich noch einen Kamin bekommen und einige kleine Lebkuchen zum Verzieren der Wände.

Möchten Sie statt des Blockhauses lieber ein hochgiebeliges Hexenhaus, dann rollen Sie den Teig für die beiden Front- und Seitenwände 1 cm dick aus, für die Dachfläche und den Schornstein nur 1/2 cm dick. Benützen Sie zum Ausschneiden des ungebackenen Teigs Schablonen in entsprechender Größe nach unserem Vorschlag für ein Hexenhaus, und verzieren Sie das Haus nach eigenen Vorstellungen. Die Bodenplatte können Sie für das hohe Häuschen etwas kleiner halten oder aber einen bunten Zuckergarten auf der verfügbaren Fläche errichten.

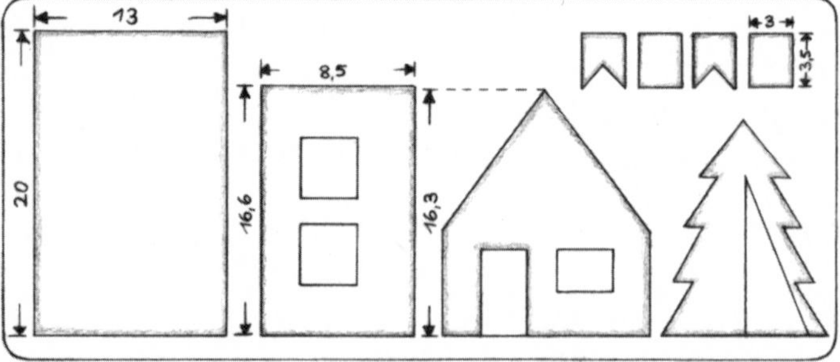

Hier eine Version für ein hochgiebeliges Knusperhäuschen. Die Bodenplatte kann in beliebiger Größe gebacken und mit entsprechend vielen Tannenbäumen »bepflanzt« werden.

Sollten Sie für das Knusperhäuschen noch einige Tannenbäumchen brauchen, dann schneiden Sie sich Schablonen nach dem gegebenen Muster; die Größen können variieren. Die Schablone kann auch für Tannenbaum-Plätzchen verwendet werden. Müssen die Bäume aber um das Haus herum aufgestellt werden, brauchen Sie pro Baum noch Stützdreiecke (im Tannenbaum enthalten), die Sie mitbacken und mit Zuckerguß an den Rückseiten der Bäume befestigen.

Geflochtener Osterkorb

Aus den 20–35 cm langen Strängen zunächst von der Mitte aus ein gleichmäßiges Teiggitter flechten. Ungleichmäßig überstehende Teigstränge abschneiden.
Das Gitter über eine runde feuerfeste Schüssel von 17 cm Durchmesser legen. Zwei Teigstränge im Umfang des Schüsselrandes zu einer Kordel drehen, mit verquirltem Eigelb bestreichen, um den Schüsselrand legen und die Enden zusammendrücken. Den ganzen Korb ebenfalls mit verquirltem Eigelb bestreichen. Für den Fuß des Korbes zwei dickere Teigstränge zu einer 40 cm langen Kordel rollen, die Kordel um einen vorbereiteten Ring aus Alufolie legen und die Teigenden mit Eigelb bestreichen und zusammendrücken. Für den Henkel zwei lange gleich dünne Stränge rollen, zu einer Kordel zusammendrehen und einen starken Draht in Henkelform, der Korbgröße entsprechend, biegen und durch die Kordel schieben. Die beiden Drahtenden frei stehen lassen. Sie werden später in den Korb gesteckt.
Aus dem restlichen Teig drei gleich dicke Stränge rollen, einen Zopf für den oberen Rand des Korbes flechten und diesen zu einem Ring zusammenlegen. Der Ring muß dem Umfang des Korbes entsprechen. Die Ringenden mit Eigelb bestreichen und gut zusammendrücken.
Alle Teile des Korbes, wie im Rezept Seite 203 vorgeschrieben, backen und über Nacht abkühlen lassen. Die einzelnen Korbteile mit Zuckerguß zusammenkleben und den Henkel mit den Drahtenden in den Korb stecken.

Für den Osterkorb, Rezept auf Seite 203, flechten Sie aus langen Teigsträngen, von der Mitte aus beginnend, ein Gitter.

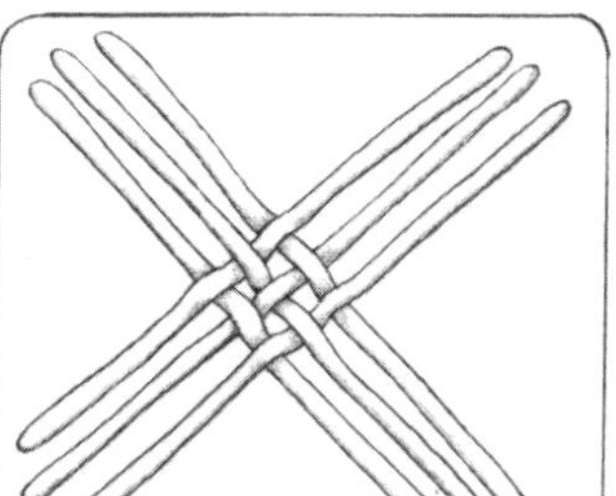

Das Teiggitter muß so groß werden, daß die Schüssel damit umhüllt werden kann. Ungleichmäßig lange Stränge abschneiden.

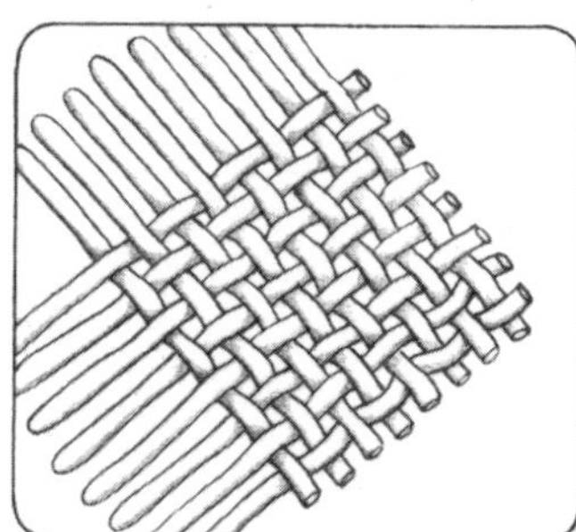

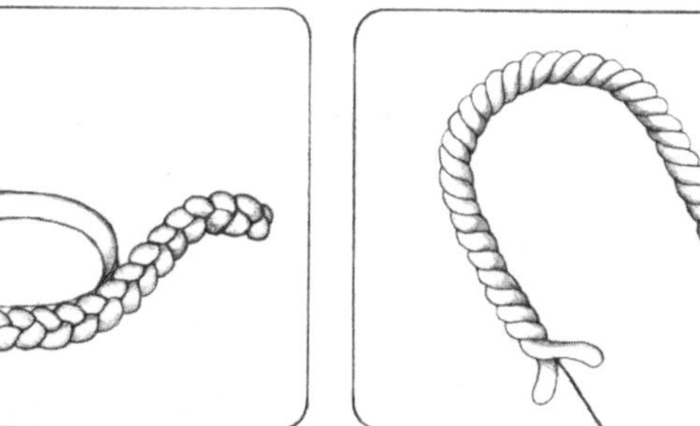

Für den Fuß des Korbes zwei dikkere Teigstränge zu einer 40 cm langen Kordel drehen, um einen vorbereiteten Ring aus Alufolie legen, die Teigenden mit Eigelb bestreichen und zusammendrücken.

Für den Henkel zwei lange dünnere Stränge zur Kordel drehen, einen starken Draht in Henkelform biegen und in die Kordel stecken. Die Drahtenden frei stehen lassen; sie werden später mit dem Henkel in den Korb gesteckt.

Das Teiggitter über eine feuerfeste Schüssel legen. Zwei Teigstränge im Umfang des Schüsselrandes zu einer Kordel drehen.

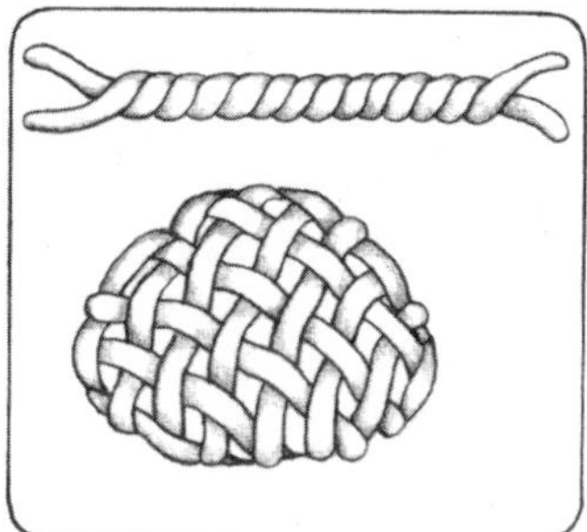

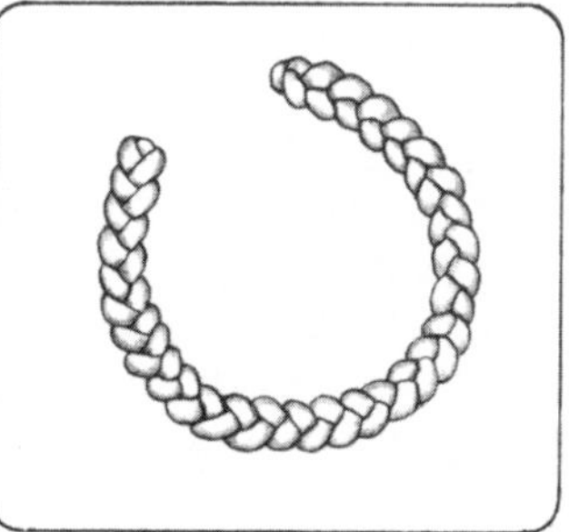

Aus dem restlichen Teig drei Stränge formen und für den oberen Rand des Korbes einen Dreierzopf flechten. Zu einem Ring legen, die Enden mit Eigelb bestreichen und gut zusammendrücken.

Die Kordel mit Eigelb bestreichen, um den Rand legen und die Enden zusammendrücken. Den ganzen Korb mit Eigelb bestreichen.

Alle Teile des Korbes mit verquirltem Eigelb bestreichen, wie im Rezept angegeben backen und über Nacht ruhen lassen. Die Korbteile mit Zuckerguß zusammenkleben und den Henkel mit den Drahtenden in den Korb stecken.

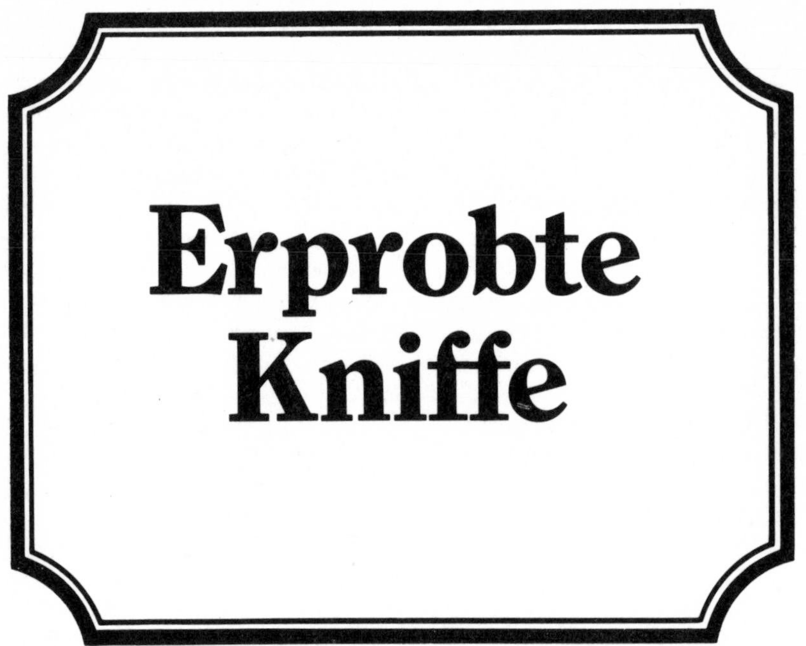

Erprobte Kniffe

Für den Start in die Praxis

● Äpfel, Birnen und Bananen werden nach dem Schälen und Kleinschneiden rasch braun. Wenn sie sofort mit Zitronensaft beträufelt werden – größere Mengen legt man in Zitronenwasser –, bleiben sie hell.

● Für Apfelkuchen, -strudel oder -taschen schmecken mürbe, säuerliche Äpfel wie Boskop oder Ingrid Marie besonders gut.

● Das Ausrollen von Teig geht besonders leicht, wenn Sie den Teig zwischen zwei bemehlte Bogen Pergamentpapier legen.

● Wenn Sie aus irgendeinem Grund nicht mehr dazukommen, Mürbeteig zu backen, so wickeln Sie ihn fest in Alufolie oder Pergamentpapier ein und legen ihn in den Kühlschrank. Er kann dort bis zu einer Woche lagern und erst dann ausgerollt, geformt und gebacken werden.

● Früchtekuchen mit einem hohen Anteil von Trockenfrüchten bleibt nach dem Anschneiden frisch und saftig, wenn Sie ihn in die Backform zurücklegen und die ganze Form mit Alufolie umwikkeln.

● Tiefgefrorenes Obst kann unaufgetaut mitgebacken werden, wenn es nicht als Block eingefroren wurde, sondern noch gefroren voneinander zu lösen ist. Sie können es für einen versunkenen Obstkuchen verwenden oder als Belag auf Mürbeteig oder Blätterteig. Damit die tauenden Früchte den Kuchenboden nicht aufweichen, bestreuen Sie ihn mit Semmelbröseln oder geriebenen Nüssen oder bestreichen ihn mit Marmelade.

● Gewürze behalten ihre Würzkraft nicht länger als ein Jahr und das nur, wenn sie in luft- und lichtundurchlässigen Gefäßen aufbewahrt werden. Kaufen Sie Gewürze am besten unzerkleinert und notieren Sie den Tag des Einkaufs auf dem Gewürzbehälter.

● Honigkuchen werden butterweich, wenn Sie unter den Deckel der Vorratsdose ein mit Rum getränktes Tüchlein legen.

● Schokolade als Glasur bewahrt Kuchen lange vor dem Austrocknen; unangeschnitten hält er sich eine Woche völlig frisch.

● Quark als Bestandteil eines Teiges macht den Kuchen besonders locker; diese Kuchen sind jedoch zum sofortigen Gebrauch bestimmt, denn sie trocknen rasch aus.

● Eiweißgebäck und Makronen kleben nach dem Backen nicht auf dem Pergamentpapier, wenn Sie die Plätzchen mit dem Papier sofort vom Backblech heben und auf ein großes, feuchtes Küchentuch legen.

● Weiche Tortenfüllungen quellen beim Anschneiden der Torte leicht aus den Schichten. Schneiden Sie deshalb den obersten Boden bereits in 12 oder 16 Stücke und belegen Sie erst dann die oberste Creme- oder Sahneschicht damit.

● Backtrennpapier spart Zeit und Arbeit. Belegen Sie für Plätzchen aller Art das Backblech mit Backtrennpapier. Das Blech braucht dann nicht eingefettet zu werden und bleibt sauber, und die Plätzchen lassen sich nach dem Abkühlen leicht vom Papier abheben und brechen nicht so leicht. Das Papier kann mehrmals verwendet werden.

● Das Spritzen von hübschen Verzierungen mit dem Spritzbeutel will ein wenig geübt werden. Damit Sie Ihre köstliche Buttercreme oder Schlagsahne nicht durch langes Probieren ruinieren, üben Sie erst einmal mit »falscher Sahne«. Dafür wird ein Päckchen Kartoffelpüree mit so wenig Wasser angerührt, daß eine spritzfähige Masse entsteht.

- Die Stäbchenprobe hat ergeben, daß ein Kuchen noch einige Minuten nachbacken muß; die Oberfläche ist aber bereits gut gebräunt. Legen Sie zum Weiterbacken doppeltgefaltetes Pergamentpapier oder ungefaltete Alufolie auf den Kuchen.
- Das Stürzen von Kuchen aus der Form auf das Kuchengitter geht leichter, wenn Sie das Gitter auf die Form legen, Form und Gitter mit Küchentüchern umfassen und umwenden.
- Möchten Sie ein Tütchen Backpulver halbieren, so streichen Sie den Inhalt zunächst gleichmäßig in der Tüte glatt. Knicken Sie die Tüte dann in der Mitte, so daß der Inhalt nach beiden Seiten rutscht, und schneiden Sie die Tüte mit der Küchenschere durch.

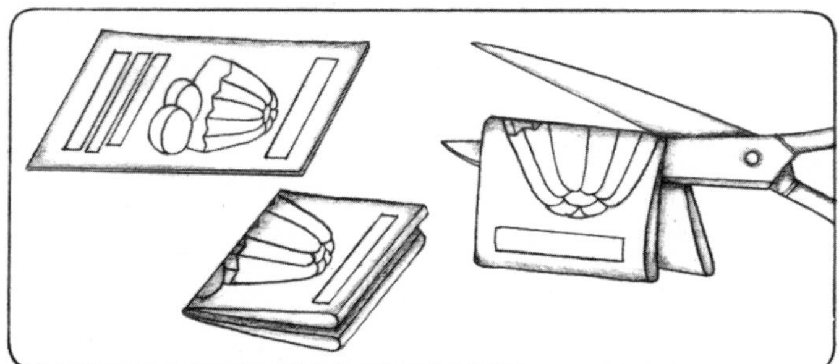

Den Inhalt eines Tütchens Backpulver kann man gut halbieren, wenn das Pulver in der Tüte erst gleichmäßig verteilt und die Tüte dann geknickt und durchgeschnitten wird.

- Schlagsahne, die beim Verzieren einer Torte übrigbleibt, spritzen Sie in Tupfen, Girlanden oder Rosetten auf Alufolie und lassen sie im Gefriergerät vorfrieren. Dann werden die Verzierungen verpackt, beschriftet und eingefroren und stehen als Dekor für Kuchen oder Süßspeisen jederzeit zur Verfügung. Nach dem Herausnehmen aus dem Gefriergerät sind die Verzierungen in wenigen Minuten aufgetaut.
- Creme, die zum Füllen und Garnieren einer Torte verwendet werden soll, teilen Sie in zwei Teile: Der kleinere Teil wird sofort in den Spritzbeutel gefüllt, mit dem größeren Teil wird die Torte gefüllt und überzogen. Arbeiten Sie beim Füllen und Überziehen nämlich mit der gesamten Crememasse, können leicht Krümel in die Creme geraten, die später die Verzierung beeinträchtigen.
- Zum Füllen und Verzieren einer Torte und zum Bestreuen des Randes legen Sie unter den untersten Tortenboden mehrere Streifen festes Papier oder Alufolie. Wenn es dann wirklich tropft oder spritzt, bleibt die Tortenplatte oder die Tortenspitze sauber. Die Papierstreifen lassen sich nach der Arbeit leicht unter der Torte hervorziehen.
- Käsekuchen und Käsesahnecreme-Torten läßt man nach dem Backen im abgeschalteten, geöffneten Backofen stehen, bis die Temperatur im Backofen Raumtemperatur angenommen hat. Dann fällt die zarte Creme nicht so leicht zusammen.
- Hefeteig- oder Blätterteiggebäck wird vor dem Backen oft mit Eigelb bestrichen. Besonders appetitlich sieht die Oberfläche nach dem Backen aus, wenn Sie den Eigelbanstrich zwei- bis dreimal wiederholen. Jeden Anstrich trocknen lassen und dann nochmals mit Eigelb darüberstreichen.
- Kuchen, die Ihnen trotz größter Vorsicht zu dunkel geraten sind, können Sie retten, indem Sie mit einem scharfen Messer die zu dunkle Oberfläche abkratzen, gegebenenfalls auch dünn abschneiden, und den Kuchen anschließend mit einer dicken Glasur aus Zuckerguß oder Schokolade überziehen.
- Biskuitböden sollen vor dem Durchschneiden mindestens 2 Stunden, am besten über Nacht ruhen.
- Mürbeteigtörtchen oder -schiffchen können Sie gleich in doppelter Menge backen und in einer gut verschlossenen Blechdose bis zu 4 Wochen aufbewahren.
- Eiweiß für Baisergebäck können Sie sammeln. Brauchen Sie für einen Kuchen oder ein Gericht nur das Eigelb, so geben Sie das Eiweiß leicht verquirlt in ein kleines Schraubglas oder in eine Gefrierdose und frieren es ein. Nach dem Auftauen läßt es sich wie frisch verarbeiten.
- Beim Teigausstechen mit kleinen Förmchen erleichtern Sie sich die Arbeit, wenn Sie die Förmchen jedesmal kurz in Mehl tauchen.
- Wenn Ihnen beim Einfüllen von Teig in die Kuchenform etwas Teig auf den Rand tropft, wischen Sie diese Teigtropfen unbedingt vor dem Backen ab. Sie verbrennen sonst und verkrusten die Form.
- Prüfen Sie Ihre Springform vor jedem Gebrauch daraufhin, ob Boden und Rand auch gut schließen. Schließt die Springform nicht dicht, so tropft Teig aus der Form auf den Boden des Backofens und verbrennt. Nötigenfalls legen Sie die nicht mehr ganz dicht schließende Springform mit Pergamentpapier aus.
- Wenn Sie beim Plätzchenbacken ein bis zwei Probeplätzchen backen, so sehen Sie genau, wie weit die Plätzchen beim Backen auseinanderlaufen und können den Raum auf dem Backblech optimal nützen.
- Stellen Sie das Backblech bei der Arbeit immer auf ein feuchtes Tuch. Es rutscht nicht hin und her, wenn Sie das Blech belegen oder Gebäck wieder vom Blech nehmen. Ihre Arbeitsunterlage bekommt so keine Kratzer.
- Bemerken Sie zu spät, daß kein Puderzucker zum Besieben eines Kuchens im Hause ist, so pulverisieren Sie gewöhnliche Zuckerraffinade im Mixer.

Erprobte Kniffe

Bitte bei Backbeginn immer daran denken:

- Alle erforderlichen Backgeräte bereitstellen. Auch die kleinen Dinge wie Löffel, Messer, Backpinsel, Rührlöffel, Teigschaber, Topflappen und Küchenkrepp nicht vergessen.
- Backen ist Maßarbeit! Deshalb alle benötigten Zutaten exakt abwiegen oder abmessen; Eier sollen stets ein mittleres Gewicht von 60–65 g haben, sonst muß die Gewichtsdifferenz ausgeglichen werden (die Eier am besten mit der Schale wiegen).
- Die Zutaten rechtzeitig aus dem Kühlschrank nehmen, damit alle Substanzen bei Backbeginn gleichmäßige Raumtemperatur haben. Butter oder Margarine eventuell in einer Schüssel im Wasserbad weich und geschmeidig machen; für manche Teigarten läßt sie sich so am besten verarbeiten.
- Flüssigkeit auf die im Rezept angegebene Temperatur erwärmen.
- In unseren Rezepten wird immer von »gesiebtem Mehl« gesprochen. Wir befinden uns hier ganz bewußt im Gegensatz zu modernsten Backansichten. Wer jedoch Mehl siebt, sorgt dafür, daß weder Klümpchen noch Unreinheiten den Backerfolg beeinträchtigen können. Und dafür, so meinen wir, lohnt sich die kleine Mühe des Mehlsiebens wirklich.
- Wenn Sie ein elektrisches Handrührgerät oder eine Küchenmaschine benützen, so schlagen Sie gegebenenfalls zuerst den Eischnee und stellen ihn bis zum Verwenden in den Kühlschrank. Rührbesen und Rührschüssel sind dann garantiert frei von Fett- und Eigelbspuren, die die Qualität des Eischnees beeinträchtigen könnten.
- Heißt es in den Rezepten, ein Teig solle auf einer bemehlten Arbeitsfläche geknetet, ausgerollt oder anderweitig bearbeitet werden, so darf die Arbeitsfläche nur ganz wenig mit Mehl bestreut werden! Der Teig nimmt sonst Mehlmengen auf, die nicht im Rezept vorgesehen sind, und verändert seine Konsistenz.
- Zitronen oder Orangen, deren Schale abgerieben werden soll, müssen unbedingt ungespritzt sein. Die Kennzeichnung gesprühter Zitrusfrüchte ist zwar gesetzliche Vorschrift, Sie sollten sich aber doch durch Fragen noch vergewissern. Zitrusfrüchte vor dem Abreiben der Schale auf alle Fälle mehrmals heiß abwaschen und dann gut abtrocknen.
- Sind Zutatenmengen in Eßlöffeln oder in Teelöffeln angegeben, so ist damit immer ein gestrichener Löffel gemeint. Andernfalls heißt es ausdrücklich halber oder gehäufter Löffel. Damit Sie kleine, in Gramm angegebene Mengen mit dem Löffel abmessen können, hier die wichtigsten Löffelmaße:

Zutaten	1 Eßlöffel:	1 Teelöffel:
Mehl	10 g	3 g
Speisestärke	9 g	3 g
Semmelbrösel	10 g	3 g
Zucker	12 g	4 g
Puderzucker	10 g	3 g
Kakaopulver	8 g	2 g
geriebene Nüsse	20 g	6 g
Butter/Margarine	15 g	5 g

- Wenn Sie in der Zutatenreihe dieses ◇ Zeichen sehen, so bedeutet das, daß alle Zutaten bis zum Zeichen für einen bestimmten Arbeitsvorgang gebraucht werden. Die folgenden Zutaten gehören dann zur Füllung, zum Belag oder ähnlichem.
- Müssen für eine Teigart die Backformen oder das Backblech ausgefettet, mit Semmelbröseln oder mit Mehl ausgestreut oder mit Pergamentpapier ausgelegt werden, so beginnen Sie die Arbeit mit diesem Vorgang. So ergibt sich nach dem Fertigstellen des Teigs keine Verzögerung vor dem Backen. Das ist vor allem bei Biskuitteig und Rührteig wichtig.
- Wenn Sie ein Rezept durchlesen, sollten Sie immer gleich feststellen, wann der richtige Zeitpunkt für das Vorheizen des Backofens ist. Der elektrische Backofen muß 15–20 Minuten vor dem Einschieben des Kuchens vorgeheizt werden, der Gasbackofen etwa 5 Minuten zuvor.
- Wird kein Backblech gebraucht, dann schieben Sie den Rost des Backofens schon beim Vorheizen auf die richtige Schiebeleiste. Stellen Sie Backformen immer auf den Rost, niemals auf das Backblech!
- Bräunt das Gebäck während des Backens zu rasch, dann dekken Sie die Oberfläche mit zweifach gefaltetem Pergamentpapier oder mit ungefalteter Alufolie ab.
- Öffnen Sie aber die Backofentür zum Nachsehen niemals zu früh! Bestimmte Teigarten vertragen das überhaupt nicht. Bei flachen Plätzchen dürfen Sie bereits nach 5 Minuten nachsehen, bei hohen Kuchen, Biskuitböden oder Windbeuteln auf keinen Fall während der ersten 15–20 Backminuten.
- Machen Sie bei hohen Kuchen und Gebäck nach Ende der angegebenen Backzeit unbedingt die Stäbchenprobe (→ Seite 298), um sich zu vergewissern, daß der Kuchen tatsächlich durchgebacken ist. Lassen Sie den Kuchen nötigenfalls 10–15 Minuten nachbacken, eventuell bei abgedeckter Oberfläche.
- Machen Sie sich vor allem mit den Grundrezepten vertraut. Dort sind alle Arbeitsphasen ausführlich erklärt, auf wichtige Feinheiten wird besonders hingewiesen.
- Sind Sie beim Durchlesen eines Rezepts nicht ganz sicher, was mit einem bestimmten Ausdruck oder Arbeitsvorgang gemeint ist: Schlagen Sie bitte den Begriff im Sachregister nach und informieren Sie sich an der entsprechenden Stelle.

Heidelbeerkuchen mit Baiser

450 g tiefgefrorene Heidelbeeren ◇
250 g Mehl, 1 Prise Salz
125 g Butter, 1 Ei
1 Päckchen Vanillinzucker
100 g Zucker ◇
2 Teel. Speisestärke
1 Eßl. Zucker ◇
500 g getrocknete Erbsen ◇
$^1/_2$ Tasse Stachelbeermarmelade
3 Eiweiße, 6 Eßl. Puderzucker

Die Heidelbeeren zugedeckt auftauen lassen. Das gesiebte Mehl mit dem Salz, der Butter, dem Ei, dem Vanillinzucker und dem Zucker verkneten. Den Mürbeteig 1–2 Stunden zugedeckt im Kühlschrank ruhen lassen.
Die Heidelbeeren abtropfen lassen; den Saft aufbewahren. Die Speisestärke kalt anrühren, mit Zucker und Heidelbeersaft aufkochen lassen. Die Heidelbeeren unterheben, alles erkalten lassen. Den Backofen auf 180 ° vorheizen.
Den Teig ausrollen und Boden und Rand einer Springform damit auslegen. Den Teigboden mehrmals einstechen und mit den Erbsen füllen. Den Boden auf der zweiten Schiebeleiste von unten 15 Minuten backen.
Die Erbsen ausschütten. Den abgekühlten Boden mit der Marmelade bestreichen und mit den Heidelbeeren füllen. Die Eiweiße mit dem Puderzucker steif schlagen. Mit dem Spritzbeutel ein Gitter über die Beeren spritzen. Die Baisermasse überbacken, bis sie leicht gebräunt ist. Den Kuchen auf einem Kuchengitter abkühlen lassen.

Feiner Zwetschgenkuchen

300 g Mehl, 200 g Butter
100 g Zucker, 1 Ei ◇
$1^1/_2$ kg Zwetschgen
2 Eßl. Hagelzucker

Das Mehl auf ein Backbrett sieben und die Butter in Flöckchen darauf verteilen. Den Zucker über das Mehl streuen und das Ei in die Mitte geben. Mit möglichst kühlen Händen alle Zutaten rasch zu einem geschmeidigen Mürbeteig verkneten. Den Teig in Alufolie oder Pergamentpapier eingewickelt 2 Stunden im Kühlschrank ruhen lassen.
Die Zwetschgen waschen, entsteinen und so einschneiden, daß sie unten noch zusammenhängen. Den Backofen auf 220 ° vorheizen.
Den Teig auf einer bemehlten Fläche ausrollen und Boden und Rand einer Springform von 24–26 cm ∅ damit auslegen. Den Teigboden mehrmals mit einer Gabel einstechen und mit den Zwetschgen gleichmäßig dicht rosettenförmig belegen. Den Hagelzucker darüberstreuen. Den Kuchen auf der zweiten Schiebeleiste von unten 20–30 Minuten backen. Den Kuchen auf einem Kuchengitter abkühlen lassen.

Unser Tip
Zu diesem Kuchen gehört unbedingt Schlagsahne!

Bäuerlicher Pflaumenkuchen

300 g Mehl, 200 g Butter
100 g Zucker, 1 Ei ◇
500 g getrocknete Erbsen ◇
1 kg Pflaumen, 3 Eßl. Wasser
100 g Zucker
6 Blatt weiße Gelatine
4 Eßl. Speisestärke
2 Eßl. geriebene Walnüsse ◇
1/8 l Sahne, 12 Walnußhälften

Das gesiebte Mehl mit der Butter, dem Zucker und dem Ei verkneten. Den Teig zugedeckt 2 Stunden im Kühlschrank ruhen lassen.
Den Backofen auf 190° vorheizen. Den Teig auf einer bemehlten Fläche ausrollen und Boden und Rand einer Springform damit auslegen. Den Teigboden mehrmals einstechen und die Erbsen darauf verteilen. Den Boden auf der zweiten Schiebeleiste von unten 20 Minuten backen.
Die Erbsen ausschütten und den Kuchenboden erkalten lassen.
Die Pflaumen waschen, entsteinen und mit dem Wasser und dem Zucker 5 Minuten kochen. Die Gelatine in wenig kaltem Wasser einweichen. Die Speisestärke kalt anrühren, zu den Pflaumen gießen und aufkochen lassen. Die Walnüsse unterrühren. Die ausgedrückte Gelatine unter die Pflaumenmasse rühren und den Kuchen damit füllen.
Im Kühlschrank erstarren lassen. Die Sahne steif schlagen. Den Kuchen mit der Sahne und den Walnußhälften verzieren.

Aprikosenkuchen vom Blech

500 g Mehl, 1/4 l lauwarme Milch
30 g Hefe, 80 g Butter
1 Ei, 1 Prise Salz
2 Eßl. Zucker ◇
1 kg Aprikosen, 500 g Quark
3 Eier, 3 Eßl. Speisestärke
Saft und abgeriebene Schale von 1/2 Zitrone
3 Eßl. Zucker
2 Eßl. Mandelblättchen
Für das Backblech: Butter

Ein Backblech mit Fett bestreichen. Das Mehl in eine Schüssel sieben. In die Mitte eine Vertiefung drücken und die zerbröckelte Hefe mit der Milch und etwas Mehl darin verrühren. Den Hefevorteig 15 Minuten zugedeckt gehen lassen.
Die Butter zerlassen, mit dem Ei, dem Salz, dem Zucker, dem gesamten Mehl und dem Hefevorteig verrühren. Den Teig schlagen, bis er Blasen wirft und zugedeckt noch einmal 15 Minuten gehen lassen.
Die Aprikosen waschen, halbieren und entsteinen. Den Quark mit den Eiern, der Speisestärke, dem Zitronensaft, der Zitronenschale und dem Zucker verrühren.
Den Hefeteig ausrollen, auf das Backblech legen, den Quark daraufstreichen und mit den Aprikosen belegen. Die Mandeln darüberstreuen. Den Kuchen noch einmal 15 Minuten gehen lassen. Den Backofen auf 220° vorheizen.
Den Kuchen 35–40 Minuten auf der mittleren Schiebeleiste backen. Etwas abkühlen lassen, in Stücke schneiden und vom Blech nehmen.

Beliebte Obstkuchen

Johannisbeerkuchen

200 g Mehl, 100 g Butter
5 Eßl. Zucker, 1 Ei ◇
500 g Johannisbeeren
3 Eigelbe, 100 g Zucker
125 g geschälte, geriebene Mandeln
3 Eiweiße ◇
1/2 Tasse Puderzucker

Das Mehl auf ein Backbrett sieben und mit der Butter, dem Zucker und dem Ei zu einem Teig verkneten. Den Teig in Alufolie oder Pergamentpapier gewickelt 2 Stunden im Kühlschrank ruhen lassen.
Die Johannisbeeren abzupfen, abbrausen und abtropfen lassen. Die Eigelbe mit der Hälfte des Zuckers schaumig rühren und mit den Mandeln mischen. Die Eiweiße mit dem restlichen Zucker zu steifem Schnee schlagen und unter die Eigelb-Mandel-Masse heben. Die Johannisbeeren ebenfalls unter die Creme mischen. Den Backofen auf 190° vorheizen.
Den Teig auf einer bemehlten Fläche ausrollen und Rand und Boden einer Springform von 26 cm Ø damit auslegen. Den Teigboden mehrmals mit einer Gabel einstechen, die Füllung darauf verteilen und glattstreichen. Den Kuchen auf der zweiten Schiebeleiste von unten 40 Minuten backen.
5 Minuten in der Form abkühlen lassen, dann auf ein Kuchengitter legen. Nach dem völligen Erkalten mit dem Puderzucker besieben.

Versunkener Kirschkuchen

300 g Kirschen ◇
5 Eigelbe, 180 g Zucker
80 g Butter oder Margarine
180 g Mehl
1/2 Päckchen Backpulver
5 Eiweiße ◇
1/2 Tasse Puderzucker
Für die Form: Butter oder Margarine und Mehl

Die Kirschen entstielen, waschen, abtropfen lassen und entkernen. Eine Torten- oder Springform von 26 cm Ø ausfetten und mit Mehl ausstreuen. Den Backofen auf 190° vorheizen.
Die Eigelbe mit der Hälfte des Zuckers und der Butter oder Margarine schaumig rühren. Nach und nach das mit dem Backpulver gesiebte Mehl unter die Eigelbmasse heben. Die Eiweiße mit dem restlichen Zucker steif schlagen und unter den Teig heben. Den Teig in die Form füllen und die Kirschen darauf verteilen, dabei leicht mit einem Kochlöffelstiel in den Teig drücken. Den Kuchen auf der zweiten Schiebeleiste von unten 50–60 Minuten backen. Die Kirschen sinken dabei in den Teig ein. Den Kuchen aus der Form nehmen, auf einem Kuchengitter abkühlen lassen und mit dem Puderzucker besieben.

Unser Tip

Sie können den Kuchen auch mit Rhabarberstückchen, Stachelbeeren oder Himbeeren backen.

Mürber Rharbarber-kuchen

300 g Mehl
200 g Butter oder Margarine
100 g Zucker, 1 Eigelb ◇
$1^1/_2$ kg Rhabarber ◇
3 Eiweiße, 150 g Zucker

Das Mehl auf ein Backbrett sieben. Die Butter oder die Margarine in Flöckchen auf dem Mehl verteilen, den Zukker darüberstreuen und das Eigelb in die Mitte geben. Die Zutaten mit möglichst kühlen Händen rasch von innen nach außen zu einem Mürbeteig verkneten. Den Teig in Alufolie oder Pergamentpapier gewickelt 2 Stunden im Kühlschrank ruhen lassen.
Den Rhabarber waschen und abtrocknen und die dünne äußere Haut von oben nach unten abziehen. Die Rhabarberstangen in etwa fingerlange Stücke schneiden. Den Backofen auf 200 ° vorheizen.
Den Teig auf einer bemehlten Fläche in Backblechgröße ausrollen. Das Teigblatt locker zusammenrollen, auf das Backblech legen und wieder auseinanderrollen. Mehrmals mit einer Gabel einstechen. Die Rhabarberstücke nebeneinander auf den Teigboden legen. Den Kuchen auf der mittleren Schiebeleiste 30 Minuten backen.
Die Eiweiße zu steifem Schnee schlagen, dabei den Zucker nach und nach unterrühren. Die Baisermasse in einen Spritzbeutel mit Sterntülle füllen. Den Kuchen nach 30 Minuten Backzeit aus dem Backofen nehmen. Etwas abkühlen lassen. Mit der Baisermasse ein gleichmäßiges diagonales Gitter auf den Kuchen spritzen. Das Baisergitter 10 Minuten überbacken, bis es leicht gebräunt ist.
Den Kuchen etwas abkühlen lassen, in gleich große Stücke schneiden, vom Backblech nehmen und auf einem Kuchengitter erkalten lassen.

Unser Tip

Ist Ihnen das Spritzen des Baisergitters zu mühsam, dann streichen Sie die Baisermasse mit einem breiten Spatel oder Messer ganzflächig auf den Rhabarber. Der Kuchen sieht dann nicht ganz so festlich aus, schmeckt aber genauso gut. – Statt des Rhabarbers können Sie den Kuchen auch mit Johannisbeeren, Stachelbeeren oder Heidelbeeren belegen. Wenn Ihnen die Fruchtsäure zu intensiv ist, so streuen Sie noch 2–3 Eßlöffel Hagelzukker über das Obst.

Gedeckter Apfelkuchen

300 g Mehl, 250 g Zucker
150 g Butter, 2 Eier
1 Prise Salz ◇
500 g getrocknete Erbsen ◇
500 g Äpfel, Saft von 1 Zitrone
1/2 Teel. gemahlener Zimt
je 50 g Korinthen, gehobelte Mandeln und geriebene Haselnüsse ◇
1 Eigelb
2 Eßl. Aprikosenmarmelade
50 g Puderzucker
2 Schnapsgläser Kirschwasser (4 cl)

Das gesiebte Mehl mit 150 g Zucker, der Butter, den Eiern und dem Salz verkneten. Den Teig zugedeckt 2 Stunden im Kühlschrank ruhen lassen.
Den Backofen auf 200 ° vorheizen. Zwei Drittel des Teiges dünn ausrollen und Boden und Rand einer Springform damit auslegen. Den Boden mehrmals einstechen und die Erbsen darauffüllen. Den Kuchenboden 15 Minuten auf der zweiten Schiebeleiste von unten backen. Die Äpfel schälen, vierteln, vom Kernhaus befreien und mit 100 g Zucker und den Zutaten von Zitronensaft bis Haselnüsse mit wenig Wasser 10 Minuten dünsten. Den restlichen Teig rund ausrollen. Die Erbsen ausschütten. Den Kuchenboden mit den Äpfeln füllen. Die Teigplatte darüberlegen und mit dem verquirlten Eigelb bestreichen. Den Kuchen weitere 30 Minuten backen. In der Form erkalten lassen, dann mit der erhitzten Marmelade bestreichen. Trocknen lassen. Den Puderzucker mit dem Kirschwasser verrühren und den Kuchen glasieren.

Apfel-Gitterkuchen

300 g Mehl, 200 g Butter
175 g Zucker, 1 Ei
abgeriebene Schale von 1 Zitrone ◇
1 kg säuerliche Äpfel
Saft von 1 Zitrone
50 g Rosinen, 50 g Zucker
1/2 Teel. gemahlener Zimt ◇
2 Eier, 3 Eßl. Milch
1 Eßl. Zucker
1 Eßl. Vanille-Puddingpulver

Das gesiebte Mehl mit der Butter, dem Zucker, dem Ei und der Zitronenschale verkneten. Den Teig zugedeckt 2 Stunden im Kühlschrank ruhen lassen.
Die Äpfel schälen, vierteln, vom Kernhaus befreien, in dünne Scheibchen schneiden und mit dem Zitronensaft, den Rosinen, dem Zucker und dem Zimt mischen. Den Backofen auf 200 ° vorheizen.
Den Teig ausrollen und Boden und Rand einer Springform damit auslegen. Etwas Teig für das Gitter zurückbehalten und in schmale Streifen schneiden. Den Teigboden mit einer Gabel mehrmals einstechen. Die Äpfel darauf verteilen. Die Eier mit der Milch, dem Zucker und dem Puddingpulver verquirlen und über die Äpfel gießen. Die Teigstreifen gitterartig darüberlegen. Den Kuchen auf der zweiten Schiebeleiste von unten 50–60 Minuten backen.
Den Kuchen in der Form etwas abkühlen lassen. Zum völligen Erkalten auf ein Kuchengitter legen.

Elsässer Apfelkuchen

200 g Mehl, 100 g Margarine (Sanella)
1 Eigelb, 30 g Zucker
1 Messerspitze Salz
2 Eßl. kaltes Wasser ◇
1 kg säuerliche Äpfel
2 Eßl. Zitronensaft ◇
100 g Zucker, 3 Eier
$^{1}/_{8}$ l Sahne
das Innere von 1 Vanilleschote

Das gesiebte Mehl mit der Margarine, dem Eigelb, dem Zucker, dem Salz und dem Wasser verkneten. Den Teig in Alufolie gewickelt 2 Stunden im Kühlschrank ruhen lassen. Die Äpfel schälen, vierteln und die Kerngehäuse entfernen. Die Apfelviertel gleichmäßig längs einschneiden und mit dem Zitronensaft bestreichen.

Den Backofen auf 200° vorheizen.
Den Teig 4 mm dick ausrollen und eine Obstkuchenform mit glattem Rand von 24–26 cm ∅ damit auslegen. Den Boden mit einer Gabel mehrmals einstechen und mit den Apfelvierteln belegen. Den Kuchen auf der zweiten Schiebeleiste von unten 25 Minuten backen.
Den Zucker mit den Eiern schaumig rühren und die Sahne und die Vanille zugeben.
Den halbgebackenen Kuchen mit der Eimasse übergießen und weitere 20–30 Minuten backen.
Den Kuchen in der Form etwas abkühlen lassen. Zum völligen Erkalten auf ein Kuchengitter legen.

Steyrischer Apfelkuchen

600 g Mehl
1 Päckchen Backpulver
200 g Margarine (Sanella)
50 g Zucker
$^{1}/_{2}$ Teel. Salz, $^{1}/_{4}$ l Milch ◇
$1^{1}/_{2}$ kg Äpfel
4 Eßl. Zitronensaft
abgeriebene Schale von 1 Zitrone
125 g Zucker
1 Teel. gemahlener Zimt
100 g Rosinen
100 g ungeschälte, gehackte Haselnüsse
1 Eigelb ◇
200 g Aprikosenmarmelade
100 g Puderzucker, 2 Eßl. Zitronensaft

Das Mehl mit dem Backpulver sieben und mit der Margarine, dem Zucker, dem Salz und der Milch verkneten. Den Teig zugedeckt 1 Stunde im Kühlschrank ruhen lassen.
Die Äpfel schälen, grob raspeln und mit Zitronensaft und -schale, dem Zucker, dem Zimt, den Rosinen und den Haselnüssen mischen. Den Backofen auf 200–220° vorheizen. Drei Viertel des Teiges ausrollen und Boden und Rand des Backblechs damit auslegen. Die Apfelmischung auf den Teig streichen. Den restlichen Teig ausrollen, in Streifen schneiden, als Gitter über den Kuchen legen und mit verquirltem Eigelb bestreichen.
Den Kuchen auf der mittleren Schiebeleiste 30 Minuten backen. Abkühlen lassen. Das Teiggitter mit der erhitzten, Marmelade bestreichen. Den Puderzucker mit dem Zitronensaft verrühren und das Gitter glasieren.

Erdbeerkranz

500 g Erdbeeren
1 Eßl. Vanillinzucker ◇
1/4 l Wasser, 80 g Butter
1 Prise Salz
abgeriebene Schale von 1/2 Zitrone
200 g Mehl, 4 Eier ◇
1/2 l Sahne, 6 Eßl. Zucker

Die Erdbeeren waschen. 4 große zurückbehalten, die übrigen mit dem Vanillinzucker mischen und durchziehen lassen.
Den Backofen auf 200° vorheizen.
Das Wasser mit der Butter, dem Salz und der Zitronenschale zum Kochen bringen.
Das gesiebte Mehl auf einmal hineinschütten und so lange rühren, bis sich der Teigkloß vom Topfboden löst. Den Teig in einer Schüssel etwas abkühlen lassen und nacheinander die Eier unterrühren. Mit einem Spritzbeutel 12 Windbeutel kreisförmig mit geringem Abstand auf das Backblech spritzen. Sie sollen sich beim Aufgehen berühren und einen Kranz bilden. Auf der zweiten Schiebeleiste von unten 30 Minuten backen.
Die Erdbeeren durch ein Sieb streichen. Die Sahne mit dem Zucker steif schlagen. 5 Eßlöffel Sahne in einen Spritzbeutel füllen, die restliche Sahne mit dem Erdbeerpüree mischen.
Den noch warmen Brandteigkranz quer durchschneiden, nach dem Erkalten mit der Erdbeersahne füllen, mit dem oberen Teil bedecken und diesen mit Sahnerosetten und Erdbeerstückchen verzieren.

Erdbeer-Quarkkuchen

250 g Mehl, 125 g Butter
100 g Zucker, 1 Eigelb ◇
500 g getrocknete Erbsen ◇
250 g Quark, 100 g Zucker
1 Päckchen Vanille-Puddingpulver
abgeriebene Schale von 1 Zitrone
4 Eier, 1/4 l Sahne ◇
250 g Erdbeeren
1 Päckchen roter Tortenguß

Das gesiebte Mehl mit der Butter, dem Zucker und dem Eigelb verkneten. Den Teig in Alufolie oder Pergamentpapier gewickelt 2 Stunden im Kühlschrank ruhen lassen.
Den Backofen auf 190° vorheizen. Den Teig auf einer bemehlten Fläche ausrollen und Boden und Rand einer Springform damit auslegen. Den Kuchenboden mehrmals mit einer Gabel einstechen und mit den Erbsen füllen. Den Kuchen auf der zweiten Schiebeleiste von unten 10 Minuten backen. Die Erbsen ausschütten.
Den Quark mit dem Zucker, dem Puddingpulver, der Zitronenschale und den Eiern verrühren. Die Sahne steif schlagen und unterheben.
Den Kuchenboden mit der Quarkmasse füllen und weitere 60 Minuten backen. Etwas abkühlen lassen.
Die Erdbeeren waschen, abtropfen lassen, halbieren und die Quarkfüllung damit belegen. Den Tortenguß nach Vorschrift zubereiten und die Erdbeeren damit überziehen.

Stachelbeerkuchen mit Haube

250 g Mehl, 150 g Butter
2 Eßl. Zucker, 1 Ei ◇
500 g Stachelbeeren
1/4 l Wasser, 2 Eßl. Zucker ◇
500 g getrocknete Erbsen ◇
1/2 l Milch, 2 Eigelbe
1 Päckchen Vanille-Puddingpulver
3 Eßl. Zucker ◇
3 Eiweiße, 150 g Puderzucker

Das gesiebte Mehl mit der Butter, dem Zucker und dem Ei verkneten. Den Teig in Alufolie gewickelt 2 Stunden im Kühlschrank ruhen lassen.
Die Stachelbeeren waschen, abzupfen, mit Wasser und Zucker 15 Minuten kochen und in einem Sieb erkalten lassen.
Den Backofen auf 200° vorheizen. Den Teig ausrollen und Boden und Rand einer Springform damit auslegen. Den Kuchenboden mit einer Gabel mehrmals einstechen und mit den Erbsen füllen. Auf der zweiten Schiebeleiste von unten 20 Minuten backen.
Die Erbsen ausschütten.
Vier Eßlöffel Milch mit den Eigelben, dem Puddingpulver und dem Zucker verquirlen. Die restliche Milch zum Kochen bringen, das Puddingpulver einrühren und mehrmals aufkochen lassen. Den Pudding auf den Kuchenboden streichen und die Stachelbeeren darauf verteilen. Die Eiweiße mit dem Puderzucker zu Schnee schlagen und über die Beeren streichen. Die Baiserhaube 10 Minuten bei 220° überbacken.
Den Kuchen abkühlen lassen.

Himbeer-Baiserkuchen

1/4 l Eiweiß (von etwa 8 Eiern)
200 g Zucker
150 g Puderzucker
30 g Speisestärke ◇
1 Paket tiefgefrorene Himbeeren (Iglo)
1/4 l Sahne, 2 Eßl. Zucker
1 Schnapsglas Cognac (2 cl)
Für das Backblech: Pergamentpapier

Ein Backblech mit Pergamentpapier auslegen. Den Backofen auf 100° vorheizen.
Die Eiweiße steif schlagen und unter ständigem Rühren den Zucker einrieseln lassen. Den Puderzucker mit der Speisestärke über den Eischnee sieben und unterheben. Die Baisermasse in einen Spritzbeutel mit großer Lochtülle füllen.
Auf das Pergamentpapier spiralförmig einen runden Boden spritzen. Den Rand des Bodens aus aneinandergereihten Baisertupfen bilden. Den Baiserboden 12 Stunden im Backofen trocknen lassen, dabei die Ofentür mit einem Kochlöffel spaltbreit offenhalten.
Den Baiserboden aus dem Backofen nehmen, das Pergamentpapier abziehen und den Boden erkalten lassen. Die Himbeeren nach Vorschrift auftauen lassen. Die Sahne mit dem Zucker steif schlagen und den Cognac unterrühren. Den Baiserboden dick mit der Cognacsahne bestreichen und mit den abgetropften Himbeeren belegen.

Gebäck mit exotischen Früchten

Französischer Orangenkuchen

100 g Butter, 50 g Puderzucker
1 Eigelb, 150 g Mehl ◇
50 g Orangenkonfitüre
1/4 l Sahne, 100 g Zucker
6 Eier
abgeriebene Schale von
3 Zitronen ◇
1 Orange, 50 g Zucker
2 Eßl. Wasser
2 kandierte Kirschen mit Stiel

Die Butter mit dem gesiebten Puderzucker und dem Eigelb verkneten, das Mehl darübersieben und rasch unterkneten. Den Mürbeteig zugedeckt 2 Stunden im Kühlschrank ruhen lassen.
Den Teig etwa 3 mm dick ausrollen. Zwei kleinere Springformen oder eine Springform von 26 cm ∅ damit auslegen und einen 3 cm hohen Rand formen. Den Teigboden mit der Konfitüre bestreichen.
Den Backofen auf 200° vorheizen. Die Sahne mit dem Zucker, den Eiern und der Zitronenschale schaumig rühren, die Mischung auf den Teigboden füllen und die Torte auf der zweiten Schiebeleiste von unten 50–60 Minuten backen.
Die Orange sorgfältig schälen und in dünne Scheiben schneiden. Den Zucker mit dem Wasser unter Rühren kochen lassen, bis er sich völlig gelöst hat. Die Orangenscheiben in den heißen Zuckersirup legen, 3 Minuten darin ziehen und dann abtropfen lassen, auf der Torte verteilen und die Cocktailkirschen darauflegen.

Kiwi-Sahnetorte

300 g tiefgefrorener Blätterteig
1 Eigelb ◇ 1/4 l Sahne
2 Eßl. Zucker
3 Blatt weiße Gelatine
1 Schnapsglas Rum (2 cl) ◇
6 Kiwis
1 Päckchen klarer Tortenguß

Die Blätterteigscheiben etwa 30 Minuten auftauen lassen.
Aus den Teigscheiben 12 Halbmonde ausstechen.
Die Teigreste aufeinanderlegen, locker zusammendrücken und zu einer Platte von 20 cm ∅ ausrollen. Ein Backblech kalt abspülen, den Tortenboden darauflegen und mit dem verquirlten Eigelb bestreichen.
Den Rand des Tortenbodens mit den Halbmonden belegen und diese ebenfalls mit Eigelb bestreichen. Den Tortenboden 15 Minuten ruhen lassen.
Den Backofen auf 220° vorheizen und den Tortenboden auf der mittleren Schiebeleiste 15 Minuten backen. Dann auf einem Kuchengitter abkühlen lassen. Die Sahne mit dem Zucker steif schlagen. Die Gelatine in kaltem Wasser einweichen, ausdrücken und im Wasserbad auflösen. Ist sie etwas abgekühlt, mit dem Rum unter die Sahne ziehen. Die Sahne kuppelartig auf den Blätterteigboden streichen und im Kühlschrank festwerden lassen. Die Kiwis schälen, in Scheiben schneiden, auf die Sahnekuppel legen und mit dem Tortenguß überziehen.

Gebäck mit exotischen Früchten

Mangotorte Coconut

4 Eigelbe, 50 g Zucker
2 Eiweiße, 40 g Mehl
10 g Speisestärke, 20 g Kakaopulver ◇
2 Mangos
4 Eßl. Weißwein
2 Eigelbe, 100 g Zucker
5 Blatt weiße Gelatine
1/2 l Sahne, 1 Eßl. Zucker
Kokosnußraspeln von 1/2 Nuß
Für die Form: Butter oder Margarine

Den Boden einer Springform ausfetten. Den Backofen auf 220 ° vorheizen. Die Eigelbe mit der Hälfte des Zuckers schaumig rühren. Die Eiweiße mit dem restlichen Zucker steif schlagen und unterziehen. Das Mehl mit der Speisestärke und dem Kakao darübersieben und unterheben. Den Biskuitteig in die Form füllen und auf der zweiten Schiebeleiste von unten 15 Minuten backen. Den Tortenboden erkalten lassen, einige Stunden ruhen lassen und dann durchschneiden.
Die Mangofrüchte schälen und würfeln. Den Wein mit den Eigelben und dem Zucker verrühren, aufkochen lassen und vom Herd nehmen. Die eingeweichte Gelatine in der Weinmischung auflösen. Die Mangowürfel zugeben. Alles abkühlen lassen. Die Sahne steif schlagen. Eine Hälfte unter die Weincreme ziehen, einen Tortenboden damit bestreichen, den zweiten daraufsetzen. Erstarren lassen. Die restliche Sahne mit dem Zucker verrühren, die Torte überziehen, mit den Kokosraspeln bestreuen und mit Sahnerosetten und Mangowürfeln verzieren.

Exoten-Kuchen

125 g Mehl, 60 g Butter
45 g Puderzucker
1/2 Teel. Vanillinzucker
1 Prise Salz, 1 Eigelb ◇
2 Eßl. Aprikosenmarmelade
1 fertiger Biskuitboden ◇
1/4 l Milch
1/2 Päckchen Vanille-Puddingpulver
2 Eßl. Zucker ◇ 4 Ananasringe
2 Kiwis, 1 Mango
5 Cocktailkirschen
2 Eßl. Ananassaft
50 g geröstete Mandelblättchen

Das Mehl auf ein Backbrett sieben und mit der Butter, dem Puderzucker, dem Vanillinzucker, dem Salz und dem Eigelb verkneten. Den Mürbeteig zugedeckt 2 Stunden im Kühlschrank ruhen lassen. Den Backofen auf 220 ° vorheizen. Den Teig ausrollen, den Boden einer Springform damit auslegen und den Teigboden auf der mittleren Schiebeleiste 15 Minuten backen. Abkühlen lassen und mit der erhitzten Marmelade bestreichen. Den Biskuitboden auf den Mürbeteigboden setzen. Aus der Milch, dem Puddingpulver und dem Zucker nach Vorschrift einen Pudding zubereiten. Die Oberfläche und den Rand der Torte mit dem noch heißen Pudding bestreichen. Erkalten lassen. Die Ananasringe in Stücke schneiden. Die Kiwis und die Mangos schälen und in Scheiben schneiden. Die Kirschen halbieren. Die Früchte auf der Torte verteilen und mit dem Ananassaft beträufeln. Den Rand der Torte mit Mandelblättchen bestreuen.

Sweet Pecannut-Pie

250 g Mehl, 180 g Butter
1 Prise Salz
5 Eßl. Eiswasser ◇
500 g getrocknete Erbsen ◇,
5 Eier
450 g brauner Rübensirup
40 g Mehl, 60 g Butter
das Innere von 1 Vanilleschote
1 Messerspitze Salz
250 g geschälte, halbierte Pecannüsse

Das gesiebte Mehl mit der Butter, dem Salz und dem Eiswasser verkneten. Den Teig in Alufolie gewickelt 2 Stunden im Kühlschrank ruhen lassen. Den Backofen auf 200° vorheizen. Den Teig ausrollen und Boden und Rand einer Springform damit auslegen. Den Boden nicht einstechen! Den Teigboden mit den Erbsen füllen und auf der zweiten Schiebeleiste von unten 10–12 Minuten vorbacken. Die Erbsen ausschütten.
Die Eier gut verrühren; sie dürfen aber nicht schaumig sein. Den Sirup nach und nach unter die Eimasse mischen und so lange rühren, bis alles gut gebunden ist. Das Mehl und die zerlassene, etwas abgekühlte Butter unterrühren. Zuletzt die Vanille, das Salz und die Nüsse unterheben.
Die Füllung auf den Teigboden streichen und den Kuchen weitere 30–40 Minuten backen.

Unser Tip
Die Pie kann warm oder kalt serviert werden. Kenner bevorzugen sie warm.

Fräulein Poldis Schokoladenbrot

5 Eigelbe, 180 g Zucker
je 1 Messerspitze Salz und gemahlener Zimt
das Innere von 1/2 Vanilleschote
abgeriebene Schale von 1/2 Zitrone
50 g Butter, 5 Eiweiße
90 g geriebene Blockschokolade
100 g Mehl
100 g ungeschälte, geriebene Mandeln ◇
100 g Schokoladen-Fettglasur
50 g geröstete Mandelblättchen
Für die Form: Butter oder Margarine und Semmelbrösel

Eine Rehrückenform mit Fett ausstreichen und mit Semmelbröseln ausstreuen. Den Backofen auf 190° vorheizen.
Die Eigelbe mit der Hälfte des Zuckers, dem Salz, dem Zimt, der Vanille und der Zitronenschale schaumig rühren. Die Butter schmelzen und wieder abkühlen lassen. Die Eiweiße mit dem restlichen Zucker zu steifem Schnee schlagen. Ein Viertel des Eischnees unter die Eigelbmasse heben. Die Blockschokolade, das gesiebte Mehl, die Mandeln und den restlichen Eischnee mit der geschmolzenen Butter unter den Teig heben. Den Teig in die Rehrückenform füllen, glattstreichen und auf der unteren Schiebeleiste 40–50 Minuten backen.
Den Kuchen auf einem Kuchengitter erkalten lassen. Die Schokoladen-Fettglasur schmelzen lassen, den Kuchen damit überziehen und auf die noch weiche Glasur die Mandelblättchen streuen.

Margaretenkuchen

300 g Butter
100 Marzipan-Rohmasse
6 Eigelbe
abgeriebene Schale von 1 Zitrone
das Innere von 1/2 Vanilleschote
6 Eiweiße, 140 g Zucker
80 g Speisestärke,
120 g Mehl ◇
150 g Aprikosenmarmelade
200 g Puderzucker
1 Eßl. Zitronensaft
1 Eßl. Wasser, 3 Eßl. Arrak
Für die Form: Butter oder Margarine und Semmelbrösel

Eine stilisierte Blumenform oder eine Springform mit Fett ausstreichen und mit Semmelbröseln ausstreuen. Den Backofen auf 190° vorheizen.
Die Butter mit der Marzipan-Rohmasse schaumig rühren, nach und nach die Eigelbe, die Zitronenschale und die Vanille zugeben. Die Eiweiße zu Schnee schlagen. Den Zucker unterrühren. Den Eischnee mit der Butter-Marzipan-Masse mischen. Die Speisestärke mit dem Mehl sieben und unter den Teig heben. Den Teig in die Form füllen und die Oberfläche glattstreichen. Den Kuchen auf der zweiten Schiebeleiste von unten 50–60 Minuten backen.
Den Kuchen auf einem Kuchengitter etwas abkühlen lassen, dann mit der erhitzten Marmelade bestreichen.
30 Minuten trocknen lassen.
Den Puderzucker mit dem Zitronensaft, dem Wasser und dem Arrak verrühren und den Kuchen damit glasieren.

Unser Tip

Ganz besonders hübsch sieht der Margaretenkuchen aus, wenn Sie jede zweite Rippe mit einer halbierten kandierten Kirsche garnieren.

Nußkuchen

250 g Margarine (Sanella)
200 g Zucker
1 Päckchen Vanillinzucker
4 Eier
250 g ungeschälte, gemahlene Haselnüsse
250 g Mehl, 3 Teel. Backpulver
1 Schnapsglas Weinbrand (2 cl) ◇
½ Tasse Puderzucker
Für die Form: Margarine

Eine Kastenkuchenform ausfetten. Den Backofen auf 200 ° vorheizen. Die Margarine mit dem Zucker und dem Vanillinzucker schaumig rühren. Nacheinander die Eier unterrühren, dann die Haselnüsse. Das Mehl mit dem Backpulver sieben und nach und nach unter den Teig rühren. Zuletzt den Weinbrand unterziehen. Den Teig in die Kastenkuchenform füllen und den Kuchen auf der unteren Schiebeleiste 70 Minuten backen.
Den Kuchen auf einem Kuchengitter abkühlen lassen. Den erkalteten Kuchen mit dem Puderzucker besieben.

Unser Tip

Machen Sie bei hohen Kuchen vorsichtshalber immer die Stäbchenprobe: Gegen Ende der Backzeit ein Holzstäbchen in die Mitte des Kuchens stecken und wieder herausziehen. Bleibt kein Teig mehr am Holzstäbchen hängen, ist der Kuchen gar.

Krümelkuchen

200 g Margarine (Sanella)
200 g Zucker, 1 Ei
abgeriebene Schale von 1 Zitrone
500 g Mehl, 1 Teel. Backpulver ◇
450 g Sauerkirschkonfitüre
50 g geschälte, gemahlene Mandeln ◇
½ Tasse Puderzucker
Für die Form: Margarine

Eine Springform von 26 cm ∅ mit Margarine ausstreichen. Den Backofen auf 220 bis 230 ° vorheizen.
Die Margarine mit dem Zukker schaumig rühren. Das Ei und die Zitronenschale unterrühren. Das Mehl mit dem Backpulver sieben und einige Löffel von dem Mehlgemisch unter die schaumige Margarine rühren. Den Rest des Mehls darüberschütten und rasch mit den Fingerspitzen zu Krümeln verarbeiten. Die Hälfte des Teiges in die Springform füllen und die Konfitüre darüberstreichen. Den restlichen Teig mit den Mandeln mischen und über die Konfitüre krümeln. Den Kuchen auf der zweiten Schiebeleiste von unten 65 Minuten backen.
Den Kuchen auf einem Kuchengitter abkühlen lassen, dann mit dem Puderzucker besieben.

Die feinen Kuchen zum Kaffee

Orangen-Kastenkuchen

250 g Margarine (Sanella)
250 g Zucker, 3 Eier
4 Eigelbe, 1 Prise Salz
1 Schnapsglas Orangenlikör (2 cl)
abgeriebene Schale von 2 Orangen und 1 Zitrone
2 Eßl. Orangensaft
1 Eßl. Zitronensaft
100 g Mehl, 100 g Speisestärke
100 g geschälte, gemahlene Mandeln
100 g feingewürfeltes Orangeat ◇ 100 g Orangengelee
200 g Puderzucker
3 Eßl. Orangensaft
Für die Form: Margarine und Semmelbrösel

Eine Kastenform mit Margarine ausstreichen und mit Semmelbröseln ausstreuen. Den Backofen auf 180–190 ° vorheizen.
Die Margarine mit dem Zucker schaumig rühren, nacheinander die Eier und die Eigelbe zufügen und dabei einige Löffel Mehl unterrühren. Das Salz, den Orangenlikör, die Orangen- und Zitronenschale sowie den Saft unter den Teig rühren. Das restliche Mehl mit der Speisestärke sieben und mit den Mandeln und 80 g Orangeat unter den Teig heben. Den Teig in die Form füllen und auf der unteren Schiebeleiste 90 Minuten backen. Den Kuchen auf einem Kuchengitter abkühlen lassen, dann mit dem erhitzten, verrührten Orangengelee bestreichen. Puderzucker und Orangensaft verrühren, den Kuchen damit glasieren und mit dem restlichen Orangeat bestreuen.

Pistazien-Napfkuchen

120 g Marzipan-Rohmasse
100 g geschälte, geriebene Pistazien
1 Eßl. Arrak ◇
250 g Margarine (Sanella)
240 g Zucker, 5 Eigelbe
1 Prise Salz, 1 Eßl. Arrak
das Innere von 1/2 Vanilleschote
5 Eiweiße, 180 g Mehl
140 g Speisestärke
1 Teel. Backpulver ◇
100 g Schokoladen-Fettglasur
25 g gehackte Pistazien
Für die Form: Margarine und Semmelbrösel

Eine Napfkuchenform von 22 cm ∅ mit Margarine ausstreichen und mit Semmelbröseln ausstreuen. Den Backofen auf 190 ° vorheizen.
Die Marzipan-Rohmasse mit den Pistazien und dem Arrak verkneten, 1 cm dick ausrollen und in 1 cm große Würfelchen schneiden. Die Margarine mit der Hälfte des Zuckers, den Eigelben, dem Salz, dem Arrak und der Vanille schaumig rühren. Die Eiweiße mit dem restlichen Zucker zu steifem Schnee schlagen und unter die Eigelbmasse ziehen. Das Mehl mit der Speisestärke und dem Backpulver sieben und mit den Marzipanwürfeln unterheben. Den Teig in die Kuchenform füllen und auf der unteren Schiebeleiste 45–60 Minuten backen. Den Kuchen auf einem Kuchengitter abkühlen lassen. Die Fettglasur im Wasserbad zerlassen und den Kuchen damit überziehen. Die gehackten Pistazien auf die noch weiche Schokoladenglasur streuen.

Savarin mit Erdbeeren

350 g Mehl, 20 g Hefe
1 Tasse lauwarme Milch
4 Eier, 40 g Zucker
1 Päckchen Vanillinzucker
½ Teel. Salz
150 g Butter oder Margarine ◇
3 Schnapsgläser Rum (6 cl)
1 Glas Weißwein, ¼ l Wasser
150 Zucker ◇
250 g Erdbeeren
¼ l Sahne, 50 g Zucker
1 Teel. geschälte, gehackte Pistazien
Für die Form: Butter oder Margarine und Mehl

Eine Kranzform mit Butter oder Margarine ausstreichen und mit Mehl ausstäuben.
Das Mehl in eine Schüssel sieben. In die Mitte eine Vertiefung drücken. Die Hefe hineinbröckeln, mit der lauwarmen Milch auflösen und mit etwas Mehl verrühren. Den Hefevorteig zugedeckt 15 Minuten gehen lassen.
Die Eier mit dem Zucker schaumig rühren, den Vanillezucker, das Salz und die erwärmte Butter oder Margarine untermischen und dieses Gemisch zum Hefevorteig geben. Den Hefevorteig mit dem Butter-Eier-Gemisch und dem gesamten Mehl zu einem fast flüssigen Teig verarbeiten.
Den Teig nochmals zugedeckt 10 Minuten gehen lassen.
Die Kranzform mit dem Hefeteig füllen. Den Teig vor dem Backen noch einmal so lange zugedeckt gehen lassen, bis er den doppelten Umfang hat und die Form fast ausfüllt. Den Backofen auf 220° vorheizen. Den Kuchen auf der unteren Schiebeleiste 40 Minuten backen. Dann auf ein Kuchengitter stürzen.
Den Rum, den Weißwein, das Wasser und den Zucker in einer Kasserolle, in die der Savarin hineinpaßt, aufkochen lassen. Den Hefekranz kopfüber hineinlegen, bis die gesamte Flüssigkeit aufgesogen ist. Dann den Savarin auf eine Platte setzen.
Die Erdbeeren waschen, entstielen und halbieren. Die Sahne mit dem Zucker steif schlagen. Etwa 200 g Erdbeeren in die Mitte des Savarin füllen, die Sahne darüberspritzen und diese mit den restlichen Erdbeeren und den Pistazien garnieren.

Unser Tip

Diesen berühmten französischen Hefekranz können Sie nicht nur wie in unserem Rezept mit Erdbeeren (aux fraises) servieren, sondern auch auf folgende klassische Arten:
Chantilly: Der Kranz wird mit Läuterzucker, siehe Seite 41 und mit Kirschwasser getränkt, aprikotiert und mit Vanille-Schlagsahne gefüllt.
Mit Himbeeren (aux framboises): Der Kranz wird mit Läuterzucker, siehe Seite 41 und mit Himbeergeist getränkt und mit Schlagsahne und Himbeeren gefüllt.

Die feinen Kuchen zum Kaffee

Marzipanzopf

500 g Mehl, 30 g Hefe
1/4 l lauwarme Milch
80 g Butter, 50 g Zucker
1 Prise Salz
abgeriebene Schale von 1/2 Zitrone ◇
200 g Marzipan-Rohmasse
2 Eiweiße, 2 Eßl. Zucker
150 g geschälte, geriebene Mandeln
1 Schnapsglas Rum (2 cl) ◇
4 Eßl. Puderzucker
2 Eßl. Zitronensaft
2 Eßl. Wasser
Für das Backblech: Butter

Ein Backblech ausfetten.
Das Mehl in eine Schüssel sieben und in die Mitte eine Vertiefung drücken. Die Hefe hineinbröckeln und mit der Milch und etwas Mehl verrühren.
Den Hefevorteig zugedeckt 15 Minuten gehen lassen.
Die Butter zerlassen und mit dem Zucker, dem Salz, der Zitronenschale, dem gesamten Mehl und dem Hefevorteig verrühren. Den Teig so lange schlagen, bis er Blasen wirft.
Zugedeckt weitere 15 Minuten gehen lassen.
Das Marzipan mit den Eiweißen, dem Zucker, den Mandeln und dem Rum mischen.
Den Teig auf 50 × 40 cm ausrollen, mit der Füllung bestreichen und längsseits aufrollen.
Die Rolle der Länge nach halbieren, zu einem Zopf drehen und auf dem Backblech 15 Minuten gehen lassen. Den Backofen auf 200° vorheizen.
Den Zopf auf der unteren Schiebeleiste 35 Minuten backen. Den Puderzucker mit dem Zitronensaft und dem Wasser verrühren und den noch heißen Zopf damit glasieren.

Gefüllter Hefezopf

375 g Mehl, 20 g Hefe
1/8 l lauwarme Milch
50 g Zucker, 50 g Butter
2 Eier, 1/2 Teel. Salz ◇
je 50 g Marzipan-Rohmasse, Aprikosenkonfitüre, Rosinen und gehackte Mandeln
1 Eigelb, 1 Eßl. Zucker
1 Eßl. Wasser
Für das Backblech: Butter oder Margarine

Ein Backblech mit Fett bestreichen.
Das Mehl in eine Schüssel sieben, die Hefe in die Mitte bröckeln, mit der Milch, etwas Zucker und Mehl verrühren.
Den Hefevorteig 15 Minuten gehen lassen.
Die Butter zerlassen, mit den Eiern, dem Salz und dem restlichen Zucker verrühren, mit dem Hefevorteig und dem Mehl verkneten und den Teig 15 Minuten gehen lassen.
Den Teig 1 cm dick zu einer Platte von 50 × 40 cm ausrollen; 3 gleich breite Längsfelder markieren. Das Marzipan mit der Konfitüre verrühren, das mittlere Feld damit bestreichen und die Rosinen und die Mandeln darüberstreuen. Die äußeren Felder in 2 cm breite schräge Streifen schneiden und die Füllung damit zopfartig belegen. Den Zopf auf dem Backblech nochmals 15 Minuten gehen lassen. Den Backofen auf 225° vorheizen.
Den Zopf mit verquirltem Eigelb bestreichen. 30 Minuten auf der unteren Schiebeleiste backen. Den Zucker mit dem Wasser aufkochen. Den Zopf 10 Minuten vor Ende der Backzeit damit bestreichen.

Berliner Napfkuchen

300 g Mehl, 15 g Hefe
knapp 1/8 l lauwarme Milch
100 g Zucker
175 g Butter
1 Prise Salz, 3 Eier
abgeriebene Schale von
1 Zitrone
200 g Korinthen ◇
100 g Schokoladen-Fettglasur
2 Eßl. Pinienkerne
Für die Form: Butter oder Margarine und Semmelbrösel

Eine Napfkuchenform mit Fett ausstreichen und mit Semmelbröseln ausstreuen.
Das Mehl in eine Schüssel sieben und in die Mitte eine Vertiefung drücken. Die Hefe hineinbröckeln und mit der Milch, etwas Zucker und Mehl verrühren. Den Hefevorteig zugedeckt 15 Minuten gehen lassen.
Die Butter zerlassen und mit dem restlichen Zucker, dem Salz, den Eiern, der Zitronenschale, dem gesamten Mehl und dem Hefevorteig verrühren. Den Teig so lange schlagen, bis er Blasen wirft. Dann zugedeckt 20 Minuten gehen lassen.
Den Backofen auf 180° vorheizen. Die Korinthen waschen und abtropfen lassen und unter den Hefeteig kneten. Den Teig in die Form füllen und auf der unteren Schiebeleiste 50 Minuten backen.
Den Napfkuchen zum Abkühlen auf ein Kuchengitter stürzen. Die Fettglasur im Wasserbad zerlassen und den Kuchen damit überziehen. In die noch weiche Glasur die Pinienkerne drücken.

Wiener Gugelhupf

500 g Mehl, 35 g Hefe
1/8 l lauwarme Milch
150 g Zucker, 150 g Butter
5 Eigelbe, 1 Prise Salz
1/8 l Sahne, 75 g Sultaninen
2 Schnapsgläser Rum (4 cl)
abgeriebene Schale von
1 Zitrone
5 Eiweiße ◇
1/2 Tasse Puderzucker
Für die Formen: Butter oder Margarine

Der Wiener Gugelhupf ist besonders klein. Backen Sie die angegebene Teigmenge möglichst in drei kleinen Gugelhupfformen. Die Formen mit Fett ausstreichen.
Das Mehl in eine Schüssel sieben und in die Mitte eine Vertiefung drücken. Die Hefe hineinbröckeln und mit der Milch, etwas Zucker und Mehl verrühren. Den Vorteig zugedeckt 15 Minuten gehen lassen.
Die Butter zerlassen, mit dem restlichen Zucker, den Eigelben, dem Salz und der Sahne schaumig rühren und mit den Sultaninen, dem Rum, der Zitronenschale, dem gesamten Mehl und dem Hefevorteig verrühren. Die Eiweiße zu steifem Schnee schlagen, unter den Teig heben und den Teig schlagen, bis er Blasen wirft.
Die Formen zu zwei Dritteln mit Teig füllen. 15 Minuten gehen lassen. Den Backofen auf 200° vorheizen.
Die Kuchen auf der unteren Schiebeleiste 40–60 Minuten backen, dann auf ein Kuchengitter stürzen und mit dem Puderzucker besieben.

Meisters Mohnkranz

500 g Mehl, 40 g Hefe
100 g Zucker
1/4 l lauwarme Milch
125 g Butter, 2 Eier
Saft und abgeriebene Schale von 1/2 Zitrone
1 Prise Salz ◇ 50 g gemahlener Mohn
1/8 l heißes Wasser
30 g Rosinen
1 Prise Salz
1 Messerspitze gemahlener Zimt ◇
1 Eigelb ◇
3 Eßl. Puderzucker
1 Eßl. Zitronensaft
1 Eßl. Wasser
4 kandierte Kirschen
Für die Form: Butter oder Margarine

Eine Kranzkuchenform mit Butter oder Margarine ausstreichen.
Das Mehl in eine Schüssel sieben und in die Mitte eine Vertiefung drücken. Die Hefe hineinbröckeln und mit 1 Teelöffel Zucker, der Milch und etwas Mehl verrühren. Den Vorteig zugedeckt 15 Minuten gehen lassen.
Die Butter zerlassen und mit dem restlichen Zucker, den Eiern, dem Zitronensaft, der Zitronenschale und dem Salz zu dem Hefevorteig geben, mit dem gesamten Mehl zu einem glatten Teig verarbeiten. So lange schlagen, bis er sich vom Schüsselrand löst und Blasen wirft. Den Teig zugedeckt weitere 20 Minuten gehen lassen.
Den Mohn in einer Schüssel mit dem heißen Wasser übergießen und 5 Minuten quellen lassen. Die Rosinen heiß waschen und gut abtropfen lassen. Das Wasser vorsichtig vom Mohn abgießen, die Rosinen, das Salz und den Zimt unterrühren. Den Backofen auf 200 ° vorheizen.
Den Hefeteig auf einer bemehlten Arbeitsfläche zu einem Rechteck ausrollen und mit der Mohnfüllung bestreichen. Den Teig von der Längsseite aufrollen. Die Kanten und Enden mit verquirltem Eigelb bestreichen und gut zusammendrücken, damit die Füllung nicht herausquillt. Die Rolle mit der »Nahtseite« nach unten in die Kranzkuchenform legen und die Teigenden gut miteinander verbinden. Den Kuchen auf der unteren Schiebeleiste 45 Minuten backen.
Den Kuchen zum Abkühlen auf ein Kuchengitter stürzen.
Den Puderzucker mit dem Zitronensaft und dem Wasser verrühren. Den Kuchen damit glasieren und mit den halbierten kandierten Kirschen verzieren.

Birnen-Quarktorte

125 g Mehl, 60 g Butter
45 g Puderzucker
1/2 Teel. Vanillinzucker
1 Prise Salz, 1 Eigelb ◇
500 g getrocknete Erbsen ◇
480 g Birnen aus der Dose
2 1/2 Schnapsgläser Birnengeist (5 cl)
250 g Quark, 125 g Zucker
Saft von 1 Zitrone
6 Blatt weiße Gelatine
1/4 l Sahne, 2 Eßl. Zucker
4 Eßl. Krokantstreusel
2 Eßl. Johannisbeergelee

Das gesiebte Mehl mit der Butter, dem Puderzucker, dem Vanillinzucker, dem Salz und dem Eigelb zu einem Mürbeteig verkneten und zugedeckt 2 Stunden im Kühlschrank ruhen lassen. Den Backofen auf 200° vorheizen. Den Teig ausrollen, Boden und Rand einer Springform auslegen und die Erbsen einfüllen. Den Teig auf der zweiten Schiebeleiste von unten 30 Minuten backen.
Die Erbsen ausschütten. Die abgetropften Birnen mit 1 Glas Birnengeist übergießen. Den Quark mit dem Zucker, dem Zitronensaft und dem restlichen Birnengeist verrühren. Die eingeweichte Gelatine im erhitzten Birnensaft auflösen und unter den Quark rühren. Die Birnen auf den Boden legen, den Quark kuppelartig darüberstreichen und erstarren lassen. Die Sahne mit dem Zucker steif schlagen. Einen Teil abnehmen. Die restliche Sahne mit 3 Eßlöffeln Krokant verrühren und über die Torte streichen. Die Torte mit Sahnetupfen, Krokant und Gelee garnieren.

Quarktorte Winzerart

4 Eier, 2 Eßl. warmes Wasser
140 g Zucker, 120 g Mehl
60 g Speisestärke
1 Teel. Backpulver ◇
500 g Quark, 2 Eigelbe
150 g Zucker
Saft von 1 Zitrone
6 Blatt weiße Gelatine
1/4 l Sahne ◇
je 300 g grüne und blaue Weintrauben
1 Päckchen klarer Tortenguß
100 g Mandelblättchen
Für die Form: Butter

Den Boden einer Springform ausfetten. Den Backofen auf 190° vorheizen.
Die Eier trennen. Die Eigelbe mit dem Wasser und der Hälfte des Zuckers schaumig rühren. Die Eiweiße mit dem restlichen Zucker zu steifem Schnee schlagen und unter die Eigelbmasse heben. Das Mehl mit der Speisestärke und dem Backpulver darübersieben und unterrühren. Den Teig in die Springform füllen und auf der zweiten Schiebeleiste von unten 40 Minuten backen.
Den Quark mit den Eigelben, dem Zucker und dem Zitronensaft verrühren. Die Gelatine auflösen. Die Sahne steif schlagen und mit der Gelatine unter den Quark heben.
Den Biskuitboden nach mindestens 2 Stunden Ruhezeit durchschneiden, beide Böden mit der Quarkcreme aufeinandersetzen. Die Torte mit den Trauben belegen und diese mit Tortenguß überziehen. Den Tortenrand mit Mandelblättchen bestreuen.

Käse-Sahnetorte

200 g Mehl, 120 g Butter
70 g Zucker, 1 Eigelb
1 Messerspitze Salz
abgeriebene Schale von
1/2 Zitrone ◇
1/4 l Milch, 200 g Zucker
1 Prise Salz
abgeriebene Schale von
1 Zitrone
4 Eigelbe
8 Blatt weiße Gelatine
1/2 l Sahne, 500 g Quark
1/2 Tasse Puderzucker

Das Mehl auf ein Backbrett sieben und die Butter in Flöckchen darüber verteilen. In die Mitte des Mehls eine Vertiefung drücken und den Zucker, das Eigelb, das Salz und die Zitronenschale hineingeben. Von der Mitte aus alle Zutaten rasch zu einem geschmeidigen Teig verkneten. Den Mürbeteig zu einer Kugel formen und in Alufolie oder Pergamentpapier gewickelt 2 Stunden im Kühlschrank ruhen lassen.
Den Backofen auf 190 ° vorheizen. Den Teig auf einer bemehlten Arbeitsfläche zu zwei Tortenböden von je 26 cm ∅ ausrollen und auf einem Backblech auf der mittleren Schiebeleiste in 8–10 Minuten hellbraun backen.
Einen der Böden noch heiß in 12 gleich große Tortenstücke schneiden, zusammen mit dem ganzen Boden auf einem Kuchengitter abkühlen lassen.
Für die Käsesahne die Milch mit dem Zucker, dem Salz, der Zitronenschale und den Eigelben unter ständigem Rühren aufkochen lassen. Vom Herd nehmen. Die Gelatine nach Vorschrift auflösen und in die Milch rühren. Die Milch kalt stellen. Die Sahne steif schlagen. Wenn die Milch zu erstarren beginnt, den Quark und die Schlagsahne unterrühren.
Den ungeteilten Tortenboden in eine Springform legen und den Rand der Form mit einem Streifen Pergamentpapier auslegen. Die Quarkcreme auf den Tortenboden füllen und die Oberfläche glattstreichen. Die Creme im Kühlschrank festwerden lassen.
Die Torte aus der Form lösen, das Pergamentpapier vom Rand entfernen und den geteilten Tortenboden obenauf legen. Die Torte mit dem Puderzucker besieben.

Unser Tip

Nach Belieben können Sie unter die Quarkcreme auch frische oder tiefgefrorene Erdbeeren oder Himbeeren, Kirschen, Johannisbeeren oder Heidelbeeren mischen. Tiefgefrorene Beeren so weit antauen, daß sie sich gut in der Quarkcreme verteilen; frische Früchte waschen, abtropfen lassen und einige Minuten mit etwas Zucker bestreut stehen lassen.

Ananas-Buttercremetorte

6 Eigelbe, 150 g Zucker
6 Eiweiße, 100 g Mehl
50 g Speisestärke
50 g Kakaopulver
50 g geschälte, geriebene Mandeln
50 g Butter ◇
$^1/_2$ l Milch, 160 g Zucker
1 Päckchen Vanille-Puddingpulver
250 g Butter, 1 Eßl. Rum ◇
8 Scheiben Ananas aus der Dose
80 g geröstete Mandelblättchen
8 kandierte Kirschen
Für die Form: Butter oder Margarine

Den Boden einer Springform von 26 cm Ø mit Butter oder Margarine ausstreichen. Den Backofen auf 180° vorheizen. Die Eigelbe mit einem Drittel des Zuckers schaumig rühren. Die Eiweiße zu steifem Schnee schlagen, den restlichen Zukker einrieseln lassen und gut unterrühren. Das Mehl mit der Speisestärke und dem Kakaopulver sieben und mit den geriebenen Mandeln mischen. Den Eischnee unter die Eigelbmasse heben und das Mehlgemisch unterziehen. Die Butter zerlassen und zuletzt unter den Teig rühren. Den Teig in die Springform füllen und den Kuchen auf der zweiten Schiebeleiste von unten 35–45 Minuten backen. Zum Abkühlen auf ein Kuchengitter stürzen.
Aus der Milch, dem Zucker und dem Puddingpulver nach Vorschrift einen Vanillepudding bereiten. Den Pudding unter wiederholtem Umrühren abkühlen lassen. Die Butter schaumig rühren und den Rum unterrühren. Sobald Pudding und Butter die gleiche Temperatur haben, den Pudding löffelweise unter die Butter rühren.
Den Biskuitboden nach mindestens 2 Stunden Ruhezeit mit einem scharfen Messer zweimal durchschneiden. Die Ananasscheiben in gleich große Stücke schneiden. Den untersten Biskuitboden mit der Buttercreme bestreichen und darauf die Ananasstücke verteilen; 16 Ananasstücke zurückbehalten. Über die Ananasstücke noch etwas Buttercreme streichen, den nächsten Boden daraufsetzen und diesen wiederum mit Buttercreme bestreichen. Den letzten Boden daraufsetzen. Oberfläche und Rand der Torte dünn mit Buttercreme bestreichen, die restliche Buttercreme in einen Spritzbeutel füllen. Den Rand und die Tortenoberfläche mit den gerösteten Mandelblättchen bestreuen. Auf die Torte 16 Buttercremerosetten spritzen und jede Rosette mit einem Ananasstück und einer halbierten kandierten Kirsche verzieren.

Stachelbeer-Baisertorte

6 Eigelbe, 150 g Zucker
6 Eiweiße, 120 g Mehl
60 g Speisestärke
50 g geschälte, geriebene Mandeln
50 g Butter ◇
150 g Marzipan-Rohmasse
2 Schnapsgläser Rum (4 cl)
2 Eßl. Puderzucker
4 Eßl. Wasser ◇
500 g Stachelbeeren, 4 Eßl. Zucker
$^1/_8$ l Wasser ◇
4 Eiweiße, 170 g Zucker
das Innere von $^1/_2$ Vanilleschote
100 g geröstete Mandelblättchen
Für die Form: Butter oder Margarine

Den Boden einer Springform von 26 cm ∅ mit Butter oder Margarine ausstreichen. Den Backofen auf 190 ° vorheizen. Die Eigelbe mit einem Drittel des Zuckers schaumig rühren. Die Eiweiße zu steifem Schnee schlagen, den restlichen Zukker langsam einrieseln lassen und unter den Eischnee rühren. Das Mehl mit der Speisestärke sieben und mit den geriebenen Mandeln mischen. Den Eischnee unter die Eigelbmasse heben und das Mehlgemisch unterziehen. Die Butter zerlassen und lauwarm unter den Teig rühren. Den Teig in die vorbereitete Springform füllen, die Oberfläche glattstreichen und den Tortenboden auf der zweiten Schiebeleiste von unten 35–40 Minuten backen. Zum Abkühlen auf ein Kuchengitter stürzen. Den Boden nach mindestens 2 Stunden Ruhezeit einmal durchschneiden.
Die Marzipan-Rohmasse mit dem Rum, dem Puderzucker und dem Wasser zu einer glatten Masse verrühren. Den unteren Tortenboden damit bestreichen und den zweiten Boden daraufsetzen.
Die Stachelbeeren putzen und waschen. Den Zucker mit dem Wasser verrühren, aufkochen lassen, die Stachelbeeren hineinschütten und zugedeckt bei milder Hitze 10 Minuten dünsten lassen. Dann zum Abtropfen in ein Sieb schütten.
Die Eiweiße mit dem Zucker zu sehr steifem Schnee schlagen. Die Vanille unterheben.
Die Torte mit den Stachelbeeren belegen; 16 Stachelbeeren zum Garnieren zurückbehalten.
Die Torte dick mit dem Eischnee bestreichen, den restlichen Eischnee in einen Spritzbeutel mit Sterntülle füllen. Den Backofen auf 250 ° vorheizen. Mit dem Spritzbeutel von der Mitte nach außen 16 Eischneegirlanden aufspritzen und jede in eine Rosette auslaufen lassen. Die Baisermasse auf der mittleren Schiebeleiste leicht bräunen lassen. In jede Eischneerosette eine Stachelbeere legen, Tortenrand und Mitte mit den gerösteten Mandelblättchen bestreuen.

Kokosnußtorte Basse Pointe

4 Eigelbe
2 Eßl. lauwarmes Wasser
140 g Zucker
abgeriebene Schale von ½ Zitrone
4 Eiweiße, 120 g Mehl
60 g Speisestärke
1 Teel. Backpulver ◇
2 Kokosnüsse
2 Eßl. Kokosmilch, 3 Eßl. Zucker
1 Schnapsglas brauner Rum (2 cl) ◇
½ l Milch, 3 Eigelbe
180 g Zucker
1 Päckchen Vanille-Pudding-pulver
3 Eiweiße ◇
16 kandierte Kirschen
Für die Form: Butter oder Margarine

Den Boden einer Springform von 26 cm Ø mit Butter oder Margarine ausstreichen. Den Backofen auf 190° vorheizen. Die Eigelbe mit dem Wasser, der Hälfte des Zuckers und der Zitronenschale schaumig rühren. Die Eiweiße zu steifem Schnee schlagen, den restlichen Zucker unterrühren und den Eischnee unter die Eigelbmasse heben. Das Mehl mit der Speisestärke und dem Backpulver sieben und unter den Teig ziehen. Den Teig in die Springform füllen, die Oberfläche glattstreichen und den Teig auf der zweiten Schiebeleiste von unten 30–40 Minuten backen.
Zum Abkühlen auf ein Kuchengitter stürzen. Den Tortenboden nach Möglichkeit 24 Stunden lagern, erst dann zweimal durchschneiden.
Die Kokosnüsse an den sichtbar dünnen Stellen der Schale anbohren und die Milch abgießen. Die Kokosnüsse durchsägen, das Fleisch herauslösen und zugedeckt aufbewahren.
2 Eßlöffel Kokosmilch mit 3 Eßlöffeln Zucker so lange kochen, bis der Zucker klar ist. Den Rum zufügen und alles abkühlen lassen.
3 Eßlöffel Milch mit dem Puddingpulver und den Eigelben verrühren. Die restliche Milch mit der Hälfte des Zuckers zum Kochen bringen. Die Eiweiße mit dem restlichen Zukker zu steifem Schnee schlagen. Das angerührte Puddingpulver unter Rühren einige Male in der Milch aufkochen lassen und den Eischnee unterheben. Die Vanillecreme etwas abkühlen lassen, dann dick auf den untersten Tortenboden streichen. Den zweiten Boden darauflegen, mit dem Kokosmilch-Zucker-Gemisch tränken, eine Schicht Vanillecreme darüberstreichen und den letzten Tortenboden auflegen.
Diesen ebenfalls mit dem Kokosmilch-Zucker-Gemisch tränken und die restliche Vanillecreme darüberstreichen.
Die Kokosnußstücke sehr fein und gleichmäßig über die Torte reiben, so daß diese überall mit einer dicken Schicht von Geriebenem bedeckt ist. Die Torte in 16 Stücke einteilen und jedes mit einer Kirsche belegen.
Kokosnüsse und brauner Rum sind typische Produkte der Antilleninsel Martinique. Daher stammt diese Tortenspezialität. Wirklich »echt« schmeckt sie allerdings nur, wenn sie mit frischen Kokosnüssen zubereitet wird.

Burgenländer Mohntorte

100 g Butter, 100 g Zucker
4 Eigelbe
100 g gemahlener Mohn
30 g sehr fein gehacktes Zitronat
4 Eiweiße
1/2 Tasse Puderzucker
Für die Form: Butter oder Margarine und Semmelbrösel

Eine Springform von 24–26 cm Ø mit Butter oder Margarine ausstreichen und mit Semmelbröseln ausstreuen. Den Backofen auf 200 ° vorheizen.
Die Butter mit dem Zucker sehr schaumig rühren. Nacheinander die Eigelbe unterrühren, zuletzt den Mohn und das Zitronat. Die Eiweiße zu steifem Schnee schlagen und unter den Teig heben. Den Teig in die vorbereitete Springform füllen und die Oberfläche glattstreichen. Den Kuchen auf der zweiten Schiebeleiste von unten 40–45 Minuten backen. Zum Abkühlen auf ein Kuchengitter stürzen. Eine Tortenspitze als Schablone auf den Kuchen legen und den Kuchen mit dem Puderzucker besieben. Die Tortenspitze danach vorsichtig abnehmen.

Unser Tip

Noch hübscher wird das Muster aus Puderzukker, wenn Sie statt einer Tortenspitze aus Papier ein Plastikdeckchen mit Spitzenmuster vor dem Besieben auf die Torte legen.

Engadiner Nußtorte

160 g Butter, 150 g Zucker
1 Prise Salz, 1 Ei
300 g Mehl ◇
20 g Butter, 300 g Zucker
250 g grobgehackte Walnüsse
knapp 1/4 l Sahne, 1 Eigelb

Die möglichst weiche Butter mit dem Zucker, dem Salz und dem Ei verrühren. Das Mehl darübersieben und alles zu einem Mürbeteig verkneten. Den Teig zugedeckt 2 Stunden im Kühlschrank ruhen lassen. Zwei Drittel des Teiges dünn ausrollen und eine niedrige Obstkuchenform von 24 cm Ø damit auslegen und den Rand etwas überstehen lassen. Den Backofen auf 200 ° vorheizen. Die Butter in einem Topf zerlassen, den Zucker zugeben und unter Rühren hellbraun karamelisieren lassen. Die Walnüsse und die Sahne zugeben und alles einmal aufkochen lassen. Abkühlen lassen. Den restlichen Teig zu einer runden Platte von passender Größe ausrollen. Die Füllung auf den Tortenboden streichen und die Teigplatte darauflegen. Den Rand mit verquirltem Eigelb bestreichen, den überstehenden Rand des Teigbodens darauflegen und festdrücken. Die Oberfläche mit dem restlichen Eigelb bestreichen und mit einer Gabel mehrmals einstechen. Die Torte auf der zweiten Schiebeleiste von unten 30–40 Minuten backen. Auf einem Kuchengitter abkühlen lassen.

Schwedische Mazarintorte

150 g Butter oder Margarine
40 g Zucker
das Innere von 1 Vanilleschote
1 Prise Salz
2 Eigelbe, 200 g Mehl ◇
125 g Butter
125 g Puderzucker, 2 Eier
125 g geschälte, geriebene Mandeln
abgeriebene Schale von 1 Zitrone
20 g Mehl

Die möglichst weiche Butter oder Margarine mit dem Zukker, der Vanille, dem Salz und den Eigelben verrühren. Das Mehl darübersieben und alles zu einem Mürbeteig verkneten. Den Teig in Alufolie oder Pergamentpapier gewickelt 2 Stunden im Kühlschrank ruhen lassen. Den Backofen auf 180° vorheizen.
Die Butter mit dem gesiebten Puderzucker und den Eiern schaumig rühren. Löffelweise die Mandeln, die Zitronenschale und das Mehl unterrühren. Den Teig ausrollen und Rand und Boden einer Springform damit auslegen. Die Füllung auf den Boden streichen und die Torte auf der zweiten Schiebeleiste von unten 45 Minuten backen. Die Torte in der Form abkühlen lassen.

Unser Tip

Vanilleschoten werden vor dem Verwenden längs aufgeschnitten. Wird nur das Innere verwendet, so kratzt man das Mark heraus.

Spanische Vanilletorte

250 g Marzipan-Rohmasse
150 g Zucker
das Innere von 1 Vanilleschote
1 Prise Salz, 1 Ei
6 Eigelbe, 6 Eiweiße
100 g Mehl
50 g Speisestärke
60 g gehackte Blockschokolade ◇
200 g Schokoladen-Fettglasur
20 g gehackte Pistazien
Für die Form: Butter oder Margarine

Eine Rosettenform für Torten von 26 cm ∅ mit Butter oder Margarine ausstreichen. Den Backofen auf 190° vorheizen. Die Marzipan-Rohmasse mit der Hälfte des Zuckers, der Vanille, dem Salz, dem Ei und den Eigelben schaumig rühren. Die Eiweiße mit dem restlichen Zucker zu steifem Schnee schlagen und unter die Marzipan-Eigelb-Masse ziehen. Das Mehl mit der Speisestärke über die Eimasse sieben und unterheben. Zuletzt die Schokolade unter den Teig mischen. Den Teig in die Rosettenform füllen und die Oberfläche glattstreichen. Die Torte auf der unteren Schiebeleiste 45–60 Minuten backen.
Die Torte in der Form etwas abkühlen lassen, dann auf ein Kuchengitter stürzen und völlig erkalten lassen.
Die Schokoladen-Fettglasur im Wasserbad schmelzen lassen, die Torte damit überziehen und solange die Glasur noch nicht ganz fest ist mit den Pistazien bestreuen.

Wiener Kirschtorte

100 g Butter, 60 g Zucker
150 g Mehl ◇
450 g getrocknete Erbsen ◇
300 g Butter, 300 g Zucker
6 Eigelbe
abgeriebene Schale von 1 Zitrone
1 Messerspitze Salz
6 Eiweiße, 150 g Mehl
150 g Speisestärke ◇
450 g Sauerkirschen aus dem Glas
½ Tasse Puderzucker

Die Butter mit dem Zucker verrühren. Das Mehl darübersieben, alles zu einem Mürbeteig verkneten und diesen eingewickelt 2 Stunden im Kühlschrank ruhen lassen.
Den Backofen auf 220 ° vorheizen. Den Teig ausrollen und den Boden einer Springform damit auslegen. Den Boden mit einer Gabel mehrmals einstechen, mit den Erbsen füllen und auf der mittleren Schiebeleiste 15 Minuten vorbacken.
Für den Biskuitteig die Butter mit der Hälfte des Zuckers, den Eigelben, der Zitronenschale und dem Salz schaumig rühren. Die Eiweiße mit dem restlichen Zucker steif schlagen und unter die Eigelbmasse heben. Das Mehl mit der Speisestärke über die Eimasse sieben und unterziehen. Den Biskuitteig auf den Mürbeteigboden füllen und die abgetropften Kirschen auf dem Teig verteilen. Den Kuchen bei 190 ° weitere 70–80 Minuten auf der unteren Schiebeleiste backen. Abgekühlt mit dem Puderzucker besieben.

Orangentorte Alt-Yafo

7 Eigelbe, 280 g Zucker
abgeriebene Schale und Saft von 2 Orangen
7 Eiweiße, 30 g Mehl
80 g Biskuitbrösel
280 g ungeschälte, geriebene Mandeln ◇
200 g Orangengelee
100 g geröstete Mandelblättchen
7 kandierte Orangenscheiben
Für die Form: Butter oder Margarine und Semmelbrösel

Eine Springform von 26 cm Ø mit Butter oder Margarine ausstreichen und mit Semmelbröseln ausstreuen. Den Backofen auf 200 ° vorheizen.
Die Eigelbe mit der Hälfte des Zuckers schaumig rühren und die Orangenschale und den Orangensaft zugeben. Die Eiweiße mit dem restlichen Zucker steif schlagen und unter die Eigelbmasse ziehen. Das Mehl darübersieben und mit den Biskuitbröseln und den Mandeln unterheben. Den Teig in die Springform füllen und die Oberfläche glattstreichen. Auf der zweiten Schiebeleiste von unten 40–50 Minuten backen. Die Torte auf einem Kuchengitter etwas abkühlen lassen, dann mit dem erhitzten Orangengelee bestreichen, mit den Mandelblättchen bestreuen und mit den halbierten kandierten Orangenscheiben belegen.

Festliche Schokoladentorte

4 Eier, 200 g Zucker
4 Eßl. heißes Wasser
1 Prise Salz, 200 g Mehl
1 Teel. Backpulver ◇
3 Eßl. Orangenmarmelade
1 Eßl. Cointreau (Orangenlikör)
250 g Butter, 220 g Puderzucker
2 gehäufte Eßl. Kakaopulver
4 Eier ◇
8 kandierte Orangenspalten oder Geleefrüchte
8 kandierte Kirschen
100 g Schokoladenstreusel
Für die Form: Butter oder Margarine, Pergamentpapier

Eine Springform mit Pergamentpapier auslegen und dieses mit Butter oder Margarine bestreichen. Den Backofen auf 220 ° vorheizen.
Die Eier in Eigelbe und Eiweiße trennen. 3 Eßlöffel Zucker wegnehmen und den restlichen Zucker mit den Eigelben und dem heißen Wasser cremig rühren. Die Eiweiße mit dem Salz und dem restlichen Zukker zu steifem Schnee schlagen und auf die Eigelbmasse gleiten lassen. Das Mehl mit dem Backpulver über den Eischnee sieben und Eischnee und Mehl unter die Eigelbmasse ziehen. Den Biskuitteig in die Springform füllen und auf der zweiten Schiebeleiste von unten 30 Minuten backen.
Zum Auskühlen auf ein Kuchengitter stürzen und das Pergamentpapier abziehen.
Die Orangenmarmelade mit dem Cointreau mischen. Die Butter schaumig rühren. Den Puderzucker und den Kakao durchsieben. Die Eier verquirlen und das Puderzucker-Kakao-Gemisch nach und nach unter die Eimasse rühren. Die Eimasse löffelweise unter die schaumige Butter mengen.
Den Biskuitboden nach mindestens 2 Stunden Ruhezeit dreimal durchschneiden, so daß 4 dünne Biskuitböden entstehen. 3 der Böden dünn mit der angerührten Orangenmarmelade und etwas Buttercreme bestreichen. Die Böden aufeinandersetzen und den obersten Boden sowie den Rand der Torte ebenfalls mit Buttercreme bestreichen.
Die restliche Buttercreme in einen Spritzbeutel mit Sterntülle füllen. Mit einem Messer 16 gleich große Tortenstücke markieren und jedes mit einer Buttercremegirlande und -rosette verzieren. Die Orangenspalten halbieren und jede Rosette damit garnieren. Zu den Orangenstücken jeweils eine halbe Kirsche setzen. Den Rand der Torte mit den Schokoladenstreuseln garnieren.

Unser Tip

Wenn Sie von vornherein wissen, daß eine Buttercremetorte eingefroren werden soll, so sollten Sie die Buttercreme nicht mit Pudding bereiten, sondern wie in diesem Rezept mit Puderzucker und Eiern, da sich gekochter Pudding, auch wenn er mit reichlich Butter gemischt wurde, nicht zum Einfrieren eignet.

Mokkacremetorte

130 g Butter, 200 g Zucker
je 1 Messerspitze Salz, gemahlener Zimt und abgeriebene Zitronenschale
6 Eigelbe, 130 g Kuvertüre
6 Eiweiße, 130 g Mehl ◇
1/2 l Milch
1 Eßl. Instant-Pulverkaffee
1 Päckchen Mokka-Puddingpulver
150 g Zucker, 250 g Butter ◇
17 Mokkabohnen-Konfekt
50 g geröstete Mandelblättchen
Für die Form: Butter oder Margarine

Den Boden einer Springform mit Butter oder Margarine ausstreichen. Den Backofen auf 190° vorheizen.
Die möglichst weiche Butter mit der Hälfte des Zuckers, dem Salz, dem Zimt und der Zitronenschale schaumig rühren. Die Eigelbe nacheinander unter die Buttermasse rühren. Die Kuvertüre im Wasserbad schmelzen, aber nicht warm werden lassen. Unter die Buttermasse ziehen. Die Eiweiße mit dem restlichen Zucker zu steifem Schnee schlagen und diesen unter die Buttermasse heben. Das Mehl sieben und nach und nach unter den Teig ziehen. Den Teig in die Springform füllen, die Oberfläche glattstreichen und den Teig auf der zweiten Schiebeleiste von unten 50–60 Minuten backen. Zum Abkühlen auf ein Kuchengitter stürzen. Nach mindestens 2 Stunden Ruhezeit dreimal durchschneiden.
Von der Milch 5 Eßlöffel abnehmen und das Puddingpulver damit anrühren. Die restliche Milch mit dem Instant-Pulverkaffee und dem Zucker zum Kochen bringen, das Puddingpulver einrühren und einige Male aufkochen lassen. Vom Herd nehmen und unter öfterem Umrühren völlig erkalten lassen. Die Butter schaumig rühren. Sobald Pudding und Butter dieselbe Temperatur haben, den Pudding löffelweise unter die Butter rühren.
3 Biskuitböden mit der Mokkacreme bestreichen und aufeinandersetzen. Die Oberfläche und den Rand der Torte mit Creme bestreichen. Mit einem Messer 16 Tortenstücke in die Oberfläche markieren. Die restliche Mokkacreme in einen Spritzbeutel mit Sterntülle füllen und jedes Tortenstück mit einer Girlande, die in eine Rosette ausläuft, garnieren. In die Mitte der Torte eine zweireihige Rosette spritzen. Die Mitte und jede Rosette mit einer Mokkabohne belegen. Den Rand der Torte mit den Mandelblättchen bestreuen.

Unser Tip
Zum Schneiden einer Cremetorte tauchen Sie das möglichst lange und scharfe Messer vor jedem Schnitt in lauwarmes Wasser.

Aida-Torte

4 Eigelbe, 2 Eßl. warmes Wasser
140 g Zucker
abgeriebene Schale von $^1/_2$ Zitrone
4 Eiweiße, 120 g Mehl
60 g Speisestärke
1 Teel. Backpulver ◇
100 g Nougat
100 g Marzipan-Rohmasse
1 Schnapsglas Kirschwasser (2 cl)
2 Eßl. Wasser, 1 Eßl. Puderzucker ◇
100 g Aprikosenmarmelade
50 g geröstete Mandelblättchen
4 Tassen gemischte Früchte, frisch oder aus der Dose
1 Päckchen klarer Tortenguß
Für die Form: Butter oder Margarine

Den Boden einer Springform von 26 cm ∅ ausfetten. Den Backofen auf 190 ° vorheizen. Die Eigelbe mit dem Wasser, der Hälfte des Zuckers und der Zitronenschale schaumig rühren. Die Eiweiße mit dem restlichen Zucker steif schlagen und unter die Eigelbmasse heben. Das Mehl mit der Speisestärke und dem Backpulver sieben und unter den Teig ziehen, diesen in die Springform füllen und auf der zweiten Schiebeleiste von unten 40 Minuten backen.
Aus der Form stürzen, erkalten lassen und nach mindestens 2 Stunden Ruhezeit zweimal durchschneiden.
Das Nougat im Wasserbad auflösen, einen Boden damit bestreichen, den zweiten daraufsetzen. Das Marzipan mit dem Kirschwasser, dem Wasser und dem Puderzucker verrühren und den zweiten Tortenboden damit bestreichen. Den dritten Tortenboden daraufsetzen. Oberfläche und Rand der Torte mit der Marmelade bestreichen, den Rand mit Mandelblättchen bestreuen. Die Torte mit den Früchten belegen und diese mit dem Tortenguß überziehen.

Birnen-Sahnetorte

6 Eigelbe, 150 g Zucker
6 Eiweiße, 100 g Mehl
30 g Speisestärke
50 g Kakaopulver
50 g geschälte, geriebene Mandeln
50 g Butter oder Margarine ◇
1 kg Birnen
1 l Wasser, 50 g Zucker
Saft von 1 Zitrone ◇
1 Tasse Johannisbeergelee
3/4 l Sahne, 60 g Zucker
50 g geröstete Mandelblättchen
8 kandierte Kirschen
Für die Form: Butter oder Margarine

Den Boden einer Springform von 26 cm Ø ausfetten. Den Backofen auf 190 ° vorheizen. Die Eigelbe mit einem Drittel des Zuckers schaumig rühren. Die Eiweiße mit dem restlichen Zucker steif schlagen und unter die Eigelbmasse heben. Das Mehl mit der Speisestärke und dem Kakao sieben, mit den geriebenen Mandeln mischen und nach und nach unter die Eimasse ziehen. Die geschmolzene Butter oder Margarine lauwarm unter den Teig rühren. Den Teig in die Springform füllen, glattstreichen und auf der zweiten Schiebeleiste von unten 40 Minuten backen.
Zum Abkühlen auf ein Kuchengitter stürzen. Den Tortenboden nach mindestens 2 Stunden Ruhezeit zweimal durchschneiden.
Die Birnen schälen, achteln und entkernen. Das Wasser mit dem Zucker und dem Zitronensaft zum Kochen bringen und die Birnenachtel darin zugedeckt etwa 10 Minuten kochen lassen. Danach in einem Sieb abtropfen und erkalten lassen.
Zwei der Tortenböden mit dem Johannisbeergelee bestreichen und mit den Birnenachteln belegen; 16 Birnenachtel zurückbehalten.
Die Sahne mit dem Zucker steif schlagen. Die Hälfte der Sahne auf den Birnenspalten verteilen und die beiden Böden aufeinandersetzen. Den dritten Boden daraufsetzen, die Torte dick mit Sahne überziehen und diese schön glattstreichen. Den Rand der Torte mit den Mandelblättchen bestreuen. Die restliche Sahne in einen Spritzbeutel mit Sterntülle füllen. 16 Tortenstücke in die Sahneschicht markieren und auf jedes eine Sahnenrosette spritzen. Jede Rosette mit einer Birnenspalte und einer halben Kirsche belegen.

Unser Tip

Wenn Sie einen Biskuitboden in einzelne Lagen zerschneiden wollen, brauchen Sie dazu ein langes, dünnes Messer. Das Messer bis zur Mitte des Tortenbodens führen. Dann wird der Boden gedreht, bis die oberste Schicht rundum abgeschnitten ist. Besitzen Sie kein entsprechendes Messer, so legen Sie einen starken Faden um den Tortenrand und ziehen diesen langsam zu, bis die Schicht abgetrennt ist.

Für den Teilchen-Teller

Erdbeerroulade

200 g reife Erdbeeren
2 Eßl. Zucker ◇
8 Eigelbe
100 g Zucker, 4 Eiweiße
80 g Mehl, 20 g Speisestärke ◇
1/2 l Sahne, 2 Eßl. Zucker ◇
1/2 Tasse Puderzucker
Für das Backblech: Pergamentpapier

Ein Backblech mit Pergamentpapier auslegen. Die Erdbeeren verlesen, je nach Größe halbieren oder vierteln, mit Zucker bestreuen und zugedeckt ziehen lassen. Den Backofen auf 240 ° vorheizen. Die Eigelbe mit der Hälfte des Zuckers schaumig rühren. Die Eiweiße mit dem restlichen Zucker steif schlagen und unter die Eigelbmasse heben. Das Mehl mit der Speisestärke darübersieben und unterziehen. Den Teig auf das Pergamentpapier streichen und auf der mittleren Schiebeleiste 8 Minuten backen.
Die Teigplatte auf ein mit Zucker bestreutes Tuch stürzen und mit einem feuchten Tuch bedeckt erkalten lassen. Das Pergamentpapier abziehen.
Die Sahne mit dem Zucker steif schlagen, mit den Erdbeeren verrühren und auf die Biskuitplatte streichen. Die Platte mit Hilfe des Tuches aufrollen und mit dem Puderzucker besieben.

Zitronenröllchen

150 g Butter, 150 g Zucker
3 Eigelbe
Saft und abgeriebene Schale von 4 Zitronen ◇
8 Eigelbe, 100 g Zucker
5 Eiweiße, 50 g Speisestärke
50 g Mehl ◇
1/2 Tasse Puderzucker
12 kandierte Kirschen
Für das Backblech: Pergamentpapier

Ein Backblech mit Pergamentpapier auslegen. Den Backofen auf 230 ° vorheizen.
Die Butter zerlassen und mit dem Zucker, den Eigelben, dem Saft von 4 und der Schale von 3 Zitronen verrühren. Einmal aufkochen. Dann die Zitronencreme erkalten lassen.
Die Eigelbe mit der Hälfte des Zuckers und der restlichen Zitronenschale schaumig rühren. Die Eiweiße mit dem restlichen Zucker zu Schnee schlagen und unter die Eigelbmasse heben. Das Mehl mit der Speisestärke darübersieben und unter die Eimasse ziehen. Den Biskuitteig auf das Pergamentpapier streichen und auf der mittleren Schiebeleiste 10 Minuten backen.
Den Teig vom Backblech stürzen, mit einem angefeuchteten Tuch bedecken und erkalten lassen. Das Pergamentpapier abziehen. Die Zitronencreme gleichmäßig auf den Teig streichen. 12 Quadrate schneiden, jedes aufrollen und mit der »Naht« nach unten auf eine Platte legen. Die Röllchen mit dem Puderzucker besieben und mit je einer Kirsche garnieren.

Himbeersahne-Roulade

1 Paket tiefgefrorene Himbeeren (Iglo) ◇
8 Eigelbe
100 g Zucker, 4 Eiweiße
80 g Mehl, 20 g Speisestärke ◇
$^1/_2$ l Sahne, 100 g Zucker
Für das Backblech: Pergamentpapier

Die Himbeeren nach Vorschrift auftauen lassen. Ein Backblech mit Pergamentpapier belegen. Den Backofen auf 240 ° vorheizen.
Die Eigelbe mit der Hälfte des Zuckers schaumig rühren. Die Eiweiße mit dem restlichen Zucker steif schlagen und unter die Eigelbmasse heben.
Das Mehl mit der Speisestärke darübersieben und unterziehen. Den Teig auf das Pergamentpapier streichen und auf der mittleren Schiebeleiste 8 Minuten backen.
Die Teigplatte auf ein mit Zucker bestreutes Tuch stürzen, mit einem angefeuchteten Tuch bedecken und erkalten lassen. Das Pergamentpapier abziehen.
Etwa 200 g Himbeeren mit einer Gabel zerdrücken. Die Sahne mit dem Zucker steif schlagen, eine Tasse davon in einen Spritzbeutel füllen, den Rest mit den zerdrückten Himbeeren mischen. Die Roulade mit der Himbeersahne bestreichen und aufrollen. Mit Sahnetupfen bespritzen und mit den restlichen Himbeeren garnieren.

Fürst-Pückler-Roulade

$^1/_2$ Paket tiefgefrorene Erdbeeren ◇
8 Eigelbe, 100 g Zucker
4 Eiweiße, 80 g Mehl
20 g Speisestärke
40 g Kakaopulver ◇
$^1/_2$ l Sahne, 100 g Zucker
1 Eßl. Kakaopulver
Für das Backblech: Pergamentpapier

Die tiefgefrorenen Erdbeeren nach Vorschrift auftauen lassen. Ein Backblech mit Pergamentpapier auslegen. Den Backofen auf 240–250 ° vorheizen.
Die Eigelbe mit der Hälfte des Zuckers schaumig rühren. Die Eiweiße mit dem restlichen Zucker steif schlagen und unter die Eigelbmasse heben.
Das Mehl mit der Speisestärke und dem Kakao darübersieben und unterziehen. Den Biskuitteig auf das Pergamentpapier streichen und auf der mittleren Schiebeleiste 8 Minuten backen.
Die Teigplatte auf ein mit Zucker bestreutes Tuch stürzen, mit einem angefeuchteten Tuch bedecken und erkalten lassen. Das Pergamentpapier abziehen. Die Erdbeeren pürieren. Die Sahne mit dem Zucker steif schlagen und die eine Hälfte mit dem Erdbeerpüree mischen. Die eine Längshälfte der Roulade mit der weißen Sahne, die andere mit der Erdbeersahne bestreichen. Die Roulade aufrollen und mit dem Kakao besieben.

Für den Teilchen-Teller

Stachelbeer-törtchen

160 g Mehl, 100 g Butter
60 g Zucker, 1 Prise Salz,
1 Eßl. saure Sahne
2 Eigelbe ◇
500 g Stachelbeeren
6 Eßl. Zucker, 6 Eßl. Cognac ◇
1/4 l Milch
1/2 Päck. Vanille-Puddingpulver
4 Eßl. Sahne
4 Eßl. Puderzucker ◇
4 Eiweiße, 150 g Puderzucker

Das gesiebte Mehl mit der Butter, dem Zucker, dem Salz, der Sahne und den Eigelben verkneten. Den Mürbeteig zugedeckt 2 Stunden im Kühlschrank ruhen lassen.
Die Stachelbeeren putzen, waschen und mit dem Zucker und dem Cognac zugedeckt so lange kochen, bis sie platzen.
2 Eßlöffel Milch mit dem Puddingpulver anrühren. Die restliche Milch mit der Sahne und dem Puderzucker zum Kochen bringen, das Puddingpulver einrühren und einige Male aufkochen. Erkalten lassen. Den Backofen auf 200° vorheizen. Den Teig 3 mm dick ausrollen, Torteletteformen damit auslegen und die Törtchen auf der mittleren Schiebeleiste 20 Minuten backen. Abkühlen lassen.
Die Törtchen mit der Vanillecreme füllen und mit den Beeren belegen. Die Eiweiße mit dem Puderzucker steif schlagen und ein Baisergitter über die Beeren spritzen. Das Baiser bei 250° bei offener Backofentür überbacken. Die Törtchen noch warm aus den Förmchen heben und abkühlen lassen.

Himbeertörtchen

125 g Mehl, 60 g Butter
50 g Puderzucker
1/2 Teel. Vanillinzucker
1 Messerspitze Salz
1 kleines Eigelb ◇
1 Paket tiefgefrorene Himbeeren (Iglo) ◇
150 g Butter, 150 g Zucker
3 Eigelbe
Saft und abgeriebene Schale von 3 Zitronen
1 Teel. Speisestärke ◇
3 Eßl. Aprikosenmarmelade
150 g geröstete Mandelblättchen
1/8 l Sahne, 1 Eßl. Zucker

Das gesiebte Mehl mit der Butter, dem Puderzucker, dem Vanillinzucker, dem Salz und dem Eigelb verkneten. Den Mürbeteig zugedeckt 2 Stunden im Kühlschrank ruhen lassen. Die Himbeeren nach Vorschrift auftauen lassen.
Den Backofen auf 200° vorheizen. Den Teig dünn ausrollen und 8 Torteletteförmchen von etwa 8 cm ∅ damit auslegen. Auf der mittleren Schiebeleiste 10 Minuten backen. Auf einem Kuchengitter abkühlen lassen. Die Butter mit dem Zucker, den Eigelben, Zitronensaft und -schale und der Speisestärke unter ständigem Rühren aufkochen. Erkalten lassen. Die Törtchen mit der Creme füllen und mit den Himbeeren belegen.
Die Marmelade erhitzen, den Rand der Törtchen damit bestreichen und mit Mandelblättchen bestreuen. Die Sahne mit dem Zucker steif schlagen, Sahnetupfen auf die Törtchen spritzen und mit Mandelblättchen garnieren.

Schillerlocken Konditorenart

300 g Blätterteig, tiefgefroren oder selbstbereitet
1 Eigelb, 1 Eßl. Milch
50 g Mandelblättchen ◇
$^1/_2$ Tasse Puderzucker ◇
150 g frische Erdbeeren
2 Eßl. Zucker, $^1/_4$ l Sahne
1 Päckchen Vanillinzucker

Zum Backen von Schillerlokken benötigen Sie spezielle tütenförmige Formen.
Tiefgefrorenen Blätterteig in 30–60 Minuten auftauen lassen.
Den Blätterteig auf einer bemehlten Arbeitsfläche zu einer Platte von 30 × 16 cm ausrollen. Aus der Teigplatte mit einem Teigrädchen 8 Streifen von 2 cm Breite schneiden. Die Teigstreifen 15 Minuten ruhen lassen. Den Backofen auf 220° vorheizen.
Die Schillerlockenformen mit kaltem Wasser abspülen. Das Eigelb mit der Milch verquirlen. Die Teigstreifen an einem Längsrand mit dem verquirlten Ei bestreichen. Die Teigstreifen, vom spitzen Ende angefangen, so auf die Formen rollen, daß jeweils der mit Eigelb bestrichene Rand $^1/_2$ cm über dem unbestrichenen liegt. Beide Ränder gut zusammendrükken. Die Schillerlocken mit dem restlichen Eigelb bestreichen und die Hälfte davon mit den Mandelblättchen bestreuen. Die Schillerlocken in 15 Minuten auf der zweiten Schiebeleiste von unten goldgelb backen.
Die Schillerlocken noch heiß von den Formen lösen und auf einem Kuchengitter abkühlen lassen. Die nicht mit Mandeln bestreuten Schillerlocken mit dem Puderzucker besieben.
Die Erdbeeren waschen, abtropfen lassen, entstielen und im Mixer pürieren oder durch ein Sieb streichen. Das Erdbeermus mit dem Zucker verrühren. Die Sahne mit dem Vanillinzucker steif schlagen. Die Hälfte der Sahne in einen Spritzbeutel mit Sterntülle füllen und die mit Puderzucker besiebten Schillerlocken voll Sahne spritzen. Die andere Hälfte der Sahne mit dem Erdbeerpüree mischen und die mit Mandeln bestreuten Schillerlocken damit füllen.

Unser Tip

Wenn Sie Schillerlocken backen möchten, aber nicht die speziellen Formen besitzen, so können Sie sich aus fester Pappe entsprechende Rollen kleben und mit Alufolie überziehen. Da Alufolie aber ein schlechter Hitzeleiter ist, dauert die Backzeit 2–3 Minuten länger. In diesen letzten Backminuten die Schillerlocken mit Pergamentpapier abdecken, damit sie außen nicht zu dunkel werden, innen aber gut durchgebacken sind.

Für den Teilchen-Teller

Obers-Stranizerl

100 g Marzipan-Rohmasse
50 g geschälte, geriebene Mandeln
100 g Puderzucker, 1 Ei
2 Eiweiße, 40 g Mehl
2 Eßl. Sahne
je 1 Prise Salz und gemahlener Zimt ◇
1 Eßl. Kirschwasser
1 Tasse Sauerkirschkompott
$^3/_8$ l Sahne, 40 g Zucker
2 Eßl. Schokoladenspäne
Für das Backblech: Butter oder Margarine und Mehl

Ein Backblech mit Fett bestreichen und mit Mehl bestäuben. Den Backofen auf 180° vorheizen.
Die Marzipan-Rohmasse mit den Mandeln, dem gesiebten Puderzucker, dem Ei und den Eiweißen zu einer glatten Masse verkneten. Das gesiebte Mehl, die Sahne, das Salz und den Zimt unterkneten.
Aus Pappe einen Ring von 12 cm Innendurchmesser schneiden. Die Schablone auf das Backblech legen, etwas Teig in die Mitte geben und verstreichen. In dieser Weise verfahren, bis der Teig verbraucht ist. Die Kreise auf der mittleren Schiebeleiste 5–7 Minuten backen.
Die Teigscheiben sehr heiß noch im Backofen zu Tüten aufrollen. Das Kirschwasser mit dem Sauerkirschkompott mischen. Die Sahne mit dem Zucker steif schlagen und die Tüten zur Hälfte damit vollspritzen. Je 1 Löffel Kirschkompott daraufgeben und mit einer Sahnerosette zuspritzen. Mit Schokoladenspänen garnieren.

Fruchtschiffchen

40 g Datteln
50 g kandierte Ananas
je 40 g Rosinen und Korinthen
40 g gehackte, geröstete Mandeln
2 Eßl. Rum, 2 Eßl. Mehl ◇
190 g Butter, 190 g Zucker
abgeriebene Schale von $^1/_2$ Zitrone
3 Eier, 3 Eigelbe
190 g Mehl ◇
100 g Schokoladen-Fettglasur
2–3 Eßl. Krokantstreusel
Für die Förmchen: Butter oder Margarine und feingeriebene Mandeln

16 Schiffchenformen mit Fett ausstreichen und mit Mandeln ausstreuen.
Die Datteln und die Ananas fein würfeln, mit den Rosinen, den Korinthen, den Mandeln und dem Rum mischen und zugedeckt 2 Stunden durchziehen lassen. Die 2 Eßlöffel Mehl mit der Fruchtmasse mischen. Den Backofen auf 180° vorheizen.
Die Butter mit dem Zucker und der Zitronenschale schaumig rühren. Nacheinander die Eier, die Eigelbe und das gesiebte Mehl zugeben und zuletzt die Fruchtmasse unterziehen. Den Teig bis zum Rand in die Förmchen füllen und auf der zweiten Schiebeleiste von unten 15 Minuten backen.
Die Törtchen auf ein Kuchengitter stürzen und erkalten lassen. Die Schokoladenglasur im Wasserbad zerlassen, die Oberfläche der Schiffchen damit überziehen und mit den Krokantstreuseln garnieren.

Für den Teilchen-Teller

Schlotfeger

120 g Marzipan-Rohmasse
100 g Puderzucker
30 g Mehl, 4 Eiweiße
1/2 Teel. gemahlener Zimt
abgeriebene Schale von 1/2 Zitrone
1/2 Tasse Sahne ◇
100 g Schokoladen-Fettglasur
1/4 l Sahne
Für das Backblech: Margarine und Mehl

Die Marzipan-Rohmasse mit dem gesiebten Puderzucker, dem gesiebten Mehl, den Eiweißen, dem Zimt und der Zitronenschale glattrühren. Den Teig zugedeckt über Nacht im Kühlschrank ruhen lassen.
Den Backofen auf 190 ° vorheizen. Zwei Backbleche dünn mit Margarine bestreichen und mit Mehl bestäuben. Die Sahne unter den Marzipanteig rühren und den Teig gleichmäßig dünn auf beide Backbleche streichen. Den Teig nacheinander auf der mittleren Schiebeleiste in 3–4 Minuten hellbraun backen. Dann den Teig mit einem Teigrädchen in exakte Quadrate von 11 × 11 cm schneiden. Die Quadrate weiterbacken, bis sie knusprig braun sind, dann nacheinander noch heiß vom Blech nehmen und jedes über einen dicken Holzlöffelstiel legen. An einem Ende zusammendrücken, die Rollen vom Holz schieben und erkalten lassen. Die Schokoladenglasur im Wasserbad zerlassen und die Schlotfeger damit bestreichen. Die Sahne steif schlagen und die Schlotfeger damit füllen.

Bobbes

250 g Butter
150 g Puderzucker
2 Eigelbe
1 Prise Salz, 400 g Mehl ◇
200 g Marzipan-Rohmasse
2 Schnapsgläser Arrak (4 cl)
80 g feingehacktes Zitronat
50 g feingehacktes Orangeat ◇
1 Eigelb
16 Stückchen Zitronat
16 geschälte Mandeln

Die möglichst weiche Butter mit dem gesiebten Puderzukker, den Eigelben und dem Salz verrühren. Das Mehl darübersieben. Alles zu einem Mürbeteig verkneten und diesen in Alufolie gewickelt 2 Stunden im Kühlschrank ruhen lassen.
Den Backofen auf 200 ° vorheizen. Den Teig auf einer bemehlten Fläche 5 mm dick zu einer Platte von 25 × 40 cm ausrollen. Die Marzipan-Rohmasse mit dem Arrak zu einer streichfähigen Masse verrühren; eventuell noch etwas Wasser zugeben. Die Marzipanmasse auf die Teigplatte streichen und das Zitronat und das Orangeat darüberstreuen. Die Teigplatte von der Längsseite her aufrollen und in 3 cm dicke Scheiben schneiden. Die Scheiben hochkant in größeren Abständen auf ein Backblech setzen, die Oberfläche mit verquirltem Eigelb bestreichen und jede Scheibe mit einem Stückchen Zitronat und mit einer Mandel belegen. Auf der zweiten Schiebeleiste von unten 20 Minuten backen. Auf einem Kuchengitter abkühlen lassen.

Schwedische Apfeltörtchen

130 g Mehl, 1/4 Teel. Backpulver
5 Eßl. Butter
60 g Puderzucker, 1 Ei ◇
1 1/2 Tassen Apfelmus
2 Eßl. geriebene, geröstete Mandeln ◇
1/2 Tasse Puderzucker
Für die Förmchen: Butter oder Margarine

12 Förmchen mit Zackenrand mit Butter oder Margarine ausstreichen.
Das Mehl mit dem Backpulver auf ein Backbrett sieben und mit der Butter, dem Puderzucker und dem Ei verkneten.
Den Mürbeteig zugedeckt 1 Stunde im Kühlschrank ruhen lassen.
Den Backofen auf 180° vorheizen. Das Apfelmus mit den Mandeln verrühren. Zwei Drittel des Mürbeteiges etwa 6 mm dick ausrollen, 12 Kreise ausstechen und die Förmchen damit auslegen. In jedes Förmchen etwa 2 Eßlöffel Apfelmus geben. Den restlichen Mürbeteig nur 3 mm dick ausrollen, mit einem leeren Förmchen 12 Deckel ausstechen und die Ränder mit kaltem Wasser bestreichen. Die Teigdeckel auf die gefüllten Förmchen legen und gut andrücken. Die Törtchen auf der mittleren Schiebeleiste 40 Minuten backen. Die noch heißen Törtchen mit einem Messer am Rand lokkern, aber in den Förmchen erkalten lassen. Die Törtchen vor dem Servieren mit dem Puderzucker besieben.

Orangenschnitten

100 g Butter
1 Päckchen Vanillinzucker
120 g Zucker, 1 Prise Salz
4 Eigelbe
Saft von 1 und abgeriebene Schale von 2 Orangen
3 Eiweiße, 90 g Mehl
30 g Speisestärke
100 g geschälte, geriebene Mandeln ◇
200 g Orangenmarmelade
200 g Puderzucker
4 Eßl. Orangensaft
2 Eßl. Cointreau
Für das Backblech: Butter oder Margarine und Mehl

Ein Backblech ausfetten und mit Mehl bestäuben. Den Backofen auf 200° vorheizen. Die Butter mit dem Vanillinzucker, der Hälfte des Zuckers und dem Salz verrühren, nach und nach die Eigelbe, den Orangensaft und die Orangenschale zugeben. Die Eiweiße mit dem restlichen Zucker steif schlagen und unter die Buttermasse heben. Das Mehl mit der Speisestärke sieben, mit den Mandeln mischen und unterrühren. Den Teig 1 cm hoch auf das Backblech streichen und auf der mittleren Schiebeleiste 10 Minuten backen.
Die Teigplatte auf dem Blech etwas abkühlen lassen und stürzen. Nach etwa 2 Stunden Ruhezeit waagrecht durchschneiden. Eine Platte mit der Marmelade bestreichen, die zweite daraufsetzen. Den gesiebten Puderzucker mit dem Orangensaft und dem Cointreau verrühren und die Platte damit überziehen. 5 × 8 cm große Schnitten aus der Platte schneiden.

Kirschtörtchen exquisit

125 g Butter, 90 g Puderzucker
1 Teel. Vanillinzucker
1 Prise Salz, 1 Eigelb
250 g Mehl ◇
450 g Sauerkirschen aus dem Glas ◇
1/8 l Sahne, 1/8 l Milch
50 g Butter, 1 Ei
1 Eigelb, 20 g Speisestärke
1 Prise Salz, 2 Teel. Zucker

Die möglichst weiche Butter mit dem gesiebten Puderzukker, dem Vanillinzucker, dem Salz und dem Eigelb verrühren. Das Mehl darübersieben und alles zu einem Teig verkneten. Den Teig in Alufolie gewickelt 2 Stunden im Kühlschrank ruhen lassen.
Den Backofen auf 200° vorheizen. Den Teig dünn ausrollen und 12 Torteletteförmchen von 8 cm Ø damit auslegen. Die Törtchen 10 Minuten auf der mittleren Schiebeleiste backen. Aus dem Ofen nehmen, aber in der Form lassen. Die Kirschen abtropfen lassen und die Törtchen damit belegen. Die Sahne, die Milch, die Butter, das Ei, das Eigelb, die Speisestärke, das Salz und den Zucker in einem Topf mischen und unter Rühren aufkochen lassen. Die Creme über die Kirschen geben und die Törtchen weitere 20–25 Minuten auf der zweiten Schiebeleiste von unten backen.
Die Törtchen in den Förmchen etwas abkühlen lassen, dann auf ein Kuchengitter legen und völlig erkalten lassen.

Zitronenschnitten

4 Platten tiefgefrorener Blätterteig ◇
100 g Zucker
200 g geschälte, geriebene Mandeln
1 Eigelb
Saft von 2, abgeriebene Schale von 1 Zitrone ◇
1 Eigelb
2 Eßl. Zitronengelee

Den Blätterteig in 30–60 Minuten auftauen lassen. Den Backofen auf 225° vorheizen. Den Blätterteig auf einer bemehlten Fläche zu doppelter Länge ausrollen. Ein Backblech kalt abspülen. Zwei der Teigplatten nebeneinander auf das Backblech legen. Den Zucker, die Mandeln, das Eigelb, den Zitronensaft und die Zitronenschale mischen und auf die Teigplatten streichen. Die Teigränder mit verquirltem Eigelb bestreichen und die beiden anderen Teigplatten darauflegen. Die Ränder leicht zusammendrücken, die Oberfläche mit dem restlichen Eigelb bestreichen und mehrmals einstechen. Auf der mittleren Schiebeleiste 10–15 Minuten backen.
Das Zitronengelee verrühren und das noch heiße Gebäck damit bestreichen. Nach dem Erkalten in gleich große Schnitten zerteilen.

Für den Teilchen-Teller

Griechische Hefekrapfen

450 g Mehl, 30 g Hefe
2 Teel. Zucker
1 Tasse lauwarme Milch
3/8 l lauwarmes Wasser, 1 Ei
1/2 Teel. Salz
abgeriebene Schale von 1 Zitrone ◇
225 g Zucker, 1/2 Tasse Honig
1/8 l Wasser, 1 Eßl. Zitronensaft
30 g gehackte Pistazien
Zum Fritieren: 1–2 l Öl

Das Mehl in eine Schüssel sieben und in die Mitte eine Vertiefung drücken. Die Hefe hineinbröckeln und mit dem Zukker, der Milch und etwas Mehl verrühren. Den Vorteig mit Mehl bestreuen und zugedeckt 15 Minuten an einem warmen Ort gehen lassen.

Das lauwarme Wasser, das Ei, das Salz und die Zitronenschale miteinander verquirlen und mit dem Mehl und dem Vorteig vermengen. Den Teig so lange schlagen, bis er sich vom Schüsselrand löst und Blasen wirft. Zugedeckt nochmals 20 Minuten gehen lassen. Das Öl in einer elektrischen Friteuse oder in einem Fritiertopf auf 180° erhitzen. Besitzen Sie kein Fritierthermometer, so machen Sie die Brotprobe: Ein Weißbrotwürfelchen ins heiße Fett werfen. Ist es in Sekunden knusprig braun, hat das Fett die richtige Temperatur.

Mit einem Eßlöffel vom Hefeteig Teigbällchen abstechen und jeweils 3–4 auf einmal ins heiße Öl geben; den Eßlöffel vor dem Abstechen in kaltes Wasser tauchen. Die Krapfen etwa 4 Minuten fritieren und dabei mit dem Schaumlöffel einmal wenden. Die fertiggebackenen Krapfen auf Küchenkrepp abtropfen lassen und anschließend warm stellen. Nach und nach den ganzen Hefeteig auf diese Weise verarbeiten.

Den Zucker mit dem Honig, dem Wasser und dem Zitronensaft in einem Topf verrühren und unter Rühren so lange erhitzen, bis sich der Zucker völlig gelöst hat. Die Zuckerlösung weitere 5 Minuten unter Rühren kochen lassen. Der Sirup muß so weit eingedickt sein, daß sich beim Eintauchen ein Löffel damit überzieht. Die Hefekrapfen mit dem heißen Sirup überziehen und mit den gehackten Pistazien bestreuen. Auf eine vorgewärmte Platte schichten.

Unser Tip

Die Griechischen Hefekrapfen können Sie auch gefüllt servieren. Den zum zweitenmal gegangenen Hefeteig etwa 1 cm dick ausrollen und runde Plätzchen von 10 cm Durchmesser daraus ausstechen. Den Sirup bereiten, aber das Wasser weglassen. Jeweils einen Teelöffel davon in die Mitte eines Plätzchens geben, die Ränder über der Füllung gut zusammendrücken und die Krapfen noch einmal 10 Minuten gehen lassen. Die Krapfen fritieren und dann mit dem restlichen Sirup beträufeln.

Für den Teilchen-Teller

Kopenhagener Schnecken

450 g Mehl, 30 g Hefe
1/4 l lauwarme Milch
50 g Butter, 1 Eigelb
1/2 Teel. Salz ◇
150 g Butter
50 g Mehl ◇
2 Eßl. Farinzucker
1/2 Teel. gemahlener Zimt
50 g Rosinen

Das Mehl in eine Schüssel sieben, in der Mitte die zerbröckelte Hefe mit etwas Mehl und der Milch verrühren und zugedeckt 15 Minuten gehen lassen. Die Butter zerlassen, mit dem Eigelb, dem Salz und dem Hefevorteig zu einem lockeren Teig schlagen und 15 Minuten gehen lassen. Die Butter mit dem Mehl verkneten und zu einer Platte von 15 × 15 cm formen. Den Hefeteig 20 × 35 cm groß ausrollen, die Butterplatte darauflegen und die beiden Schmalseiten über die Butterplatte schlagen. Die Teigränder gut zusammendrücken. Den Teig 30 × 40 cm groß ausrollen und von der Schmalseite her zweimal übereinanderklappen, damit drei Schichten entstehen. Den Teig 15 Minuten in den Kühlschrank legen. Dies noch 2 × wiederholen. → Grundrezept für Plunderteig, Seite 21. Den Backofen auf 220° vorheizen. Den Teig 35 × 50 cm groß ausrollen und mit Wasser bestreichen. Farinzucker, Zimt und Rosinen auf die Teigplatte streuen und den Teig von den Längsseiten her nach innen bis zur Mitte aufrollen. 2 1/2 cm breite Scheiben abschneiden. Auf der mittleren Schiebeleiste 10–15 Minuten backen.

Feine Nußkämme

300 g Blätterteig, tiefgefroren oder selbstbereitet ◇
150 g gemahlene Haselnüsse
1 Ei, 80 g Zucker
1 Eßl. Rum, 1 Eigelb

Den tiefgefrorenen Blätterteig in 30–60 Minuten auftauen lassen.
Den Blätterteig auf einer bemehlten Fläche zu einer Platte von 30 × 30 cm ausrollen. Aus der Teigplatte 9 Quadrate von je 10 cm Seitenlänge schneiden. Die Haselnüsse mit dem Ei, dem Zucker und dem Rum verrühren. Auf die Mitte jedes Teigquadrats einen Streifen Nußfülle geben. Eine Seite jedes Teigquadrats mit verquirltem Eigelb bestreichen, die gegenüberliegende Seite darüberklappen, in gleichmäßigen Abständen einschneiden und die Einschnitte etwas auseinanderziehen, so daß ein Kamm entsteht. Ein Backblech mit kaltem Wasser abspülen. Die Nußkämme mit genügend Abstand daraufsetzen und ihre Oberfläche mit verquirltem Eigelb bestreichen. Das Gebäck 15 Minuten ruhen lassen. Den Backofen auf 230° vorheizen. Die Nußkämme auf der mittleren Schiebeleiste 15–20 Minuten backen. Das Gebäck auf einem Kuchengitter abkühlen lassen.

Für den Teilchen-Teller

Glasierte Nußschleifen

450 g Mehl, 30 g Hefe
$^{1}/_{4}$ l lauwarme Milch
50 g Butter, 1 Eigelb
$^{1}/_{2}$ Teel. Salz ◇
150 g Butter
50 g Mehl ◇
100 g geröstete, gemahlene Haselnüsse, 50 g Zucker
2 Eßl. Rum, 1 Eiweiß ◇
3–4 Eßl. Puderzucker, 2 Eßl. Rum

Aus den Zutaten von Mehl bis Salz nach dem Rezept für Kopenhagener Schnecken, Seite 89, einen Hefeteig bereiten. Die Butter mit dem Mehl verkneten und wie im gleichen Rezept beschrieben, mit dem Hefeteig verarbeiten. Nachdem der Teig dreimal zusammengeschlagen, wieder ausgerollt wurde und im Kühlschrank lag, den Backofen auf 220° vorheizen. Den Teig zuletzt zu einer Platte von 25 × 70 cm ausrollen. Die Haselnüsse mit dem Zucker, dem Rum und dem Eiweiß verrühren und eine Längshälfte der Teigplatte damit bestreichen. Die unbestrichene Seite über die Füllung klappen und die Ränder zusammendrücken. Den Streifen in $3^{1}/_{2}$ cm breite Stücke schneiden. In die Mitte jedes Stücks einen 7 cm langen Schlitz schneiden und ein Ende durch diese Öffnung ziehen (nach Vorbild auf dem Foto). Die Schleifen auf das Backblech legen und auf der zweiten Schiebeleiste von unten 10–15 Minuten backen. Den gesiebten Puderzucker mit dem Rum verrühren und die noch warmen Schleifen damit bestreichen.

Orangen-Plunder

450 g Mehl, 30 g Hefe
$^{1}/_{4}$ l lauwarme Milch
50 g Butter, 1 Eigelb
$^{1}/_{2}$ Teel. Salz ◇ 150 g Butter
50 g Mehl ◇
80 g Marzipan-Rohmasse
Saft und abgeriebene Schale von 1 Orange
2 Eßl. Orangenlikör
40 g geriebene Mandeln
30 g feingehacktes Orangeat
1 Eiweiß ◇
1 Eigelb
2–3 Eßl. Puderzucker
1 Eßl. Orangensaft
50 g geröstete Mandelblättchen

Aus den Zutaten von Mehl bis Salz nach dem Rezept für Kopenhagener Schnecken, Seite 89, einen Hefeteig bereiten. Die Butter mit dem Mehl verkneten und wie im gleichen Rezept beschrieben, mit dem Hefeteig verarbeiten. Den Teig zuletzt 40 × 50 cm groß ausrollen. Die Marzipan-Rohmasse mit den Zutaten von Orangensaft bis Eiweiß mischen und die Platte damit bestreichen. Die Ränder 2 cm breit frei lassen und mit verquirltem Eigelb bestreichen. Die Platte längs teilen und jede von der randlosen Seite her längs aufrollen. Die Rollen in 5 cm lange Stücke schneiden, in der Mitte mit einem Kochlöffelstiel eindrükken. Auf dem Backblech 15 Minuten gehen lassen. Den Backofen auf 220° vorheizen. Den Plunder mit Eigelb bestreichen, auf der zweiten Schiebeleiste von unten 15–20 Minuten backen und noch warm mit einer Glasur aus Puderzucker und Orangensaft und mit den Mandelblättchen verzieren.

Für den Teilchen-Teller

Sahne-Windbeutel

1/4 l Wasser
60 g Butter oder Margarine
1 Prise Salz
abgeriebene Schale von 1/2 Zitrone
200 g Mehl, 4 Eier ◇
1/2 l Sahne, 60 g Zucker
1/2 Tasse Puderzucker

Das Wasser mit der Butter oder Margarine, dem Salz und der Zitronenschale zum Kochen bringen. Das gesiebte Mehl auf einmal in die Flüssigkeit schütten und so lange rühren, bis der Teig einen Kloß bildet und sich vom Topf löst. Den Teig in eine Schüssel geben, etwas abkühlen lassen und die Eier einzeln unterrühren.
Den Backofen auf 230 ° vorheizen. Von dem Brandteig mit einem Spritzbeutel kleine Windbeutel in genügendem Abstand voneinander auf das Backblech spritzen. Die Windbeutel auf der zweiten Schiebeleiste von unten 15–20 Minuten backen. Während der ersten 10 Minuten den Backofen nicht öffnen! Die Windbeutel würden sonst zusammenfallen.
Die noch warmen Windbeutel quer durchschneiden. Die Sahne mit dem Zucker steif schlagen und auf die untere Hälfte jedes Windbeutels 1 Eßlöffel davon geben. Die Deckel daraufsetzen und mit dem Puderzucker besieben.

Unser Tip

Aus dem Brandteig können Sie mit dem Spritzbeutel auch Brezen spritzen und diese mit Sahne füllen – oder die länglichen Eclairs, die mit Mokkasahne gefüllt und mit Mokkaglasur überzogen werden.

Für den Teilchen-Teller

Schokoladen-schnitten

130 g Blockschokolade
130 g Butter, 200 g Zucker
je 1 Prise Salz, gemahlener Zimt und abgeriebene Zitronenschale
6 Eigelbe, 6 Eiweiße
130 g Mehl ◇
200 g zartbittere Schokolade
2 Eier, 400 g Puderzucker
120 g Kokosfett
2 Schnapsgläser Rum (4 cl)
Für das Backblech: Pergamentpapier und Butter

Ein Backblech mit gefettetem Pergamentpapier auslegen. Den Backofen auf 180 ° vorheizen.
Die Schokolade zerlassen, aber nicht erhitzen. Die Butter mit der Hälfte des Zuckers und den Gewürzen schaumig rühren, die Eigelbe und die geschmolzene Schokolade zufügen. Die Eiweiße mit dem restlichen Zucker zu Schnee schlagen und mit dem gesiebten Mehl unter den Teig heben. Den Teig auf das Backblech streichen und auf der mittleren Schiebeleiste 20 Minuten backen.
Den noch heißen Kuchen auf ein mit Zucker bestreutes Tuch stürzen, das Pergamentpapier abziehen, den Boden waagrecht durchschneiden und abkühlen lassen. Die Schokolade fein reiben und mit den Eiern, dem Puderzucker, dem geschmolzenen Kokosfett sowie dem Rum mischen. Den einen Boden damit bestreichen, den zweiten daraufsetzen und mit dem Guß überziehen. Wenn er erstarrt ist, den Kuchen in Schnitten teilen.

Nougatschnitten

8 Eigelbe, 100 g Zucker
4 Eiweiße, 80 g Mehl
20 g Speisestärke, 40 g Kakaopulver ◇
1/2 l Milch
1 Päckchen Vanille-Puddingpulver
2 Eigelbe, 150 g Zucker
250 g Butter, 100 g Nougat ◇
100 g Schokoladen-Fettglasur
5 Belegkirschen
Für das Backblech: Pergamentpapier

Ein Backblech mit Pergamentpapier auslegen. Den Backofen auf 240 ° vorheizen. Die Eigelbe mit 50 g Zucker schaumig rühren, die Eiweiße mit dem restlichen Zucker steif schlagen und unterheben. Das Mehl mit der Speisestärke und dem Kakao darübersieben und unterziehen. Den Biskuitteig auf das Pergament streichen und auf der mittleren Schiebeleiste 8–10 Minuten backen. Die Teigplatte auf ein Tuch stürzen und das Pergamentpapier abziehen. Erkalten lassen und nach etwa 2 Stunden Ruhezeit in 3 Streifen schneiden. Aus der Milch, dem Puddingpulver, den Eigelben und dem Zucker einen Pudding bereiten. Erkalten lassen. Die Butter schaumig rühren, den Pudding und das aufgelöste Nougat löffelweise untermischen. Zwei Teigstreifen mit der Creme bestreichen, alle drei aufeinandersetzen und den Block mit Nougatcreme überziehen. Die Schokoladenglasur zerlassen und den Block damit überziehen. In Schnitten zerteilen und diese mit Nougatcreme und Kirschstücken verzieren.

Budapester Roulade

7 Eiweiße, 150 g Zucker
das Innere von 1 Vanilleschote
100 g Blockschokolade,
60 g Mehl ◇
100 g Himbeermarmelade,
1/4 l Milch
1/2 Päckchen Vanille-Puddingpulver
5 Eßl. Zucker, 200 g Butter
1 Schnapsglas Kirschwasser (2 cl)
1 Eßl. Kakaopulver
Für das Backblech: Pergamentpapier

Ein Backblech mit Pergamentpapier auslegen. Den Backofen auf 200° vorheizen. Die Eiweiße mit dem Zucker und der Vanille zu steifem Schnee schlagen. Die Schokolade zerlassen, unter den Eischnee ziehen und das gesiebte Mehl unterrühren. Den Teig in einen Spritzbeutel mit Lochtülle füllen und eine Platte von 30 × 40 cm auf das Pergament spritzen. Auf der mittleren Schiebeleiste 10 Minuten backen. Das Teigblatt auf ein Tuch stürzen, mit einem angefeuchteten Tuch bedecken und erkalten lassen. Das Pergamentpapier abziehen. Die Marmelade auf das Teigblatt streichen. Aus der Milch, dem Puddingpulver und dem Zucker einen Pudding bereiten. Erkalten lassen. Die Butter schaumig rühren, den Pudding abwechselnd mit dem Kirschwasser untermischen. 3 Eßlöffel der Creme beiseite stellen. Mit der übrigen Buttercreme die Teigplatte bestreichen, diese aufrollen und den Kakao darübersieben. Mit Buttercreme und Marmelade verzieren.

Mokkaschnitten

8 Eigelbe, 100 g Zucker
4 Eiweiße, 60 g Mehl
20 g Speisestärke
80 g ungeschälte, geriebene Mandeln ◇
1/2 l Milch
1 Päckchen Vanille-Puddingpulver
5 Eßl. Zucker, 3 Eßl. Instant-Pulverkaffee
250 g Butter, 3 Eßl. Puderzucker ◇
50 g Krokantstreusel, 10 Mokkabohnen
Für das Backblech: Pergamentpapier

Ein Backblech mit Pergamentpapier auslegen. Den Backofen auf 240° vorheizen. Die Eigelbe mit 50 g Zucker schaumig rühren, die Eiweiße mit dem restlichen Zucker steif schlagen und unterziehen. Das Mehl mit der Speisestärke darübersieben und mit den Mandeln unterheben. Den Biskuitteig als 30 × 45 cm große Platte auf das Pergament streichen und auf der mittleren Schiebeleiste 8 Minuten backen. Den Biskuit auf ein Tuch stürzen und das Pergament abziehen. Die Teigplatte der Länge nach in 3 Streifen schneiden. Aus der Milch, dem Puddingpulver, dem Zucker und dem Kaffee einen Pudding bereiten. Erkalten lassen. Die Butter mit dem Puderzucker verrühren, den Pudding untermischen, 2 Biskuitstreifen damit bestreichen und alle 3 aufeinandersetzen. Den Block mit Creme überziehen und mit Krokant bestreuen. Cremerosetten aufspritzen und jede mit einer Mokkabohne verzieren.

Für den Teilchen-Teller

Petits fours à la Ritz

190 g Mehl, 65 g Zucker
1 Eigelb, 1 Eßl. Milch
95 g Butter ◇
4 Eigelbe, 125 g Zucker
1 Messerspitze Salz
1/2 Päckchen Vanille-Puddingpulver
1/4 l Milch
das Innere von 1 Vanilleschote
200 g Butter, 80 g Puderzucker ◇
2 Eßl. Kakaopulver
1/2 Schnapsglas Curaçao (1 cl)
2 Eßl. Instant-Pulverkaffee
1/2 Schnapsglas Kaffeelikör (1 cl)
2 Schnapsgläser Cognac (4 cl)
etwa 20 kleine Petits-four-Förmchen

Das Mehl auf ein Backbrett sieben. Eine Mulde hineindrücken und den Zucker, das Eigelb und die Milch hineingeben. Die Butter in Flöckchen auf dem Mehl verteilen und alle Zutaten von außen her rasch zu einem geschmeidigen Mürbeteig verkneten. Den Teig in Alufolie gewickelt 2 Stunden im Kühlschrank ruhen lassen. Den Backofen auf 200° vorheizen. Den Teig auf einer bemehlten Fläche 3 mm dick ausrollen und die Petits-four-Förmchen damit auskleiden. Am Rand überstehende Teigreste abschneiden. Die Förmchen, eventuell in zwei Partien, auf ein Backblech setzen und den Teig jeweils in 8 Minuten hellbraun backen.
Die Törtchen vorsichtig mit einem Messer von der Form lösen, auf ein Kuchengitter stürzen und erkalten lassen.

Die Eigelbe mit dem Zucker, dem Salz und dem Puddingpulver schaumig rühren. Die Milch mit der Vanille zum Kochen bringen, die Eigelbmischung mit dem Schneebesen kräftig unter die Milch schlagen und einmal aufkochen lassen. Die Vanillecreme unter wiederholtem Umrühren abkühlen lassen. Die Butter mit dem Puderzucker schaumig rühren. Sobald Butter und Vanillecreme die gleiche Temperatur haben, die Creme löffelweise unter die Butter rühren. Die Buttercreme in drei gleich große Portionen teilen. Ein Drittel mit dem Kakao und dem Curaçao verrühren, das zweite Drittel mit dem Pulverkaffee und dem Kaffeelikör, das letzte Drittel mit dem Cognac. Die Petit fours mit jeweils einer Creme ausspritzen. Dann die Petit fours für 1–2 Stunden in den Kühlschrank stellen, damit die Creme sehr fest wird.
Nach Belieben können Sie die Buttercreme noch mit halbierten kandierten Kirschen, Schokoladenstreuseln oder gehackten Pistazien garnieren.

Unser Tip

Besonders kunstvoll wirken die Petits fours, wenn Sie einige davon in aufgelöste Schokoladen-Fettglasur tauchen und die noch weiche Glasur mit Silberperlen, Schokoladenstreuseln oder gehackten Pistatien garnieren.

Klassische Petits fours

6 Eigelbe
80 g Marzipan-Rohmasse
abgeriebene Schale von 1 Zitrone
120 g Zucker
5 Eiweiße, 120 g Mehl ◇
150 g Aprikosenmarmelade
200 g Marzipan-Rohmasse
70 g Puderzucker ◇
500 g Fondant, 1 Eßl. weißer Rum
rote und gelbe Lebensmittelfarbe
Für das Backblech: Pergamentpapier

Zwei Backbleche mit Pergamentpapier auslegen. Den Backofen auf 220° vorheizen. Die Eigelbe mit der Marzipan-Rohmasse, der Zitronenschale und der Hälfte des Zuckers schaumig rühren. Die Eiweiße steif schlagen, den restlichen Zucker einrieseln lassen und gut unterrühren. Den Eischnee unter die Eigelbmasse heben und zuletzt das gesiebte Mehl nach und nach unter den Teig ziehen. Den Biskuitteig gleichmäßig dünn auf die beiden Backbleche streichen und die Böden auf der mittleren Schiebeleiste 8–10 Minuten backen. Die Teigböden noch heiß vom Backblech stürzen und das Pergamentpapier abziehen. Eine Teigplatte mit der Marmelade bestreichen und die zweite Platte darauflegen. Die Teigplatte in drei gleich breite Streifen schneiden, diese ebenfalls mit Marmelade bestreichen und aufeinandersetzen. Die Marzipan-Rohmasse mit dem gesiebten Puderzucker verkneten. Das Marzipan zur Größe der Biskuitschichten ausrollen und diese damit belegen. Das Marzipan mit Pergamentpapier oder Alufolie belegen, mit einem Holzbrett beschweren und 24 Stunden stehen lassen. Dann aus dem Biskuit 4 × 4 cm große Quadrate schneiden.
Für den Überzug den Fondant im Wasserbad auflösen und glattrühren. Achtung, der Fondant darf nur lauwarm werden! Den aufgelösten Fondant mit dem Rum verrühren, gegebenenfalls etwas Eiweiß zufügen. Der Fondant muß dickflüssig sein. Die Petits fours damit überziehen. Soll der Überzug verschiedenfarbig werden, so kann man den flüssigen Fondant mit einigen Tropfen Lebensmittelfarbe färben. Kleine Tütchen aus Pergamentpapier drehen, die Spitzen abschneiden, die restliche Fondantmasse in die Tütchen füllen und beliebige Muster auf die Petits fours spritzen. Nach Belieben kann man die Petits fours noch mit kleingeschnittenen kandierten Kirschen, kandierten Veilchen, gehackten Pistazien oder Silberperlen garnieren. Die Petits fours 1–2 Stunden auf einem Kuchengitter gut trocknen lassen. Zum Servieren in Papierschälchen setzen.

Das schmeckt zum 5-Uhr-Tee

Bath Buns

500 g Mehl, 30 g Hefe
$^{3}/_{16}$ l lauwarme Milch
80 g Zitronat
50 g Orangeat
120 g Butter, 2 Eier
80 g Zucker
je $^{1}/_{2}$ Teel. Salz und Anis
1 Messerspitze gemahlener Kümmel
abgeriebene Schale von $^{1}/_{2}$ Zitrone
80 g Rosinen ◇
1 Eigelb, 60 g Hagelzucker
Für das Backblech: Butter oder Margarine

Ein Backblech ausfetten.
Das Mehl in eine Schüssel sieben. In der Mitte die zerbrökkelte Hefe mit wenig Mehl und der Milch verrühren. Den Hefevorteig 15 Minuten gehen lassen.
Das Zitronat und das Orangeat klein wiegen. Die zerlassene Butter mit den Eiern, dem Zucker, dem Vorteig und dem Mehl zu einem Teig verkneten. Dann Zitronat, Orangeat, Gewürze und Rosinen unterkneten. Den Teig 20 Minuten gehen lassen.
50 g schwere Teigklößchen auf das Backblech setzen und zugedeckt zu doppelter Größe aufgehen lassen. Den Backofen auf 200° vorheizen.
Die Bun's mit dem verquirlten Eigelb bestreichen, mit dem Hagelzucker bestreuen und auf der mittleren Schiebeleiste 50 Minuten backen.

Shrewsbury Biscuits

530 g Mehl
300 g Zucker, 2 Eier
je 1 Messerspitze Salz und gemahlener Zimt
300 g Butter
Für das Backblech: Pergamentpapier

Ein bis zwei Backbleche mit Pergamentpapier auslegen.
Das Mehl auf ein Backbrett sieben, in die Mitte eine Mulde drücken und den Zucker, die Eier, das Salz und den Zimt hineingeben. Die Butter in Flöckchen über dem Mehl verteilen und alle Zutaten rasch zu einem Mürbeteig verkneten. Den Teig in Alufolie gewickelt 2 Stunden im Kühlschrank ruhen lassen.
Den Backofen auf 200° vorheizen. Den Teig auf einer bemehlten Fläche etwa 4 mm dick ausrollen und runde Plätzchen von 6–7 cm Ø ausstechen. Die Plätzchen auf das Pergamentpapier legen und 10–12 Minuten auf der mittleren Schiebeleiste backen.
Die Biscuits auf dem Pergamentpapier erkalten lassen, dann vorsichtig abziehen.

Unser Tip

Shrewsbury Biscuits können Sie gut auf Vorrat backen; in einer Blechdose aufbewahrt, bleiben sie 2–3 Wochen knusprig.

Das schmeckt zum 5-Uhr-Tee

Shortbread Fingers

320 g Butter, 180 g Zucker
1/3 Teel. Salz, 500 g Mehl
1 Tasse feiner Zucker

Die möglichst weiche Butter mit dem Zucker und dem Salz verrühren. Das gesiebte Mehl darunterkneten und den Mürbeteig zugedeckt 2 Stunden im Kühlschrank ruhen lassen. Den Backofen auf 190° vorheizen. Den Teig auf einer bemehlten Fläche 1 1/2 cm dick in der Größe eines Backbleches ausrollen und auf das Backblech legen. Die randlose Seite des Bleches mit einer Holzleiste oder mit einem vierfach gefalteten Alustreifen abschließen, damit der Teig nicht auslaufen kann. Die Teigplatte mit einer Gabel mehrmals einstechen und auf der mittleren Schiebeleiste 25–30 Minuten backen.
Das noch heiße Shortbreat mit einem scharfen Messer in Streifen von 1 1/2 × 7 cm schneiden und sofort in dem Zucker wenden.

Englische Teacakes

Die Englischen Teacakes bereiten Sie aus dem gleichen Teig wie die Bath Buns (Rezept Seite 96), nur wird der Teig statt mit 80 g Zucker mit 1 Teelöffel Zucker gesüßt. Anis, Kümmel und Zitronenschale entfallen, und statt Zitronat, Orangeat und Rosinen geben Sie 150 g Korinthen und 50 g gewürfeltes Orangeat zum Teig. Die Teacakes werden nur mit Eigelb bestrichen, der Hagelzucker bleibt weg.

Das schmeckt zum 5-Uhr-Tee

Löffelbiskuits

6 Eigelbe, 125 g Zucker
4 Eiweiße
60 g Speisestärke, 70 g Mehl
1/2 Tasse Puderzucker
Für das Backblech: Pergamentpapier

Ein bis zwei Backbleche mit Pergamentpapier auslegen. Den Backofen auf 200 ° vorheizen.
Die Eigelbe mit einem Drittel des Zuckers schaumig rühren. Die Eiweiße zu steifem Schnee schlagen, den restlichen Zukker unterrühren und zuletzt die Speisestärke unterziehen. Die Eigelbmasse unter den Eischnee heben und das gesiebte Mehl unterrühren.
Den sehr »steifen« Biskuitteig in einen Spritzbeutel mit großer Lochtülle füllen und mit genügend Abstand 8 cm lange Stangen auf das Backblech spritzen. Die Löffelbiskuits auf der mittleren Schiebeleiste 12–15 Minuten backen, bis sie hellgelb sind.
Die Biskuits auf dem Pergamentpapier erkalten lassen. Dann das Papier vorsichtig abziehen und die Biskuits mit dem Puderzucker besieben.

Unser Tip
Vom gleichen Teig können Sie auch runde Plätzchen auf das Backblech spritzen. Nach dem Erkalten je zwei Plätzchen mit aufgelöster Kuvertüre zusammensetzen und einseitig mit Kuvertüre überziehen.

Tee-Makronen

220 g Marzipan-Rohmasse
100 g geschälte, geriebene Mandeln
220 g Zucker, 1/8 l Eiweiß
Für das Backblech: Pergamentpapier

Ein bis zwei Backbleche mit Pergamentpapier auslegen. Den Backofen auf 190 ° vorheizen.
Die Marzipan-Rohmasse mit den Mandeln, dem Zucker und einigen Eßlöffeln vom Eiweiß zu einem glatten Teig verkneten. Das restliche Eiweiß mit einem Kochlöffel unter den Teig rühren. (Der Teig soll nicht schaumig werden, deshalb besser kein Rührgerät benützen.) Den Teig in einen Spritzbeutel mit mittelgroßer Lochtülle füllen und auf das Pergamentpapier kleine Häufchen spritzen. Genügend Zwischenraum zwischen den Häufchen lassen, da sie beim Backen noch auseinanderlaufen. Die Makronen auf der mittleren Schiebeleiste in 15–20 Minuten hellbraun backen.
Die Makronen auf dem Pergamentpapier abkühlen lassen, dann das Pergament umdrehen, mit Wasser bestreichen und abziehen.

Unser Tip
Die Tee-Makronen können Sie zur Abwechslung auch einmal statt mit Mandeln mit geriebenen Haselnüssen bereiten; am intensivsten schmecken leicht geröstete Haselnüsse.

Das schmeckt zum 5-Uhr-Tee

Makronen-zwieback

500 g Mehl, 30 g Hefe
1/4 l lauwarme Milch
50 g Butter oder Margarine
50 g Zucker, 1/2 Teel. Salz
abgeriebene Schale von 1/2 Zitrone
2 Eier ◇
100 g Marzipan-Rohmasse
80 g Puderzucker
1 Eiweiß, 1 Eßl. Rum
Für die Formen: Butter oder Margarine

Zwei Rehrückenformen mit Butter oder Margarine ausstreichen.
Das Mehl in eine Schüssel sieben, in die Mitte eine Vertiefung drücken, die Hefe hineinbröckeln und mit der Milch und etwas Mehl zu einem Vorteig verrühren. Mit ein wenig Mehl bestreuen und zugedeckt an einem warmen Ort 15 Minuten gehen lassen.
Die Butter oder Margarine zerlassen. Den Zucker, das Salz, die Zitronenschale und die Eier mit der Butter oder Margarine verrühren, zum Hefevorteig geben und alles mit dem gesamten Mehl zu einem trockenen Hefeteig verarbeiten. Den Hefeteig so lange schlagen, bis er Blasen wirft, dann zugedeckt nochmals 15 Minuten gehen lassen.
Auf einer bemehlten Fläche aus dem Hefeteig zwei gleich große Rollen formen, diese in die Rehrückenformen legen und darin so lange gehen lassen, bis sich das Teigvolumen verdoppelt hat. Den Backofen auf 220° vorheizen.
Den gut aufgegangenen Teig auf der unteren Schiebeleiste 25–35 Minuten backen, bis er goldgelb ist.
Die beiden Kuchen auf ein Kuchengitter stürzen und über Nacht abkühlen lassen.
Den Backofen auf 200° vorheizen. Die erkalteten Kuchen in gleich dicke Scheiben schneiden, auf ein Backblech legen und auf der mittleren Schiebeleiste von einer Seite 5 Minuten hellgelb rösten. Anschließend erkalten lassen.
Die Marzipan-Rohmasse mit dem gesiebten Puderzucker, dem Eiweiß und dem Rum zu einer streichfähigen Masse verrühren. Die Makronenmasse auf die ungeröstete Seite der Zwiebackscheiben streichen und so lange überbacken, bis sie sich leicht hellbraun färbt.

Unser Tip

Wenn Sie nur eine Rehrückenform haben, so können Sie die zweite Teigrolle auch in einer kleinen Kastenform backen. Oder Sie bakken die beiden Kuchen nacheinander in der Rehrückenform, nur müssen Sie dann den ungebackenen Teig im Kühlschrank aufbewahren.

Türkischer Teekuchen

300 g Butter, 250 g Zucker
1 Päckchen Vanillinzucker
abgeriebene Schale von 1 Zitrone
6 Eier, 3 Eßl. Madeirawein
300 g Mehl, 80 g Speisestärke
2 Teel. Backpulver
125 g Rosinen
150 g Belegkirschen
150 g schwarze Nüsse (eingelegte Walnüsse im Glas)
1/2 Teel. Salz
1 Teel. gemahlener Zimt
1/2 Teel. gemahlener Kardamom ◇
100 g Schokoladen-Fettglasur
50 g gehackte Pistazien
Für die Form: Butter oder Margarine und Semmelbrösel

Eine Kastenform ausfetten und mit Semmelbröseln ausstreuen. Den Backofen auf 190° vorheizen.
Die Butter mit dem Zucker, dem Vanillinzucker und der Zitronenschale schaumig rühren. Nacheinander die Eier und zuletzt den Madeira unterrühren. Das Mehl mit der Speisestärke und dem Backpulver sieben und mit den Rosinen mischen. Die Kirschen und die Nüsse grob hacken und mit dem Salz, dem Zimt und dem Kardamom zum Mehl geben. Das Mehlgemisch unter die Buttermasse ziehen und in die Kastenform füllen. Den Kuchen auf der unteren Schiebeleiste 1 Stunde und 40 Minuten backen.
Den Kuchen in der Form abkühlen lassen, rundherum mit einem Messer ablösen und auf ein Kuchengitter stürzen. Die Schokoladenglasur im Wasserbad schmelzen, den Kuchen damit überziehen und mit den Pistazien bestreuen.

Das schmeckt zum 5-Uhr-Tee

Rumkuchen

180 g Butter, 200 g Zucker
5 Eier, 250 g Mehl
80 g Maismehl
1 Päckchen Backpulver
$2^{1}/_{2}$ Schnapsgläser Rum (5 cl)
je 2 Eßl. Zitronen- und Orangensaft
abgeriebene Schale von je $^{1}/_{2}$ Zitrone und Orange
Für die Form: Butter oder Margarine und Mehl

Eine Kastenform mit Butter oder Margarine ausstreichen und mit Mehl ausstäuben. Den Backofen auf 190° vorheizen. Die Butter mit dem Zucker schaumig rühren und nacheinander die Eier unterrühren. Das Mehl mit dem Maismehl und dem Backpulver sieben und unter das Butter-Zucker-Gemisch ziehen. Löffelweise den Rum, den Zitronen- und den Orangensaft sowie die Zitronen- und die Orangenschale unter den Teig mischen. Den Teig in die Kastenform füllen, die Oberfläche glattstreichen und den Kuchen auf der unteren Schiebeleiste 60–65 Minuten backen.
Den Kuchen auf ein Kuchengitter stürzen und erkalten lassen.

Unser Tip

Wenn Sie vorne auf das Reibeisen ein Stück Pergamentpapier pressen, ehe Sie Zitronen- oder Orangenschale abreiben, läßt es sich danach mühelos saubermachen.

Königskuchen

50 g Zitronat, 100 g geschälte Mandeln
200 g Rosinen
250 g Butter oder Margarine
200 g Zucker
4 Eier, 300 g Mehl
100 Speisestärke
3 Teel. Backpulver
4 Eßl. Rum
Für die Form: Butter oder Margarine und Semmelbrösel

Eine Kastenform mit Butter oder Margarine ausstreichen und mit Semmelbröseln ausstreuen. Den Backofen auf 175° vorheizen.
Das Zitronat und die Mandeln hacken. Die Rosinen in etwas Mehl wenden. Die Butter oder die Margarine mit dem Zucker schaumig rühren und nacheinander die Eier unterrühren. Das Mehl mit der Speisestärke und dem Backpulver sieben und unter den Teig ziehen.
Den Rum, das Zitronat, die Mandeln und die Rosinen ebenfalls unter den Teig mischen. Den Teig in die Kastenform füllen, die Oberfläche glattstreichen und den Kuchen auf der unteren Schiebeleiste 75–90 Minuten backen. Gegen Ende der Backzeit gegebenenfalls mit Pergamentpapier oder Alufolie abdecken, damit die Oberfläche nicht zu dunkel wird.
Den Kuchen auf ein Kuchengitter stürzen und abkühlen lassen.

Streuselblätter

300 g Blätterteig, tiefgefroren oder selbstbereitet
1 Eigelb ◇
200 g Mehl, 100 g Zucker
je 1 Messerspitze gemahlener Zimt und Salz
150 g Butter ◇
1/2 Tasse Puderzucker

Tiefgefrorenen Blätterteig in 30–60 Minuten auftauen lassen.
Den Blätterteig auf einer bemehlten Fläche ausrollen und runde Plätzchen von etwa 5 cm Ø ausstechen. Die Plätzchen anschließend in einer Richtung zu etwa 12 cm langen »Blättern« ausrollen. Ein Backblech mit kaltem Wasser abspülen, die länglich geformten Plätzchen darauflegen und mit dem verquirlten Eigelb bestreichen. 15 Minuten ruhen lassen. Den Backofen auf 200° vorheizen.
Das gesiebte Mehl mit dem Zucker, dem Salz und dem Zimt mischen. Die Butter zerlassen und unter ständigem Rühren tropfenweise zugeben. Dann den Teig mit den Händen zu Streuseln zerreiben.
Die Teigblätter mit den Streuseln bestreuen und auf der mittleren Schiebeleiste 12–15 Minuten backen, bis sie knusprig braun sind.
Die abgekühlten Streuselblätter auf einem Kuchengitter erkalten lassen und mit dem Puderzucker besieben.

Lachende Chinesen

20 g Butter oder Margarine
170 g Zucker
1 Ei, 3 Eßl. Wasser
340 g Mehl
1 Teel. Backpulver
100 g Sesamsamen
Zum Fritieren: 1 l Öl oder 2 kg Plattenfett

Die Butter oder Margarine zunächst mit dem Zucker, dann mit dem Ei und dem Wasser schaumig rühren. Das Mehl mit dem Backpulver sieben und unter den Teig kneten. Den Teig gut durcharbeiten, zu einer 50 cm langen Rolle formen und davon etwa 2 cm dicke Scheiben abschneiden. Diese zu Kugeln formen, kurz in kaltes Wasser tauchen und im Sesamsamen wenden.
Das Öl oder das Plattenfett in der Friteuse oder in einem Fritiertopf auf 170° erhitzen. Jeweils 6–8 Teigkugeln ins heiße Fett geben und unter Umwenden etwa 5 Minuten backen, bis sie goldbraun sind. Die Kugeln mit einem Schaumlöffel aus dem Fettbad heben und auf Küchenkrepp abtropfen lassen.

Unser Tip

Besitzen Sie weder ein elektrisches Fritiergerät noch ein Fritierthermometer, so lassen Sie einen Wassertropfen ins Fett fallen. Verzischt er sofort, dann ist die richtige Backtemperatur erreicht.

Das schmeckt zum 5-Uhr-Tee

Zarte Teewaffeln

150 g Puderzucker
2 Eier, 250 g Mehl
3–4 Schnapsgläser Milch
abgeriebene Schale von
1/4 Zitrone
65 g zerlassene Butter
Für das Waffeleisen: Öl

Für diese Teewaffeln brauchen Sie eines der gußeisernen Waffeleisen, die so hübsche Muster ergeben. Sie werden auf einer Platte des Elektroherds (oder auf der Gasflamme) erhitzt. Die Innenflächen des Waffeleisens mit Öl bestreichen und gut heiß werden lassen.
Den Puderzucker in eine Schüssel sieben und mit den Eiern schaumig rühren. Das Mehl sieben und abwechselnd mit der Milch, der abgeriebenen Zitronenschale und der Butter zu der Eimasse rühren. Jeweils 1 Eßlöffel Teig in das heiße Waffeleisen geben, dieses schließen und die Waffeln goldbraun backen. Wie lange die Waffeln zum Fertigbacken brauchen, müssen Sie durch Erfahrung herausbekommen. Ist das Waffeleisen richtig heiß, dauert es ungefähr 3–5 Minuten.
Die fertigen Waffeln jeweils sofort zu Röllchen drehen und auf einem Kuchengitter erkalten lassen.

Zimtwaffeln Filigran

100 g Butter
250 g Zucker
2 Eier, 500 g Mehl
1 Teel. gemahlener Zimt
Für das Waffeleisen: Öl

Die Zimtwaffeln werden in einem gußeisernen Waffeleisen gebacken, das so hübsche Muster ergibt und das man auf einer Platte des Elektroherds (oder auf der Gasflamme) erhitzt. Die Innenflächen des Waffeleisens mit Öl bestreichen und gut erhitzen.
Die Butter mit dem Zucker und den Eiern schaumig rühren. Das Mehl sieben und nach und nach unterrühren; zuletzt den Zimt zugeben.
Den Teig portionsweise je nach Größe des Waffeleisens auf einer bemehlten Fläche ausrollen, ins Waffeleisen legen und goldbraun backen. Wie lange das dauert, müssen Sie durch Erfahrung herausbekommen, meist aber nicht länger als 5–6 Minuten, wenn das Eisen erst einmal richtig heiß ist.
Die Waffeln möglichst frisch, nur etwas abgekühlt, servieren; besonders gut schmecken sie mit einem Tupfen Sahne.

Unser Tip

Wenn Sie kein gußeisernes Waffeleisen besitzen, so können Sie ersatzweise auch ein elektrisches benützen. Allerdings muß es ein spezielles für trockene Waffeln oder »Hörnchen« sein.

Das schmeckt zum 5-Uhr-Tee

Mandelschnitten

250 g Butter
150 g Puderzucker
1 Ei, 3 Eßl. Milch
abgeriebene Schale von 1/4 Zitrone
520 g Mehl
200 g grobgehackte Mandeln ◇
100 g Schokoladen-Fettglasur
200 g geröstete Mandelstifte

Die Butter mit dem gesiebten Puderzucker, dem Ei, der Milch und der Zitronenschale verkneten. Das Mehl sieben und nach und nach mit den grobgehackten Mandeln unter das Butter-Zucker-Gemisch kneten. Den Mürbeteig zu einer langen Rolle formen und die Rolle zu einer eckigen Stange drücken. Die Stange in Alufolie oder Pergamentpapier gewickelt 2 Stunden im Kühlschrank ruhen lassen. Den Backofen auf 200° vorheizen. Von der Teigstange etwa 6 mm dicke Scheiben abschneiden, auf ein Backblech legen und auf der mittleren Schiebeleiste 15 Minuten backen, bis sie goldgelb sind. Etwas abkühlen lassen.
Die Schokoladenglasur im Wasserbad schmelzen lassen und die Mandelschnitten dick damit bestreichen. Auf die noch weiche Schokoladenglasur die gerösteten Mandelstifte streuen. Die Glasur anschließend gut trocknen lassen.

Zuckerbrezeln

20 g Hefe
1/2 Tasse lauwarme Milch
80 g Butter oder Margarine
1 Ei, 1/2 Teel. Salz
1 Messerspitze gemahlener Kardamom
320 g Mehl ◇
1 Eigelb
1 Tasse Hagelzucker
Für das Backblech: Butter oder Margarine

Ein Backblech leicht mit Butter oder Margarine bestreichen.
Die Hefe in die lauwarme Milch bröckeln und darin verrühren. Die Butter schmelzen lassen und das Ei, das Salz und den Kardamom unterrühren. Das Mehl in eine Schüssel sieben, die angerührte Hefe und die Buttermischung zum Mehl geben und alles zu einem festen Hefeteig verkneten. Den Hefeteig nicht gehen lassen!
Den Backofen auf 240° vorheizen. Den Hefeteig auf einer bemehlten Fläche zu einer dikken, langen Rolle formen. Die Rolle in 24 Scheiben schneiden, jede Scheibe zu einem etwa 50 cm langen Strang ausrollen und daraus Brezeln formen. Die Brezeln mit dem verquirlten Eigelb bestreichen und mit der bestrichenen Seite in den Hagelzucker drücken. Auf das Backblech legen und auf der mittleren Schiebeleiste 8–10 Minuten backen.
Die Brezeln vorsichtig vom Backblech heben und auf einem Kuchengitter abkühlen lassen. Sie schmecken am besten ganz frisch.

Das schmeckt zum 5-Uhr-Tee

Würzige Friesenkekse

150 g Butter, 100 g Zucker
je 1 Messerspitze Salz
und geriebene Muskatnuß
abgeriebene Schale von
1 Orange
2 Eigelbe, 250 g Mehl
1/2 Tasse Hagelzucker

Die Butter mit dem Zucker, dem Salz, der Muskatnuß, der Orangenschale und 1 Eigelb verrühren. Das gesiebte Mehl unterkneten. Den Mürbeteig zu einer Rolle von 4 cm ∅ formen und in Alufolie oder Pergamentpapier gewickelt 2 Stunden im Kühlschrank ruhen lassen.
Den Backofen auf 200 ° vorheizen. Das zweite Eigelb verquirlen, die Teigrolle damit bestreichen und im Hagelzucker wenden. Etwa 5 mm dicke Scheiben von der Rolle abschneiden und mit etwas Zwischenraum auf ein Backblech legen. Die Kekse auf der mittleren Schiebeleiste 12–15 Minuten backen, bis sie hellbraun sind.
Die Kekse 5 Minuten abkühlen lassen, dann mit einem breiten Messer vorsichtig vom Backblech heben und auf einem Kuchengitter erkalten lassen.

Katzenzungen

250 g Butter
220 g Puderzucker
das Innere von 1 Vanilleschote
1 Messerspitze Salz
1 Ei, 1 Eigelb
250 g Mehl ◇
200 g Nougat
Für das Backblech: Butter
oder Margarine und Mehl

Ein oder zwei Backbleche mit Butter oder Margarine bestreichen und mit Mehl bestäuben. Den Backofen auf 200 ° vorheizen.
Die Butter mit dem Puderzucker, der Vanille und dem Salz schaumig rühren. Nacheinander das Ei und das Eigelb zugeben und zuletzt das gesiebte Mehl unterziehen. Den Teig in einen Spritzbeutel mit Lochtülle füllen und auf das Backblech Stangen von etwa 8 cm Länge spritzen. Zwischen den Stangen genügend Zwischenraum lassen, da der Teig beim Backen etwas auseinanderläuft. Die Katzenzungen auf der mittleren Schiebeleiste 8–12 Minuten backen, bis sie goldgelb sind. Dann etwas abkühlen lassen.
Den Nougat im Wasserbad schmelzen lassen. Die Unterseite der Katzenzungen mit der Nougatmasse bestreichen und jeweils 2 Katzenzungen leicht zusammendrücken. Die Nougatfüllung festwerden lassen.

Mini-Kuchen für zwei

Marmorkuchen Liliput

250 g Margarine (Sanella)
200 g Zucker, 4 Eier
1/8 l Milch, 400 g Mehl
100 g Speisestärke
1 Päckchen Backpulver
40 g Kakaopulver, 40 g Zucker
1/2 Tasse Puderzucker
Für die Formen: Margarine und Semmelbrösel

Zwei kleine Gugelhupfformen von 16 cm Ø mit der Margarine ausstreichen und mit Semmelbröseln ausstreuen. Den Backofen auf 200 ° vorheizen. Die Margarine mit dem Zukker schaumig rühren, nacheinander die Eier, dann die Milch unterrühren. Das Mehl mit der Speisestärke und dem Backpulver sieben und löffelweise unter den Teig rühren. Die Hälfte des Teiges in die beiden Formen füllen. Den restlichen Teig mit dem Kakaopulver und dem Zucker verrühren und den dunklen Teig auf den hellen Teig füllen. Die beiden Teigarten mit einer Gabel spiralförmig durcheinanderziehen. Die Kuchen auf der unteren Schiebeleiste 40 Minuten backen.
Auf einem Kuchengitter abkühlen lassen und mit dem Puderzucker besieben.

Unser Tip

Wenn Sie nur eine kleine Gugelhupfform besitzen, so backen Sie die zweite Teighälfte in einer runden oder auch in einer länglichen Form aus Alufolie!

Früchtebrot Lisette

300 g Mehl, 1 Prise Salz
30 g Hefe
1/8 l lauwarme Milch
80 g Margarine (Sanella)
50 g Zucker, 4 Eier
400 g kleingeschnittene kandierte Früchte
Für die Formen: Margarine und Mehl

Zwei kleine Kastenformen von 18 cm Länge mit Margarine ausstreichen und mit Mehl ausstäuben.
Das Mehl mit dem Salz in eine Schüssel sieben, eine Vertiefung in die Mitte drücken, die Hefe hineinbröckeln und mit der Milch und etwas Mehl zu einem Vorteig verrühren.
15 Minuten gehen lassen.
Die Margarine mit dem Zukker und den Eiern schaumig rühren, zum Vorteig geben und alles mit dem gesamten Mehl so lange schlagen, bis der Teig Blasen wirft. Nochmals 15 Minuten gehen lassen.
Die kandierten Früchte untermischen. Den Teig in die Kastenformen füllen und weitere 15 Minuten gehen lassen. Den Backofen auf 200 ° vorheizen. Die Kuchen auf der unteren Schiebeleiste 30–35 Minuten backen. Auf einem Kuchengitter abkühlen lassen.

Unser Tip

Das zweite Früchtebrot können Sie einfrieren. Besitzen Sie kein Gefriergerät, so verwenden Sie eben nur die Hälfte der Zutaten.

Tellerkuchen mit Obst

60 g Margarine (Sanella)
45 g Puderzucker
1/2 Teel. Vanillinzucker
1 Messerspitze Salz
1 kleines Eigelb, 125 g Mehl ◇
50 g Marzipan-Rohmasse
je 2 Eßl. Rum und Zuckersirup
beliebiges Obst aus der Dose
1 Päckchen klarer Tortenguß
50 g geröstete Mandelblättchen

Die Margarine mit dem gesiebten Puderzucker, dem Vanillinzucker, dem Salz, dem Eigelb und dem gesiebten Mehl verkneten. Den Mürbeteig in Alufolie gewickelt 2 Stunden im Kühlschrank ruhen lassen. Den Backofen auf 200° vorheizen. Den Mürbeteig auf einer bemehlten Fläche dünn ausrollen und nacheinander in einer Springform von 18 cm ∅ 2 Böden 8–10 Minuten auf der mittleren Schiebeleiste backen. Die Kuchenböden abkühlen lassen. Die Marzipan-Rohmasse mit dem Rum und dem Zuckersirup verkneten. Die Böden mit der Marzipanmasse bestreichen. Die Ränder der Kuchen ebenfalls mit Marzipan bestreichen.
Das Obst abtropfen lassen, gegebenenfalls in gleich große Scheiben oder Spalten schneiden und die Kuchen damit belegen. Den Tortenguß nach Vorschrift bereiten und das Obst damit überziehen. Zuletzt die Ränder der Kuchen mit Mandelblättchen bestreuen.

Zitronenkuchen Diamant

125 g Margarine (Sanella)
abgeriebene Schale von 1/4 Zitrone
100 g Zucker, 2 Eier
4 Eßl. Milch, 200 g Mehl
50 g Speisestärke
1/2 Päckchen Backpulver ◇
Saft von 1 Zitrone
3 Eßl. Zucker, 2 Eßl. Wasser
1 Eßl. Arrak, 100 g Puderzucker
2 Eßl. Zitronensaft
1 Stück Zitronenschale
Für die Form: Margarine und Semmelbrösel

Eine Kleeblattform von 20 cm ∅ mit Margarine ausstreichen und mit Semmelbröseln ausstreuen. Den Backofen auf 200° vorheizen.
Die Margarine mit der Zitronenschale, dem Zucker, den Eiern und der Milch schaumig rühren. Das Mehl mit der Speisestärke und dem Backpulver sieben und nach und nach unter den Teig rühren. Den Teig in die Kleeblattform füllen, die Oberfläche glattstreichen und den Kuchen auf der zweiten Schiebeleiste von unten 40 Minuten backen.
Den Kuchen zum Abkühlen auf ein Kuchengitter stürzen. Den Zitronensaft mit dem Zucker und dem Wasser aufkochen, den Arrak zufügen und den Kuchen mit der Flüssigkeit tränken. Den Puderzucker sieben, mit dem Zitronensaft glattrühren und den Kuchen damit dick überziehen. Die Zitronenschale hauchdünn abschneiden, in dünne Streifchen schneiden und auf die noch weiche Glasur streuen.

Quiche lorraine Lothringer Käsetorte

200 g Mehl
100 g Butter oder Margarine
1/2 Teel. Salz, 5 Eßl. Wasser ◇
200 g Frühstücksspeck (Bacon) oder gekochter Schinken
4 Eier, 1/4 l Sahne
1 Prise weißer Pfeffer
1/4 Teel. Salz
125 g geriebener Edamer Käse
Für die Form: Butter oder Margarine und Mehl

Eine Springform von 26 cm Ø oder zwei kleinere Springformen mit Butter oder Margarine ausstreichen und mit dem Mehl bestäuben.
Das Mehl auf ein Backbrett sieben, die Butter oder die Margarine in Flöckchen darüber verteilen und das Salz darüberstreuen. In die Mitte des Mehles eine Mulde drükken, das Wasser hineingießen und alle Zutaten rasch zu einem Mürbeteig verkneten. Den Teig in Alufolie oder Pergamentpapier eingewickelt 2 Stunden im Kühlschrank ruhen lassen.
Den Backofen auf 200° vorheizen. Den Teig auf einer bemehlten Fläche etwa 4 mm dick ausrollen und Rand und Boden der Springform damit auslegen. Den Teigboden mehrmals mit einer Gabel einstechen.

Den Speck in Scheiben schneiden und den Teig damit belegen. Die Eier in Eigelbe und Eiweiße trennen. Die Eigelbe mit der Sahne, dem Pfeffer und dem Salz verquirlen. Den geriebenen Käse unterziehen. Die Eiweiße steif schlagen und unter die Eigelb-Käse-Masse heben. Die Masse über die Speckscheiben gießen und glattstreichen. Die Quiche auf der zweiten Schiebeleiste von unten 30 Minuten backen. Nach dem Backen einige Minuten in der Form abkühlen lassen, dann auf eine Tortenplatte schieben und noch warm aufschneiden. Man ißt die Quiche zum Wein. Am besten paßt dazu ein trockener Elsässer Weißwein.

Unser Tip

Sie können die Quiche lorraine auch mit Hefeteig zubereiten. Dazu kneten Sie einen Hefeteig aus 250 g Mehl, 15 g Hefe, 1/8 l lauwarmer Milch, 1 Prise Salz, 1 Ei und 40 g geschmolzener Butter.
Soll die Quiche für einen größeren Personenkreis reichen, so können Sie sie auch auf einem Backblech backen. Nur müssen Sie dann den Rand des Backblechs an der einen Schmalseite durch einen dreifach gefalteten Streifen aus Alufolie erhöhen, damit die Füllung beim Backen nicht vom Blech läuft.

Gebäck zu Bier und Wein

Zartes Käsegebäck

450 g Blätterteig, tiefgefroren oder selbstbereitet
60 g geriebener Sbrinz-Käse (milder Schweizer Hartkäse)
2 Eßl. Milch, 2 Eigelbe
60 g geriebener Emmentaler Käse
1/2 Teel. edelsüßes Paprikapulver

Tiefgefrorenen Blätterteig 30–60 Minuten auftauen lassen, dann in zwei Teile teilen. Für die Käseschleifen das Backbrett mit einem Teil des geriebenen Sbrinz-Käses bestreuen und darauf den Blätterteig 1/2 cm dick ausrollen. Die Milch mit den Eigelben verquirlen und die Oberfläche des Teiges damit bestreichen. Wieder einen Teil des Käses daraufstreuen, den Teig zusammenfalten und nochmals ausrollen. Die Oberfläche zuletzt mit dem restlichen Käse bestreuen. Dann den Teig 3 mm dick ausrollen, in 8 cm breite Streifen zerschneiden und jeweils 4 Streifen übereinanderlegen. Davon 1/2 cm dikke Scheibchen abschneiden und diese zu Schleifen drehen. Ein Backblech kalt abspülen, die Schleifen darauflegen und 15 Minuten ruhen lassen. Den Backofen auf 210° vorheizen. Die Käseschleifen 8–10 Minuten auf der mittleren Schiebeleiste backen.
Mit der zweiten Teighälfte wie mit der ersten verfahren, nur jeweils den mit dem Paprikapulver vermischten Emmentaler Käse auf den Teig streuen. Aus der Teigplatte mit einem Teigrädchen 10 cm lange Streifen schneiden, diese mit dem restlichen verquirlten Eigelb bestreichen und den restlichen Käse daraufstreuen. Die Stangen ebenfalls 8–10 Minuten backen.

Champignon-Halbmonde

300 g tiefgefrorener Blätterteig ◇
5 Eßl. gewürfelter Speck
5 Eßl. Zwiebelwürfel
½ Tasse Champignons
1 Eßl. Tomatenmark
½ Teel. Selleriesalz
¼ Teel. weißer Pfeffer
2 Eßl. Butter, 2 Eigelbe

Den Blätterteig 30–60 Minuten auftauen lassen.
Die Speckwürfel und die Zwiebelwürfel anbraten. Die Champignons abtropfen lassen, blättrig schneiden und mit dem Tomatenmark, dem Selleriesalz, dem Pfeffer, der Butter und den Speckwürfeln so lange braten, bis alle Flüssigkeit eingekocht ist.
Den Blätterteig messerrückendick ausrollen und mit einer Tasse Kreise ausstechen. Auf eine Hälfte jedes Kreises 2 Teelöffel von der Füllung geben, die Ränder mit Wasser befeuchten, die andere Hälfte des Kreises darüberschlagen und festdrücken, so daß ein Halbmond entsteht. Die Oberfläche einige Male einstechen und mit verquirltem Eigelb bestreichen. Ein Backblech kalt abspülen, die Halbmonde darauflegen und 15 Minuten ruhen lassen. Den Backofen auf 180° vorheizen.
Die Halbmonde auf der zweiten Schiebeleiste von unten 25 Minuten backen und möglichst heiß servieren.

Schlemmertörtchen

300 g Blätterteig, tiefgefroren oder selbstbereitet ◇
125 g Tatar, 1 Teel. Salz
¼ Teel. weißer Pfeffer, 1 Ei
1 Tasse Champignons aus der Dose
50 g Schnittkäse
100 g Pökelzunge in Scheiben
100 g Jagdwurst in Scheiben
½ Salatgurke
50 g Kalbsleberwurst
2 Eßl. gehackte Petersilie

Tiefgefrorenen Blätterteig in 30–60 Minuten auftauen lassen. 12 Tortelettefömchen kalt ausspülen. Den Backofen auf 220° vorheizen.
Den Blätterteig dünn ausrollen und die Förmchen damit auslegen. Das Tatar mit etwas Salz, dem Pfeffer und dem Ei mischen und vier Förmchen randvoll damit füllen.
Die Champignons hacken, den Käse, die Zunge und die Jagdwurst klein würfeln, mit den Champignons mischen, etwas salzen und vier weitere Förmchen damit füllen.
Die Gurke schälen, grob raspeln, mit der Leberwurst, der Petersilie und etwas Salz verrühren und die restlichen Förmchen damit füllen. Alle Törtchen auf der mittleren Schiebeleiste 20 Minuten backen. Die Törtchen aus der Form stürzen und warm oder kalt servieren.

Gebäck zu Bier und Wein

Feine Fleischtaschen

300 g Mehl, 30 g Speisestärke
1 Prise Salz, 150 g Butter
etwas kaltes Wasser ◇
1 Zwiebel, 30 g Margarine
20 g Mehl, 1/8 l Fleischbrühe
6 Eßl. Sahne
je 1 Prise Salz, schwarzer Pfeffer, Zucker, Currypulver, Ingwerpulver und Cayennepfeffer
150 g kalter Schweinebraten
100 g Pfifferlinge aus der Dose
1 Eßl. gehackte Petersilie
1 Eigelb

Das Mehl mit der Speisestärke sieben und mit dem Salz, der Butter und etwas Wasser zu einem festen Teig verkneten. Den Teig zugedeckt 3 Stunden im Kühlschrank ruhen lassen. Die Zwiebel fein würfeln, in der Margarine hellgelb braten, mit dem Mehl bestäuben und mit der Brühe und der Sahne ablöschen. Alles 5 Minuten kochen lassen. Die Sauce mit den Gewürzen abschmecken. Den Schweinebraten und die Pfifferlinge fein würfeln und mit der Petersilie untermischen. Den Backofen auf 220° vorheizen.
Den Teig 3 mm dick ausrollen und Kreise von 11 cm ∅ ausstechen. Je 1 Eßlöffel Fülle daraufgeben, die Ränder mit Wasser bestreichen, die Kreise zusammenklappen und die Ränder gut zusammendrücken. Das Eigelb verquirlen und die Fleischtaschen damit bestreichen. Auf der mittleren Schiebeleiste 20 Minuten backen. Heiß servieren.

Vagabunden-Taler

400 g Blätterteig, tiefgefroren oder selbstbereitet ◇
50 g gekochter Schinken im Ganzen
50 g Schnittkäse
2 Zwiebeln,
2 Tomaten
12 Scheiben Salami
1/2 Teel. schwarzer Pfeffer
1 Teel. edelsüßes Paprikapulver
1/2 Teel. Pilzpulver
4 Eßl. gehackte Petersilie
6 Eßl. Öl

Tiefgefrorenen Blätterteig in 30–60 Minuten auftauen lassen. 12 glattrandige Tortelettförmchen kalt ausspülen. Den Schinken und den Käse würfeln. Die Zwiebel und die Tomaten in Scheiben schneiden. Den Backofen auf 200° vorheizen.
Den Blätterteig dünn ausrollen und die Förmchen damit auslegen. Die Teigböden mehrmals mit einer Gabel einstechen. Die enthäuteten Salamischeiben in die Törtchen legen. Schinkenwürfel und Zwiebelscheiben darauf verteilen, mit Pfeffer, Paprika- und Pilzpulver würzen. Die Tomatenscheiben darauflegen, mit den Käsewürfelchen und der Petersilie bestreuen. Die Törtchen 15 Minuten ruhen lassen, dann mit dem Öl beträufeln und auf der mittleren Schiebeleiste 20 Minuten backen. Heiß servieren.

Gebäck zu Bier und Wein

Piroschki

½ l Milch, 125 g Butter
40 g Hefe, 1 Prise Zucker
¼ Teel. Salz, 2 Eier
1 kg Mehl ◇
3 Stangen Lauch (Porree)
1 Zwiebel, 1 Eßl. Öl
10 kleine rohe Bratwürste
4 Eßl. Semmelbrösel
2 Eigelbe

Die Milch mit der Butter erwärmen und mit der zerbrökkelten Hefe, dem Zucker, dem Salz, den Eiern und etwas Mehl glattrühren, dann das gesamte Mehl unterrühren. Den Teig 20 Minuten gehen lassen. Den Lauch waschen und in Scheibchen schneiden. Die Zwiebel würfeln. Zwiebelwürfel und Lauchscheibchen in dem Öl 5 Minuten braten. Die Bratwurstmasse in eine Schüssel drücken, Lauchscheibchen und Zwiebelwürfel mit dem Öl sowie die Semmelbrösel zugeben und verkneten. Den Backofen auf 200 ° vorheizen.
Den Hefeteig auf 50 × 80 cm ausrollen und daraus 10 Rechtecke von 5 × 8 cm schneiden. Auf jedes Teigstück 2 Eßlöffel der Füllung geben, die Ränder befeuchten, ein zweites Teigstück darüberlegen und die Ränder gut festdrücken. Die Piroschki mit verquirltem Eigelb bestreichen und auf der zweiten Schiebeleiste von unten 30 Minuten backen. Warm servieren.

Käse-Windbeutel

¼ l Wasser
125 g Butter oder Margarine
1 Prise Salz, 175 g Mehl
4 kleine Eier ◇
125 g Quark
4 Ecken Rahm-Frischkäse
½ Teel. Paprikapulver
1 Prise Selleriesalz
½ Tasse Portwein
4 Eßl. Milch

Den Backofen auf 150 ° vorheizen.
Das Wasser mit 75 g Butter oder Margarine und dem Salz zum Kochen bringen. Das gesiebte Mehl auf einmal hineinschütten und so lange rühren, bis sich der Teig als Kloß vom Topf löst. Den Teig in eine Schüssel geben, etwas abkühlen lassen und die Eier einzeln unterrühren.
Mit einem Spritzbeutel kirschgroße Teigtupfen auf das Backblech spritzen und 20 Minuten auf der mittleren Schiebeleiste backen.
Die Windbeutel noch warm quer durchschneiden. Die Zutaten von Quark bis Milch verrühren und die restliche Butter oder Margarine geschmolzen untermischen.
Die Windbeutel mit der Käsecreme füllen, die Deckelchen aufsetzen und mit kleinen Cremerosetten verzieren. Die Rosetten nach Belieben mit kandierten Kirschen, Olivenscheiben, Walnußhälften oder Gewürzgurkenfächerchen garnieren.

Gebäck zu Bier und Wein

Mürbes Käsegebäck

150 g Butter
180 g geriebener Gruyère oder Emmentaler Käse
1/2 Tasse Sahne, 1/2 Teel. Salz
1 Teel. edelsüßes Paprikapulver
1/2 Teel. Backpulver
250 g Mehl ◇
1 Eigelb
Zum Verzieren: Mohn, Sesamsamen, gehackte Pistazien, geschälte, halbierte Mandeln

Die Butter mit dem Käse gut verrühren, die Sahne, das Salz und das Paprikapulver unterkneten. Das Backpulver mit dem Mehl sieben und ebenfalls unterkneten. Den Mürbeteig in zwei oder drei Teile schneiden und in Alufolie oder Pergamentpapier gewickelt 2 Stunden im Kühlschrank ruhen lassen.
Den Backofen auf 200–210° vorheizen. Die Teigportionen nacheinander aus dem Kühlschrank nehmen und auf einer bemehlten Fläche etwa 6 mm dick ausrollen. Plätzchen von beliebiger Form – z. B. Ringe, Herzen, Halbmonde oder Sterne – ausstechen und auf ein Backblech legen. Mit dem verquirlten Eigelb bestreichen und das noch feuchte Eigelb mit Mohn, Sesamsamen oder gehackten Pistazien bestreuen oder eine Mandelhälfte in die Mitte setzen. Die Plätzchen auf der mittleren Schiebeleiste 10–15 Minuten backen.
Das Käsegebäck noch warm vorsichtig mit einem breiten Messer vom Backblech heben und auf einem Kuchengitter abkühlen lassen.

Unser Tip

Von diesem Käsegebäck gibt es auch eine italienische Variante mit Gorgonzola-Käse. Backen Sie Plätzchen wie im Rezept angegeben und bestreuen Sie die Hälfte davon mit Sesamsamen. 80 g Gorgonzola durch ein Sieb streichen und mit 125 g Rahm-Frischkäse, 1 Eigelb, je 1 Prise Salz und Cayennepfeffer und 1 Teelöffel edelsüßem Paprikapulver verrühren. Die Käsecreme in einen Spritzbeutel mit Sterntülle füllen und die unbestreuten Plätzchen damit bespritzen.

Farmers Hackfleischtorte

300 g tiefgefrorener Blätterteig ◇
2 Zwiebeln
1 Knoblauchzehe
100 g durchwachsener Speck
6 Eßl. Öl
je 1/2 Teel. Salz und schwarzer Pfeffer
4 Eßl. Semmelbrösel
200 g Schweinehackfleisch
200 g Rinderhackfleisch
2 rohe Bratwürste
150 g Knoblauchwurst in Scheiben
1 Tube Sardellenpaste
4 Eier
je 2 Teel. getrockneter Majoran und Thymian

Den Blätterteig in 30–60 Minuten auftauen lassen. Den Backofen auf 200 ° vorheizen. Den Blätterteig 1/2 cm dick ausrollen und Boden und Rand einer Springform damit auslegen. Die Zwiebeln in Scheiben schneiden. Den Knoblauch zerdrücken. Den Speck würfeln. Die Zwiebelscheiben im Öl anbraten, mit Salz und Pfeffer würzen, den Knoblauch und die Speckwürfel zugeben und alles 5 Minuten braten. Mit den Semmelbröseln, dem Hackfleisch und der Bratwurstmasse verkneten und auf den Teig streichen. Die Wurstscheiben darauf verteilen und mit der Sardellenpaste ein Gitter darüberspritzen. Die Eier mit etwas kaltem Wasser und den Kräutern verquirlen, die Torte damit übergießen und auf der zweiten Schiebeleiste von unten 40 Minuten backen. Warm servieren.

Romanoff-Torte

300 g Blätterteig, tiefgefroren oder selbstbereitet ◇
600 g Rinderhackfleisch
1 Teel. Salz
1/2 Teel. schwarzer Pfeffer
3 Eigelbe, 2 Zwiebeln
100 g frische Champignons
50 g Roquefortkäse
100 g durchwachsener Speck in dünnen Scheiben
2 Eßl. gehackter Kerbel

Tiefgefrorenen Blätterteig 30–60 Minuten auftauen lassen. Den Backofen auf 200 ° vorheizen.
Das Hackfleisch mit dem Salz, dem Pfeffer und den Eigelben verkneten. Die Zwiebeln würfeln. Die Champignons putzen, waschen und vierteln. Den Käse grob zerbröckeln.
Den Boden einer Springform mit den Speckscheiben auslegen. Zwiebelwürfel, Käsestückchen, Kräuter und Champignonviertel darüberstreuen, den Fleischteig daraufstreichen und festdrücken.
Den Blätterteig auf einer bemehlten Fläche in Größe der Springform ausrollen, über die Füllung legen, die Ränder festdrücken und den Teig mehrmals einstechen. Die Torte auf der zweiten Schiebeleiste von unten 40 Minuten backen.
Noch heiß auf eine Platte stürzen. Die Speckscheiben vom Boden der Form abziehen und auf die Torte legen. Heiß servieren.

Festliche Fleischtorte

350 g Mehl
150 g Butter oder Margarine
1 Eigelb, 1/10 l lauwarmes Wasser
1 Teel. Salz ◇
1 Brötchen
1/10 l heiße Milch, 1 Zwiebel
70 g durchwachsener Speck
je 300 g gehacktes Schweinefleisch und gehacktes Kalbfleisch
1 Eßl. gehackte Petersilie
100 g Sahne
je 1 Prise Salz, weißer Pfeffer, Cayennepfeffer Pimentpulver, Kardamompulver und getrocknetes Basilikum
1/4 Teel. abgeriebene Zitronenschale
1 Ei

Das Mehl auf ein Backbrett sieben, die Butter oder die Margarine in Flöckchen darauf verteilen und in eine Vertiefung in der Mitte das Eigelb, das Wasser und das Salz geben. Alle Zutaten von innen nach außen rasch zu einem Mürbeteig verkneten. Den Teig in Alufolie oder Pergamentpapier gewickelt 2 Stunden im Kühlschrank ruhen lassen. Das Brötchen würfeln und mit der Milch übergießen. Die Zwiebel fein hacken. Den Speck würfeln, die Würfel ausbraten, die Zwiebelwürfel zugeben und unter Umwenden glasig werden lassen. Das Hackfleisch in einer Schüssel mit dem ausgedrückten Brötchen, den Speck- und Zwiebelwürfeln, der Petersilie, der Sahne und den Gewürzen verkneten. Der Hackfleischteig muß pikant abgeschmeckt sein.

Den Backofen auf 240° vorheizen. Zwei Drittel des Mürbeteiges aus dem Kühlschrank nehmen, auf einer bemehlten Fläche ausrollen und eine Springform von 28 cm ∅ damit so auslegen, daß ein etwa 3 cm hoher Rand entsteht. Den Teigboden mehrmals einstechen, die Füllung darauf verteilen und die Oberfläche glattstreichen. Den restlichen Teig in Größe der Springform ausrollen, auf die Füllung legen und die Ränder gut andrücken. Ein kleines Loch in die Mitte schneiden. Die Oberfläche mit verquirltem Ei bestreichen und mehrmals einstechen. Aus dem restlichen Teig Blüten, Blätter und Stiele formen, mit Eigelb bestreichen und die Oberfläche damit verzieren. Die Torte auf der zweiten Schiebeleiste von unten 60 Minuten backen.

Auf eine Tortenplatte legen und heiß servieren.

Unser Tip

Versuchen Sie einmal folgende Variante: Nur 200 g gehacktes Kalbfleisch verwenden. Statt des Schweinefleischs 200 g kleingewürfelte Kalbsleber mit einigen Zwiebelwürfeln kurz anbraten und zur Füllung geben.

Schinken-Käse-Hörnchen

300 g Blätterteig, tiefgefroren oder selbstbereitet
100 g mittelalter Goudakäse
100 g gekochter Schinken
1 Eigelb
je 1 Eßl. Petersilie und Zwiebel, kleingehackt
je 1 Messerspitze Pfeffer und getrockneter Oregano
1 Eigelb

Tiefgefrorenen Blätterteig 30–60 Minuten auftauen lassen. Den Backofen auf 220° vorheizen.
Den Blätterteig auf einer bemehlten Fläche zu einer Platte von 45 × 25 cm ausrollen.
Den Teig in Dreiecke mit zwei sehr langen Seiten schneiden (siehe Bild links).
Den Käse und den Schinken klein würfeln und mit dem Eigelb, der Petersilie, den Zwiebelwürfeln, dem Pfeffer und dem Oregano mischen. Von der Füllung je 1 Eßlöffel auf ein Teigdreieck setzen. Die kurze Seite des Dreiecks jeweils mit einem Einschnitt versehen (siehe Bild links) und die Dreiecke zu Hörnchen aufrollen; sie sollen sehr locker gewickelt werden. Ein Backblech kalt abspülen, die Hörnchen darauflegen, mit verquirltem Eigelb bestreichen und 15 Minuten ruhen lassen.
Dann auf der zweiten Schiebeleiste von unten 12–15 Minuten backen.
Die Hörnchen schmecken warm am besten.

Unser Tip

Statt der Hörnchen können Sie auch Teigröllchen formen, die Sie nach Belieben statt mit Schinken und Käse mit gut gewürztem Rinderhackfleisch füllen.

Knusperkleine Snacks

Badische Täschle

400 g Blätterteig, tiefgefroren oder selbstbereitet ◇
2 Eier
1 Teel. edelsüßes Paprikapulver
1/4 Teel. schwarzer Pfeffer
1 Teel. Fines-Herbes-Gewürz (fertig zu kaufen)
250 g Weinkäse
125 g grüne Weintrauben
100 g Jagdwurst

Tiefgefrorenen Blätterteig 30–60 Minuten auftauen lassen.
Den Blätterteig dünn ausrollen und in etwa 12 cm große Quadrate schneiden. Die Eier mit 1 Eischale voll Wasser und den Gewürzen verquirlen und die Teigquadrate damit bestreichen. Den Weinkäse in so viele Scheiben wie Teigquadrate schneiden. Die Trauben halbieren und die Kerne entfernen. Die Wurst klein würfeln. Auf jedes Teigquadrat eine Käsescheibe, eine Traubenhälfte und einige Wurstwürfel legen. Die Ecken der Teigquadrate nach innen umklappen und in der Mitte gut zusammendrücken. Aus dem restlichen Blätterteig fingerhutgroße Plätzchen ausstechen und mit verquirltem Ei auf die Mitte kleben. Die Täschchen mit dem restlichen Ei bestreichen, auf ein kalt abgespültes Backblech legen und 15 Minuten ruhen lassen. Den Backofen auf 200 ° vorheizen.
Die Täschle auf der zweiten Schiebeleiste von unten 15 Minuten backen und heiß servieren.

Überraschungs-törtchen

450 g Blätterteig, tiefgefroren oder selbstbereitet ◇
125 g Tatar, 1/2 Teel. Salz
1/2 Teel. weißer Pfeffer, 1 Ei ◇
2 Eßl. Champignons aus der Dose
50 g Schnittkäse
50 g Kalbsleberwurst ◇
50 g feine Mettwurst
4 Eßl. gehackte Petersilie
10 Walnußkerne

Tiefgefrorenen Blätterteig 30–60 Minuten auftauen lassen. Kleine Schiffchen- oder Torteletteförmchen kalt ausspülen. Den Backofen auf 200 ° vorheizen.
Den Blätterteig möglichst dünn ausrollen und alle Förmchen auf einmal – wenn in genügender Zahl vorhanden – oder in zwei Partien mit dem Teig auslegen.
Das Tatar mit etwas Salz, Pfeffer und dem Ei mischen und vier der Förmchen damit füllen.
Die Champignons klein würfeln, ebenso den Käse; die Würfelchen mit der Leberwurst mischen und weitere vier Förmchen damit füllen.
Die Mettwurst mit der Petersilie und den kleingehackten Walnußkernen mischen und die restlichen Förmchen damit füllen.
Alle Förmchen auf der mittleren Schiebeleiste 20 Minuten backen und noch heiß zu Tisch bringen. Erst dort aus den Förmchen stürzen.

Knusperkleine Snacks

Ochsenmark-pastetchen

250 g Mehl, 125 g Butter
1 kleines Ei, 1 Prise Salz
1–2 Eßl. Wasser ◇
2 Brötchen ohne Rinde
knapp 1/4 l Milch
50 g geschälte, geriebene Mandeln
1 Ei, 1 Eigelb
50 g Ochsenmark
je 1 Prise Salz, weißer Pfeffer, Muskatnuß und Cayennepfeffer
1 Eigelb

Das gesiebte Mehl mit der Butter, dem Ei und dem Salz sowie dem Wasser verkneten. Den Mürbeteig zugedeckt 2 Stunden im Kühlschrank ruhen lassen. Die Brötchen in der Milch einweichen. Die Mandeln mit dem Ei, dem Eigelb, dem zerdrückten Ochsenmark und den Gewürzen mischen. Die Brötchen ausdrücken und mit so viel Milch zur Ochsenmarkmasse geben, daß eine weiche, aber nicht flüssige Füllung entsteht. Den Backofen auf 220° vorheizen. Den Teig 2 mm dick ausrollen und 8 Kreise von 12,5 cm und 8 Kreise von 8 cm ∅ ausstechen. Aus den kleineren Kreisen in der Mitte ein fingerhutgroßes Loch ausstechen. Mit den größeren Kreisen 8 Pastetenförmchen auslegen und die Füllung darin verteilen. Die kleinen Kreise am Rande mit verquirltem Eigelb bestreichen und auf die Törtchen legen. Die Oberfläche mit Eigelb bestreichen und mit dem ausgestochenen Teig verzieren. Die Pastetchen auf der zweiten Schiebeleiste von unten 20 Minuten backen; heiß servieren.

Käsetörtchen

250 g Mehl, 125 g Butter
1 kleines Ei, 1 Prise Salz
1–2 Eßl. Wasser ◇
600 g fein geriebener Emmentaler Käse
1/4 l Milch oder Sahne
3–4 Eier
je 1 gute Prise weißer Pfeffer und geriebene Muskatnuß

Das Mehl auf ein Backbrett sieben und mit der in Stückchen geschnittenen Butter, dem Ei, dem Salz und dem Wasser zu einem Mürbeteig verkneten. Den Teig in Alufolie oder Pergamentpapier gewickelt 2 Stunden im Kühlschrank ruhen lassen.
Den Backofen auf 200° vorheizen. Den Käse mit der Milch oder der Sahne, den Eiern und den Gewürzen verrühren. Den Teig auf einer bemehlten Fläche etwa 2 mm dick ausrollen, 16 Kreise von 12,5 cm ∅ ausstechen und 16 Pastetenförmchen damit auslegen. Die Ränder gut andrücken. Die Käsemasse bis zum Rand in die Förmchen füllen und glattstreichen. Die Törtchen auf der mittleren Schiebeleiste 25–30 Minuten backen. Am besten heiß servieren.

Unser Tip

Nehmen Sie für die Füllung zur Abwechslung einmal eine Mischung aus 300 g geriebenem Käse und 300 g sehr klein gewürfeltem Kochschinken.

Schinkentaschen

300 g tiefgefrorener Blätterteig (Iglo) ◇
10 Scheiben roher Schinken
1 Eigelb

Die Blätterteigscheiben nebeneinanderlegen und bei Raumtemperatur etwa 30 Minuten auftauen lassen.
Die Teigscheiben auf einer bemehlten Fläche zu 10 × 20 cm großen Rechtecken ausrollen. Von der langen Seite jeweils einen Streifen von $^1/_2$ cm abschneiden. Die Platten in je 2 Quadrate teilen. Auf jedes Quadrat eine aufgerollte Schinkenscheibe legen. Das Eigelb verquirlen und die Teigränder damit bestreichen. Die Quadrate zusammenklappen und die Ränder gut zusammendrücken. Die Oberflächen der Taschen ebenfalls mit Eigelb bestreichen. Die schmalen Teigstreifen mit Eigelb bestreichen und kreuzweise über die Taschen legen. Den Backofen auf 210–220 ° vorheizen.
Ein Backblech kalt abspülen, die Blätterteigtaschen darauflegen und 15 Minuten ruhen lassen. Dann auf der zweiten Schiebeleiste von unten 10–15 Minuten backen. Die Taschen möglichst heiß servieren.

> **Unser Tip**
> Statt den Schinken zu rollen, können Sie ihn für die Füllung auch klein würfeln.

Wildpastetchen

300 g Blätterteig, tiefgefroren oder selbstbereitet ◇
500 g mageres Rehfleisch
100 g Butter, 250 g frische Champignons
Saft von 2 Orangen
$^1/_4$ Teel. getrockneter Majoran
$^1/_4$ Teel. Pfeffer, $^1/_2$ Teel. Salz
3 Schnapsgläser Cognac (6 cl)
5 Eßl. Schlagsahne
1 Bund gehackte Petersilie
1 Eßl. Milch, 2 Eigelbe

Tiefgefrorenen Blätterteig 30–60 Minuten auftauen lassen.
Das Rehfleisch durch den Fleischwolf drehen und unter Rühren in der Butter anbraten. Die Champignons waschen, kleinschneiden und mit dem Orangensaft, dem Majoran, dem Pfeffer und dem Salz zum Fleisch geben. Alles so lange kochen lassen, bis die Flüssigkeit fast eingekocht ist. Den Cognac darübergießen, anzünden und abbrennen lassen. Die Füllung abkühlen lassen. Dann die Schlagsahne und die Petersilie unterheben.
Den Blätterteig ausrollen und in gleich große Vierecke zerschneiden. Auf jedes Viereck 1–2 Eßlöffel der Füllung geben, die Teigstücke zusammenklappen und die Ränder zusammendrücken. Die Milch mit den Eigelben verquirlen, die Teigtaschen damit bestreichen, auf ein kalt abgespültes Backblech legen und 15 Minuten ruhen lassen. Den Backofen auf 200 ° vorheizen und die Pastetchen 25–30 Minuten backen. Heiß servieren.

Herzhaftes vom Blech

Schwäbischer Speckkuchen

500 g Mehl, 30 g Hefe
1/4 l lauwarme Milch
1 Prise Zucker
60 g Butter, 1 Ei
1/2 Teel. Salz ◊
500 g durchwachsener Speck
2 Eßl. Kümmel
2 Eßl. grobes Salz
Für das Backblech oder die Formen: Butter oder Margarine

Ein Backblech oder zwei Obstkuchenformen leicht ausfetten. Das Mehl in eine Schüssel sieben, in die Mitte eine Vertiefung drücken und die zerbröckelte Hefe mit der Milch, dem Zucker und wenig Mehl verrühren. Den Vorteig 15 Minuten gehen lassen.
Die Butter zerlassen, mit dem Ei und dem Salz verrühren, zum Vorteig geben und mit dem gesamten Mehl so lange schlagen, bis der Teig Blasen wirft. Den Teig 15 Minuten gehen lassen.
Den Speck erst in dünne Scheiben und dann in Quadrate schneiden. Den Hefeteig auf einer bemehlten Fläche ausrollen, die Kuchenformen oder das Backblech damit belegen und die Speckquadrate dicht nebeneinander darauf verteilen. Den Kümmel und das Salz darüberstreuen und den Kuchen 15 Minuten gehen lassen. Den Backofen auf 220° vorheizen.
Den Kuchen auf der zweiten Schiebeleiste von unten 15–20 Minuten backen und heiß servieren.

Badischer Zwiebelkuchen

300 g Mehl, 20 g Hefe
1/8 l lauwarme Milch
80 g Butter
1 Teel. Salz ◊
1 1/2 kg Zwiebeln
100 g durchwachsener Speck
knapp 1/4 l saure Sahne, 4 Eier
1 Prise Salz, 1 Eßl. Kümmel
Für das Backblech: Margarine

Ein Backblech mit Margarine bestreichen. Das Mehl in eine Schüssel sieben, in die Mitte eine Vertiefung drücken, die Hefe hineinbröckeln und mit der Milch und wenig Mehl verrühren. Den Vorteig zugedeckt 15 Minuten gehen lassen.
Die Butter zerlassen, mit dem Salz zum Vorteig geben und alles mit dem gesamten Mehl so lange schlagen, bis der Teig Blasen wirft. Den Hefeteig nochmals 15 Minuten gehen lassen. Den Backofen auf 200° vorheizen. Die Zwiebeln in Scheiben schneiden oder hobeln. Den Speck würfeln und in einer Pfanne ausbraten, die Zwiebelringe zugeben und glasig werden lassen. Den Teig auf einer bemehlten Fläche ausrollen und das Backblech damit belegen. Die Sahne mit den Eiern, dem Salz und dem Kümmel verquirlen, Zwiebelscheiben und Speckwürfel daruntermischen und die Masse auf der Teigplatte verteilen.
Den Kuchen weitere 15 Minuten gehen lassen, dann auf der mittleren Schiebeleiste 45 Minuten backen.
Nach Möglichkeit heiß servieren.

Illustrierte Quadrate

300 g tiefgefrorener Blätterteig (Iglo) ◇
1 kleine Zwiebel
1 Knoblauchzehe, 1 Eßl. Öl
400 g geschälte Tomaten aus der Dose
1 Teel. Salz
1/2 Teel. schwarzer Pfeffer
1 Eßl. gehackte Kräuter ◇
Zum Illustrieren nach Belieben: Salamischeiben, paprikagefüllte Oliven, Kapern und gehackte Kräuter oder ◇
Muscheln, Paprika, gefüllte Oliven, Champignons, Zwiebelringe und grober schwarzer Pfeffer oder ◇
Streifen von roter Paprikaschote, schwarze Oliven, Silberzwiebeln und Sardellenfilets ◇
Zum Bestreuen: 200 g grobgeriebener Emmentaler Käse

Die Blätterteigscheiben nebeneinanderlegen und 30 Minuten auftauen lassen.
Die Zwiebel und die Knoblauchzehe fein hacken und im Öl glasig braten. Die Tomaten etwas zerkleinern, das Salz, und den Pfeffer untermischen, alles zugedeckt 15 Minuten leicht kochen lassen und zuletzt die Kräuter unterrühren.
Die Blätterteigscheiben auf 10 × 20 cm ausrollen und in je 2 Quadrate schneiden. Ein Backblech kalt abspülen, die Quadrate darauflegen, mit der Tomatenmasse bestreichen und nach Belieben mit den angegebenen Zutaten belegen.
Jedes Quadrat reichlich mit Käse bestreuen und 15 Minuten ruhen lassen. Den Backofen auf 220° vorheizen und die Quadrate 15–18 Minuten backen. Am besten ofenfrisch servieren.

Seemanns-Pizza

300 g Blätterteig, tiefgefroren oder selbstbereitet ◇
1 Zwiebel, 1 kleines Glas Sardellen
1 kleine Dose Tomatenmark
2 Eßl. Öl
100 g kernlose grüne Oliven
750 g Tomaten
1 kleine Dose Thunfisch
1 Röhrchen Kapern
100 g Krabben
je 1 Prise Knoblauchpulver und getrockneter Oregano

Tiefgefrorenen Blätterteig 30–60 Minuten auftauen lassen. Die Zwiebel in Ringe schneiden. Die Sardellen wässern. Den Backofen auf 200° vorheizen.
Den aufgetauten Blätterteig auf einer bemehlten Fläche ausrollen und eine Springform mit 26 cm Ø so damit auslegen, daß ein etwa 2 cm hoher Rand entsteht.
Das Tomatenmark mit 1 Eßlöffel Öl verrühren. Mit dem restlichen Öl den Teig bestreichen. Die Oliven in Scheiben schneiden. Die Tomaten enthäuten und in Scheiben schneiden. Den Teigboden mit dem Tomatenmark bestreichen und mit den Tomaten- und Olivenscheiben belegen. Den Thunfisch zerpflücken und mit den Zwiebelringen, den abgetropften Sardellen, den Kapern und den Krabben auf den Tomatenscheiben verteilen. Die Pizza mit Knoblauchpulver und Oregano würzen und auf der zweiten Schiebeleiste von unten 20 Minuten backen. Heiß servieren.

Unser Tip

An mancher italienischer Küste wird die Seemanns-Pizza mit folgendem Belag gebakken: 250 g in Stücke geteilten Räucherfisch, 400 g abgezogene, gewürfelte Tomaten, 100 g durchwachsenen, gewürfelten Speck, 100 g gewürfelten Hartkäse und 1 gewürfelte Zwiebel auf der Pizza verteilen, 1 Ei mit 2 Eßlöffeln Olivenöl, ½ Teelöffel Salz, 1 Messerspitze Knoblauchpulver und 1 Teelöffel edelsüßem Paprikapulver verquirlen, über den Belag gießen.

Pizza-Varianten

Sizilianische Sfincione

500 g Mehl, 30 g Hefe
1/4 l lauwarme Milch
1 Ei, 1/2 Teel. Salz ◇
1 kg Tomaten
1/2 Tasse Olivenöl
3 Knoblauchzehen
2 Zwiebeln
1 Teel. Salz
1/2 Tasse schwarze Oliven
1 Eßl. Oregano
200 g Caciocavallo
Für das Backblech: Olivenöl

Ein Backblech mit Olivenöl bestreichen. Das Mehl in eine Schüssel sieben, in die Mitte eine Vertiefung drücken, die Hefe hineinbröckeln und mit der Milch verrühren. Das Ei und das Salz auf den Mehlrand geben und einen lockeren Hefeteig schlagen. Den Teig etwa 25 Minuten gehen lassen.
Die Tomaten schälen, in Stükke schneiden und in eine Schüssel geben. Die Knoblauchzehen schälen, fein hakken und mit dem Salz, dem Olivenöl und den Tomaten mischen. Je länger die Tomaten zugedeckt im Olivenöl liegen, desto würziger wird der Belag. Den Backofen auf 220 ° vorheizen. Aus dem Hefeteig mit den Händen eine runde Teigplatte ziehen und diese auf das Backblech legen. Die Teigplatte mit der Tomatenmischung belegen. Die Oliven entsteinen, halbieren und den Oregano darüberstreuen. Den Käse über den Belag bröckeln und die Sfincione auf der zweiten Schiebeleiste von unten etwa 15 Minuten backen. Die Sfincione sofort, wenn sie aus dem Ofen kommt, mit Olivenöl beträufeln.

Sfincione vom Blech

Der Hefeteig wird in Größe eines Backbleches ausgerollt. Den Teig mit einer Gabel mehrmals einstechen, damit er beim Backen keine Blasen wirft. Den Tomatenbelag wie im nebenstehenden Rezept zubereiten und auf dem Teig verteilen. Nach Möglichkeit frische, grob zerkleinerte Pfefferminzblättchen und einen halben Eßlöffel Basilikum über den Belag streuen. Die doppelte Menge schwarzer Oliven verwenden und 250 g vom Schafskäse darüberstreuen. Die Sfincione bei 220 ° 20–25 Minuten backen.
Obgleich die Sfincione unbestreitbar an die Pizza der Neapolitaner erinnert, wäre es doch unverzeihlich, diese sizilianische Spezialität eine »Pizza« zu nennen. Die Sfincione wird aus den Produkten des Landes hergestellt, und die Sizilianer behaupten, daß sie schon gebacken wurde, ehe man in Italien auch nur daran dachte, eine Pizza zu bereiten. Die Sfincione ist das typische sizilianische Gebäck der Bauern und Landarbeiter, niemals werden Sie sie aber in einer Pizzeria angeboten bekommen. Natürlich gibt es einige Varianten für den Belag und für das Würzen. Die Grundzutaten bleiben aber immer die gleichen. Einmal wird Sfincione nur mit Oregano gewürzt, ein anderes Mal auch mit Basilikum, manchmal wird sie in kleinen runden Fladen gebakken, dann wieder als Blechkuchen.

Sardellenpizza

200 g Mehl, 10 g Hefe
1/2 Teel. Zucker
1/2 Tasse lauwarme Milch
6 Eßl. Olivenöl
1/2 Teel. Salz ◇
8 fleischige Tomaten
100 g Schnittkäse in Scheiben
10 Sardellenfilets in Öl aus der Dose
1 1/2 Teel. getrockneter Oregano
Für das Backblech: Olivenöl

Ein Backblech mit Öl bestreichen.
Das Mehl in eine Schüssel sieben und eine Vertiefung hineindrücken. Die zerbröckelte Hefe mit dem Zucker, der Milch und wenig Mehl darin verrühren. Den Vorteig 15 Minuten gehen lassen.
Den Vorteig mit dem gesamten Mehl, 3 Eßlöffeln Olivenöl und dem Salz verkneten. Zwei gleich große runde Teigplatten ausrollen und auf das Backblech legen. Den Backofen auf 180° vorheizen.
Die Tomaten enthäuten, halbieren und auf die Pizzen legen. Die Käsescheiben in Quadrate schneiden und mit den Sardellenfilets in den Zwischenräumen verteilen. Den Oregano aufstreuen, das restliche Öl darüberträufeln und die Pizzen noch einmal 15 Minuten gehen lassen. Dann auf der zweiten Schiebeleiste von unten 40 Minuten backen. Heiß servieren.

Champignonpizza

200 g Mehl, 10 g Hefe
1/2 Teel. Zucker
1/2 Tasse lauwarme Milch
3 Eßl. Olivenöl
1/2 Teel. Salz ◇
8 fleischige Tomaten
60 g Schnittkäse in Scheiben
1 Tasse Champignons aus der Dose
4 Eßl. gehackte Petersilie
Für das Backblech: Olivenöl

Ein Backblech mit Öl bestreichen.
Das Mehl in eine Schüssel sieben und eine Vertiefung hineindrücken. Die zerbröckelte Hefe mit dem Zucker, der Milch und etwas Mehl darin verrühren und den Vorteig zugedeckt 15 Minuten gehen lassen.
Den Vorteig mit 3 Eßlöffeln Olivenöl, dem Salz und dem gesamten Mehl verkneten. Zwei gleich große runde Teigplatten ausrollen und auf das Backblech legen. Den Backofen auf 180° vorheizen.
Die Tomaten enthäuten und in Scheiben schneiden. Die Pizzen mit den Tomaten belegen, die in Scheiben geschnittenen Champignons dazwischen verteilen und die Käsescheiben darüberlegen. Die Petersilie aufstreuen, das restliche Öl darüberträufeln und die Pizzen weitere 15 Minuten gehen lassen. Dann auf der zweiten Schiebeleiste von unten 40 Minuten backen. Heiß servieren.

Pizza-Varianten

Scharfe Salamipizza

200 g Mehl, 10 g Hefe
1/2 Teel. Zucker
1/2 Tasse lauwarme Milch
6 Eßl. Olivenöl
1/2 Teel. Salz ◇
6 fleischige Tomaten
6 kleine Pfefferschoten (Peperoni aus dem Glas)
60 g Schnittkäse in Scheiben
10 dünne Scheiben Mailänder Salami
Für das Backblech: Olivenöl

Ein Backblech mit Öl bestreichen.
Das Mehl in eine Schüssel sieben und eine Vertiefung hineindrücken. Die zerbröckelte Hefe mit dem Zucker, der Milch und etwas Mehl darin verrühren. Den Vorteig 15 Minuten gehen lassen.
Den Vorteig mit dem Mehl, 3 Eßlöffeln Olivenöl und dem Salz verkneten. Zwei runde Teigplatten ausrollen und auf das Backblech legen. Den Backofen auf 180 ° vorheizen.
Die Tomaten enthäuten und halbieren und mit der Schnittfläche nach oben auf die Teigböden legen. Von den Pfefferschoten die Stiele abschneiden und die Schoten der Länge nach halbieren und entkernen. Den Käse in 1 cm breite Streifen schneiden. Pfefferschoten, Käsestreifen und Salamischeiben zwischen den Tomaten verteilen. Das restliche Öl darüberträufeln und die Pizzen weitere 15 Minuten gehen lassen. Dann auf der zweiten Schiebeleiste von unten 40 Minuten backen. Heiß servieren.

Pizza pugliese

200 g Mehl, 10 g Hefe, 1/2 Teel. Zucker
1/2 Tasse lauwarme Milch
6 Eßl. Olivenöl
1/2 Teel. Salz ◇
4 fleischige Tomaten
1 Teel. Selleriesalz
1/2 Teel. schwarzer Pfeffer
2 Teel. getrockneter Oregano
150 g Mozzarellakäse oder körniger Frischkäse
2 Zwiebeln
10 Sardellenfilets
1 Röhrchen kleine Kapern
Für das Backblech: Olivenöl

Ein Backblech mit Öl bestreichen.
Das Mehl in eine Schüssel sieben und eine Vertiefung hineindrücken. Die zerbröckelte Hefe mit dem Zucker, der Milch und etwas Mehl darin verrühren. Den Vorteig 15 Minuten gehen lassen.
Den Vorteig mit dem gesamten Mehl, 3 Eßlöffeln Olivenöl und dem Salz verkneten. Zwei runde Teigplatten ausrollen und auf das Backblech legen. Den Backofen auf 180 ° vorheizen.
Die Tomaten enthäuten, in dicke Scheiben schneiden und auf den Teigböden verteilen. Mit Selleriesalz, Pfeffer und Oregano würzen. Die Zwischenräume mit dem Käse füllen. Die Zwiebeln fein würfeln und mit den ganzen Sardellen und den Kapern über die Pizzen verteilen. Das restliche Öl darüberträufeln und die Pizzen weitere 15 Minuten gehen lassen. Dann auf der zweiten Schiebeleiste von unten 40 Minuten backen. Heiß servieren.

Champignon-Käsetorte

250 g Mehl
125 g Butter oder Margarine
1/4 Teel. Salz
1 Eßl. Wasser, 1 Eigelb ◇
150 g gekochter Schinken
1 Stange Lauch (Porree)
400 g frische Champignons
125 g Camembert
10 Oliven, 2 Eßl. Öl ◇
20 g Butter, 20 g Mehl
3/8 l Milch
2 Eßl. gemischte, kleingehackte Kräuter
je 1/4 Teel. Pfeffer und Salz
2 Eigelbe

Das gesiebte Mehl mit der Butter oder Margarine, dem Salz, dem Wasser und dem Eigelb verkneten. Den Teig zugedeckt 1 Stunde im Kühlschrank ruhen lassen. Den Schinken, den Lauch, die Champignons und den Camembert in Würfel, die Oliven in Scheibchen schneiden. Das Öl erhitzen und die Schinkenwürfel darin braun braten. Lauch- und Pilzwürfel zugeben und alles 10 Minuten weiterbraten. Die Butter zerlassen, das Mehl darin hell anschwitzen, die Milch aufgießen und aufkochen lassen. Die Kräuter, den Pfeffer, das Salz, die verquirlten Eigelbe und die Camembertwürfel in die Sauce rühren. Den Backofen auf 220° vorheizen.
Den Teig ausrollen und Boden und Rand einer Springform damit auslegen. Die Füllung auf dem Boden verteilen, die Sauce darübergießen und die Olivenscheibchen daraufstreuen. Die Torte auf der zweiten Schiebeleiste von unten 25 Minuten backen. Heiß servieren.

Rustikale Lauchtorte

200 g Mehl
1 Prise Salz, 1 Ei
100 g Butter oder Margarine ◇
500 g Lauch (Porree)
200 g durchwachsener Speck
1 Eßl. Öl, je 1 Prise Salz, schwarzer Pfeffer und Currypulver
300 g Schinkenwurst in Scheiben ◇
2 Eier, 1/4 l saure Sahne
je 1 Prise Salz und schwarzer Pfeffer

Das gesiebte Mehl mit dem Salz, dem Ei und der Butter oder Margarine verkneten und den Teig zugedeckt 1 Stunde im Kühlschrank ruhen lassen.
Den Lauch halbieren, waschen und in Scheiben schneiden.
Den Speck würfeln und im Öl goldgelb braten. Die Lauchscheiben zugeben, mit Salz, Pfeffer und Currypulver würzen und alles 10 Minuten schmoren lassen. Den Backofen auf 200° vorheizen.
Den Teig ausrollen und Boden und Rand einer Springform damit auslegen. Den Teigboden mehrmals einstechen. Die Wurst enthäuten und auf dem Teigboden verteilen. Die Lauchfüllung daraufstreichen. Die Eier mit der sauren Sahne, dem Salz und dem Pfeffer verquirlen und über die Füllung gießen. Die Torte auf der zweiten Schiebeleiste von unten 45 Minuten backen. In der Form heiß servieren.

Pikante Käsetorte

300g tiefgefrorener Blätterteig ◇
150 g gekochter Schinken
500 g Rahm-Frischkäse
je 1 Eßl. Tomaten- und Paprikamark
je 1 Prise Salz, weißer Pfeffer und Zucker
einige Tropfen Worcestersauce
1 kleine Knoblauchzehe
4 Eßl. gemischte, gehackte Kräuter
12 Piri-Piri (kleine eingelegte Paprikaschoten)
12 große Kapern

Den Blätterteig etwa 30–60 Minuten auftauen lassen. Die Teigblätter locker zusammendrücken und zwei Platten von 20 cm ∅ ausrollen. Ein Backblech kalt abspülen, die Teigscheiben darauflegen und 15 Minuten ruhen lassen. Den Backofen auf 220 ° vorheizen. Die Teigscheiben auf der mittleren Schiebeleiste 15 Minuten backen. Den Schinken fein hacken und mit 250 g Rahm-Frischkäse, dem Tomaten- und dem Paprikamark verrühren und mit Salz, Pfeffer, Zucker und Worcestersauce abschmecken. Die Knoblauchzehe fein hacken und mit 150 g Rahm-Frischkäse, den Kräutern und etwas Salz und Pfeffer mischen. Den restlichen Rahm-Frischkäse verrühren und würzen. Einen Blätterteigboden mit der Tomaten-Schinken-Creme bestreichen, den zweiten Boden daraufsetzen und mit der Kräutercreme bestreichen. Die Oberfläche mit Tupfen von Rahm-Frischkäse bespritzen und mit Piri-Piri und Kapern verzieren.

Herrentorte Adria

100 g tiefgefrorene Langustinos ◇
150 g tiefgefrorener Blätterteig ◇
240 g Artischockenherzen aus dem Glas
20 rotgefüllte Oliven
$^1/_2$ Tasse Tomatenpaprika aus dem Glas ◇
1 Eßl. Weinessig
1 Päckchen klarer Tortenguß
2 Eßl. geriebener Pumpernickel
Mayonnaise aus der Tube
2 hartgekochte Eier
2 Eßl. Garnier-Kaviar

Die Langustinos zugedeckt 2–3 Stunden auftauen lassen. Den Blätterteig 30 Minuten auftauen lassen. Ein Backblech kalt abspülen. Den Backofen auf 250 ° vorheizen. Den Blätterteig zu einem runden Boden von 28 cm ∅ ausrollen und auf dem Backblech 15 Minuten ruhen lassen. Dann auf der mittleren Schiebeleiste 10–15 Minuten backen. Den Boden abkühlen lassen und den Ring einer Springform daraufstellen. Die Artischockenherzen vierteln. Die Oliven in Scheibchen schneiden. Den Tomatenpaprika in Streifen schneiden. Den vorbereiteten Belag mit den Langustinos auf der Torte verteilen. Den Essig mit Wasser zu $^1/_4$ l auffüllen. Den Tortenguß damit bereiten und die Torte überziehen. Den Guß erstarren lassen. Die Springform entfernen und den Tortenrand mit Pumpernickel bestreuen. Die Torte mit Mayonnaisetupfen, Eiachteln und Kaviar verzieren.

Kleine Schoko-Igel

100 g Butter, 60 g Zucker
1 Prise Salz, 160 g Mehl ◇
1 Päckchen Vanille-Puddingpulver
1/2 l Milch, 2 Eigelbe
150 g Zucker, 250 g Butter
40 g Kakaopulver ◇
1 Biskuitboden (fertig gekauft oder selbstgebacken)
50 g Zucker, 1/2 Tasse Wasser ◇
100 g Mandelstifte
300 g Schokoladen-Fettglasur

Aus der Butter, dem Zucker, dem Salz und dem gesiebten Mehl einen Mürbeteig kneten. Den Teig in Alufolie oder Pergamentpapier gewickelt 2 Stunden im Kühlschrank ruhen lassen.
Aus Karton eine Schablone von 8–9 cm Länge in Form eines zugespitzten Ovals schneiden. Den Backofen auf 200° vorheizen.
Den Teig 1/2 cm dick ausrollen und mit Hilfe der Schablone igelförmige Plätzchen aus dem Teig schneiden. Die Plätzchen auf der mittleren Schiebeleiste 8–10 Minuten backen. Auf einem Kuchengitter erkalten lassen.
Das Puddingpulver mit 3 Eßlöffeln Milch anrühren und mit den Eigelben verquirlen. Die restliche Milch mit dem Zukker zum Kochen bringen, das Puddingpulver hineinrühren und einige Male aufkochen lassen. Den Pudding unter wiederholtem Umrühren abkühlen lassen.
Die Butter schaumig rühren. Wenn Pudding und Butter dieselbe Temperatur haben, den Pudding löffelweise unter die Butter rühren. 3 Eßlöffel Buttercreme zum Garnieren zurückbehalten, die restliche Creme mit dem Kakaopulver verrühren.
Den Biskuitboden in Würfelchen schneiden und in eine Schüssel geben. Den Zucker mit dem Wasser aufkochen, die Biskuitwürfel damit übergießen und zugedeckt 30 Minuten ziehen lassen. Die Biskuitwürfel unter die Buttercreme mischen; die Würfel sollen dabei möglichst nicht zerfallen.
Die Creme igelförmig auf die Mürbeteigplätzchen streichen und die Igel mit den Mandelstiften spicken. Den Kopf freilassen. Die Igel eine Stunde im Kühlschrank festwerden lassen.
Die Schokoladen-Fettglasur im Wasserbad zerlassen. Die Igel auf Pergamentpapier setzen und mit der Glasur überziehen. Mit der zurückbehaltenen Buttercreme Nase und Augen aufspritzen.

Unser Tip

Wenn die Schoko-Igel nicht für Kinder, sondern für den Geburtstagskaffee Erwachsener bestimmt sind, kann man die Biskuitwürfel statt mit Zuckerwasser mit Rumwasser übergießen. Nehmen Sie auf 3 Eßlöffel Wasser 1 Schnapsglas Rum.

Marzipan-figürchen

1 kg Marzipan-Rohmasse
600 g Puderzucker
etwas rote und gelbe Speisefarbe
etwas Kakaopulver
einige geschälte Mandelhälften
1/2 Tasse Puderzucker
1 Eiweiß
etwas Schokoladen-Fettglasur

Die Marzipan-Rohmasse mit dem gesiebten Puderzucker verkneten; in vier gleich große Stücke teilen. Ein Viertel der Marzipanmasse weiß lassen, ein Viertel mit der roten Farbe rosa, das andere Viertel mit der gelben Farbe gelb färben. Den vierten Teil mit Kakaopulver verkneten. Die Marzipanteile bis zum Verarbeiten in Klarsichtfolie oder in Alufolie einwickeln, damit sie nicht austrocknen. Von den verschieden gefärbten Marzipanmassen Stücke von 75–150 g abschneiden. Nach Vorschlägen auf dem nebenstehenden Bild Tiere oder aber auch Figürchen nach Ihrer Phantasie aus dem Marzipan formen. Den Schweinchen Füße und Ohren aus Mandelhälften anstecken. Die einzelnen Teile der Figürchen mit Holzspießchen zusammenstecken. Den Puderzucker sieben und mit dem Eiweiß verrühren. Die Schokoladen-Fettglasur im Wasserbad schmelzen lassen. Beide Glasuren in kleine Spritztüten aus Pergamentpapier füllen und die Gesichter der Figürchen damit gestalten.

Unser Tip

Wenn Sie nur eine Torte mit Marzipanfigürchen verzieren möchten, so können Sie das angegebene Rezept auch vierteln oder halbieren. – Als Vorbild für das Formen von Figuren können Sie auch einfache kunstgewerbliche Plastiken verwenden.

Kein Festtag ohne Kuchen

Jochens Traumauto

2 Pakete Backmischung für Zitronenkuchen (Kraft)
200 g Butter oder Margarine
4 Eier, 150 ccm kaltes Wasser ◇
1/2 Glas rote Marmelade
1–2 Eßl. warmes Wasser
1 Teel. Kakaopulver
bunte Zuckerperlen
Für das Backblech: 2 Bogen Backpapier

Zwei Backbleche mit dem Backpapier auslegen. Den Backofen auf 175° vorheizen. Den Teig nach Anleitung auf dem Paket mit der Butter oder der Margarine, den Eiern und dem kalten Wasser zubereiten. Den Teig halbieren, jede Hälfte auf ein Backblech streichen, auf der mittleren Schiebeleiste 25–35 Minuten backen, sofort auf ein Kuchengitter stürzen, das Backpapier abziehen und die Teigplatten erkalten lassen. Aus Pappe die Schablone eines Autos in Größe einer Teigplatte ausschneiden. Aus den Kuchenplatten 2 Autos schneiden. In eines der Autos Fenster schneiden. Die Autos mit der Marmelade bestreichen und zusammensetzen. Aus dem restlichen Teig Räder schneiden und mit Marmelade auf das Auto kleben. Die Zitronenglasur mit dem warmen Wasser anrühren, 2 Eßlöffel zurückbehalten, mit dem Rest das Auto überziehen. Die 2 Eßlöffel Glasur mit dem Kakao verrühren, in ein Pergamenttütchen füllen und das Auto nach Vorschlägen auf dem Bild verzieren. In die noch weiche Glasur die Zukkerperlen drücken.

Kindergeburtstags-Torte

1 Paket Backmischung für Schokoladentorte (Kraft)
100 g Butter oder Margarine
3 Eier
100 ccm Wasser ◇
30 g Butter
4–5 Eßl. kochendes Wasser
einige Marshmallows (Kraft)
bunte Zuckerperlen, Holzspießchen
Für die Form: Butter oder Margarine und Semmelbrösel

Eine Springform von 26 cm ∅ ausfetten und mit Semmelbröseln ausstreuen. Den Backofen auf 175° vorheizen. Den Schokoladenteig nach Anleitung auf dem Paket mit der Margarine, den Eiern und dem Wasser rühren. Den Teig in die Springform füllen, glattstreichen und auf der zweiten Schiebeleiste von unten 45–55 Minuten backen. Den Kuchen auskühlen lassen, nach 2 Stunden einmal quer durchschneiden. Die Crememischung aus dem Paket nach Anleitung mit der Butter und dem kochenden Wasser zubereiten. Ein Drittel der Creme auf einen Tortenboden streichen und den zweiten Boden darauflegen. Den Rand und die Oberfläche der Torte mit der restlichen Creme bestreichen und mit einem breiten Messer kreisförmig über die Oberfläche ziehen. Die Torte 1 Stunde kühl stellen. Aus den Marshmallows Figuren nach Vorbild auf dem obenstehenden Foto formen und mit Holzspießchen zusammenstecken. Die Torte vor dem Servieren mit den Figuren verzieren.

Muttertags-Blumentorte

1 Paket Backmischung für Orangenkuchen (Kraft)
100 g Butter oder Margarine
2 Eier
75 ccm kaltes Wasser ◇
1–2 Eßl. warmes Wasser
etwas Schokoladen-Fettglasur
1 Eßl. gehackte Pistazien
12 Zuckerblumen (fertig gekauft)
Für die Form: Butter oder Margarine

Eine Springform von 26 cm ∅ mit Butter oder Margarine ausstreichen. Den Backofen auf 175° vorheizen. Den Orangenkuchenteig nach Anleitung auf dem Paket mit der Butter oder Margarine, den Eiern und dem kalten Wasser anrühren. Den Teig in die Springform füllen, glattstreichen und auf der zweiten Schiebeleiste von unten etwa 50 Minuten backen.
Die Glasur aus dem Paket mit dem warmen Wasser glattrühren. Den Kuchen auf ein Kuchengitter stürzen und noch warm mit der Glasur bestreichen. Die Schokoladen-Fettglasur schmelzen lassen, in eine kleine Spritztüte aus Pergamentpapier füllen und damit Ringe um den Rand der Tortenoberfläche spritzen. Die Schokoladenringe mit den Pistazien bestreuen. Die Zuckerblumen mit etwas Schokoladen-Fettglasur in gleichmäßigen Abständen auf die Schokoladenringe kleben.

Reichverzierte Herzen

1 Paket Backmischung für Biskuit (Kraft)
3 Eier, 50 ccm Wasser ◇
1/2 Glas Himbeermarmelade
1 Paket Creme Mix Vanillegeschmack (Kraft)
1/8 l kalte Milch, 60 g Butter oder Margarine
etwas Kakaopulver
Zuckerblumen und Zuckerkäfer (fertig gekauft)
200 g Puderzucker
2–3 Eßl. Wasser
etwas rote Lebensmittelfarbe
kandierte Veilchen, Silberperlen
Für die Form: Butter

Eine Herzform von 21 cm mittlerer Länge ausfetten. Den Backofen auf 175° vorheizen. Den Teig nach Anleitung auf dem Paket mit den Eiern und dem Wasser zubereiten. Den Teig in 2 Portionen in der Herzform auf der zweiten Schiebeleiste von unten 30 Minuten backen. Die Herzen 1 Stunde ruhen lassen. Eines der Herzen wie eine Torte quer durchschneiden. Einen Boden mit der Marmelade bestreichen und den zweiten darauflegen. Die Vanillecreme mit der Milch und der Butter nach Vorschrift zubereiten und das gefüllte Herz damit überziehen. Die restliche Creme mit Kakaopulver dunkel färben, das Herz damit verzieren und mit Zuckerblumen und Zuckerkäfern belegen. Den Puderzucker mit dem Wasser und Lebensmittelfarbe verrühren, das zweite Herz damit überziehen und mit den Veilchen und den Silberperlen verzieren.

Kein Festtag ohne Kuchen

Gratulations-Mäuse

500 g Mehl, 40 g Hefe
1/8 l lauwarme Milch
80 g Zucker, 80 g Rosinen
100 g kandierte Früchte
2 Eigelbe, 1/2 Teel. Salz ◇
64 geschälte, halbierte Mandeln
64 Rosinen
1/2 Tasse Puderzucker
Zum Fritieren: 1 l Öl oder 1 kg Plattenfett

Das Mehl in eine Schüssel sieben und in die Mitte eine Vertiefung drücken. Die Hefe hineinbröckeln und mit der lauwarmen Milch, 1 Teelöffel Zucker und etwas Mehl zu einem Vorteig verrühren. Mit Mehl bestäubt 30 Minuten zugedeckt gehen lassen.
Die Rosinen überbrühen, in einem Sieb abtropfen lassen, dann auf ein Tuch schütten und gut trockenreiben. Die kandierten Früchte sehr fein hacken. Rosinen und kandierte Früchte auf das Mehl schütten. Die Eigelbe mit dem Salz verquirlen, ebenfalls auf das Mehl geben und alle Zutaten zu einem glatten Hefeteig verarbeiten. Den Teig dazu so lange schlagen, bis er Blasen wirft und sich vom Schüsselrand löst. Den Teig zugedeckt nochmals 20 Minuten gehen lassen.
Den Hefeteig zu einer langen Rolle formen und in 32 gleich große Stücke zerschneiden.
Mit bemehlten Händen aus jedem Teigstück eine kleine Maus formen (siehe Bild oben). Als Ohren zwei Mandelhälften in das Köpfchen stecken und als Augen zwei Rosinen hineindrücken. Die fertigen Mäuschen auf ein bemehltes Backbrett setzen und zugedeckt nochmals 15 Minuten gehen lassen.
Das Öl oder das Plattenfett in der Friteuse auf 175° erhitzen. Jeweils 6 Mäuschen ins heiße Fett gleiten lassen. Nach 2 Minuten Fritierzeit die Mäuschen mit dem Schaumlöffel umdrehen und weitere 2 Minuten backen, bis sie goldgelb sind. Die Mäuschen mit einem Schaumlöffel herausheben und auf Küchenkrepp abtropfen lassen.
Jedem Mäuschen aus einem Stückchen ausgefranster Schnur ein Schwänzchen ansetzen: Einen Knoten in die Schnur machen, einen Zahnstocher durchstecken und mit dessen Hilfe die Schnur in den Teig drücken. Die Mäuschen mit dem Puderzucker besieben und noch warm servieren.

Unser Tip:

Wenn Sie die Sache mit der Schnur für die Schwänze der Mäuse zu mühevoll finden, so stecken Sie einfach Holzspießchen ins hintere Ende. Die Spießchen sind ein ganz guter Ersatz für die Schwänzchen und zugleich eine Hilfe beim Verzehren der noch warmen Mäuschen.

Lachende Mohrenköpfe

4 Eigelbe, 30 g Zucker
abgeriebene Schale von 1/2 Zitrone
2 Eßl. Wasser, 6 Eiweiße
90 g Zucker, 50 g Mehl
60 g Speisestärke ◇
100 g Aprikosenmarmelade
100 g Schokoladen-Fettglasur
1/2 Tasse Puderzucker, 1 Eßl. Eiweiß
Für das Backblech: Pergamentpapier

Ein Backblech mit Pergamentpapier auslegen. Den Backofen auf 180° vorheizen. Die Eigelbe mit dem Zucker, der Zitronenschale und dem Wasser schaumig rühren. Die Eiweiße mit dem Zucker steif schlagen und unter die Eigelbmasse ziehen. Das Mehl mit der Speisestärke darübersieben und unterheben. Den Biskuitteig in einen Spritzbeutel mit großer Lochtülle füllen und auf das Pergamentpapier gleich große Halbkugeln spritzen. Die Kugeln auf der zweiten Schiebeleiste von unten 12–15 Minuten backen. Erkalten lassen, das Papier abziehen und je zwei Mohrenköpfe mit etwas Marmelade zusammensetzen. Die restliche Marmelade unter Rühren erhitzen und die Mohrenköpfe damit bestreichen. Die Schokoladenglasur schmelzen lassen und die Mohrenköpfe damit überziehen. Den Puderzucker mit dem Eiweiß verrühren, in eine kleine Spritztüte aus Pergamentpapier füllen und die Mohrenköpfe nach Vorschlägen auf obenstehendem Bild verzieren.

Süßes ABC

180 g Mehl, 1 Ei
90 g Zucker
1 Päckchen Vanillinzucker
60 g Butter ◇
200 g Puderzucker
einige Eßl. Zitronensaft
1 Beutel Gummibärchen

Das Mehl auf ein Backbrett sieben und mit dem Ei, dem Zucker, dem Vanillinzucker und der Butter in Flöckchen zu einem Mürbeteig verkneten. Den Teig in Alufolie gewickelt 2 Stunden im Kühlschrank ruhen lassen.
Den Backofen auf 200° vorheizen. Nacheinander vom Teig Stücke abschneiden und daraus etwa 1 cm dicke Würstchen rollen. Aus jedem Würstchen einen Buchstaben formen und etwas flachdrücken. Die Buchstaben auf der mittleren Schiebeleiste 10–15 Minuten backen.
Den gesiebten Puderzucker mit so viel Zitronensaft verrühren, daß eine dicke, aber streichfähige Glasur entsteht. Die noch warmen Buchstaben damit überziehen und auf die noch weiche Glasur die Gummibärchen drücken.

Unser Tip
Wenn Sie die Buchstaben für erwachsene Geburtstags»kinder« zubereiten, so verwenden Sie für die Verzierung Mokkabohnenkonfekt.

Nußeis-Waffelherzen

60 g Butter, 25 g Zucker
1 Eßl. Vanillinzucker
1 Prise Salz, 2 Eier
125 g Mehl, 1/2 Teel. Backpulver
1/2–1 Tasse Buttermilch ◇
1/8 l Sahne, 1 Eßl. Zucker
100 g Schokoladen-Fettglasur
1 Haushaltsbecher Nußeis (Langnese)
20 g gehackte Pistazien
Für das Waffeleisen: Butter oder Margarine

Die Butter mit dem Zucker, dem Vanillinzucker und dem Salz schaumig rühren. Nacheinander die Eier, dann das mit dem Backpulver gesiebte Mehl unterrühren. So viel Buttermilch zum Teig geben, daß er dünnflüssig wird.

Das Waffeleisen aufheizen und mit Fett bestreichen. Für jede Waffel 1 Eßlöffel Teig in das Waffeleisen geben und goldbraun backen. Die Waffeln in einzelne Herzen trennen und abkühlen lassen.
Die Sahne mit dem Zucker steif schlagen und in einen Spritzbeutel mit Sterntülle füllen. Die Schokoladenglasur im Wasserbad schmelzen lassen. Das Nußeis auf einen Teller stürzen, von oben nach unten vierteln und jedes Viertel in drei Scheiben schneiden. Jeweils ein Waffelherz mit einer Eisscheibe belegen und ein zweites Herz daraufsetzen. Die Herzen mit Sahnetupfen bespritzen und mit Schokoladenglasur sowie den gehackten Pistazien nach den Vorschlägen auf dem Bild oben garnieren.

Eisroulade Fürstenart

8 Eigelbe, 100 g Zucker
4 Eiweiße, 80 g Mehl
20 g Speisestärke ◇
400 g Orangenmarmelade
1/8 l Sahne, 1 Eßl. Zucker
2 Haushaltspackungen Fürst-Pückler-Eis (Langnese)
Für das Backblech: Pergamentpapier

Ein Backblech mit Pergamentpapier auslegen. Den Backofen auf 240° vorheizen.
Die Eigelbe mit der Hälfte des Zuckers schaumig rühren. Die Eiweiße steif schlagen, den restlichen Zucker langsam unterrühren und den Eischnee unter die Eigelbmasse heben. Das Mehl mit der Speisestärke darübersieben und unterziehen. Den Biskuitteig gleichmäßig auf das Pergamentpapier streichen und auf der mittleren Schiebeleiste 8 Minuten backen. Die Teigplatte noch heiß auf ein mit Zucker bestreutes Tuch stürzen und das Pergamentpapier abziehen. Die Marmelade durch ein Sieb streichen und gleichmäßig auf dem Teigblatt verteilen. Die Teigplatte mit Hilfe des Tuches locker aufrollen und erkalten lassen. Die Sahne mit dem Zucker steif schlagen und in einen Spritzbeutel mit Sterntülle füllen. Die erkaltete Roulade in gleich dünne Scheiben schneiden und zwischen je 2 Scheiben 1 Scheibe Fürst-Pückler-Eis geben. Die Rolle wieder zusammensetzen und mit Sahnerosetten garnieren.

Kein Festtag ohne Kuchen

Waldersee-Baisers

1/4 l Eiweiß (von etwa 8 Eiern)
200 g Zucker, 150 g Puderzucker
30 g Speisestärke
2 Eßl. Instant-Pulverkaffee ◇
200 g Sauerkirschen aus dem Glas (mit Saft)
50 g Zucker
1/2 Teel. gemahlener Zimt
2 Teel. Speisestärke
3/8 l Sahne, 1 Eßl. Zucker
Für das Backblech: Pergamentpapier

Zwei Backbleche mit Pergamentpapier auslegen. Den Backofen auf 100° vorheizen. Die Eiweiße steif schlagen und unter ständigem Rühren den Zucker einrieseln lassen. Den Puderzucker mit der Speisestärke über den Eischnee sieben und unterheben. Den Pulverkaffee in wenig warmen Wasser auflösen, abkühlen lassen und unter den Eischnee heben. Die Baisermasse in einen Spritzbeutel mit Sterntülle füllen und 24 Rosetten auf die Backbleche spritzen. Die Baisers über Nacht im Backofen trocknen lassen, dabei die Tür einen Spalt offenhalten. Die Baisers vom Blech nehmen und das Pergamentpapier abziehen. Den Sauerkirschensaft mit Zukker und Zimt aufkochen und mit der angerührten Speisestärke binden, die Sauerkirschen zugeben und einmal aufkochen. Abkühlen lassen. Die Sahne mit dem Zucker steif schlagen. Die Hälfte der Baisers auf der flachen Seite mit einem Sahnering bespritzen, mit Kirschen belegen und ein zweites Baiser daraufsetzen.

Bananen-Meringen

1/4 l Eiweiß (von etwa 8 Eiern)
200 g Zucker, 150 g Puderzucker
30 g Speisestärke ◇,
1/2 l Sahne
3 Eßl. Zucker
2 Eßl. Kakaopulver
100 g Schokoladen-Fettglasur
6 Bananen
50 g Krokantstreusel
Für das Backblech: Pergamentpapier

Ein Backblech mit Pergamentpapier auslegen. Den Backofen auf 100° vorheizen.
Die Eiweiße steif schlagen und unter ständigem Rühren den Zucker einrieseln lassen. Den Puderzucker mit der Speisestärke darübersieben und unterheben. Die Baisermasse in einen Spritzbeutel mit Lochtülle füllen und auf das Backblech 12 Bögen in Bananenform spritzen. Die Baisers über Nacht im Backofen auf der mittleren Schiebeleiste trocknen lassen. Die Backofentür mit einem Kochlöffel einen Spalt offenhalten.
Die Baisers vom Blech nehmen und das Pergamentpapier abziehen. Abkühlen lassen.
Die Sahne mit dem Zucker steif schlagen und das gesiebte Kakaopulver unterrühren. Die Kakaosahne mit einem Spritzbeutel mit Sterntülle auf die Baisers spritzen. Die Schokoladenglasur im Wasserbad zerlassen. Die Bananen schälen, längs halbieren, auf die Sahne legen und mit der Schokoladenglasur überziehen. Die Krokantstreusel aufstreuen, solange die Schokoladenglasur noch weich ist.

Die Torte zur Hochzeit

Wedding Cake Englische Hochzeitstorte

250 g Butter
250 g Farinzucker
5 Eier
Saft und abgeriebene Schale von 1 Zitrone
1 Schnapsglas Rum (2 cl)
250 g Mehl
½ Teel. gemahlener Zimt
1 Messerspitze geriebene Muskatnuß
150 g rote Belegkirschen, grob gehackt
je 400 g Korinthen und Rosinen
je 100 g feingehacktes Zitronat und Orangeat
50 g gehackte Mandeln ◇
500 g Puderzucker
2–3 Eiweiße
1 Teel. Zitronensaft
buntes Zuckerwerk zum Verzieren
Für die Form: Butter oder Margarine

Eine Springform von 24 cm ∅ mit Butter oder Margarine ausfetten. Den Backofen auf 180° vorheizen.
Die Butter mit dem Farinzukker schaumig rühren. Nacheinander die Eier, den Zitronensaft, die Zitronenschale und den Rum zugeben und alles gut verrühren. Zwischendurch 1–2 Eßlöffel Mehl unter die Masse rühren, damit sie nicht gerinnt. Das restliche Mehl sieben und mit dem Zimt, der Muskatnuß, den Belegkirschen, den Korinthen, den Rosinen, dem Zitronat, dem Orangeat und den Mandeln mischen und unter die Eier-Butter-Masse ziehen. Den Teig in die Springform füllen, glattstreichen und auf der unteren Schiebeleiste 2 Stunden backen. Unbedingt die Stäbchenprobe (siehe Seite 298) machen, ehe der Kuchen aus dem Backofen genommen wird. Wenn nötig, den Kuchen etwas länger backen. Auf einem Kuchengitter abkühlen lassen.
Den Puderzucker sieben und mit so viel Eiweiß und Zitronensaft verrühren, daß eine feste Glasur entsteht; den Kuchen auf der Oberfläche und am Rand damit bestreichen. Die restliche Glasur in einen kleinen Spritzbeutel mit kleiner Sterntülle und in eine kleine Spritztüte aus Pergamentpapier füllen. Den Kuchen nach Vorschlägen auf obenstehendem Bild mit der Glasur und dem bunten Zuckerwerk verzieren.

Unser Tip

Am besten schmeckt der Wedding Cake, wenn Sie ihn mindestens 14 Tage vor dem Fest bakken und gut in Alufolie gewickelt aufbewahren. Glasiert und verziert wird er erst vor Gebrauch.
Der Kuchen hält sich gut verpackt sogar bis zu einem Jahr. In England ist es in vielen Familien üblich, den zur Hochzeitsfeier nicht gegessenen Kuchen gut in Alufolie verpackt bis zur Taufe des ersten Kindes aufzubewahren.

Hochzeitstorte in drei Etagen

Für diese festliche Hochzeitstorte brauchen Sie die doppelte Menge aller Zutaten wie für den nebenstehenden Wedding Cake
Zum Verzieren: bunte Zuckerkugeln, kandierte Veilchen, Belegkirschen, Angelika und vier runde Oblaten.

Eine Springform von 24 ∅, eine von 18 cm ∅ und eine von 11,5 cm ∅ gut einfetten. Den Teig nach dem nebenstehenden Rezept Wedding Cake zubereiten, in die Formen verteilen und die Oberfläche glattstreichen. Den Backofen auf 180° vorheizen. Die Kuchen nacheinander auf der unteren Schiebeleiste backen: den Kuchen in der großen Springform etwa 2 Stunden, den in der mittleren Springform etwa 1½ Stunden und den in der kleinen Form 1 Stunde. Vor dem Herausnehmen der Kuchen aus dem Backofen unbedingt die Stäbchenprobe machen (siehe Seite 298). Wenn nötig, die Kuchen etwas länger backen. Die Kuchen auf einem Kuchengitter abkühlen lassen, dann in Alufolie wikkeln und 14 Tage lagern. Für die Glasur den Puderzucker sieben, mit den Eiweißen zu einer festen Glasur verrühren, alle drei Kuchen auf der Oberfläche und am Rand damit bestreichen und aufeinandersetzen. Die restliche Glasur in einen Spritzbeutel mit kleiner Sterntülle und in eine kleine Spritztüte aus Pergamentpapier füllen. Die Torte nach Vorschlägen auf dem Bild rechts mit der Glasur, den Zuckerkugeln, den Belegkirschen, den kandierten Veilchen und der Angelika verzieren. Auf dem mittleren Boden 10 Oblatenviertel mit Glasur festkleben und verzieren. Als Krone auf die Torte drei halbe Oblaten setzen und ebenfalls verzieren.

Fleurons

300 g tiefgefrorener Blätterteig (Iglo)
1 Eigelb

Die Blätterteigscheiben nebeneinanderlegen und bei Raumtemperatur 20–30 Minuten auftauen lassen. Die Teigscheiben nicht ausrollen. Mit einem runden Ausstecher oder mit einem Glas Halbmonde aus dem Teig stechen. Die Teigreste übereinanderlegen, locker zusammendrücken, etwas ausrollen und wieder Halbmonde ausstechen.
Ein Backblech kalt abspülen, die Halbmonde darauflegen und mit dem verquirlten Eigelb bestreichen. Die Fleurons mit einem Messer rautenförmig leicht einschneiden und 15 Minuten ruhen lassen. Den Backofen auf 200° vorheizen. Die Fleurons 15 Minuten auf der mittleren Schiebeleiste backen und möglichst noch warm servieren.

Unser Tip

Fleurons werden bei festlichen Menüs zu jeder feinen Suppe gereicht oder zu Vorspeisen aus besonders exquisiten Zutaten.

Gedrehte Käsestangen

3 Scheiben tiefgefrorener Blätterteig (Iglo)
1 Ei ◇
50 g geriebener Emmentaler Käse
1/2 Teel. Salz
1/4 Teel. weißer Pfeffer

Die Blätterteigscheiben nebeneinanderlegen und bei Raumtemperatur 20–30 Minuten auftauen lassen. Das Ei verquirlen. Eine Blätterteigscheibe reichlich mit dem verquirlten Ei bestreichen und mit der Hälfte des Käses, des Salzes und des Pfeffers bestreuen. Die zweite Teigscheibe ebenfalls mit Ei bestreichen und mit der bestrichenen Seite auf die erste Scheibe legen. Die Oberfläche wiederum mit Ei bestreichen, mit dem restlichen Käse, Salz und Pfeffer bestreuen. Die letzte Teigscheibe mit Ei bestreichen und mit der bestrichenen Seite darauflegen. Die Teigscheiben mit nur leichtem Druck auf eine Größe von 10 × 20 cm ausrollen. Aus dem Teig 16 Streifen von 10 cm Länge schneiden und leicht drehen.
Ein Backblech kalt abspülen, die Käsestangen darauflegen und an der Oberfläche – aber nicht an den Schnittflächen – mit dem restlichen Ei bestreichen. 15 Minuten ruhen lassen. Den Backofen auf 200° vorheizen.
Die Käsestangen auf der mittleren Schiebeleiste 15 Minuten backen und möglichst sofort servieren.

Muffins

$^{1}/_{4}$ l Milch
200 g feiner Maisgrieß
30 g Mehl, 2 Teel. Backpulver
1 Teel. Salz, 1 Eßl. Zucker
1 Ei, 40 g Butter
Für die Förmchen: Butter oder Margarine und Semmelbrösel

8 Förmchen für Muffins mit Butter oder Margarine ausstreichen und mit Semmelbröseln ausstreuen. Den Backofen auf 200° vorheizen.
Die Milch aufkochen, den Grieß damit übergießen und zugedeckt 10 Minuten quellen lassen. Das Mehl mit dem Backpulver dazusieben und mit dem Salz, dem Zucker, dem Ei und der möglichst weichen Butter unter den Grieß rühren. Den Teig in die vorbereiteten Förmchen füllen und auf der zweiten Schiebeleiste von unten 20–30 Minuten backen.
Die Muffins sofort aus den Förmchen stürzen und noch heiß mit kalter Butter servieren.
Muffins werden bei einem festlichen Menü statt des üblichen Weißbrots gereicht.

Anchovishappen

300 g tiefgefrorener Blätterteig (Iglo) ◇
1 Dose Anchovisfilets
1 Eigelb
1–2 Eßl. grobes Salz

Die Blätterteigscheiben nebeneinanderlegen und bei Raumtemperatur 20–30 Minuten auftauen lassen.
Die Blätterteigscheiben auf einer bemehlten Fläche zu doppelter Größe ausrollen und runde Plätzchen von 6 cm Ø ausstechen. Die Hälfte der Plätzchen mit je $^{1}/_{2}$ Anchovisfilet belegen. Das Eigelb verquirlen und die Ränder sämtlicher Plätzchen damit bestreichen. Je zwei Plätzchen aufeinandersetzen und die Ränder gut zusammendrücken. Die Oberfläche der Plätzchen ebenfalls mit Eigelb bestreichen und mit dem Salz bestreuen. Die Plätzchen auf ein kalt abgespültes Backblech legen und 15 Minuten ruhen lassen. Den Backofen auf 210–220° vorheizen.
Die Anchovishappen 10–15 Minuten auf der zweiten Schiebeleiste von unten backen. Am besten noch warm servieren.

Unser Tip

Statt der Anchovisfilets können Sie auch Sardellenfilets für die Füllung verwenden.

Pastetenhaus Vol au vent

600 g tiefgefrorener Blätterteig
2 Eigelbe

Den Blätterteig 30–60 Minuten bei Raumtemperatur auftauen lassen.
Damit der Blätterteig nicht zu sehr treibt, wird er für das Pastetenhaus besonders behandelt: Die Teigstücke in 8–10 Streifen schneiden. Die Streifen schnell zusammenkneten und etwa 15 Minuten ruhen lassen.
Zeichnungen, die das Herstellen des Pastetenhauses genau erklären, finden Sie auf Seite 20.
Eine glockenförmige Schüssel von etwa 30 cm ∅ mit einem großen Stück Alufolie auskleiden und mit kleingeschnittenen Papierservietten oder Osterwolle füllen. Die Alufolie über der Füllung zusammenlegen und gut zusammenkniffen. Die Halbkugel aus der Schüssel nehmen.
Ein Drittel des Blätterteiges zu einer Platte von etwa 35 cm ∅ ausrollen. Ein Backblech kalt abspülen, die Teigplatte darauflegen und mehrmals mit einer Gabel einstechen, damit sie beim Backen keine Blasen wirft.
Die Folienhalbkugel auf den Teig legen. Den übrigen Teig etwa 2 mm dick zu einer großen Platte ausrollen. Den Teigboden rund um die Alufolie mit verquirltem Eigelb bestreichen. Die zweite Teigplatte auf die Alukugel legen und den Rand beider Teigplatten gut zusammendrücken. Entstehende Falten ebenfalls fest zusammendrücken. Die überstehenden Teigreste mit einem Teigrädchen oder mit einem scharfen Messer in gleichmäßigem Abstand rundherum abschneiden; es soll ein Rand von etwa 5 cm stehen bleiben. Diesen Rand in Abständen von 2 cm strahlenförmig einschneiden.
Das ganze Pastetenhaus mit verquirltem Eigelb bestreichen. Den restlichen Teig zusammendrücken, noch einmal ausrollen, Streifen daraus schneiden und Plätzchen ausstechen, nach eigener Phantasie oder nach Vorschlägen auf dem Bild. Diese Verzierungen ebenfalls mit Eigelb bestreichen und auf das Pastetenhaus legen. Das Pastetenhaus 20–25 Minuten ruhen lassen. Den Backofen auf 220° vorheizen.
Das Pastetenhaus 20–25 Minuten auf der untersten Schiebeleiste backen. Die Pastete etwas abkühlen lassen. Solange sie noch lauwarm ist, oben einen Deckel von etwa 8 cm ∅ herausschneiden. Die Papierfüllung und die Alufolie vorsichtig herausziehen. Die Pastete kann nun mit einem warmen Ragout aus Kalbfleisch oder Zunge, mit kaltem Hummercocktail oder Krebsschaum gefüllt werden. Sie können die Pastete aber auch mit einer süßen Creme oder mit Sahne füllen.

Pastete und Pastetchen

Königin-Pastetchen

300 g tiefgefrorener Blätterteig
1 Eigelb

Für Königin-Pastetchen brauchen Sie scharfe Ausstecher: einen Ring von 7,5 Außen- und 4 cm Innendurchmesser, einen runden Ausstecher von 7,5 cm Ø und einen Ausstecher von 5 cm Ø. Beachten Sie die gezeichneten Erklärungen für das Herstellen der Pastetchen auf Seite 21.
Den Blätterteig 30–60 Minuten auftauen lassen. Den Teig zu einer Platte von 16 × 24 cm ausrollen und 6 Ringe ausstechen. Den übrigen Teig zusammenkneten, sehr dünn ausrollen und 6 Plätzchen von 7,5 cm Ø und 6 Plätzchen von 5 cm Ø ausstechen. Die Ringe nur an der Oberseite mit verquirltem Eigelb bestreichen und mit der bestrichenen Seite auf die gleich großen Bodenplätzchen setzen. Den oberen Rand ebenfalls mit Eigelb bestreichen; gut darauf achten, daß kein Eigelb auf den äußeren Rand gelangt. Ein Backblech mit kaltem Wasser abspülen und die Pastetchen daraufsetzen. Die kleinen Plätzchen mit Eigelb bestreichen und neben die Pastetchen auf das Backblech legen. Kleine Rollen aus Alufolie formen und in die Öffnungen der Pastetchen stecken, damit sie senkrecht nach oben aufgehen und nicht zur Seite kippen. Das Gebäck 15 Minuten ruhen lassen. Den Backofen auf 230° vorheizen. Die Pastetchen auf der zweiten Schiebeleiste von unten 10–15 Minuten backen und mit Ragoût fin füllen.

Spanische Pastete

25 g Hefe, 1/4 l lauwarme Milch
2 Eßl. Margarine
1 Prise Salz, 500 g Mehl ◇
4 Tomaten, 1 kleine Zwiebel
1 grüne Paprikaschote
100 g roher Schinken
300 g gegartes Hühnerfleisch
1 Eßl. Öl, je 1 Prise Salz, Pfeffer und Knoblauchpulver
1 Ei
Für das Backblech: Margarine

Ein Backblech einfetten. Die Hefe mit der Milch, der geschmolzenen Margarine, dem Salz und dem Mehl zu einem Teig verarbeiten. So lange schlagen, bis er Blasen wirft. Zugedeckt 20 Minuten gehen lassen. Die Tomaten enthäuten und in kleine Stücke schneiden. Die Zwiebel klein würfeln, ebenso die Paprikaschote, den Schinken und das Hühnerfleisch. Zwiebel-, Paprika-, Schinken- und Hühnerfleischwürfel in dem Öl anbraten. Die Tomatenstücke zugeben und so lange mitbraten, bis alle Flüssigkeit eingekocht ist. Mit Salz, Pfeffer und Knoblauchpulver würzen. Den Hefeteig zu zwei runden Platten von 26 cm Ø ausrollen. Den Rand der einen Teigplatte mit Wasser befeuchten. Die Füllung in die Mitte geben, die zweite Teigplatte darüberlegen und die Ränder gut zusammendrücken. Die Pastete mit verquirltem Eigelb bestreichen, auf das Backblech legen und 15 Minuten gehen lassen. Den Backofen auf 200° vorheizen. Die Pastete auf der zweiten Schiebeleiste von unten 45 Minuten backen. Heiß servieren.

Himbeereis-Torte

4 Eigelbe, 30 g Zucker
1 Prise Salz
4 Eiweiße, 100 g Zucker
80 g Mehl, 40 g Speisestärke ◇
200 g frische oder tiefgefrorene Himbeeren
1 Schnapsglas Himbeergeist (2 cl)
3/8 l Sahne, 200 g Zucker
1/4 l Sahne, 50 g Zucker
1 Eßl. Schokoladenspäne
Für die Form: Butter

Den Boden einer Springform ausfetten. Den Backofen auf 180° vorheizen. Die Eigelbe mit dem Zucker und dem Salz schaumig rühren. Die Eiweiße mit dem Zucker steif schlagen und unter die Eigelbmasse heben. Das Mehl mit der Speisestärke darübersieben und unterziehen. Den Biskuitteig in die Springform füllen und auf der zweiten Schiebeleiste von unten 30–40 Minuten backen. Den Biskuitboden nach 24 Stunden einmal durchschneiden. Einen der Böden in die Springform legen. Den Rand der Form mit Alufolie auslegen. Die Himbeeren mit dem Himbeergeist übergießen und zugedeckt 1 Stunde marinieren. (Auftauen dauert länger.) 16 Himbeeren zurückbehalten. Die 3/8 l Sahne mit dem Zucker steif schlagen, mit den Himbeeren mischen und in die Springform füllen. Den zweiten Boden darauflegen und die Torte im Gefriergerät 5–10 Stunden gefrieren. Den Viertelliter Sahne mit dem Zucker steif schlagen und die Torte damit bestreichen. 16 Rosetten auf die Torte spritzen, mit 1 Himbeere belegen und mit Schokoladenspänen bestreuen.

Nußeis-Torte

4 Eigelbe, 50 g Zucker
4 Eiweiße, 90 g Zucker
80 g Mehl, 30 g Speisestärke ◇
160 g geröstete, geriebene Haselnüsse ◇
3/8 l Sahne, 180 g Zucker
60 g Nougat-Masse
1/4 l Sahne, 50 g Zucker
16 geschälte Haselnüsse
Für die Form: Butter

Den Boden einer Springform von 26 cm ∅ ausfetten. Den Backofen auf 180° vorheizen. Die Eigelbe mit dem Zucker schaumig rühren. Die Eiweiße mit dem Zucker steif schlagen und unter die Eigelbmasse ziehen. Das Mehl mit der Speisestärke darübersieben und mit 60 g Haselnüssen unterheben. Den Biskuitteig auf der zweiten Schiebeleiste von unten 30–40 Minuten backen. Den Tortenboden nach 24 Stunden einmal durchschneiden. Einen der Böden in die Springform legen. Den Rand der Form mit Alufolie auslegen. Die 3/8 l Sahne mit dem Zucker steif schlagen. Die Nougat-Masse im Wasserbad schmelzen, abkühlen lassen, noch flüssig mit 50 g Haselnüssen unter die Sahne ziehen, auf den Biskuitboden streichen und den zweiten Boden darauflegen. Die Torte im Gefriergerät 5–10 Stunden gefrieren. Den Viertelliter Sahne mit dem Zucker steif schlagen und die Torte damit bestreichen. Die Oberfläche und den Rand mit den restlichen Nüssen bestreuen. Vom Rest der Sahne 16 Rosetten auf die Torte spritzen und jede mit 1 Haselnuß belegen.

Kirscheis-Überraschung

50 g Marzipan-Rohmasse
50 g Aprikosenmarmelade
1 Eßl. Rum, 50 g gehacktes Zitronat
1/8 l Eiweiß (von etwa 4 Eiern), 150 g Zucker
1 fertiger Biskuitboden
1 Haushaltsbecher Kirscheis (Langnese)
8 Belegkirschen
1 Teel. Mandelblättchen

Die Marzipan-Rohmasse mit der Marmelade, dem Rum und dem Zitronat mischen. Die Eiweiße mit dem Zucker steif schlagen und in einen Spritzbeutel mit Sterntülle füllen. Aus dem Biskuitboden eine Platte von 12 cm Ø schneiden und auf eine feuerfeste Platte legen. Diesen Boden mit der Marzipanmasse bestreichen. Das Kirscheis auf den Biskuitboden legen, mit dem Eischnee überziehen, mit den Kirschen und den Mandelblättchen belegen und im vorgeheizten Grill oder im Backofen bei 240° überbacken, bis der Eischnee leicht zu bräunen beginnt. Sofort servieren.

Gebackenes Fürst-Pückler-Eis

1/8 l Eiweiß, 150 g Zucker
1 Teel. Kakaopulver
1 fertiger Biskuitboden
2 Eßl. Johannisbeergelee
1 Haushaltspackung Fürst-Pückler-Eis (Langnese)
1 Eßl. Kakaopulver

Die Eiweiße mit dem Zucker steif schlagen und den Kakao unterrühren. Aus dem Biskuitboden ein Rechteck von 10 × 15 cm schneiden, auf eine feuerfeste Platte legen und mit dem Gelee bestreichen. Den Eisblock darauflegen, mit dem Eischnee überziehen und im vorgeheizten Grill oder im Backofen bei 240° überbacken. Das Dessert mit Kakao besieben und sofort servieren.

Mokka-Eis-Baiser

$^1/_4$ l Eiweiß (von etwa 8 Eiern)
375 g Zucker, 30 g Speisestärke ◇
1 Eßl. Instant-Pulverkaffee
$^1/_4$ l Sahne, 3 Eßl. Zucker
200 g Sauerkirschen aus dem Glas
2 Haushaltsbecher Bouquet-Vanilleeis (Langnese)
Für das Backblech: Pergamentpapier

Ein Backblech mit dem Pergamentpapier auslegen. Den Backofen auf 100° vorheizen. Die Eiweiße mit der Hälfte des Zuckers zu steifem Schnee schlagen. Den restlichen Zukker mit der Stärke mischen und unter den Eischnee ziehen. Die Baisermasse in einen Spritzbeutel mit Sterntülle füllen und auf das Backblech 15 Rosetten spritzen. Die Baisers auf der mittleren Schiebeleiste über Nacht im Backofen trocknen lassen. Dabei die Backofentür mit einem Kochlöffel einen Spalt offenhalten.
Den Pulverkaffee mit 1 Eßlöffel heißem Wasser auflösen und erkalten lassen. Die Sahne mit Zucker steif schlagen und den Kaffee unterrühren. Die Sahne mit einem Spritzbeutel ringförmig auf die Baisers spritzen. Einige Kirschen in die Sahne legen, je 1 Scheibe Vanilleeis über die Kirschen legen und die restlichen Kirschen daraufsetzen.

Orangencreme-Törtchen

190 g Butter, 130 g Puderzucker
1 Eigelb, 1 Eßl. Milch
375 g Mehl ◇
6 Blatt weiße Gelatine
$^1/_8$ l tiefgefrorener Orangensaft (Iglo)
$^1/_8$ l Wasser, $^1/_4$ l Weißwein
100 g Zucker, $^1/_2$ l Sahne ◇
1 Eßl. Zucker, 50 g Kakaopulver
1 Haushaltspackung Cassis-Vanilleeis (Langnese)
50 g geröstete Mandelblättchen

Die Butter mit dem gesiebten Puderzucker, dem Eigelb, der Milch und dem gesiebten Mehl zu einem Mürbeteig verkneten. Den Teig zugedeckt 2 Stunden im Kühlschrank ruhen lassen. Den Backofen auf 200° vorheizen. Den Teig dünn ausrollen und 12 Torteletteförmchen von 8 cm Ø damit auslegen. Auf der mittleren Schiebeleiste 10 Minuten backen. Die Gelatine in wenig kaltem Wasser einweichen. Den Orangensaft mit dem Wasser, dem Wein und dem Zucker aufkochen und etwas abkühlen lassen. Die ausgedrückte Gelatine in der heißen Mischung auflösen. Die Flüssigkeit in den Kühlschrank stellen. Die Sahne steif schlagen. Sobald das Orangengelee anfängt zu erstarren, die Hälfte der Sahne unterziehen. Die Tortelettes mit dieser Creme füllen. Vollständig fest werden lassen. Die restliche Sahne mit dem Zukker und dem Kakaopulver mischen. Auf jedes Tortelette 1 Scheibe Eis legen und mit Sahnetupfen und Mandelblättchen verzieren.

Erdbeer-Windbeutel

1 Paket tiefgefrorene Erdbeeren (Iglo)
3 Eßl. Zucker
1 Schnapsglas Rum (2 cl) ◇
$^{1}/_{4}$ l Wasser, 60 g Butter
1 Prise Salz, 200 g Mehl
4 Eier ◇
$^{1}/_{8}$ l Sahne, 1 Eßl. Zucker
2 Haushaltsbecher Bouquet-Erdbeereis (Langnese)
2 Eßl. Puderzucker

Die Erdbeeren in einer Schüssel mit dem Zucker und dem Rum vermischen und zugedeckt auftauen lassen. Den Backofen auf 230° vorheizen. Das Wasser mit der Butter und dem Salz zum Kochen bringen. Das gesiebte Mehl auf einmal hineinschütten und kräftig rühren, bis sich der Teig als Kloß vom Topfboden löst. Den Teig in eine Schüssel geben, etwas abkühlen lassen und die Eier einzeln unterrühren. Den Teig in einen Spritzbeutel mit großer Lochtülle füllen und 16 kleine Rosetten auf das Backblech spritzen. Die Rosetten auf der mittleren Schiebeleiste 20 Minuten backen.
Die Windbeutel erkalten lassen, dann von jedem ein Deckelchen abschneiden. Die unteren Hälften mit den marinierten Erdbeeren füllen. Die Sahne mit dem Zucker steif schlagen. Mit einem flachen Löffel Scheiben vom Erdbeereis abziehen und auf die Erdbeeren legen. Auf das Eis Sahnetupfen spritzen. Zuletzt die Deckelchen der Windbeutel auflegen und mit Puderzucker besieben.

Exotische Eismeringen

$^{1}/_{4}$ l Eiweiß (von etwa 8 Eiern)
200 g Zucker, 175 g Puderzucker
30 g Speisestärke, 50 g Kakaopulver ◇
$^{1}/_{4}$ l Sahne, 3 Eßl. Zucker
6 Kiwis
2 Haushaltspackungen Maracuja-Eis (Langnese)
Für das Backblech: Pergamentpapier

Ein Backblech mit Pergamentpapier auslegen. Den Backofen auf 100° vorheizen.
Die Eiweiße mit dem Zucker zu steifem Schnee schlagen. Den Puderzucker mit der Speisestärke und dem Kakaopulver sieben und unter den Eischnee ziehen. Den Eischnee in einen Spritzbeutel mit Lochtülle füllen und 14 ovale, schneckenförmige Meringen auf das Pergamentpapier spritzen. Die Meringen über Nacht auf der mittleren Schiebeleiste im Backofen trocknen lassen. Dabei die Backofentür mit einem Kochlöffel einen Spalt offenhalten.
Die Sahne mit dem Zucker steif schlagen und in einen Spritzbeutel mit Sterntülle füllen. Die abgekühlten Meringen ringförmig mit der Sahne bespritzen. Die Kiwis schälen, in Scheiben schneiden und auf der Sahne verteilen. Auf die Kiwis dicke Scheiben vom Maracuja-Eis legen.

Babas mit Früchten

350 g Mehl, 20 g Hefe
1 Tasse lauwarme Milch
4 Eier, 40 g Zucker
1 Päckchen Vanillinzucker
1/2 Teel. Salz, 150 g Butter ◇
1/4 l Wasser, 150 g Zucker
abgeriebene Schale von 1 Zitrone
3 Schnapsgläser Rum (6 cl)
1/8 l Weißwein
1/4 l Sahne
1 Teel. Kakaopulver
250 g Früchte wie Ananas, Stachelbeeren, Kirschen, Kumquats, Kiwis
50 g Mandelblättchen
Für die Förmchen: Butter und Mehl

Zwölf bis vierundzwanzig Savarinförmchen von 8 cm Ø mit Butter ausstreichen und mit Mehl bestäuben.
Das Mehl in eine Schüssel sieben und eine Mulde in die Mitte drücken. Die Hefe hineinbröckeln und mit der Milch und etwas Mehl verrühren.
Den Vorteig 15 Minuten zugedeckt gehen lassen.
Die Eier mit dem Zucker schaumig rühren, den Vanillinzucker und das Salz zugeben.
Die Butter schmelzen, aber nicht heiß werden lassen. Zum Eiergemisch geben und mit dem Vorteig und dem gesamten Mehl einen fast flüssigen Hefeteig schlagen. Den Teig zugedeckt nochmals 10 Minuten gehen lassen.
Die Savarinförmchen zur Hälfte mit dem Hefeteig füllen und nochmals zugedeckt 15 Minuten gehen lassen. Den Backofen auf 210° vorheizen. Die Törtchen auf der zweiten Schiebeleiste von unten 30 Minuten backen. Auf ein Kuchengitter stürzen und auskühlen lassen.
Das Wasser mit dem Zucker, der Zitronenschale, dem Rum und dem Weißwein unter Rühren so lange kochen lassen, bis der Zucker völlig gelöst ist.
Die Babas mit der Unterseite nach oben auf eine Platte setzen und mit der Flüssigkeit tränken. Sie müssen ganz vollgesogen sein.
Die Sahne steif schlagen und in zwei Hälften teilen. Eine Hälfte mit dem Kakaopulver verrühren. Die helle und die dunkle Sahne nacheinander in einen Spritzbeutel mit Sterntülle füllen und in die Mitte der Babas je einen Sahnetupfen spritzen.
Die Früchte wenn nötig abtropfen lassen, eventuell auch kleinschneiden und die Babas mit den Früchten und den Mandelblättchen garnieren.

Unser Tip

Wenn Sie nur zwölf Savarinförmchen besitzen, so müssen Sie die Törtchen in zwei Partien backen. Sie können aber statt der Savarinförmchen auch konische Tortenförmchen verwenden oder weitere Savarinförmchen aus Alufolie herstellen.

Cassata italiana

1 fertiger Sandkuchen
500 g Quark, 2 Eßl. Sahne
60 g Zucker
3 Eßl. Orangenlikör
3 Eßl. gehackte kandierte Früchte
50 g zartbittere Schokolade
325 g Blockschokolade
3/4 Tassen starker Kaffee
250 g Butter
beliebige kandierte Früchte

Einen Sandkuchen in Kastenform nach dem Rezept Seite 17 backen, erkalten lassen, rundum die Kruste abschneiden und den Kuchen waagrecht in vier Böden schneiden.
Den Quark durch ein Sieb streichen und mit der Sahne, dem Zucker und dem Orangenlikör glattrühren. Die gehackten kandierten Früchte unterheben. Die zartbittere Schokolade grob hacken und ebenfalls untermischen. Drei Kuchenböden mit der Quarkfüllung bestreichen und aufeinandersetzen. Den vierten Boden daraufsetzen, dabei den Kuchen etwas zusammendrükken, damit er eine kompakte Form bekommt. Den Kuchen 2 Stunden in den Kühlschrank stellen.
Die Blockschokolade in kleine Stückchen schneiden, bei mäßiger Hitze in den Kaffee rühren und zergehen lassen. Die Butter stückchenweise unter die heiße Schokoladen-Kaffee-Masse rühren, bis eine völlig glatte und cremige Mischung entstanden ist. In den Kühlschrank stellen, bis sie streichfähig ist. Den Kuchen rundherum mit der Schokoladencreme bestreichen. Den Rest in einen Spritzbeutel füllen und den Kuchen damit girlandenförmig verzieren. Die Cremegirlanden mit kleingeschnittenen kandierten Früchten belegen. Die Cassata locker in Alufolie einschlagen und vor dem Servieren einen Tag in den Kühlschrank stellen.

Backbeginn November

Christstollen und Mandelstollen

Für den Christstollen:

1 kg Mehl, 100 g Hefe
3/8 l lauwarme Milch
100 g Zucker, 2 Eier
das Innere von 1 Vanilleschote
abgeriebene Schale von 1 Zitrone
1/2 Teel. Salz
400 g Butter, 200 g Mehl
350 g Rosinen
100 g geschälte, gehackte Mandeln
100 g gehacktes Zitronat
50 g gehacktes Orangeat
1 Schnapsglas Rum (2 cl)
150 g Butter, 150 g Zucker
Für das Backblech: Pergamentpapier und Butter

Ein Backblech mit Pergamentpapier belegen und dieses mit Butter bestreichen.
Das Mehl in eine Schüssel sieben und eine Mulde in die Mitte drücken. Die Hefe hineinbröckeln und mit der Milch, etwas Zucker und etwas Mehl verrühren. Den Vorteig zugedeckt 20 Minuten gehen lassen. Den restlichen Zucker mit den Eiern, der Vanille, der Zitronenschale und dem Salz verrühren und mit dem gesamten Mehl und dem Vorteig zu einem trockenen, festen Hefeteig verarbeiten. Den Teig nochmals 15 Minuten zugedeckt gehen lassen.
Die Butter mit dem Mehl verkneten, unter den gegangenen Hefeteig arbeiten und den Teig nochmals 15 Minuten gehen lassen.
Die Rosinen, die Mandeln, das Zitronat und das Orangeat mischen, mit dem Rum übergießen und zugedeckt durchziehen lassen. Dann die Fruchtmischung rasch unter den Teig kneten und diesen nochmals 15 Minuten gehen lassen.
Aus dem Hefeteig 2–3 Stangen von 30 cm Länge formen und leicht ausrollen, so daß sie in der Mitte dünner als an den Rändern sind. Den Teig längs einmal zusammenklappen – dadurch entsteht die typische Stollenform –, auf das Backblech legen und zugedeckt weitere 20 Minuten gehen lassen; die Stollen müssen deutlich an Volumen gewinnen. Den Backofen auf 200–210° vorheizen.
Die Stollen 60–80 Minuten backen, noch heiß mit der zerlassenen Butter bestreichen und dick mit dem Zucker bestreuen.

Für den Mandelstollen:

1 kg Mehl, 60 g Hefe
1/4 l lauwarme Milch
350 g Butter, 1/2 Teel. Salz
120 g Zucker
1 Päckchen Vanillinzucker
250 g geschälte, gehackte Mandeln
250 g Zitronat

Den Hefeteig wie im Rezept für Christstollen beschrieben zubereiten. Nach dem zweiten Gehen die Mandeln und das Zitronat unter den Teig arbeiten. Den Teig nochmals 15 Minuten gehen lassen, danach die Stollen wie beschrieben formen, auf dem Backblech nochmals 20 Minuten zugedeckt gehen lassen und wie die Christstollen backen.

Backbeginn November

Traditionelles Früchtebrot

200 g getrocknete entsteinte Zwetschgen
300 g getrocknete Birnen
200 g getrocknete Feigen
1 l Wasser ◇ 100 g Haselnüsse
100 g Walnüsse, 100 g Rosinen
100 g Korinthen
50 g kleingewürfeltes Zitronat
50 g kleingewürfeltes Orangeat
125 g Zucker
1/2 Teel. gemahlener Zimt
je 1 Prise Nelkenpfeffer, gemahlener Anis und Salz
2 Eßl. Rum, 2 Eßl. Zitronensaft ◇
100 g Schwarzbrotteig vom Bäcker
200 g Mehl
50 g geschälte, halbierte Mandeln
60 g gemischte kandierte Früchte
Für das Backblech: Butter oder Margarine

Die Zwetschgen, die Birnen und die Feigen mit dem Wasser übergießen und zugedeckt über Nacht weichen lassen.
Ein Backblech mit Butter oder Margarine bestreichen. Die eingeweichten Früchte in einem Sieb abtropfen lassen und in sehr kleine Würfel schneiden. Die Haselnüsse und die Walnüsse in sehr kleine Stücke hacken. Die Rosinen, die Korinthen, das Zitronat und das Orangeat mit den Früchten und den Nüssen mischen, den Zucker, den Zimt, den Nelkenpfeffer, den Anis, das Salz, den Rum und den Zitronensaft zugeben, alles gut mischen und zugedeckt weitere 30 Minuten durchziehen lassen.
Den Backofen auf 180° vorheizen. Die Fruchtmasse mit dem Schwarzbrotteig und dem gesiebten Mehl verkneten. Zwei Brotlaibe aus dem Teig formen, die Hände in kaltes Wasser tauchen und die Laibe damit glattstreichen. Mit den Mandelhälften und den kandierten Früchten nach den Vorschlägen auf dem Bild oben verzieren. Die Früchtebrote auf das Backblech setzen und auf der untersten Schiebeleiste 70–80 Minuten backen.

Unser Tip

Das Früchtebrot schmeckt mit der angegebenen Mischung aus verschiedenen Früchten ganz besonders reizvoll. Fehlt Ihnen aber einmal eine Sorte Trockenfrüchte, so können Sie den Anteil der anderen Früchte entsprechend erhöhen. Allerdings sollten Sie darauf achten, daß eine Hälfte der Masse aus dunklen, die andere Hälfte aus hellen Früchten besteht. – Übrigens, Früchtebrote bleiben lange frisch und saftig, wenn sie in einer Blechdose aufbewahrt oder gut in Alufolie eingeschlagen werden.

Hutzelbrot Sankt Nikolaus

400 g getrocknete Birnen,
3/4 l Wasser
300 g getrocknete steinlose Zwetschgen
400 g getrocknete Feigen
je 50 g Zitronat und Orangeat
150 g Walnüsse, 100 g Rosinen
125 g Sultaninen
200 g Zucker
2 Teel. gemahlener Zimt
je 1 Teel. Nelkenpulver, Salz und Anis
1 Schnapsglas Birnengeist (2 cl) ◇
1 kg Mehl, 40 g Hefe
3/8 l lauwarmer Birnensaft ◇
1 kg Schwarzbrotteig vom Bäcker
Für das Backblech: Margarine

Die Birnen im Wasser in 30 Minuten zugedeckt weichkochen. Die Birnen abtropfen lassen, das Kochwasser aufbewahren. Die Birnen, die Zwetschgen, die Feigen, das Zitronat, das Orangeat und die Walnüsse grob hacken. Die Rosinen, die Sultaninen, den Zucker, die Gewürze und den Birnengeist untermischen und zugedeckt durchziehen lassen. Das Mehl in eine Schüssel sieben, in die Mitte eine Vertiefung drücken und die zerbrökkelte Hefe darin mit etwas Zucker, Mehl und dem Birnensaft verrühren.

Den Hefevorteig zugedeckt 15 Minuten gehen lassen. Die Früchte zum Hefevorteig geben, alles zu einem Teig verkneten und noch einmal 15 Minuten gehen lassen. Aus dem Teig vier ovale Laibe formen. Je 250 g Brotteig ausrollen. Die Hefelaibe mit Wasser bestreichen und in den Brotteig einschlagen. Die Ränder mit Wasser bepinseln und gut zusammendrücken. Ein Backblech mit der Margarine bestreichen, die Laibe darauflegen, an der Oberfläche mit Wasser bestreichen und 15 Minuten gehen lassen. Den Backofen auf 190° vorheizen. Die Hutzelbrote nacheinander auf der unteren Schiebeleiste jeweils 60 Minuten backen.

Panettone

650 g Mehl, 50 g Hefe
150 g Zucker
$^{1}/_{4}$ l lauwarme Milch
200 g Butter, 5 Eigelbe
1 gehäufter Teel. Salz
1 Prise geriebene Muskatnuß
abgeriebene Schale von 1 Zitrone
100 g gehacktes Zitronat
50 g gehacktes Orangeat
150 g Rosinen, 1 Eigelb
Für die Form: Pergamentpapier und Butter

Einen hohen Topf mit gefettetem Pergamentpapier auslegen.
Das Mehl in eine Schüssel sieben, in die Mitte eine Vertiefung drücken, die Hefe hineinbröckeln und mit etwas Zukker, der Milch und etwas Mehl verrühren. Den Vorteig 15 Minuten gehen lassen. Die zerlassene Butter, die Eigelbe, die Gewürze und die Zitronenschale mit dem Vorteig und dem gesamten Mehl so lange schlagen, bis der Teig Blasen wirft. Den Teig 15 Minuten gehen lassen. Das Zitronat, das Orangeat und die Rosinen unterkneten, den Teig zu einer Kugel formen, in den Topf legen und weitere 15 Minuten gehen lassen. Den Backofen auf 200° vorheizen.
Den Kuchen mit verquirltem Eigelb bestreichen, kreuzweise einschneiden und auf der unteren Schiebeleiste 90 Minuten backen. Den Kuchen im Topf etwas abkühlen lassen, auf ein Kuchengitter stürzen und völlig erkalten lassen. Das Pergamentpapier erst vor dem Anschneiden abziehen.

Liegnitzer Honigkuchen

500 g Honig
500 g brauner Rübensirup
$^{1}/_{2}$ Tasse Wasser
700 g Weizenmehl
300 g Roggenmehl
1 Teel. Hirschhornsalz
3 Teel. Pottasche, 1 Eßl. Milch
200 g Marzipan-Rohmasse
130 g Zucker, 2 Eiweiße
1 Schnapsglas Rum (2 cl)
100 g gehackte kandierte Früchte
100 g gehackte Mandeln
300 g Schokoladen-Fettglasur
ganze kandierte Früchte

Den Honig mit dem Sirup und dem Wasser aufkochen. Abkühlen lassen. Das Mehl und das Hirschhornsalz mit der Honigmasse verkneten. Die Pottasche in der Milch auflösen und unter den Teig mischen. Eine Kugel daraus formen und in Alufolie gewickelt 2 Tage bei Raumtemperatur ruhen lassen. Die Marzipan-Rohmasse mit dem Zucker, den Eiweißen, dem Rum, den kandierten Früchten und den Mandeln mischen. Den Backofen auf 200° vorheizen. Den Teig $1^{1}/_{2}$ cm dick ausrollen und Herzformen damit auslegen. Die Füllung in die Mitte geben. Die Ränder mit Milch bestreichen, eine zweite Teigschicht auf die Füllung legen und die Ränder zusammendrücken. Die Förmchen auf dem Rost auf der zweiten Schiebeleiste von unten 20–30 Minuten backen. Die Honigkuchen erkalten lassen, mit der geschmolzenen Schokoladen-Fettglasur überziehen und mit den kandierten Früchten belegen.

Kleines Knusperhäuschen

1 kg Honig, 1/4 l Wasser
650 g Roggenmehl, 600 g Weizenmehl
je 100 g feingehacktes Zitronat und Orangeat
40 g Lebkuchengewürz
30 g Natron ◇
10 geschälte Mandeln
2 Eßl. Zitronensaft
3 Eiweiße, 300 g Puderzucker
Nach Belieben: buntes Zuckerwerk
Für das Backblech: Butter oder Margarine

Den Honig mit dem Wasser unter Rühren aufkochen, dann abkühlen lassen. Das Mehl auf ein Backbrett sieben und das Zitronat, das Orangeat und das Lebkuchengewürz darüberstreuen. In die Mitte eine Vertiefung drücken und den fast erkalteten Honig hineingießen. Alle Zutaten zu einem geschmeidigen Teig verkneten. Zuletzt das Natron kräftig unter den Teig mischen. Den Teig zugedeckt 1–2 Tage lagern lassen; er wird dadurch besonders locker.
Für das Knusperhäuschen schneiden Sie sich am besten Pappschablonen zu. Die genauen Maße ersehen Sie aus den Arbeitsplänen für das Knusperhäuschen auf Seite 44. Zwei Backbleche leicht einfetten. Den Backofen auf 200° vorheizen. Aus dem Honigkuchenteig 40 cm lange, 1 1/2 cm starke Stränge rollen und im Abstand von 2–3 mm nebeneinander auf das Backblech legen. Es soll ein Rechteck von 40 × 26 cm entstehen. Der Teig geht beim Backen auf, so daß sich die Zwischenräume schließen und der Eindruck einer Blockhauswand entsteht. Diese Platte auf der mittleren Schiebeleiste des Backofens 20–30 Minuten backen. Den restlichen Honigkuchenteig 1 cm dick ausrollen und eine Platte von etwa 25 × 15 cm, sowie eine zweite von 35 × 28 cm daraus schneiden. Die Platten auf das Backblech legen, mehrmals mit einer Gabel einstechen und auf der mittleren Schiebeleiste 12–18 Minuten backen. Aus der 40 × 26 cm großen Platte, die als erste gebacken wurde, mit Hilfe der Schablonen mit einem dünnen, spitzen Messer Giebel und Seitenwände des Blockhauses schneiden. Aus der Vorderfront eine Tür und ein Fenster ausschneiden. Aus den glatten Platten mit Hilfe der Schablone eine Bodenplatte und zwei Dachflächen ausschneiden. Den Teigrest 1/2 cm stark ausrollen, 10 kleine Lebkuchen ausschneiden und mit jeweils 1 Mandel belegen. Außerdem die Flächen für den Kamin und die Streifen für den Zaun ausschneiden und 12–15 Minuten backen. Aus dem Zitronensaft, den Eiweißen und dem Puderzucker eine streichfähige, zähe Glasur rühren. Die Teile des Knusperhäuschens mit Hilfe der Glasur zusammensetzen; die Glasur jeweils gut trocknen lassen, ehe das nächste Teil ans Haus gebaut wird. Das Dach und den Kamin so mit Zuckerguß bestreichen, daß es wie frisch gefallener Schnee wirkt. Das Haus nach eigner Phantasie oder nach Vorschlägen auf dem obenstehenden Bild mit den Lebkuchen und dem bunten Zuckerwerk verzieren.

Lustige Weihnachtsmänner

500 g Honig, 1/2 Tasse Wasser
250 g Roggenmehl
250 g Weizenmehl
100 g feingehacktes Zitronat
20 g Lebkuchengewürz
20 g Natron ◇ 1 Eigelb 1 Eiweiß, 50 g Puderzucker
Zum Verzieren: geschälte, halbierte Mandeln, Pistazien und Zuckerwerk (z. B. farbige und Silberperlchen)
Für das Backblech: Butter oder Margarine

Den Honig mit dem Wasser aufkochen und etwas abkühlen lassen. Das Roggen- und das Weizenmehl sieben und mit dem Zitronat und dem Lebkuchengewürz mischen. Auf einem Backbrett mit dem lauwarmen Honig zu einem glatten, festen Teig verkneten. Zuletzt das Natron unterkneten. Den Teig zugedeckt 24 Stunden ruhen lassen.
Ein bis zwei Backbleche mit Fett bestreichen. Den Backofen auf 200° vorheizen. Aus Pappe die Schablone eines Weihnachtsmanns ausschneiden. Den Teig auf einer bemehlten Fläche 1 cm dick ausrollen und mit Hilfe der Schablone Weihnachtsmänner ausschneiden. Die Figuren auf das Backblech legen und mit dem verquirlten Eigelb bestreichen. Auf der mittleren Schiebeleiste 15 Minuten backen.
Die Weihnachtsmänner auf einem Kuchengitter abkühlen lassen. Die Eiweiße mit dem Puderzucker verrühren und mit der Glasur die halbierten Mandeln, die Pistazien und das Zuckerwerk nach eigenem Geschmack auf die Weihnachtsmänner kleben. Gesichter und Bärte mit der Zuckerglasur aufspritzen.

Lebkuchen-Familie

200 g Margarine
550 g Honig, 250 g Zucker
1 Päckchen Pfefferkuchengewürz
15 g Kakaopulver, 1200 g Mehl
1 Päckchen Backpulver
1 Prise Salz, 2 Eier ◇
2 Eiweiße, 375 g Puderzucker
100 g Schokoladen-Fettglasur
einige geschälte Mandeln, Pistazien und Rosinen, Zitronat und Orangeat
Für das Backblech: Margarine

Ein bis zwei Backbleche ausfetten. Die Margarine, den Honig, den Zucker, das Pfefferkuchengewürz und das Kakaopulver verrühren und bei milder Hitze erwärmen, bis sich der Zucker völlig gelöst hat. Abkühlen lassen. Das Mehl und das Backpulver in eine Schüssel sieben und mit dem Salz, den Eiern und der Honigmasse zu einem glatten Teig verkneten. Zugedeckt über Nacht bei Raumtemperatur ruhen lassen. Aus Pappe Schablonen für die Lebkuchenfamilie ausschneiden. Den Backofen auf 200° vorheizen. Den Honigkuchenteig $^{1}/_{2}$ cm dick ausrollen, die Figuren ausschneiden und auf der mittleren Schiebeleiste 12–15 Minuten backen. Noch warm vom Blech lösen. Die Eiweiße mit dem gesiebten Puderzucker steif schlagen. Die Figuren mit der Zuckerglasur, der flüssigen Schokoladen-Glasur und den Garnierfrüchten verzieren.

Gefüllter Tannenbaum

300 g Mehl
150 g Butter oder Margarine
100 g Puderzucker, 1 Ei ◇
$^{1}/_{4}$ l Milch, 1 Eßl. Zucker
$^{1}/_{2}$ Päckchen Vanille-Puddingpulver
2 Eiweiße, 2 Eßl. Puderzucker ◇
4 Eßl. Aprikosenmarmelade
100 g Kokosraspeln
etwas Schokoladen-Fettglasur und bunter Zuckerstreusel

Aus Pappe eine etwa 33 cm hohe und 27 cm breite Schablone für den Tannenbaum schneiden. Das Mehl auf ein Backbrett sieben und mit der Butter oder Margarine, dem Puderzucker und dem Ei verkneten. Den Mürbeteig zugedeckt 2 Stunden im Kühlschrank ruhen lassen. Aus der Milch, dem Zucker und dem Puddingpulver nach Vorschrift einen Pudding bereiten. Erkalten lassen. Die Eiweiße mit dem gesiebten Puderzucker steif schlagen und unter den Pudding heben. Den Backofen auf 190° vorheizen. Den Teig ausrollen, zwei Tannenbäume ausschneiden und beliebige kleine Plätzchen ausstechen. Auf der mittleren Schiebeleiste 15–20 Minuten backen. Einen Tannenbaum noch heiß mit dem Vanillepudding bestreichen, den anderen darauflegen. Erkalten lassen. Die Marmelade erhitzen, den Tannenbaum damit bestreichen und dick mit Kokosraspeln bestreuen. Die Plätzchen mit Schokoladenglasur überziehen und mit Zuckerstreusel bestreuen. Mit Marmelade auf den Tannenbaum kleben.

Lebkuchen-Christbaum

100 g Butter, 250 g Honig
125 g Zucker
½ Päckchen Lebkuchengewürz
600 g Mehl, 2 Teel. Kakaopulver
½ Päckchen Backpulver
1 Prise Salz, 1 Ei ◇
1 Eiweiß, 1 Tasse Puderzucker
rote Puppenkerzen
Für das Backblech: Butter oder Margarine

Ein Backblech ausfetten. Die Butter mit dem Honig, dem Zucker und dem Lebkuchengewürz unter Rühren aufkochen. Abkühlen lassen. Das Mehl mit dem Kakaopulver und dem Backpulver sieben und mit dem Salz und dem Ei zur Honigmasse rühren. Den Teig gut durchkneten und zugedeckt über Nacht bei Raumtemperatur ruhen lassen. Pappschablonen für 9 Sterne von 5–15 cm ∅ und 7 runde Plätzchen von 3 cm ∅ ausschneiden. Den Backofen auf 200° vorheizen.
Den Teig ½ cm dick ausrollen und die Sterne und Plätzchen ausschneiden. Auf dem Backblech auf der mittleren Schiebeleiste 10 Minuten backen, noch heiß vom Blech lösen und abkühlen lassen. Das Eiweiß mit so viel Puderzucker verrühren, daß eine geschmeidige Masse entsteht. Zwischen je 2 Sterne ein Plätzchen mit Zukkerguß kleben. Den kleinsten Stern senkrecht als Spitze daraufsetzen. Den Baum mit dem restlichen Puderzucker besieben und die Kerzen mit Zukkerglasur an die Zacken der Sterne kleben.

Brioches-Zwerge

500 g Mehl, 30 g Hefe
3 Eßl. lauwarme Milch
1 Teel. Zucker, 200 g Butter
4 Eier, ½ Teel. Salz ◇
1 Eigelb ◇
200 g Marzipan-Rohmasse
110 g Puderzucker
1 Eßl. Kakaopulver
etwas rote Speisefarbe
1 Eßl. Eiweiß, ½ Tasse Puderzucker
einige Korinthen
Für die Förmchen: Butter

8 Torteletteförmchen mit Butter ausstreichen. Aus den Zutaten von Mehl bis Salz nach dem Grundrezept Seite 12 einen Hefeteig bereiten. Den Teig in 30 gleich große Stücke teilen. Von jedem Stück ¼ abschneiden und je eine große und eine kleine Kugel daraus rollen. Die großen Kugeln in die Förmchen setzen, in die Mitte eine Vertiefung drücken, diese mit verquirltem Eigelb ausstreichen und die kleinen Kugeln hineinsetzen. Die Zwerge mit Eigelb bestreichen und 10 Minuten gehen lassen. Den Backofen auf 220° vorheizen und die Zwerge auf der unteren Schiebeleiste 15–20 Minuten backen. Die Marzipan-Rohmasse mit dem gesiebten Puderzucker verkneten und eine Hälfte mit dem Kakaopulver mischen. Das Marzipan ausrollen, aus dem dunklen die Hüte formen, aus dem hellen die Bärte schneiden. Wenig Marzipan rot färben. Aus Eiweiß und Puderzucker eine Spritzglasur bereiten. Die Gesichter nach Vorschlag auf dem Bild mit Glasur, Marzipan und Korinthen gestalten und die Hüte mit Glasur befestigen.

Geschenke aus Teig

Honigkuchen-Baumbehang

200 g Butter, 500 g Honig
250 g Zucker
1 Päckchen Pfefferkuchengewürz
15 g Kakaopulver
1200 g Mehl
1 Päckchen Backpulver
1 Prise Salz, 2 Eier ◇
2 Eiweiße, 300 g Puderzucker
rote, blaue und gelbe Lebensmittelfarben
buntes Zuckerwerk (z. B. Silberperlen, Zuckerstreusel)
Für das Backblech: Butter oder Margarine

Die Butter mit dem Honig, dem Zucker, dem Pfefferkuchengewürz und dem Kakaopulver in einem Topf unter ständigem Rühren bei milder Hitze einmal aufkochen lassen. Anschließend abkühlen lassen. Das Mehl mit dem Backpulver sieben und mit dem Salz und den Eiern auf einmal in das Honiggemisch geben. Zuerst alles mit einem Kochlöffel vermengen, dann den Teig auf einer bemehlten Fläche gut durchkneten. Den Teig zu einer Kugel formen, in Alufolie oder Pergamentpapier wickeln und mit einer Schüssel bedeckt bei Raumtemperatur über Nacht ruhen lassen.

Ein bis zwei Backbleche leicht mit Butter oder Margarine bestreichen. Den Backofen auf 200° vorheizen. Den Teig auf einer bemehlten Fläche etwa 4 mm dick ausrollen, kleine Figürchen oder Formen ausstechen und auf dem Backblech auf der mittleren Schiebeleiste 15 Minuten backen. Das Gebäck mit einem breiten Messer vom Backblech heben und auf einem Kuchgitter erkalten lassen. Die Eiweiße steif schlagen und unter ständigem Rühren langsam so viel Puderzucker einrieseln lassen, daß eine spritzfähige Glasur entsteht. Die Glasur auf drei Tassen verteilen und jede mit einer anderen Farbe verrühren. Aus Pergamentpapier kleine Spitztüten drehen, die Glasur einfüllen, die Spitzen abschneiden und die Figürchen gefällig nach der Vorlage auf dem Bild oben verzieren. Das Zuckerwerk mit etwas Glasur bestreichen und auf die Plätzchen kleben.

Unser Tip

Wenn Sie nicht die geeigneten Ausstechformen zur Verfügung haben, so schneiden Sie sich aus Pappe verschiedene Schablonen. – Ein kleiner Tannenbaum oder Tannenzweige, die mit diesem Baumbehang geschmückt wurden, sind ein hübscher Weihnachtsgruß an Freunde und Verwandte. Wenn Sie die Figürchen aber als Anhänger für Weihnachtspäckchen benützen möchten, so könnten Sie zu den Verzierungen noch die Namen der Beschenkten auf die Honigkuchenplätzchen spritzen.

Baiser-Christbaum-schmuck

150 g Puderzucker, 3 Eiweiße
Lebensmittelfarben nach Belieben
Silberperlen
bunter Zuckerstreusel
Für das Backblech: Alufolie

Ein bis zwei Backbleche mit Alufolie auslegen. Den Backofen auf 150° vorheizen.
Den Puderzucker sieben. Die Eiweiße zu steifem Schnee schlagen und unter ständigem Rühren langsam den Puderzucker einrieseln lassen. Den Eischnee in verschiedene Schüsselchen verteilen und zart mit verschiedenen Lebensmittelfarben färben. Die Eischneeportionen nacheinander in einen Spritzbeutel mit Sterntülle füllen und auf die Alufolie beliebige Formen spritzen; Ringe, Achten, S-Förmchen oder Figürchen. Achten Sie aber darauf, daß jede Form ein Loch für den Aufhängefaden aufweist. Die Baiserformen nach Belieben mit Silberperlen oder Zuckerstreusel verzieren.
Das Baiser im Backofen auf der mittleren Schiebeleiste trocknen lassen. Das dauert 60–80 Minuten. Die Backofentür dabei durch Einklemmen eines Kochlöffelstiels einen Spalt offenhalten, damit die Feuchtigkeit entweichen kann.

Makronen-Ringe

4 Eigelbe, 50 g Zucker
abgeriebene Schale von 1/2 Zitrone
250 g Marzipan-Rohmasse
1 Eßl. Rum ◇
100 g Schokoladen-Fettglasur
50 g gehackte Pistazien
50 g Silberperlen
Für das Backblech: Pergamentpapier

Ein Backblech mit Pergamentpapier auslegen. Den Backofen auf 190° vorheizen.
Die Eigelbe mit dem Zucker und der Zitronenschale schaumig rühren. Die Marzipan-Rohmasse und den Rum unter die Eigelbmasse kneten und in einen Spritzbeutel mit Sterntülle füllen. Aus der Makronenmasse auf das Pergamentpapier gleich große Ringe spritzen. Die Ringe auf der mittleren Schiebeleiste 15–20 Minuten backen.
Das Pergamentpapier mit etwas Wasser bestreichen, von den Makronenringen lösen und diese auf einem Kuchengitter abkühlen lassen. Die Schokoladen-Fettglasur im Wasserbad schmelzen lassen und die Ringe damit überziehen. In die noch weiche Schokoladenglasur die Pistazien und die Silberperlen drücken. Durch die völlig getrockneten Makronen-Ringe bunte, silberne oder goldene Bänder ziehen, einmal verknoten und darüber ein Schleifchen binden.

Geschenke aus Teig

Bunte Weihnachtssterne

500 g Mehl, 30 g Hefe
1/4 l lauwarme Milch
100 g Butter, 80 g Zucker
2 Eigelbe, 1/2 Teel. Salz
abgeriebene Schale von 1/2 Zitrone
80 g geschälte, gehackte Mandeln ◇
1 Eigelb
80 g Belegkirschen
50 g Zitronat in Stücken
80 g geschälte Mandeln
50 g Rosinen
Für das Backblech: Butter oder Margarine

Zwei Backbleche ausfetten. Eine Pappschablone für die Sterne herstellen.
Das Mehl in eine Schüssel sieben. In der Mitte die zerbrökkelte Hefe mit der Milch und wenig Mehl verrühren. Den Hefevorteig zugedeckt 15 Minuten gehen lassen.
Die Butter zerlassen und mit dem Zucker, den Eigelben, dem Salz und der Zitronenschale, dem Hefevorteig und dem gesamten Mehl verrühren und einen trockenen Hefeteig schlagen. Zuletzt die Mandeln unter den Teig mischen. Den Teig 15 Minuten gehen lassen. Den Teig 1 cm dick ausrollen und Sterne ausschneiden. Die Sterne auf das Backblech legen und mit verquirltem Eigelb bestreichen. Die Sterne nach Vorschlag auf dem Bild mit halben Belegkirschen, Zitronatstücken, Mandeln und Rosinen belegen. Den Backofen auf 210° vorheizen. Die Sterne auf der mittleren Schiebeleiste 10–15 Minuten backen.

Grittibänz Schweizer Weihnachtsmänner

500 g Mehl, 30 g Hefe
1/4 l lauwarme Milch
50 g Butter oder Margarine
50 g Zucker, 1 Ei
1 Prise Salz
abgeriebene Schale von 1/2 Zitrone ◇
1 Eigelb
Für das Backbleck: Butter oder Margarine

Ein Backblech mit Fett bestreichen.
Das Mehl in eine Schüssel sieben, in die Mitte eine Vertiefung drücken und die zerbrökkelte Hefe mit der lauwarmen Milch und etwas Mehl darin verrühren. Den Vorteig 15 Minuten zugedeckt gehen lassen.
Die Butter oder die Margarine zerlassen, mit dem Zucker, dem Ei, dem Salz und der Zitronenschale verrühren und zusammen mit dem Vorteig und dem gesamten Mehl so lange schlagen, bis der Teig Blasen wirft. Den Teig weitere 15 Minuten gehen lassen. Den Backofen auf 200° vorheizen. Den Teig in gleich schwere Stücke teilen, aus jedem Stück eine Kugel sowie eine dickere und eine dünnere Rolle drehen. Aus Kugeln und Rollen Figuren nach dem Muster des Bildes oben formen. Aus den Teigresten Streifen schneiden und die Figuren damit belegen. Die Weihnachtsmänner mit dem verquirlten Eigelb bestreichen und auf dem Backblech auf der zweiten Schiebeleiste von unten 20–25 Minuten backen. Auf einem Kuchengitter erkalten lassen.

Geflochtener Schmetterling

600 g Mehl, 40 g Hefe
gut 1/4 l lauwarme Milch
80 g Butter oder Margarine
2 Eier, 1 Teel. Salz
1 Messerspitze geriebene Muskatnuß
abgeriebene Schale von 1/2 Zitrone ◇
1 Eigelb
Für das Backblech: Butter oder Margarine

Ein Backblech ausfetten. Das Mehl in eine Schüssel sieben. In der Mitte die zerbröckelte Hefe mit der lauwarmen Milch und wenig Mehl zu einem Vorteig verrühren. Zugedeckt 15 Minuten gehen lassen.
Die Butter oder die Margarine zerlassen, aber nicht erhitzen, mit den Eiern, dem Salz, der Muskatnuß und der Zitronenschale auf den Mehlrand um den Hefeteig geben und alles mit der gesamten Mehlmenge zu einem trockenen, festen Teig schlagen. Den Teig zugedeckt noch einmal 15 Minuten gehen lassen.
Den Teig in 16 gleich große Stücke teilen und aus jedem Stück einen etwa fingerdicken Strang rollen. Aus den Strängen nach dem Vorschlag auf dem nebenstehenden Bild und nach der Arbeitsanleitung auf Seite 44 einen Schmetterling oder einen Stern flechten. Die Enden der Stränge jeweils mit Eigelb bestreichen und gut zusammendrücken. Den geflochtenen Schmetterling oder Stern auf das Backblech legen und noch einmal 15 Minuten gehen lassen. Den Backofen auf 210° vorheizen.
Das Gebäck mit verquirltem Eigelb bestreichen und auf der zweiten Schiebeleiste von unten 20–25 Minuten backen.

Husaren-Krapferl

200 g Butter, 100 g Zucker
2 Eigelbe
das Innere von 1 Vanilleschote
1 Prise Salz, 300 g Mehl
80 g geriebene Haselnüsse ◇
1/2 Tasse Puderzucker
150 g Johannisbeermarmelade

Die Butter mit dem Zucker, den Eigelben, der Vanille und dem Salz auf einem Backbrett verkneten. Das Mehl darübersieben, die Haselnüsse darüberstreuen und alles zu einem Mürbeteig verarbeiten. Den Teig in Alufolie gewickelt 2 Stunden im Kühlschrank ruhen lassen.
Den Backofen auf 200° vorheizen. Aus dem Teig eine lange Rolle formen, gleichmäßige Scheiben davon abschneiden, diese zu Kugeln rollen und in jede Kugel mit dem Kochlöffelstiel eine kleine Vertiefung drücken. Die Krapferl auf ein Backblech legen und auf der mittleren Schiebeleiste 15–20 Minuten backen.
Die Krapferl auf einem Kuchengitter erkalten lassen, dann mit dem Puderzucker besieben. Die Marmelade erhitzen, glattrühren und die Vertiefung in jedem Krapferl damit füllen. Die Marmelade 1–2 Tage gut trocknen lassen, ehe die Krapferl in eine Dose geschichtet werden.

Linzer Kranzerl

4 hartgekochte Eigelbe
120 g Puderzucker
200 g Butter
2 Päckchen Vanillinzucker
1 Prise Salz, 300 g Mehl ◇
120 g Mandeln, 100 g Zucker
2 Eigelbe
1/2 Tasse Johannisbeergelee

Die hartgekochten Eigelbe durch ein Haarsieb streichen und mit 80 g gesiebtem Puderzucker und der Butter schaumig rühren. Den Vanillinzucker, das Salz und das gesiebte Mehl zufügen und alles verkneten. Den Mürbeteig in Alufolie gewickelt 2 Stunden im Kühlschrank ruhen lassen.
Die Mandeln mit kochendheißem Wasser überbrühen, abziehen und grob hacken. Die Mandelstücke mit dem Zucker mischen. Den Backofen auf 200° vorheizen. Den Teig 4 mm dick ausrollen und Ringe von etwa 5 cm ∅ ausstechen. Die rohen Eigelbe verquirlen, die Ringe einseitig damit bestreichen und mit der feuchten Seite in die Mandel-Zucker-Mischung drücken. Die Ringe mit der Mandelseite nach oben auf ein Backblech legen und auf der mittleren Schiebeleiste 10–15 Minuten backen.
Das Gebäck vom Backblech heben und abkühlen lassen. Dann die Unterseiten mit Johannisbeergelee bestreichen, je zwei Ringe zusammensetzen und mit dem restlichen Puderzucker besieben.

Weite Welt im bunten Teller

Basler Leckerli

350 g Honig, 350 g Zucker
je 90 g Mandeln, Haselnüsse und Walnüsse
570 g Mehl
abgeriebene Schale von 1 Zitrone
je 125 g Orangeat und Zitronat
30 g gemahlener Zimt
2 Teel. gemahlene Gewürznelken
1 Messerspitze geriebene Muskatnuß
2 Teel. Pottasche
2 Teel. Hirschhornsalz
je 1 Schnapsglas Arrak und Kirschwasser (2 cl)
Für das Backblech: Butter oder Margarine

Den Honig mit 250 g Zucker unter Rühren aufkochen lassen. Die Mandeln überbrühen, schälen und kleinhacken, ebenso die Hasel- und die Walnüsse, das Orangeat und das Zitronat. Das gesiebte Mehl damit mischen. Alle Gewürze von Zimt bis Hirschhornsalz mit der Mehlmasse und dem heißen Honig-Zucker-Gemisch verrühren. Das Kirschwasser und den Arrak unterkneten, einen Laib formen und diesen zugedeckt einige Tage bei Raumtemperatur stehen lassen.
Den Backofen auf 180° vorheizen. Das Backblech mit Fett bestreichen. Den Teig fingerdick ausrollen, auf das Backblech legen und auf der mittleren Schiebeleiste 25 Minuten backen. Den restlichen Zucker mit wenig Wasser aufkochen, dick auf die noch warme Teigplatte streichen und diese auf dem Backblech in Rechtecke schneiden. Die Leckerli abkühlen lassen.

Wiener Vanillekipferl

50 g Mandeln, 50 g Haselnüsse
280 g Mehl, 70 g Zucker
1 Prise Salz, 200 g Butter
2 Eigelbe ◇
5 Päckchen Vanillinzucker
½ Tasse Puderzucker

Die Mandeln überbrühen, abziehen und fein reiben. Die Haselnüsse ebenfalls fein reiben. Das Mehl auf ein Backbrett sieben, Mandeln und Haselnüsse, den Zucker, das Salz, die kalte Butter in Flöckchen und die Eigelbe darübergeben und alles zu einem Mürbeteig verkneten. Den Teig in Alufolie gewickelt 2 Stunden im Kühlschrank ruhen lassen.
Den Backofen auf 190° vorheizen. Den Teig portionsweise zu bleistiftdicken Röllchen formen. Die Röllchen in 5 cm lange Stücke schneiden und zu Hörnchen (Kipferl) biegen. Auf der mittleren Schiebeleiste in 10 Minuten goldgelb backen.
Den Vanillinzucker mit dem Puderzucker mischen und die noch warmen Kipferl vorsichtig darin wenden.

Unser Tip

Die Kipferl zum Aufbewahren lagenweise zwischen Pergamentpapier in eine Dose legen, damit sie nicht zerbrechen.

Amerikanische Ingwerschnitten

6 kandierte Ingwerpflaumen
150 g Butter oder Margarine
100 g Zucker, 1 Ei
1 Prise Salz
½ Teel. Ingwerpulver
300 g Mehl, 1 Eigelb

3 Ingwerpflaumen fein wiegen, die übrigen in kleine Würfel schneiden. Die Butter oder die Margarine mit dem Zucker, dem Ei, dem Salz, dem Ingwerpulver und den gewiegten Ingwerpflaumen verkneten. Das Mehl darübersieben und alles rasch zu einem glatten Mürbeteig verkneten. Den Teig zu einer Kugel formen und in Alufolie oder Pergamentpapier gewickelt 2 Stunden im Kühlschrank ruhen lassen.

Den Backofen auf 200° vorheizen. Den Teig in drei Teile teilen und portionsweise auf einer bemehlten Fläche etwa ½ cm dick ausrollen. Aus den Teigplatten Rechtecke von 4 × 7 cm Größe schneiden. Die Plätzchen auf ein Backblech legen. Das Eigelb mit etwas Wasser verquirlen. Die Plätzchen damit bestreichen, dann mit den Ingwerwürfelchen bestreuen und auf der mittleren Schiebeleiste 15 Minuten backen.

Die Ingwerschnitten mit einem breiten Messer vom Blech heben und auf einem Kuchengitter erkalten lassen.

Brune kager Dänische braune Kuchen

250 g Butter oder Margarine
200 g Zucker, 125 g heller Sirup
75 g geschälte, gehackte Mandeln
75 g gehacktes Zitronat
½ Teel. gemahlene Gewürznelken
2 Teel. gemahlener Zimt
½ Teel. Ingwerpulver
7 g Pottasche, 500 g Mehl
Für das Backblech: Butter oder Margarine

Die Butter oder die Margarine zusammen mit dem Zucker und dem Sirup zum Kochen bringen. Vom Herd nehmen, die Mandeln, das Zitronat, das Nelkenpulver, den Zimt und das Ingwerpulver unterrühren. Die Pottasche in wenig kochendem Wasser auflösen, unter die Sirupmasse rühren und diese abkühlen lassen. Das Mehl darübersieben und unterkneten. Aus dem Teig zwei Rollen formen, in Alufolie oder Pergamentpapier wickeln und 24 Stunden im Kühlschrank ruhen lassen.

Ein bis zwei Backbleche mit Butter oder Margarine bestreichen.

Den Backofen auf 200° vorheizen. Die Teigrollen in gleich dünne Scheiben schneiden und diese mit genügend Abstand auf ein Backblech legen. Die braunen Kuchen 8–10 Minuten auf der mittleren Schiebeleiste backen.

Dann mit einem breiten Messer vom Backblech heben und auf einem Kuchengitter erkalten lassen.

Weite Welt im bunten Teller

Norwegische Weihnachtsringe

3 Eier, 1 Eigelb
160 g Puderzucker, 250 g Butter
das Innere von 1/2 Vanilleschote
350 g Mehl, 1 Eigelb
1 Tasse Hagelzucker

Die Eier 10–12 Minuten kochen, kalt abschrecken und schälen. Die Eigelbe durch ein feines Sieb streichen und mit dem frischen Eigelb und dem gesiebten Puderzucker verrühren. Nach und nach die möglichst weiche Butter und die Vanille unterarbeiten. Zuletzt das gesiebte Mehl zugeben und alles zu einem Mürbeteig verkneten. Den Teig in Alufolie gewickelt 3 Stunden im Kühlschrank ruhen lassen.

Den Backofen auf 190° vorheizen. Den Teig in walnußgroße Stücke aufteilen und jedes Stück zu etwa 10 cm Länge ausrollen. Die Stangen an beiden Enden mit verquirltem Eigelb bestreichen und zu Ringen formen. Die Ringe völlig mit Eigelb bestreichen und mit dem Hagelzucker bestreuen. Das Gebäck auf ein Blech legen und auf der mittleren Schiebeleiste 10–12 Minuten backen.
Die Weihnachtsringe mit einem breiten Messer vom Backblech heben und auf einem Kuchengitter erkalten lassen.

Schwedische Julkuchen

250 g Butter, 120 g Zucker
1 Ei, 400 g Mehl
1 Teel. Backpulver
1/2 Teel. Salz, 1 Eiweiß
1/4 Tasse grober Zucker
1/4 Tasse gemahlener Zimt

Die Butter mit dem Zucker und dem Ei schaumig rühren. Das Mehl mit dem Backpulver sieben und mit dem Salz mischen. Die Mehlmischung nach und nach unter die Buttermasse rühren, zuletzt unterkneten. Den Teig zu einer Kugel formen und in Alufolie oder Pergamentpapier gewickelt 3 Stunden im Kühlschrank ruhen lassen. Den Backofen auf 200° vorheizen. Den Teig in drei Teile schneiden. Die Teigportionen nacheinander verarbeiten. Nur die jeweils benötigte Portion aus dem Kühlschrank holen und auf einer bemehlten Fläche etwa 3 mm dick ausrollen. Runde Plätzchen von 6 cm ∅ ausstechen und auf ein Backblech legen. Das Eiweiß verquirlen, die Plätzchen damit bestreichen und reichlich mit Zimtzucker bestreuen. Auf der mittleren Schiebeleiste 8–10 Minuten backen.

Unser Tip

Beim Bestreuen der Plätzchen mit Zucker und Zimt fällt sicher einiges auf das Backblech. Entfernen Sie Zucker und Zimt gleich vor dem Backen mit einem Backpinsel.

Allgäuer Butter-S

375 g Mehl, 250 g Butter,
125 g Zucker
6 Eigelbe, 1 Prise Salz
abgeriebene Schale von
1/2 Zitrone
etwa 1/2 Tasse Hagelzucker
Für das Backblech: Butter oder Margarine

Zwei Backbleche mit Butter oder Margarine ausfetten. Das Mehl in eine Schüssel sieben. Die Butter in Flöckchen über dem Mehl verteilen. In die Mitte des Mehls eine Vertiefung drücken und den Zucker, 5 Eigelbe, das Salz und die Zitronenschale hineingeben. Alle Zutaten zu einem glatten Teig verkneten. Den Teig in eine Teigspritze oder in einen Spritzbeutel mit Lochtülle füllen und in gleichmäßigen Abständen S-Förmchen auf die Backbleche spritzen. Die Backbleche mit den Butterplätzchen eine Stunde kalt stellen. Den Backofen auf 190° vorheizen.
Das restliche Eigelb verquirlen und die Butterplätzchen damit bestreichen. Auf das noch weiche Eigelb Hagelzucker streuen. Hagelzucker, der auf das Backblech fällt, mit einem Pinsel wieder entfernen, damit er nicht verbrennt. Die Butterplätzchen auf der mittleren Schiebeleiste in 8–10 Minuten hellbraun backen.
Die Plätzchen etwa 6 Minuten auf dem Blech abkühlen lassen, dann mit einem breiten Messer oder einem Spatel vom Blech heben und auf einem Kuchengitter vollständig erkalten lassen.

Badener Chräbeli

250 g Mehl, 250 g Zucker
2 Eier, 1 Eßl. Aniskörner
abgeriebene Schale von
1/2 Zitrone
Für das Backblech: Mehl

Das Mehl in eine Schüssel sieben. Den Zucker mit den Eiern schaumig rühren und das Mehl löffelweise unter den Teig mischen. Zuletzt die Aniskörner und die Zitronenschale untermengen. Den Teig zu fingerdicken Rollen formen. Von den Rollen 5–6 cm lange Stücke abschneiden und diese halbmondähnlich formen. Die Oberseite der kleinen Halbmonde mit einem dünnen, scharfen Messer dreimal schräg einschneiden. Die Chräbeli auf das bemehlte Backblech legen und über Nacht bei Raumtemperatur ruhen lassen.
Den Backofen auf 190° vorheizen. Die Chräbeli auf der mittleren Schiebeleiste 20–25 Minuten backen.

Unser Tip

Die Halbmonde sind die typische Form für die Chräbeli. Wenn's schnell gehen muß, können Sie aber auch die Rolle einfach in gleich dicke Scheiben schneiden, diese mit Einschnitten versehen und wie im Rezept angegeben weiter verarbeiten.

Weite Welt im bunten Teller

Mandel-Spekulatius

250 g Butter, 300 g Zucker
100 g Marzipan-Rohmasse
1 Ei, 2 Teel. gemahlener Zimt
1/2 Teel. Kardamom
je 1 Messerspitze Nelkenpulver, gemahlene Muskatblüte und Salz
500 g Mehl
Für die Modeln und das Backblech: Mehl und 100 g Mandelblättchen

Spekulatius wird in besonderen Modeln gebacken, die es in Spezialgeschäften zu kaufen gibt. Alle Modeln leicht mit Mehl ausstäuben. Einen dünnen Draht zum Abschneiden des Teiges bereitlegen. Ein oder zwei Backbleche mit Mehl bestäuben und mit den Mandelblättchen bestreuen. Die Butter mit dem Zucker und der Marzipan-Rohmasse verkneten. Das Ei, den Zimt, den Kardamom, das Nelkenpulver, die Muskatblüte, das Salz und das gesiebte Mehl unterkneten. Den Teig in Alufolie gewickelt 2 Stunden im Kühlschrank ruhen lassen. Den Backofen auf 190° vorheizen. Kleine Teigstücke in die Holzmodeln drücken. Danach überstehenden Teig entlang der Model abschneiden, so daß nur die Vertiefungen ausgefüllt sind. Die Teigfiguren durch kräftiges Schlagen auf das Backblech stürzen. Auf der mittleren Schiebeleiste 10 Minuten backen. Die Figürchen mit einem breiten Messer vom Backblech heben und auf einem Kuchengitter abkühlen lassen.

Unser Tip

Die Mandelblättchen geben den Spekulatius eine besonders festliche Note; das Gebäck schmeckt aber auch ohne Mandelblättchen ausgezeichnet.

Holländische Zebras

250 g Butter, 200 g Zucker
1/2 Teel. Salz, 4 Eigelbe
250 g Mehl, 100 g Speisestärke
1/2 Päckchen Backpulver
3 Eßl. Rum, 5 Eßl. Kakaopulver
3 Eßl. Hagelzucker

Die Butter mit dem Zucker und dem Salz schaumig rühren. Nacheinander die Eigelbe zugeben und gut glattrühren. Das Mehl mit der Stärke und dem Backpulver sieben, zur Buttermasse geben und einen festen Teig daraus kneten. Den Teig halbieren, die eine Hälfte mit dem Rum, die andere mit dem Kakaopulver mischen. Beide Teigportionen zugedeckt 1 Stunde im Kühlschrank ruhen lassen.

Den Backofen auf 190° vorheizen. Den hellen und den dunklen Teig getrennt auf einer bemehlten Fläche ausrollen und jede Teigplatte halbieren. Helle und dunkle Teigplatten abwechselnd aufeinandersetzen und gut zusammendrücken. Aus dem Teig 3 × 5 cm große Scheiben schneiden. Jede Scheibe mit Hagelzucker bestreuen und den Hagelzucker etwas festdrücken. Die Zebras auf der mittleren Schiebeleiste 10–15 Minuten backen.
Die Plätzchen mit einem Messer vom Backblech heben und auf einem Kuchengitter erkalten lassen.

Französische Madeleines

125 g Zucker, 125 g Mehl
125 g Butter, 3 Eier
1 Prise Salz
60 g geschälte, geriebene Mandeln
1 Eßl. Orangenblütenwasser (aus der Drogerie)
1/4 Teel. Vanilleextrakt
Für die Förmchen: Butter oder Margarine

Für Madeleines brauchen Sie die typischen kleinen Muschelförmchen. Die Förmchen mit Fett ausstreichen. Den Zucker und das gesiebte Mehl auf ein Backbrett geben. Die Butter zerlassen, aber nicht bräunen. Die Eier mit einem Teigspatel unter die Mehl-Zucker-Mischung kneten und nach und nach die abgekühlte Butter, das Salz, die Mandeln, das Orangenblütenwasser und den Vanilleextrakt unterkneten. Den Teig dabei nicht mit den Händen, sondern mit dem Teigspatel bearbeiten! Den Teig zugedeckt 1 Stunde im Kühlschrank ruhen lassen.
Den Backofen auf 250° vorheizen. Vom Teig kleine Stücke in die Madeleineförmchen drükken und auf dem Backofenrost auf der mittleren Schiebeleiste 15 Minuten backen.

Unser Tip

Wenn Sie keine Madeleineförmchen haben, dann drücken Sie Alufolie in ein Schnapsglas und stellen sich so Förmchen her.

Weite Welt im bunten Teller

Marillenringe

400 g Mehl, 120 g Zucker
1 Prise Salz
abgeriebene Schale von 1 Zitrone
1 Päckchen Vanillinzucker
1 Eigelb
1 Schnapsglas Rum (2 cl)
250 g Butter ◇
2 Eßl. Puderzucker
250 g Aprikosenmarmelade (Marillenmarmelade)

Das Mehl auf ein Backbrett sieben. In die Mitte eine Vertiefung drücken, den Zucker, das Salz, die Zitronenschale, den Vanillinzucker, das Eigelb und den Rum hineingeben. Die Butter in Flöckchen auf dem Mehl verteilen. Alle Zutaten zu einem Mürbeteig verkneten. Den Teig in Alufolie gewickelt 2 Stunden im Kühlschrank ruhen lassen.
Den Backofen auf 180° vorheizen. Den Teig auf einer bemehlten Fläche portionsweise 3 mm dünn ausrollen. Aus dem Teig runde Plätzchen und Ringe in gleicher Größe und Anzahl ausstechen. Beide auf der mittleren Schiebeleiste 10–15 Minuten backen.
Das Gebäck mit einem breiten Messer vom Blech heben und auf einem Kuchengitter abkühlen lassen. Die Ringe mit dem Puderzucker besieben.
Die Marmelade bei milder Hitze glattrühren, die runden Plätzchen damit bestreichen und die Ringe daraufsetzen. In die Mitte der Ringe noch etwas von der Marmelade geben.
Gut trocknen lassen, bevor die Plätzchen in einer Dose aufbewahrt werden.

Italienische Pangani

300 g Butter, 380 g Zucker
1 Päckchen Vanillinzucker
1 Ei, 1/4 Tasse Milch
je 1 Messerspitze Kardamom und gemahlener Zimt
abgeriebene Schale von 1 Zitrone
3 gemahlene bittere Mandeln
750 g Mehl ◇
100 g Blockschokolade oder Kuvertüre

Die Butter in einer großen Schüssel mit dem Zucker und dem Vanillinzucker verkneten. Das Ei, die Milch, den Kardamom, den Zimt, die Zitronenschale und die gemahlenen bitteren Mandeln zugeben und das gesiebte Mehl unter den Teig kneten. Aus dem Teig rechteckige Stangen kneten.
Die Stangen in Alufolie gewickelt 2 Stunden im Kühlschrank ruhen lassen.
Den Backofen auf 190° vorheizen. Die Stangen in 1/2 cm dikke Scheiben zerschneiden, auf ein Backblech legen und auf der mittleren Schiebeleiste 15 Minuten backen.
Die Plätzchen mit einem breiten Messer herunterheben und auf einem Kuchengitter abkühlen lassen. Die Blockschokolade oder die Kuvertüre im Wasserbad schmelzen lassen.
Die Plätzchen so in die Schokolade tauchen, daß sie diagonal zur Hälfte damit überzogen sind. Auf Pergamentpapier trocknen lassen.

Die besten Weihnachtsplätzchen

Honigkuchen-Herzen

450 g Honig, 250 g Zucker
100 g Butter, 2 Eier
1 Prise Salz
je 30 g Zitronat und Orangeat
1 Teel. gemahlener Zimt
1/2 Teel. gemahlene Gewürznelken
1,1 kg Mehl, 2 Päckchen Backpulver ◇
1/2 Tasse Johannisbeergelee
200 g zartbittere Schokolade
Für das Backblech: Butter oder Margarine

Ein oder zwei Backbleche mit Butter oder Margarine bestreichen.
Den Honig mit dem Zucker und der Butter unter Rühren erhitzen, bis alles zu einer glatten Masse verschmolzen ist. Die Honigmasse vom Herd nehmen und weiterrühren, bis sie nur noch lauwarm ist. Die Eier mit dem Salz verquirlen. Das Zitronat und das Orangeat klein würfeln und mit den verquirlten Eiern, dem Zimt, dem Nelkenpulver und dem mit dem Backpulver gesiebten Mehl unter die Honigmasse ziehen. Den Teig gut durchkneten und auf einem bemehlten Backbrett etwa 1 cm dick ausrollen. Den Backofen auf 220° vorheizen.
Aus dem Teig Herzen ausstechen, auf die Backbleche legen und auf der mittleren Schiebeleiste 15 Minuten backen. Die Herzen noch warm auf der Unterseite mit dem Johannisbeergelee bestreichen und jeweils zwei Herzen zusammensetzen.
Die Schokolade im Wasserbad auflösen und die erkalteten Herzen mit einer Seite in die Schokolade tauchen.

Mandel-Lebkuchen

4 Eier, 250 g Zucker
400 g Mehl,
1/2 Teel. Backpulver
400 g geriebene Mandeln
je 50 g gehacktes Zitronat und Orangeat
1 Teel. gemahlener Zimt
je 1 Messerspitze gemahlene Gewürznelken, geriebene Muskatnuß und gemahlener Piment ◇
1 Eigelb
80 geschälte Mandelhälften

Die Eier mit dem Zucker gut schaumig rühren. Das Mehl mit dem Backpulver sieben, mit den Mandeln, dem Zitronat, dem Orangeat, dem Zimt, den Gewürznelken, der Muskatnuß und dem Piment mischen und alles unter den Teig kneten. Den Teig in Alufolie oder Pergamentpapier gewikkelt 2 Stunden im Kühlschrank ruhen lassen.
Den Backofen auf 180° vorheizen. Den Teig auf einer bemehlten Fläche etwa 1 cm dick ausrollen und in gleich große Rechtecke schneiden. Die Rechtecke auf ein Backblech legen. Das Eigelb mit wenig Wasser verquirlen und die Rechtecke damit bestreichen. In jede Lebkuchenecke eine Mandelhälfte legen. Die Lebkuchen auf der mittleren Schiebeleiste 20 Minuten bakken, bis sie hellbraun sind. Dann mit einem breiten Messer vom Backblech heben und auf einem Kuchengitter abkühlen lassen.

Honigkuchen vom Blech

500 g Honig, gut 1/8 l Öl
250 g Zucker, 700 g Mehl
1 Päckchen Backpulver
250 g geschälte, gemahlene Mandeln
2 Teel. gemahlener Zimt
1 Messerspitze gemahlene Gewürznelken
1/2 Teel. Pimentpulver
1 Prise Salz, 3 Eier
je 100 g gehacktes Zitronat und Orangeat ◇
3 Eßl. Dosenmilch
je 100 g geschälte Mandeln, Zitronat und Belegkirschen
Für das Backblech: Öl

Den Honig mit dem Öl und dem Zucker unter Rühren aufkochen und wieder abkühlen lassen. Das Mehl mit dem Backpulver sieben und mit den Mandeln, allen Gewürzen, den Eiern, dem Zitronat und dem Orangeat mischen. Die Honig-Öl-Masse zu dem Mehlgemisch geben und alles gut verkneten. Sollte der Teig zu weich sein, noch etwas Mehl zugeben. Den Teig zugedeckt 1 Stunde im Kühlschrank ruhen lassen.
Ein Backblech einölen. Den Backofen auf 200° vorheizen. Den Teig mit bemehlten Händen auf das Backblech drükken, glattstreichen und mit Dosenmilch bepinseln. In das Teigblatt mit einem Messer 7 × 7 cm große Quadrate leicht einschneiden. Jedes Quadrat mit Mandeln, Kirschen und Zitronatstücken verzieren. Die Honigkuchen auf der mittleren Schiebeleiste 35–45 Minuten backen. Die Kuchen etwas abkühlen lassen, dann vom Backblech nehmen und in die Quadrate teilen.

Lübecker Kokosmakrönchen

170 g Kokosraspeln
5 Eiweiße, 250 g Puderzucker
400 g Marzipan-Rohmasse
abgeriebene Schale von ½ Zitrone
2 Eßl. Rum, ½ Tasse Zucker
100 g Schokoladen-Fettglasur

Die Kokosraspeln zwischen den Handflächen zerreiben, auf ein Backblech streuen und bei 100° im geöffneten Backofen 20 Minuten trocknen lassen.
Die Eiweiße zu steifem Schnee schlagen. Die Hälfte des gesiebten Puderzuckers mit der Marzipan-Rohmasse und dem Eischnee verrühren. Die Kokosraspeln, den restlichen Puderzucker, die Zitronenschale und den Rum zufügen und alles zu einem grobflockigen, zähflüssigen Teig verarbeiten. Den Backofen auf 150° vorheizen. Den Teig in einen Spritzbeutel mit Lochtülle füllen und walnußgroße Kügelchen auf das Backblech spritzen. Die Makrönchen mit dem Zucker bestreuen und auf der mittleren Schiebeleiste 20 Minuten backen; sie sollen außen eine braune Kruste haben, innen aber weich bleiben. Auf einem Kuchengitter abkühlen lassen. Die Schokoladenglasur im Wasserbad zerlassen und die Makrönchen zu einem Drittel eintauchen. Die Schokoladenglasur erstarren lassen.

Punschbrezeln

200 g Butter
300 g Puderzucker, 1 Eigelb
1 Prise Salz
das Innere von ½ Vanilleschote
300 g Mehl ◇
1 Eiweiß
3 Schnapsgläser Rum (6 cl)
2 Teel. Zitronensaft

Die Butter mit 100 g gesiebtem Puderzucker zu einer glatten Masse verkneten und das Eigelb, das Salz, sowie die Vanille zugeben. Das Mehl sieben und unter den Teig kneten. Den Mürbeteig in Alufolie gewickelt 2 Stunden im Kühlschrank ruhen lassen.
Den Backofen auf 180° vorheizen. Vom Teig jeweils nur ein Stück abschneiden; den Rest wieder in den Kühlschrank zurücklegen. Aus dem Teig etwa bleistiftdünne Stangen von beliebiger Länge rollen und diese zu Brezeln formen. Die Brezeln auf der mittleren Schiebeleiste 10–15 Minuten backen. Das Eiweiß mit dem Rum, dem Zitronensaft und dem restlichen Puderzucker verrühren. Die Brezeln etwas abkühlen lassen, mit einem breiten Messer vom Backblech heben und die Oberseite möglichst dick mit der Glasur bestreichen.

Unser Tip
Wenn Sie Geschmacksvarianten lieben, können Sie die Glasur statt mit Rum auch mit Arrak anrühren.

Die besten Weihnachtsplätzchen

Kleine Spitzbuben

400 g Mehl, 200 g Butter
3 Eigelbe, 100 g Zucker
1 Päckchen Vanillinzucker
abgeriebene Schale und Saft von 1 Zitrone
50 g geriebene Haselnüsse ◇
1/2 Tasse Erdbeermarmelade
1/2 Tasse Puderzucker

Das Mehl auf ein Backbrett sieben und die Butter in Flöckchen darauf verteilen. Die Eigelbe, den Zucker, den Vanillinzucker, die Zitronenschale und die geriebenen Nüsse in die Mitte geben und alle Zutaten zu einem Mürbeteig verkneten. Den Teig in Alufolie oder Pergamentpapier gewikkelt 2 Stunden im Kühlschrank ruhen lassen.
Den Backofen auf 200° vorheizen. Den Teig portionsweise auf einer bemehlten Fläche dünn ausrollen und Plätzchen und Ringe in gleicher Anzahl und Größe ausstechen. Plätzchen und Ringe auf ein Backblech legen und auf der mittleren Schiebeleiste 10 Minuten backen, bis sie goldgelb sind. Die Plätzchen vorsichtig mit einem Messer vom Backblech heben und auf einem Kuchengitter abkühlen lassen. Die Marmelade mit dem Zitronensaft verrühren. Die Ringe mit dem Puderzucker besieben. Die runden Plätzchen mit der Marmelade bestreichen und jeweils einen Ring auf ein Plätzchen setzen.

Schwäbische Springerle

500 g Puderzucker, 4 Eier
abgeriebene Schale von 1 Zitrone
500 g Mehl
Für das Backblech: Butter oder Margarine und Mehl

Für Springerle brauchen Sie kleine Holzmodeln von möglichst verschiedener Form. Ein bis zwei Backbleche mit Fett bestreichen und mit Mehl bestäuben. Den Puderzucker mit den Eiern schaumig rühren, am besten mit dem Handrührgerät. Die Zitronenschale und das gesiebte Mehl nach und nach unter die Schaummasse rühren. Zuletzt den Teig durchkneten und 1 cm dick ausrollen. Die Holzmodeln mit Mehl ausstäuben. Die Oberfläche der Teigplatte dünn mit Mehl bestäuben. Kleine Teigstücke in die Modeln drücken, die Kanten mit einem Messer glattschneiden und den Teig wieder aus den Modeln klopfen. Das Mehl an der Teigoberfläche mit einem Pinsel entfernen. Die Springerle auf das Backblech legen und 24 Stunden bei Raumtemperatur trocknen lassen.
Den Backofen auf 120° vorheizen. Die Springerle mit Pergamentpapier bedecken und 30 Minuten auf der mittleren Schiebeleiste backen. Während der ersten 20 Minuten die Backofentür nicht öffnen! Die Oberfläche der Springerle soll weiß bleiben, nur die Unterseite darf leicht bräunen. Die Springerle 2–3 Wochen kühl lagern, damit sie etwas weich werden.

Mürbes Spritzgebäck

300 g Butter
250 g Puderzucker
125 g Speisestärke
1 1/2 Tassen Milch
1 Messerspitze Salz
abgeriebene Schale von 1 Zitrone
500 g Mehl ◇
100 g Schokoladen-Fettglasur
Für das Backblech: Butter oder Margarine

Ein bis zwei Backbleche mit Butter oder Margarine bestreichen.
Die Butter mit dem Puderzucker und der Stärke zu einer glatten, aber nicht schaumigen Masse verrühren. Zunächst nur 1 Tasse Milch zufügen. Das Salz, die Zitronenschale und zuletzt das gesiebte Mehl erst unterrühren, dann kneten. Die restliche halbe Tasse Milch nur dann zum Teig geben, wenn er zum Spritzen zu fest sein sollte. Den Backofen auf 190° vorheizen.
Den Teig entweder in einen Spritzbeutel mit Sterntülle füllen und S-Förmchen und Ringe auf das Backblech spritzen, oder den Teig durch den Fleischwolf mit dem Spritzvorsatz drehen oder eine Gebäckspritze verwenden. Das Spritzgebäck auf der mittleren Schiebeleiste 10 Minuten backen, bis es hellgelb ist.
Die Schokoladenglasur im Wasserbad schmelzen lassen und das etwas abgekühlte Gebäck zu einem Drittel in die Schokolade tauchen. Gut trocknen lassen.

Nougatkipferl

100 g Butter
200 g Nougatmasse, 1 Ei
1 Päckchen Vanillinzucker
1 Messerspitze Salz, 300 g Mehl
1/2 Teel. Backpulver ◇
50 g Schokoladen-Fettglasur

Die möglichst weiche Butter mit dem Nougat gut verkneten. Das Ei, den Vanillinzucker und das Salz zugeben und alles gut mischen. Das Mehl mit dem Backpulver sieben und nach und nach unter die Nougatmasse kneten. Den Teig zu einer Kugel formen und in Alufolie gewickelt 1 Stunde im Kühlschrank ruhen lassen.
Den Backofen auf 180° vorheizen. Den Teig zu einer langen, dünnen Rolle formen und diese in 40 etwa 6 cm lange Stücke zerschneiden. Aus diesen kleine Hörnchen (Kipferl) formen und auf ein Backblech legen. Die Kipferl auf der mittleren Schiebeleiste 10–15 Minuten backen, bis sie hellbraun sind.
Die Kipferl mit einem breiten Messer vorsichtig vom Backblech heben und auf einem Kuchengitter abkühlen lassen. Die Schokoladenglasur im Wasserbad schmelzen lassen und die Spitzen der Hörnchen in die Glasur tauchen. Die Schokoladenglasur auf einem Kuchengitter gut trocknen lassen, ehe man die Kipferl zum Aufbewahren in eine Dose legt.

Die besten Weihnachtsplätzchen

Echter Heidesand

200 g Butter, 80 g Puderzucker
50 g Marzipan-Rohmasse
1 Teel. Vanillinzucker
abgeriebene Schale von ½ Zitrone
250 g Mehl ◇
1 Eigelb
1 Tasse Zucker

Die möglichst weiche Butter mit dem Puderzucker, dem Marzipan, dem Vanillinzucker und der Zitronenschale verrühren. Das Mehl über die Buttermasse sieben und unterkneten. Aus dem Teig gleich große Rollen von etwa 5 cm ∅ formen, die Rollen in Alufolie wickeln und über Nacht im Kühlschrank ruhen lassen.
Den Backofen auf 190° vorheizen. Die Teigstangen rundherum mit dem verquirlten Eigelb bestreichen und im Zucker rollen. Vorsichtig ½ cm dicke Scheiben abschneiden, auf ein Backblech legen und auf der mittleren Schiebeleiste 8–10 Minuten backen. Die Plätzchen mit einem breiten Messer vom Backblech heben und erkalten lassen.

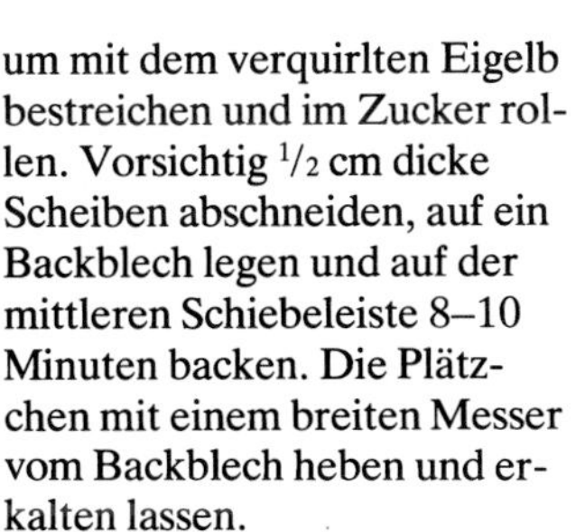

Unser Tip

Marzipan-Rohmasse kann man selbst herstellen: Im Mixer 500 g geschälte und 25 g bittere Mandeln pürieren, mit 500 g Puderzucker und 50 g Rosenwasser (in der Apotheke erhältlich) mischen, so daß eine geschmeidige Masse entsteht.

Zarte Zimtsterne

500 g Mandeln, 5 Eiweiße
450 g Puderzucker
2 Teel. gemahlener Zimt
1 Eßl. Kirschwasser

Die Mandeln überbrühen, abziehen und erkalten lassen, dann in der Mandelmühle fein reiben. Die Eiweiße zu steifem Schnee schlagen. Den gesiebten Puderzucker unterrühren, 1 Tasse der Eischneemasse für die Glasur beiseite stellen. Die Mandeln, den Zimt und das Kirschwasser unter den Eischnee mischen, alles schnell zusammenkneten und den Teig zugedeckt 1 Stunde im Kühlschrank ruhen lassen.
Eine Arbeitsfläche mit Zucker bestreuen, den Teig darauf 1 cm dick ausrollen und Sterne ausstechen. Die Sterne gleichmäßig mit der Eischneeglasur überziehen, auf ein Backblech legen und über Nacht bei Raumtemperatur trocknen lassen.
Den Backofen auf 220° vorheizen und die Zimtsterne 5 Minuten backen. Die Backzeit genau einhalten! Die Sterne sollen innen noch weich sein, und die Oberfläche soll weiß bleiben.

Unser Tip

Nach Belieben können Sie die Zimtsterne auf ein mit Anis bestreutes Backblech legen. Das Gebäck nimmt dadurch einen leichten Anisgeschmack an.

Schwarzweiß-Gebäck

300 g Butter
150 g Puderzucker
1 Prise Salz, 400 g Mehl
30 g Kakaopulver
1 Eiweiß

Die Butter auf einem Backbrett mit dem gesiebten Puderzucker und dem Salz verkneten. Das gesiebte Mehl unterarbeiten und den Teig in zwei Teile teilen. Einen Teil mit dem Kakaopulver verkneten. Beide Teigportionen in Alufolie oder Pergamentpapier gewickelt 2 Stunden im Kühlschrank ruhen lassen.
Den Backofen auf 190° vorheizen. Von beiden Teigportionen jeweils ein Stück abschneiden und beide Teigstücke auf einer bemehlten Fläche 2 mm dünn ausrollen. Eine Teigplatte mit verquirltem Eiweiß bestreichen, mit der anderen Teigplatte belegen und zu einer Rolle formen. Oder aus dunklem und hellem Teig rechteckige Stränge formen, diese mit Eiweiß bestreichen und schachbrettartig zusammensetzen. Die Stränge mit hellem oder dunklem Teig umhüllen (→ Arbeitsanleitung auf Seite 24).
Die Teigrolle nochmals im Kühlschrank sehr fest werden lassen, dann in etwa 1/2 cm dikke Scheiben schneiden. Das Gebäck auf der mittleren Schiebeleiste 10 Minuten backen, bis es hellgelb ist.
Die Plätzchen auf dem Backblech etwas abkühlen lassen, dann mit einem breiten Messer herunterheben und auf einem Kuchengitter vollständig erkalten lassen.

Runde Pfeffernüsse

500 g Honig, 300 g Zucker
3 Eier, 15 g Hirschhornsalz
1 Teel. gemahlener Zimt
1/2 Teel. gemahlene Gewürznelken
je 1 Messerspitze Muskatnuß, Koriander, Ingwerpulver, Piment und Kardamom
oder
2 Päckchen gemischtes Lebkuchengewürz (fertig zu kaufen)
knapp 1 Teel. weißer Pfeffer
1 kg Mehl ◇
100 g Puderzucker
Für das Backblech: Butter oder Margarine

Ein oder zwei Backbleche mit Fett bestreichen. Den Honig bei milder Hitze dünnflüssig werden lassen. Den Zucker, die Eier, das Hirschhornsalz und sämtliche Gewürze gut mit dem Honig verrühren. Das gesiebte Mehl nach und nach zuerst unterrühren, später unterkneten. Den Backofen auf 190° vorheizen.
Aus dem Teig kleine Kugeln von etwa 2 cm ∅ formen und in genügendem Abstand voneinander auf das Backblech legen. Die Pfeffernüsse auf der mittleren Schiebeleiste 15–20 Minuten backen, bis sie goldgelb sind. Auf einem Kuchengitter abkühlen lassen. Den Puderzucker mit wenig Wasser verrühren, unter Rühren aufkochen lassen und die Pfeffernüsse mit dieser Glasur bestreichen.

Die besten Weihnachtsplätzchen

Anisplätzchen

4 Eier, 250 g Puderzucker
1 Prise Salz
3 Päckchen Vanillinzucker
300 g Mehl
1 Eßl. gemahlener Anis
Für das Backblech: Butter oder Margarine und Mehl

Ein bis zwei Backbleche mit Fett bestreichen und mit Mehl bestäuben.
Die Eier in Eiweiße und Eigelbe trennen. Die Eigelbe mit dem Puderzucker, dem Salz und dem Vanillinzucker schaumig rühren, am besten mit dem Handrührgerät. Die Eiweiße zu steifem Schnee schlagen und mit der Eigelbmasse mischen. Das gesiebte Mehl mit dem Anis mischen und unter die Schaummasse heben. Den Teig in einen Spritzbeutel mit Lochtülle füllen und auf die Backbleche etwa markstückgroße Plätzchen spritzen. Die Plätzchen über Nacht bei Raumtemperatur trocknen lassen.
Den Backofen auf 160° vorheizen. Die Anisplätzchen mit Pergamentpapier bedeckt 20–25 Minuten backen. In den ersten 20 Minuten die Backofentür nicht öffnen! Erst in den letzten 10 Minuten nachsehen: Die Plätzchen sind fertig, wenn der Boden leicht zu bräunen beginnt, die Häubchen aber noch fast weiß sind. Die Anisplätzchen abkühlen lassen. Zwei bis drei Wochen kühl lagern, damit sie etwas weicher werden.

Schokoladen-Makronen

250 g Mandeln
100 g zartbittere Schokolade
4 Eiweiße, 200 g Zucker
30–40 kleine Backoblaten

Die ungeschälten Mandeln in der Mandelmühle reiben. Die Schokolade auf dem Reibeisen oder ebenfalls in der Mandelmühle reiben. Die Eiweiße zu steifem Schnee schlagen, am besten mit dem Handrührgerät. Den Zucker einrieseln lassen und den Schnee 10 Minuten weiterschlagen. Mandeln und Schokolade unter den Eischnee heben. Den Backofen auf 180° vorheizen.
Zwei Backbleche mit kaltem Wasser abspülen. Die Backoblaten auf den Backblechen verteilen und mit 2 Teelöffeln kleine Teighäufchen daraufsetzen. Die Makronen auf der mittleren Schiebeleiste 15–20 Minuten backen. Während der letzten 10 Backminuten nachsehen, ob die Makronen nicht zu dunkel werden. Schokoladengebäck schmeckt dann nämlich leicht bitter. Die Makronen auf einem Kuchengitter abkühlen lassen.

Unser Tip

Wer Backoblaten nicht mag, kann von den noch heißen Makrönchen die Oblaten abziehen. Sind sie bereits erkaltet, dann haften sie zu fest.

Die besten Weihnachtsplätzchen

Muskatzonen

125 g Butter, 125 g Zucker
1 Ei
abgeriebene Schale von 1/4 Zitrone
1 Messerspitze geriebene Muskatnuß
je 1 Prise Zimt und Gewürznelken
125 g Mehl
125 g ungeschälte, geriebene Haselnüsse
125 g Semmelbrösel ◇
1 Eigelb
45 geschälte Mandelhälften

Die Butter mit dem Zucker, dem Ei, der Zitronenschale, der Muskatnuß, dem Zimt und dem Nelkenpulver verkneten. Das gesiebte Mehl mit den Haselnüssen und den Semmelbröseln mischen, über die Buttermasse geben und alles rasch zu einem Teig verkneten. Den Teig zugedeckt 2 Stunden im Kühlschrank ruhen lassen.
Den Backofen auf 200° vorheizen. Den Teig 1/2 cm dick ausrollen. Kleine Bögen von 6 cm Länge und 2 1/2 cm Breite ausstechen oder ausschneiden, auf ein Backblech legen und mit dem verquirlten Eigelb bestreichen. Jede Muskatzone mit einer halben Mandel belegen. Auf der mittleren Schiebeleiste 10 Minuten backen.

Unser Tip

Wenn Sie kein entsprechendes Förmchen haben, so fertigen Sie sich eine Pappschablone an, mit deren Hilfe Sie die Bögen ausschneiden können.

Kleine Gewürzschnitten

150 g Butter
125 g Zucker, 1 Ei
je 1 Messerspitze gemahlener Zimt, gemahlene Gewürznelken und geriebene Muskatnuß
abgeriebene Schale von 1 Zitrone
125 g Mehl
125 g ungeschälte, gemahlene Mandeln
125 g Semmelbrösel ◇
200 g Puderzucker
3–4 Eßl. Zitronensaft
je 30 g Zitronat und Orangeat

Die Butter mit dem Zucker schaumig rühren. Das Ei, die Gewürze und die Zitronenschale unterrühren. Das Mehl darübersieben, die Mandeln und die Semmelbrösel nach und nach zugeben und alles zu einem glatten Mürbeteig verkneten. Den Teig in Alufolie oder Pergamentpapier gewikkelt 2 Stunden im Kühlschrank ruhen lassen.
Den Backofen auf 200° vorheizen. Den Teig auf einer bemehlten Fläche 4 mm dick ausrollen und 3 × 6 cm große Rechtecke ausschneiden. Die Schnitten mit genügend Abstand voneinander auf ein Backblech legen und auf der mittleren Schiebeleiste 10–12 Minuten backen.
Den Puderzucker sieben, mit dem Zitronensaft glattrühren und die etwas abgekühlten Schnitten damit dick überziehen. Das Zitronat und das Orangeat in feine Streifen schneiden und auf die noch weiche Glasur drücken.

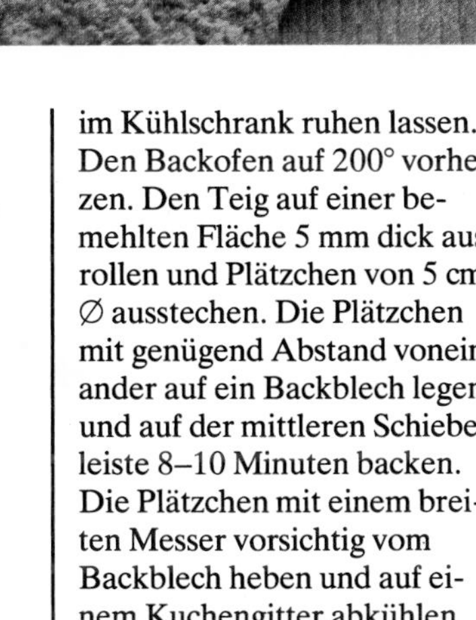

Orangen-Schokoplätzchen

100 g zartbittere Schokolade
125 g Butter oder Margarine
125 g Zucker
1 Prise Salz, 1 Ei
abgeriebene Schale von 1 Orange
200 g Mehl
1 Teel. Backpulver ◇
100 g Puderzucker
2–3 Eßl. Orangensaft

Die Schokolade grob raspeln. Die Butter oder die Margarine mit dem Zucker, dem Salz, dem Ei und der Orangenschale verkneten. Das Mehl mit dem Backpulver darübersieben, die Schokolade zugeben und alles rasch zu einem geschmeidigen Teig verkneten. Den Teig zu einer Kugel formen und in Alufolie gewickelt 2 Stunden im Kühlschrank ruhen lassen. Den Backofen auf 200° vorheizen. Den Teig auf einer bemehlten Fläche 5 mm dick ausrollen und Plätzchen von 5 cm ∅ ausstechen. Die Plätzchen mit genügend Abstand voneinander auf ein Backblech legen und auf der mittleren Schiebeleiste 8–10 Minuten backen. Die Plätzchen mit einem breiten Messer vorsichtig vom Backblech heben und auf einem Kuchengitter abkühlen lassen. Den Puderzucker sieben, mit dem Orangensaft verrühren und die Plätzchen mit dieser Glasur überziehen.

Zarte Mandelherzen

250 g Butter
120 g Puderzucker
2 Eigelbe
100 g ungeschälte, gemahlene Mandeln
350 g Mehl ◇
80 geschälte Mandelhälften

Die Butter mit dem gesiebten Puderzucker und 1 Eigelb schaumig rühren. Die gemahlenen Mandeln und das gesiebte Mehl darübergeben und alles rasch zu einem festen Mürbeteig verkneten. Den Teig zu einer Kugel formen und in Alufolie oder Pergamentpapier gewickelt 2 Stunden im Kühlschrank ruhen lassen.
Den Backofen auf 200° vorheizen. Den Teig auf einer bemehlten Fläche 1/2 cm dick ausrollen und 40 Herzen ausstechen. Die Herzen auf das Backblech legen, das zweite Eigelb verquirlen, die Herzen damit bestreichen und auf jedes Herz zwei halbe Mandeln legen. Die Herzen auf der mittleren Schiebeleiste 8–10 Minuten backen.
Die Herzen auf dem Backblech etwas abkühlen lassen, noch warm mit einem breiten Messer vom Blech nehmen und auf einem Kuchengitter vollständig erkalten lassen.

Torte für den Weihnachtstag

4 Eigelbe, 4 Eßl. Wasser
180 g Zucker
1 Päckchen Vanillinzucker
4 Eiweiße, 150 g Mehl
100 g Speisestärke
3 Teel. Backpulver ◇
2 Blatt weiße Gelatine
3/4 l Sahne, 150 g Zucker
40 g Kakaopulver, 1 Eßl. Rum
5 Eßl. Preiselbeerkompott ◇
100 g Blockschokolade
8 rote Belegkirschen
1 Teel. Puderzucker
2 Eßl. geröstete Mandelblättchen
Für die Form: Butter oder Margarine

Den Boden einer Springform von 26 cm Ø mit Butter oder Margarine ausstreichen. Den Backofen auf 190° vorheizen. Die Eigelbe mit dem Wasser, der Hälfte des Zuckers und dem Vanillinzucker schaumig rühren. Die Eiweiße mit dem restlichen Zucker steif schlagen und unter die Eigelbmasse heben. Das Mehl mit der Speisestärke und dem Backpulver darübersieben und unter den Teig ziehen. Den Biskuitteig in die Springform füllen, glattstreichen und auf der zweiten Schiebeleiste von unten 20–30 Minuten backen. Den Biskuitboden möglichst über Nacht ruhen lassen, dann zweimal quer durchschneiden.
Die Gelatine in kaltem Wasser einweichen. Die Sahne mit dem Zucker steif schlagen. Ein Drittel der Sahne mit dem Kakao und dem Rum verrühren. Die Schokoladensahne als erste Schicht auf den untersten Boden streichen und den zweiten Boden darauflegen. Ein weiteres Drittel der Sahne mit dem Preiselbeerkompott und der gut ausgedrückten, im Wasserbad aufgelösten Gelatine verrühren und den zweiten Boden damit bestreichen. Den dritten Boden darauflegen.
Die Torte rundherum mit dem dritten Teil der Sahne bestreichen, den Sahnerest in einen Spritzbeutel mit Sterntülle füllen und damit 16 Rosetten auf die Torte spritzen. Die Hälfte der Blockschokolade im Wasserbad auflösen und dünn auf Pergamentpapier oder Alufolie streichen. Einen kleinen Sternausstecher in heißes Wasser tauchen und aus der bereits erstarrten Schokolade Sternchen ausstechen. Auf jede Sahnerosette einen Schokoladenstern und eine halbe Belegkirsche setzen. Die restliche Schokolade grob raspeln und auf die Mitte der Torte streuen. Die Schokoladenraspeln leicht mit Puderzucker besieben. Den Rand der Torte mit Mandelblättchen bestreuen.

Unser Tip

Aus der Blockschokolade kann man auch dünne Schokoladenspäne herstellen, wie sie auf dem Bild für die Torte verwendet wurden. Dafür die aufgelöste Schokolade auf eine Resopalplatte hauchdünn aufstreichen. Von der fast erstarrten Schokolade mit einem Messer Späne abschaben. Die Späne vollständig erkalten lassen und auf die Torte streuen.

Bûche de Nöel

6 Eigelbe, 80 g Zucker
abgeriebene Schale von 1/2 Zitrone
4 Eiweiße, 80 g Mehl ◇
250 g Blockschokolade
250 g Butter, 125 g Puderzucker
1 Schnapsglas Rum (2 cl)
3 Belegkirschen
2 dünne Schokoladenblättchen
1 Teel. gehackte Pistazien
Für das Backblech: Pergamentpapier

Ein Backblech mit Pergamentpapier auslegen. Den Backofen auf 230° vorheizen.
Die Eigelbe mit 1 Eßlöffel Zucker und der Zitronenschale schaumig rühren. Die Eiweiße mit dem restlichen Zucker steif schlagen und unter die Eigelbmasse heben. Das Mehl darübersieben und unterheben. Den Biskuitteig auf das Pergamentpapier streichen und auf der mittleren Schiebeleiste 10–12 Minuten backen.
Die Teigplatte auf ein mit Zucker bestreutes Tuch stürzen, das Papier abziehen und den Biskuit mit einem feuchten Tuch bedecken.
Die Blockschokolade im Wasserbad schmelzen. Abkühlen lassen. Die Butter mit dem gesiebten Puderzucker schaumig rühren; 3 Eßlöffel davon zurückbehalten. Unter die restliche Buttercreme die Schokolade und den Rum ziehen. Den Biskuit mit zwei Dritteln der Creme bestreichen und aufrollen. Die restliche Creme mit einem Spritzbeutel in Längsstreifen auf die Biskuitroulade spritzen. Die Kirschen halbieren. Aus den Schokoladenblättchen Blätter schneiden. Die Roulade mit der zurückbehaltenen Buttercreme, den Kirschen, den Schokoladenblättchen und den Pistazien garnieren. Eine Scheibe von der Roulade abschneiden und als »abgesägten Ast« an die Seite setzen.

Tannenzapfen Märchenwald

1 fertiger Sandkuchen
$^1/_2$ l Milch
1 Päckchen Vanille-Puddingpulver
2 Eigelbe, 100 g Zucker
250 g Butter, 50 g Blockschokolade
50 g Kakaopulver
3 Päckchen kleine Schokoladentaler

Einen Sandkuchen fertig kaufen oder nach dem Rezept auf Seite 17 selbst backen. Den Sandkuchen in Form eines großen Tannenzapfens zurechtschneiden. $^1/_2$ Tasse Milch mit dem Puddingpulver und den Eigelben verquirlen. Den Zucker mit der restlichen Milch aufkochen und nach Vorschrift einen Pudding bereiten. Den Pudding erkalten lassen. Die Butter schaumig rühren und nach und nach den erkalteten Pudding löffelweise unterrühren. Die Blockschokolade im Wasserbad auflösen und mit dem Kakaopulver unter die Buttercreme mischen. Den Tannenzapfen dreimal längs durchschneiden, mit der Buttercreme füllen und rundherum damit überziehen. Die Buttercreme mit den Schokoladentalern belegen.

Unser Tip

Schokoladentaler selbst herstellen: Die aufgelöste Schokolade mit einem Papiertütchen in Tupfen auf Alufolie spritzen. Die Tupfen laufen dann auseinander.

Brüsseler Früchtebrot

Je 200 g kandierte Ananas und Birnen
90 g Zitronat
250 g kandierte rote und grüne Kirschen
220 g feingehackte Walnüsse
je 110 g feingehackte Pekannüsse, Mandeln und Haselnüsse
400 g Rosinen
4 Schnapsgläser Sherry (8 cl)
225 g Butter, 450 g Zucker
je 1 Prise Salz und Muskatnuß
6 Eier, 450 g Mehl
2 Teel. Backpulver ◇
2 Schnapsgläser Sherry (4 cl)
Zum Verzieren: Puderzucker, Zitronensaft und kandierte Früchte
Für die Form: Butter und Pergamentpapier

Ananas, Birnen und Zitronat klein würfeln, mit den Kirschen, den Nüssen, den Rosinen und dem Sherry mischen. Über Nacht ruhen lassen. Eine Kastenform mit gefettetem Pergamentpapier auslegen. Den Backofen auf 135° vorheizen. Die Butter mit Zucker, Salz und Muskat schaumig rühren, die Eier einzeln unterrühren. Das Mehl mit dem Backpulver sieben und unterheben. Den Teig mit der Fruchtmasse mischen. In der Form auf der untersten Schiebeleiste $2^1/_2$ Stunden backen. Den abgekühlten Kuchen aus der Form heben, vom Papier befreien, in ein sherrygetränktes Mulltuch und in Alufolie wickeln, 4 Wochen im Kühlschrank lagern. Wöchentlich das Tuch erneut mit Sherry tränken. Den Kuchen glasieren und verzieren.

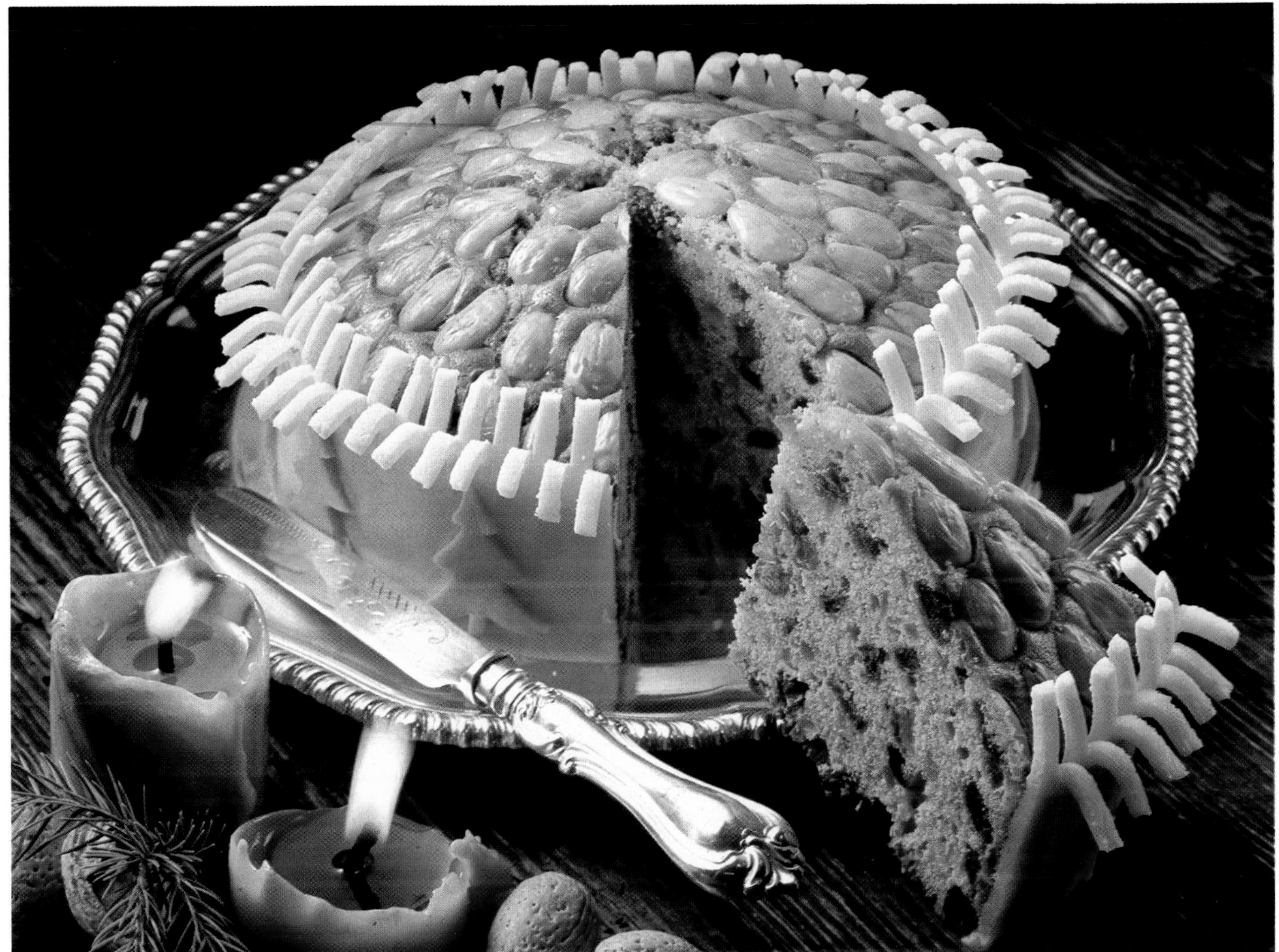

Dundee Cake

250 g Butter
250 g Farinzucker
das Innere von 1 Vanilleschote
1 Messerspitze Salz
1 Schnapsglas Rum (2 cl)
6 Eier, 320 g Mehl
2 Teel. Backpulver
400 g Sultaninen, 50 g ungeschälte, geriebene Mandeln
100 g gewürfeltes Zitronat ◇
100 g geschälte, halbierte Mandeln ◇
2 Eßl. Zucker, 5 Eßl. Wasser
100 g Marzipan-Rohmasse
60 g Puderzucker
2 Eßl. Aprikosenmarmelade
Nach Belieben Lebensmittelfarben
Für die Form: Pergamentpapier

Eine runde Kuchenform von etwa 18 cm ∅ oder eine Kastenform von 30–35 cm mit Pergamentpapier auslegen. Den Backofen auf 180° vorheizen.
Die möglichst weiche Butter mit dem Farinzucker, der Vanille, dem Salz und dem Rum verrühren. Die Eier nacheinander unterrühren. Es soll eine flaumige Masse entstehen. Sollte die Eiermasse leicht gerinnen, so gibt man 1 Eßlöffel Mehl zu. Das Mehl mit dem Backpulver sieben und mit den Sultaninen, den geriebenen Mandeln und dem Zitronat mischen. Die Mehlmischung nach und nach unter die Eiermasse rühren. Den Teig in die Kuchenform füllen, die Oberfläche glattstreichen und dicht mit den Mandelhälften belegen. Den Kuchen auf der unteren Schiebeleiste 60–80 Minuten backen. Vor dem Herausnehmen unbedingt die Stäbchenprobe machen (→ Seite 298). Den Kuchen auf ein Kuchengitter stürzen, das Pergamentpapier aber bis zum Anschneiden am Kuchen lassen. Den Kuchen umdrehen. Den Zucker mit dem Wasser unter Rühren 2–3 Minuten kochen lassen, bis der Zucker sich völlig aufgelöst hat. Die Oberfläche des Kuchens mit der Glasur bestreichen.
Die Marzipan-Rohmasse mit dem Puderzucker verarbeiten. Die Oberfläche des Kuchens am Rand mit der Marmelade bestreichen. Das Marzipan ausrollen, dünne Streifen daraus schneiden und den Rand des Kuchens damit belegen. Die restliche Marzipanmasse nach Belieben mit Lebensmittelfarben färben, weihnachtliche Figuren nach Vorschlägen auf dem Bild oben ausstechen und mit Eiweiß auf den Kuchen kleben.

Unser Tip

Den Dundee Cake, diese berühmte englische Spezialität, dürfen Sie eigentlich nicht mit veränderten Zutaten backen, sonst fehlt ihm die Originalität. Aber Sie dürfen durchaus kleine weihnachtliche Marzipanfiguren fertig kaufen und den Kuchen damit verzieren. Für den Rand schneiden Sie dann einfach Streifen aus Lübekker Marzipan ohne Schokoladen-Überzug.

Mohnstollen

500 g Mehl, 30 g Hefe
60 g Zucker
1/8 l lauwarme Milch
2 Eier, 150 g Butter
35 g süße, 15 g bittere geschälte, gehackte Mandeln
abgeriebene Schale von 1 Zitrone
1 Prise Salz ◇
250 g gemahlener Mohn
1/2 l Milch
1 Päckchen Vanille-Puddingpulver
1 Eßl. Butter, 1 Eigelb
100 g Zucker ◇
200 g Puderzucker, 1 Eiweiß
Saft von 1 Zitrone
2 Eßl. Mandelblättchen
Für das Backblech: Butter oder Margarine

Ein Backblech mit Butter oder Margarine bestreichen.
Das Mehl in eine Schüssel sieben und eine Vertiefung in die Mitte drücken. Die Hefe hineinbröckeln und mit 1 Eßlöffel Zucker, der Milch und etwas Mehl zu einem Vorteig verrühren. Ein wenig Mehl darüberstäuben und den Vorteig zugedeckt an einem warmen Ort 15 Minuten gehen lassen.
Die Eier, den restlichen Zucker, die Butter, die Mandeln, die Zitronenschale und das Salz auf dem Mehl verteilen und alles mit dem Vorteig zu einem Teig verkneten. Den Teig weitere 15 Minuten zugedeckt gehen lassen.
Den Mohn mit 3/8 l Milch aufkochen und 10 Minuten quellen lassen. Das Puddingpulver mit der restlichen Milch, der Butter, dem Eigelb und dem Zucker verrühren, zur Mohnmasse geben und einmal unter Rühren aufkochen. Abkühlen lassen.
Den Hefeteig auf einer bemehlten Fläche zu einer Platte von 1 cm Dicke ausrollen. Die Mohnfüllung gleichmäßig darauf verstreichen, beide Längsseiten zweimal von außen nach innen einschlagen und einen Stollen formen. Den Stollen auf das Backblech legen und nochmals 20 Minuten gehen lassen. Den Backofen auf 210° vorheizen.
Den Stollen auf der untersten Schiebeleiste 60 Minuten backen. Den Puderzucker sieben und mit dem Eiweiß und dem Zitronensaft verrühren. Den noch warmen Stollen damit bestreichen und auf die noch weiche Glasur die Mandelblättchen streuen.

Unser Tip

Der Mohnstollen eignet sich nicht zum längeren Lagern. Er sollte so frisch wie möglich gegessen werden. Wenn Sie den Stollen aber fest in Alufolie einschlagen, trocknet er nicht aus und behält sein volles Aroma 3–4 Tage.

Aprikosen-Zopfkuchen

500 g Mehl, 30 g Hefe
60 g Zucker
1/8 l lauwarme Milch
150 g getrocknete Aprikosen
100 g gehackte Mandeln
50 g gehacktes Zitronat
25 g gehacktes Orangeat
1 Schnapsglas Arrak (2 cl)
2 Eier, 150 g Butter
abgeriebene Schale von 1 Zitrone
1 Prise Salz ◇
75 g Butter
75 g Puderzucker
Für die Form: Butter und Mehl

Eine Kastenform mit Fett ausstreichen und mit Mehl ausstäuben. Das Mehl in eine Schüssel sieben, in die Mitte eine Mulde drücken und darin die zerbröckelte Hefe mit wenig Zucker, der Milch und etwas Mehl verrühren. 15 Minuten gehen lassen.
Die Aprikosen kleinschneiden und mit den Mandeln, dem Zitronat, dem Orangeat und dem Arrak mischen. Die Eier, den restlichen Zucker, die Butter in Flöckchen, die Zitronenschale und das Salz zum Vorteig geben und mit dem gesamten Mehl so lange schlagen, bis der Teig Blasen wirft. Die Früchte unterkneten, den Teig 15 Minuten gehen lassen.
Aus dem Teig drei Rollen formen, einen Zopf daraus flechten, in die Kastenform legen und weitere 20 Minuten gehen lassen. Den Backofen auf 200–220° vorheizen.
Den Zopf auf der untersten Schiebeleiste 50–60 Minuten backen. Noch warm mit der zerlassenen Butter bestreichen, mit dem Puderzucker besieben.

Lockerer Quarkstollen

500 g Mehl
1 Päckchen Backpulver
500 g Magerquark
2 Eier, 150 g Zucker
1 Päckchen Vanillinzucker
1 Prise Salz
je 2 Eßl. abgeriebene Zitronenschale, gehackte Mandeln und Rosinen
je 4 Eßl. gemischte, gehackte kandierte Früchte, Zitronat und Orangeat ◇
4 Eßl. zerlassene Butter
6 Eßl. Puderzucker
1 Eßl. Vanillinzucker
Für das Backblech: Butter oder Margarine und Mehl

Ein Backblech mit Butter oder Margarine bestreichen und mit Mehl bestäuben. Den Backofen auf 190° vorheizen.
Das Mehl mit dem Backpulver mischen, auf ein Backbrett sieben und in die Mitte eine Vertiefung drücken. Den Quark, die Eier, den Zucker, den Vanillinzucker, das Salz, die Zitronenschale und die Trockenfrüchte hineingeben. Alles zu einem festen Teig verkneten, einen Stollen formen und auf das Backblech legen. Den Stollen auf der untersten Schiebeleiste 60 Minuten backen.
Den Stollen auf ein Kuchengitter legen und noch heiß mit der zerlassenen Butter bestreichen. Den Puderzucker mit dem Vanillinzucker mischen und den Stollen dick damit besieben.

Vornehmes Schokoladen-konfekt

1 Tasse Wasser
3 Eßl. schwarzer Tee
50 g Butter, 2 Eigelbe, 100 g Puderzucker
abgeriebene Schale von ½ Orange
300 g Blockschokolade
½ Tasse Kakaopulver
Für die Form: Alufolie oder Pergamentpapier

Eine flache, eckige Kuchenform oder eine feuerfeste Form mit Alufolie oder Pergamentpapier auslegen.
Das Wasser zum Kochen bringen und den schwarzen Tee damit überbrühen. Den Tee 3 Minuten ziehen lassen, abgießen und abkühlen lassen.
Die Butter mit den Eigelben und dem gesiebten Puderzucker schaumig rühren. Die abgeriebene Orangenschale untermischen. Die Blockschokolade grob zerschneiden und im Wasserbad schmelzen lassen. Den abgekühlten Tee und die geschmolzene Blockschokolade unter die Butter-Zucker-Masse rühren und etwas erstarren lassen. Die Schokoladenmasse etwa 2 cm hoch auf die Alufolie oder das Pergamentpapier streichen und im Kühlschrank erstarren lassen. Aus der festgewordenen Schokoladenmasse 3 cm große Quadrate schneiden und im Kakaopulver wenden.

Babettes Quittenbrot

2 kg frische Quitten
abgeriebene Schale von 1 Orange und 1 Zitrone
2 Teel. gemahlener Zimt
2 Eßl. Kirschwasser
je 50 g Zitronat und Orangeat
etwa 1 kg Zucker
Für die Form: Alufolie

Die Quitten mit einem Tuch gründlich abreiben, vierteln und die Stiele und die Blütenansätze entfernen. Die Quittenviertel mit Wasser bedeckt 45 Minuten bei milder Hitze zugedeckt kochen lassen, dann in einem Sieb abtropfen lassen und in eine Schüssel geben.
Die Orangen- und die Zitronenschale, den Zimt und das Kirschwasser mit den Quitten mischen und alles über Nacht zugedeckt stehen lassen.
Das Zitronat und das Orangeat sehr klein wiegen. Die Fettpfanne des Backofens mit Alufolie auslegen. Das Quittenmus durch ein Haarsieb streichen, abwiegen, und mit der gleichen Menge Zucker mischen. Das Mus unter ständigem Rühren mit einem Holzlöffel so lange kochen, bis es sich vom Topf löst. Zuletzt das Zitronat und das Orangeat untermengen. Das Quittenmus 1 cm hoch in die ausgelegte Fettpfanne streichen und bei 50° auf der mittleren Schiebeleiste 3–4 Stunden trocknen lassen. Erkalten lassen, in gleich große Rauten schneiden und in dem restlichen Zucker wenden.

Festliches Konfekt

Feigenkugeln Baron M.

250 g Marzipan-Rohmasse
80 g Puderzucker
1 Schnapsglas Arrak (2 cl) oder Rum
8 getrocknete Feigen
4 Eßl. Orangenmarmelade
100 g Krokantstreusel

Die Marzipan-Rohmasse mit dem gesiebten Puderzucker und dem Arrak oder dem Rum verkneten. Die Feigen in Viertel schneiden. Jedes Feigenstück mit Marzipan umhüllen und zu einer Kugel formen. Die Orangenmarmelade leicht erhitzen und glattrühren. Die Marzipankugeln erst in der Marmelade, dann in den Krokantstreuseln wälzen. Anschließend auf Pergamentpapier gut trocknen lassen.

Die Feigenkugeln zwischen Pergamentpapier geschichtet in einer Dose aufbewahren.

Unser Tip

Statt mit Feigen können Sie die Kugeln auch mit gewürfelten getrockneten Aprikosen, mit festem Quittengelee, mit gewürfelten Datteln oder mit je 1 Cocktailkirsche füllen.

Rahmkaramellen

300 g Zucker
$^1/_8$ l kochendes Wasser
1 Eßl. Butter, $^1/_8$ l Sahne
1 Päckchen Vanillinzucker
Für das Backblech: Alufolie und Öl

Ein Backblech mit Alufolie auslegen und diese mit Öl bestreichen.
Den Zucker in einer Pfanne unter ständigem Rühren bräunen, bis er sich aufgelöst hat. Das kochende Wasser nach und nach zugießen, dann die Butter, die Sahne und den Vanillinzucker unterrühren. Das Zuckergemisch unter ständigem Rühren bis kurz vor dem Siedepunkt erhitzen.
Die Masse 1 cm dick auf das vorbereitete Backblech streichen. Wenn die Karamelmasse beginnt, fest zu werden, schneidet man sie mit einem scharfen, dünnen Messer in $1^1/_2$ cm große Würfel. Die Bonbons voneinander trennen, damit sie nicht zusammenkleben können, und gut abkühlen lassen.

Unser Tip

Wollen Sie die Rahmkaramellen verschenken, dann sieht es besonders hübsch aus, wenn Sie jede Karamelle in ein Stückchen farbiges Cellophanpapier wickeln.

Festliches Konfekt

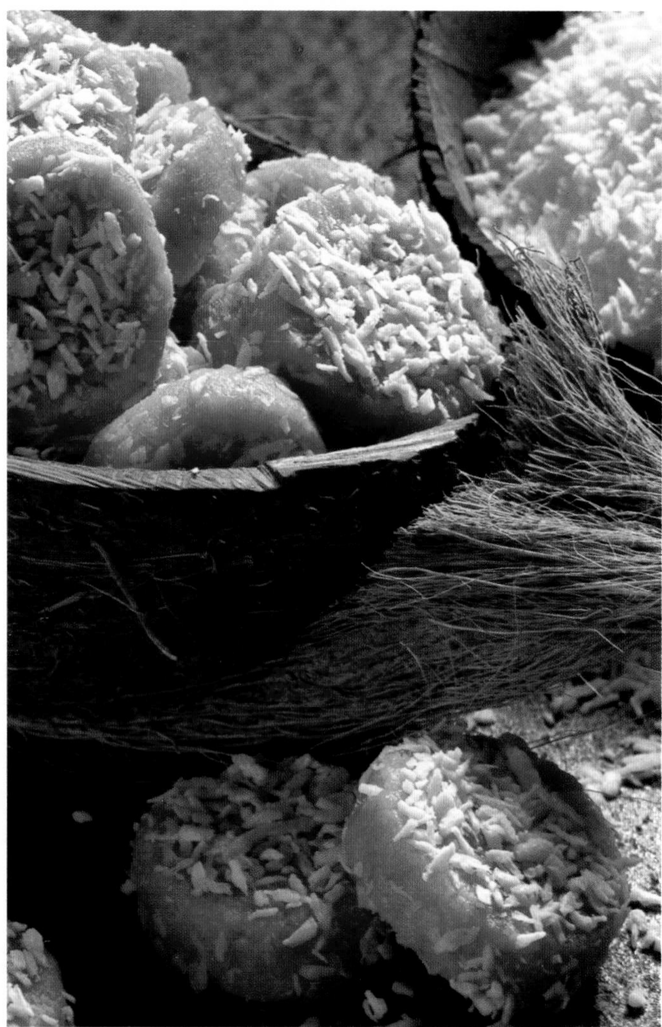

Weiße Aprikosentaler

200 g getrocknete Aprikosen
250 g Kokosraspeln
Saft von 1 Zitrone
200–300 g Puderzucker

Die Aprikosen überbrühen und zugedeckt 3 Stunden quellen lassen.
Dann gut ausdrücken und durch die feine Scheibe des Fleischwolfs drehen. Die Aprikosenmasse mit 200 g Kokosraspeln mischen und nochmals durch den Fleischwolf drehen. Die Aprikosen-Kokos-Mischung mit dem Zitronensaft und so viel Puderzucker verkneten, daß ein formbarer Teig entsteht. Aus dem Teig eine etwa 4 cm dicke Rolle formen und davon 1/2 cm dicke »Taler« abschneiden. Die restlichen Kokosraspeln zwischen den Händen zerreiben, damit sich alle Klümpchen lösen, auf einen Teller schütten und die Aprikosentaler darin wenden. Die Aprikosentaler schichtweise zwischen Pergamentpapier in eine Dose legen und mindestens 2 Tage trocknen lassen.

Unser Tip

Statt mit Aprikosen können Sie die Taler auch mit getrockneten Pflaumen zubereiten. Verwenden Sie Pflaumen mit Steinen, so müssen Sie die doppelte Menge rechnen und die Pflaumen nach dem Einweichen entsteinen.

Mandel-Knusperhäufchen

100 g Rosinen
1 Schnapsglas Rum (2 cl)
400 g Milchschokoladen-Kuvertüre
150 g geröstete Mandelstifte
30 g feingehacktes Zitronat
Für das Backblech: Alufolie oder Pergamentpapier

Ein Backblech mit Alufolie oder Pergamentpapier auslegen. Die Rosinen mit dem Rum übergießen und zugedeckt über Nacht ziehen lassen. Die Kuvertüre im heißen Wasserbad auflösen, etwas abkühlen lassen und mit den Rosinen und dem Rum, den Mandelstiften und dem Zitronat mischen. Mit einem Teelöffel kleine Häufchen von der Masse abstechen und auf das Backblech setzen. Die Häufchen etwas trocknen lassen. Zuletzt die Knusperhäufchen im Kühlschrank völlig festwerden lassen.

Unser Tip

Statt mit in Rum getränkten Rosinen können Sie die Knusperhäufchen auch mit zwei Tassen Baiserbröseln zubereiten (etwa 6 Baiserböden mit dem Wellholz zerdrücken). Das Konfekt wird dadurch lockerer und leichter.

Schokoladen-Dukaten

300 g Butterkekse
80 g Blockschokolade
100 g Butter, 200 g Zucker
1 Ei, 50 g Kakaopulver
1 Schnapsglas Kirschwasser (2 cl)

Die Butterkekse auf einem Backbrett mit dem Rollholz fein zerkrümeln. Die Blockschokolade grob zerschneiden und im Wasserbad schmelzen lassen. Die Butter mit dem Zucker und dem Ei gut schaumig rühren. Die flüssige Blockschokolade, das Kakaopulver, das Kirschwasser und die Keksbrösel zur Buttermischung geben, alles gut vermengen und daraus eine Rolle von etwa 5 cm Ø formen. Die Rolle in Klarsichtfolie oder Alufolie wickeln und im Kühlschrank mindestens 12 Stunden gut festwerden lassen. Von der Rolle knapp 1 cm dicke Scheiben abschneiden und die Scheiben vorsichtig in dünnes Goldpapier einwickeln.

Unser Tip

Statt Butterkekse können Sie für die Schokoladen-Dukaten auch zerdrückte Cornflakes oder Biskuitbrösel verwenden.

Figaro-Schnitten

300 g Nougat-Rohmasse
100 g Milchschokoladen-Kuvertüre
100 g Mandelblättchen
40 g Pistazienkerne
50 g feingehacktes Zitronat
100 g kandierte Kirschen
½ Schnapsglas Kirschwasser (1 cl)
200 g bittere Schokoladen-Kuvertüre
Für die Form: Alufolie

Eine Kastenkuchenform mit Alufolie auslegen.
Die Nougatmasse zusammen mit der Milchschokoladen-Kuvertüre im heißen Wasserbad schmelzen lassen. Die Mandelblättchen, die Pistazienkerne, das Zitronat, die grob zerkleinerten Kirschen und das Kirschwasser unter die Schokoladenmasse rühren. Die Masse in die Kastenform füllen, glattstreichen und im Kühlschrank erstarren lassen. Die bittere Schokoladen-Kuvertüre ebenfalls im heißen Wasserbad schmelzen lassen. Den erstarrten Block aus der Kastenform nehmen, rundherum mit der dunklen Kuvertüre bestreichen und die Schokoladenglasur erstarren lassen. Vor dem Servieren aus dem Block ½ cm dicke Scheiben schneiden.

Königsberger Marzipanherzen

500 g Marzipan-Rohmasse
350 g Puderzucker
2 Eiweiße, 1 Eigelb
einige Cocktailkirschen
etwas Zitronat und Orangeat

Die Marzipan-Rohmasse mit 200 g gesiebtem Puderzucker zu einem Teig verkneten. Den Teig auf einem Backbrett etwa 1 cm dick ausrollen und kleine Herzen ausstechen. Aus den Teigresten schmale Streifen schneiden. Die Eiweiße und das Eigelb gesondert verquirlen. Die Streifen mit dem Eiweiß bestreichen und den äußeren Rand der Herzen damit belegen. In die Randstreifen mit einer Stricknadel gleichmäßige Kerben drücken. Dann die Randstreifen mit dem verquirlten Eigelb bestreichen. Den Backofen auf 220° vorheizen.
Die Marzipanherzen auf ein Backblech legen und auf der obersten Schiebeleiste so lange überbacken, bis der Randstreifen zu bräunen beginnt. Die Herzen dann sofort aus dem Backofen nehmen und erkalten lassen.
Den Rest des Eiweißes mit dem restlichen Puderzucker verrühren und die Mitte der Herzen damit bestreichen. Die kandierten Früchte kleinschneiden und die Herzen damit gefällig verzieren.

Marzipan-Pralinen

400 g Marzipan-Rohmasse
80 g Puderzucker
80 g gehackte Walnüsse
1 Schnapsglas Rum (2 cl)
1 Schnapsglas Maraschinolikör (2 cl)
400 g Blockschokolade
40 halbe Walnußkerne

Die Marzipan-Rohmasse mit dem gesiebten Puderzucker, den feingehackten Walnußkernen, dem Rum und dem Maraschinolikör gut verkneten. Die Marzipanmasse auf einer Arbeitsfläche 1 cm dick ausrollen und mit einem scharfen, dünnen Messer 2 × 3 cm große trapezförmige Stücke abschneiden. Die Blockschokolade grob zerkleinern und im heißen Wasserbad auflösen.
Die Schokolade bis kurz vor dem Erstarren wieder abkühlen lassen und dann noch einmal leicht erwärmen. Die Marzipanstücke auf eine Gabel spießen und rundherum in die Schokolade tauchen. Die Pralinen auf einem Kuchengitter etwas abtropfen lassen und in die noch weiche Schokoladenglasur jeweils eine halbe Walnuß drücken. Die Schokoladenglasur antrocknen und dann im Kühlschrank vollständig erstarren lassen.

Schokoladen-Fruchtkonfekt

200 g Blockschokolade
250 g kandierte Ananasringe
250 g getrocknete Aprikosen
60 g abgezogene Mandeln

Die Schokolade grob zerbrökkeln und im heißen Wasserbad auflösen. Die geschmolzene Schokolade bis kurz vor dem Erstarren wieder abkühlen lassen und nochmals leicht erwärmen. Die Ananasringe in trapezförmige Stücke schneiden. Aprikosen und Ananasstücke zur Hälfte in die aufgelöste Schokolade tauchen und auf einem Kuchengitter abtropfen lassen. Auf die noch weiche Schokoladenglasur der Aprikosen jeweils eine Mandel drücken.

Unser Tip

Noch feiner wird das Fruchtkonfekt natürlich, wenn Sie die Fruchtmasse nach dem Rezept für Babettes Quittenbrot Seite 184 aus Himbeeren, Erdbeeren oder Orangen selbst bereiten. Mischen Sie das Fruchtmus aus Himbeeren oder Erdbeeren mit wenig abgeriebener Zitronenschale und Zitronensaft, das Mus aus Orangen mit gehackten Pistazien und Cointreau. Das Fruchtmus nach dem Trocknen im Backofen in gleich große Rauten oder Trapeze schneiden und mit der Schokolade überziehen.

Gefüllte Datteln

30 getrocknete Datteln
120 g Marzipan-Rohmasse
40 g Puderzucker
40 g feingehackte Pistazienkerne
1 Schnapsglas Curaçao (2 cl)
1–2 Eßl. Zucker

Die Datteln entsteinen. Die Marzipan-Rohmasse mit dem gesiebten Puderzucker, den Pistazien und dem Likör gut verkneten. Aus der Marzipanmasse kleine Kugeln formen und in dem Zucker wenden. Die Marzipankugeln in die entsteinten Datteln drücken. Mit einem Messer den gewölbten Marzipanrücken mehrmals einritzen.

Unser Tip

Besonders festlich sehen die gefüllten Datteln aus, wenn Sie sie noch zur Hälfte in aufgelöste Schokoladen-Fettglasur tauchen. Sie können die Datteln aber auch ganz weglassen, in die Marzipanmasse etwa 100 g kleingehackte kandierte Ananas mischen, die Masse zu kleinen Kugeln formen und in Schokoladen-Fettglasur tauchen.

Traditionelle Silvesterkrapfen

500 g Mehl, 40 g Hefe
gut 1/8 l lauwarme Milch
50 g Zucker
2 Eßl. Öl, 2 Eigelbe
1/2 Teel. Salz
1 Schnapsglas Rum (2 cl) ◇
1 Tasse Marmelade oder Pflaumenmus
1/2 Tasse Puderzucker
Zum Fritieren: 1 l Öl oder 1 kg Plattenfett oder Schmalz

Das Mehl in eine Schüssel sieben und in die Mitte eine Mulde drücken. Die Hefe hineinbröckeln und mit der Milch, etwas Zucker und etwas Mehl zu einem Vorteig verrühren.
15 Minuten zugedeckt gehen lassen.
Den restlichen Zucker, Öl, Eigelbe, Salz und Rum mit dem Vorteig und dem gesamten Mehl zu einem Hefeteig verarbeiten und so lange schlagen, bis er Blasen wirft. Zugedeckt nochmals 20 Minuten gehen lassen. Den Teig 2 cm dick ausrollen und tassengroße Plätzchen ausstechen. Jeweils 1 Löffel Marmelade auf ein Plätzchen geben, den Teig über der Marmelade sehr sorgfältig zusammendrücken und die Krapfen mit der »Nahtseite« nach unten noch einmal 15 Minuten gehen lassen. Das Fett auf 175° erhitzen. Die gegangenen Krapfen mit der glatten Seite ins heiße Öl legen und zugedeckt 3 Minuten backen. Dann mit einem Schaumlöffel umdrehen und in der offenen Friteuse weitere 3 Minuten backen.
Die Krapfen auf Küchenkrepp abtropfen lassen und mit dem Puderzucker besieben.

Schmalzbrezen

500 g Mehl, 30 g Hefe
50 g Zucker
1/4 l lauwarme Milch
100 g Margarine, 1 Ei
1/2 Teel. Salz
abgeriebene Schale von 1/2 Zitrone
je 1 Messerspitze Piment und Ingwerpulver ◇
1 Tasse Zucker
Für die Friteuse: 1 l Öl oder 1 kg Plattenfett oder Schmalz

Das Mehl in eine Schüssel sieben und eine Vertiefung in die Mitte drücken. Die Hefe hineinbröckeln und mit wenig Zucker, der Milch und etwas Mehl zu einem Vorteig verrühren. Zugedeckt 15 Minuten gehen lassen.
Die Margarine schmelzen lassen und mit dem Ei, dem Salz, der Zitronenschale, dem Piment und dem Ingwerpulver schaumig rühren. Zum Vorteig geben und mit dem gesamten Mehl zu einem lockeren, leichten Hefeteig schlagen. Den Teig nochmals 15 Minuten gehen lassen.
Den Hefeteig in 50 g schwere Stücke teilen und diese mit bemehlten Händen zu Kugeln drehen. Aus den Kugeln 40 cm lange Stränge rollen und Brezen daraus formen. Die Brezen auf einer bemehlten Fläche 15 Minuten gehen lassen. Das Fritierfett auf 175° erhitzen. Jeweils 2–3 Brezen ins heiße Fett geben und von beiden Seiten knusprig braun backen.
Die Brezen auf Küchenkrepp abtropfen lassen und noch heiß mit dem Zucker bestreuen.

Für die Silvesternacht

Feine Spritzkuchen

¼ l Wasser, 60 g Butter
1 Prise Salz, 150 g Mehl
3–4 Eier ◇
150 g Puderzucker
3 Eßl. Rum
Für die Friteuse: 1 l Öl oder 1 kg Plattenfett oder Schmalz
Für die Arbeitsfläche: Pergamentpapier und Öl

Ein Pergamentpapier, das in die Friteuse paßt, mit Öl bestreichen. Das Wasser mit der Butter und dem Salz zum Kochen bringen und das gesiebte Mehl auf einmal in das kochende Wasser schütten. Den Teig so lange rühren, bis er sich vom Topfboden löst und einen Kloß bildet. Den Teigkloß in eine Schüssel geben, etwas abkühlen lassen und nacheinander einzeln die Eier unterrühren.
Das Öl oder das Plattenfett in der Friteuse oder im Fritiertopf auf 175° erhitzen. Den Brandteig in einen Spritzbeutel mit großer Sterntülle füllen und auf das Pergamentpapier nicht zu große Ringe spritzen. Das Papier mit den Ringen – die Ringe nach unten! – ins heiße Fett legen. Das Papier wird herausgeholt, wenn sich die Ringe abgelöst haben. Die Ringe von beiden Seiten goldbraun backen. Auf Küchenkrepp abtropfen lassen. Den Puderzucker mit dem Rum und 1 Eßlöffel Wasser verrühren und die Spritzkuchen dünn mit der Glasur überziehen.

Mandel-Doughnuts

500 g Mehl, 30 g Hefe
80 g Zucker
¼ l lauwarme Milch
60 g Margarine, 3 Eier
40 g Marzipan-Rohmasse
½ Teel. Salz ◇
70 g Puderzucker
1 Eiweiß, 2 Eßl. Rum
3 Eßl. Mandelblättchen ◇
Für die Friteuse: 1 l Öl oder 1 kg Plattenfett oder Schmalz

Das Mehl in eine Schüssel sieben und eine Vertiefung hineindrücken. Die Hefe hineinbröckeln und mit ein wenig Zucker, der Milch und etwas Mehl zu einem Vorteig verrühren. 15 Minuten gehen lassen. Die Margarine zerlassen und mit den Eiern, der Marzipan-Rohmasse und dem Salz schaumig rühren. Zum Vorteig geben und zusammen mit dem Mehl zu einem lockeren, leichten Hefeteig schlagen. Den Teig 15 Minuten gehen lassen. Den Hefeteig in 50 g schwere Stücke teilen und jedes Stück zu einer Kugel drehen. In jede Kugel mit einem Kochlöffel in die Mitte ein Loch drücken und den Löffelstiel kreisend bewegen, damit Teigringe entstehen. Die Heferinge nochmals 15 Minuten gehen lassen. Das Fritierfett auf 175° erhitzen. Jeweils 4–5 Doughnuts ins heiße Fett geben und von beiden Seiten knusprig braun backen. Die Doughnuts auf Küchenkrepp abtropfen lassen. Den Puderzucker mit dem Eiweiß und dem Rum verrühren, die etwas abgekühlten Doughnuts damit überziehen und mit Mandelblättchen bestreuen.

Für die Silvesternacht

Bozener Crostoi

400 g Mehl
1/2 Päckchen Backpulver
30 g Butter oder Margarine
50 g Zucker
1 Prise Salz, 2 Eier
knapp 1/8 l Milch
1 Schnapsglas Grappa (2 cl)
= Tresterschnaps aus Italien◇
1/2 Tasse Puderzucker
Für die Friteuse: 1 l Öl oder
1 kg Plattenfett oder Schmalz

Das Mehl mit dem Backpulver in eine Schüssel sieben. Die Butter oder die Margarine in Flöckchen darauf verteilen. Den Zucker, das Salz, die Eier, die Milch und den Grappa dazugeben und alles zu einem glatten Teig verkneten.
Das Öl oder das Plattenfett in der Friteuse auf 175° erhitzen.
Den Teig auf einer bemehlten Fläche etwa 2 mm dick ausrollen und in 3 × 3 cm große Quadrate schneiden. Jeweils 10 Crostoi auf einmal in das heiße Fett geben und in 4–6 Minuten goldbraun backen; nach der halben Backzeit mit dem Schaumlöffel umwenden. Die fertigen Crostoi mit dem Schaumlöffel herausheben und auf Küchenkrepp etwas abtropfen lassen. Das noch warme Gebäck mit Puderzucker besieben.

Rheinische Muzen

80 g Butter oder Margarine
50 g Zucker, 1 Ei
2 Eßl. Rum, 250 g Mehl
5 Eßl. Milch, 1 Prise Salz
1/2 Tasse Puderzucker
Für die Friteuse: 1 l Öl oder
1 kg Plattenfett oder Schmalz

Die Butter oder die Margarine schmelzen lassen, vom Herd nehmen und mit dem Zucker, dem Ei und dem Rum schaumig rühren. Das Mehl in eine Schüssel sieben, in die Mitte eine Vertiefung drücken und die Milch, das Salz und die Butter-Zucker-Masse hineingeben. Alles zu einem geschmeidigen Teig verkneten.
Das Öl oder das Plattenfett auf 180° erhitzen.
Den Teig auf einer bemehlten Fläche etwa 3 mm dick ausrollen und mit einem Teigrädchen Rauten von 6 cm Seitenlänge ausschneiden. Jeweils 6–8 Muzen auf einmal in das heiße Fritierfett geben und in 4–5 Minuten goldbraun backen; nach der halben Backzeit die Muzen mit dem Schaumlöffel umwenden.
Die fertigen Muzen mit dem Schaumlöffel herausheben und auf Küchenkrepp abtropfen lassen. Das noch warme Gebäck mit dem Puderzucker besieben.

Für die Silvesternacht

Ballbäuschen

80 g Butter oder Margarine
75 g Zucker
abgeriebene Schale von
1/2 Zitrone
1 Prise Salz, 4 Eier
400 g Mehl
1 Teel. Backpulver ◇
100 g Zucker
2 Teel. gemahlener Zimt
Für die Friteuse: 1 l Öl oder
1 kg Plattenfett oder Schmalz

Die Butter oder die Margarine mit dem Zucker schaumig rühren. Die Zitronenschale, das Salz und nacheinander die Eier unter das Butter-Zucker-Gemisch rühren. Das Mehl mit dem Backpulver sieben und löffelweise unter den Teig rühren.
Das Öl oder das Plattenfett auf 180° erhitzen.
Vom Teig mit zwei bemehlten Teelöffeln kleine Bällchen abstechen und jeweils etwa 8 Stück auf einmal im heißen Öl goldbraun backen. Das dauert etwa 5–6 Minuten; die Ballbäuschen nach der halben Backzeit mit einem Schaumlöffel im Fett wenden.
Die fertigen Ballbäuschen herausheben und auf Küchenkrepp abtropfen lassen. Den Zucker mit dem Zimt mischen und das noch warme Gebäck damit bestreuen.

Holländische Rosinenkrapfen

500 g Mehl, 40 g Hefe
100 g Zucker
1/8 l lauwarme Milch
1 Prise Salz
abgeriebene Schale von
1 Zitrone und 1 Orange
2 Eier, 75 g Butter
100 g kernlose Rosinen
50 g Korinthen
75 g feingehacktes Orangeat
Für die Friteuse: 1 l Öl oder
1 kg Plattenfett oder Schmalz

Das Mehl in eine Schüssel sieben und eine Vertiefung in die Mitte drücken. Die Hefe hineinbröckeln und mit wenig Zucker, der Hälfte der Milch und etwas Mehl zu einem Vorteig verrühren. Zugedeckt 15 Minuten gehen lassen.
Den restlichen Zucker mit der restlichen Milch, dem Salz, der Zitronen- und der Orangenschale, den Eiern und der Butter in Flöckchen über den Mehlrand verteilen, alles mit dem Vorteig verkneten und 15 Minuten gehen lassen.
Die Rosinen und die Korinthen 2 Minuten in heißem Wasser quellen lassen, abtrocknen und mit dem Orangeat unterkneten. Den Teig wieder 15 Minuten gehen lassen.
Das Fett auf 160° erhitzen. Mit 2 bemehlten Eßlöffeln kleine Krapfen vom Teig abstechen und jeweils etwa sechs Stück auf einmal in 10 Minuten im heißen Fett goldbraun backen. Nach der halben Backzeit die Krapfen mit einem Schaumlöffel umwenden.
Die fertigen Rosinenkrapfen mit einem Schaumlöffel herausheben und auf Küchenkrepp abtropfen lassen.

Gefüllte Glücksschweinchen

500 g Mehl, 30 g Hefe
60 g Zucker
1/4 l lauwarme Milch
60 g Butter, 1 Ei
1 Prise Salz
abgeriebene Schale von 1 Zitrone ◇
100 g Marzipan-Rohmasse
150 g gemahlene Haselnüsse
100 g Zucker, 3 Eiweiße ◇
1 Eigelb
1/2 Tasse Puderzucker
1 Eiweiß
etwas Schokoladen-Fettglasur
Für das Backblech: Margarine

Ein Backblech leicht einfetten. Das Mehl in eine Schüssel sieben. Die zerbröckelte Hefe in der Mitte mit etwas Mehl, Zucker und der Milch verrühren und zugedeckt 15 Minuten gehen lassen. Den restlichen Zucker, die geschmolzene Butter, das Ei, das Salz und die Zitronenschale mit dem Hefevorteig schlagen, bis der Teig Blasen wirft und 15 Minuten gehen lassen. Die Marzipan-Rohmasse mit den Haselnüssen, dem Zucker und den Eiweißen vermengen. Den Hefeteig etwa 4 mm dick ausrollen. 20 Plätzchen von 8 cm Ø und 10 Plätzchen von 4 cm Ø ausstechen. Aus dem restlichen Teig Öhrchen formen. Auf 10 der großen Plätzchen die Füllung verteilen, die Ränder mit Eigelb bestreichen, ein zweites Plätzchen daraufsetzen und die Ränder gut zusammendrükken. Aus den kleinen Plätzchen die Schnäuzchen mit Nasenlöchern formen. Schnäuzchen und Ohren mit Eigelb bestreichen und auf die großen Plätzchen drücken. Die Schweinchen auf dem Backblech mit Eigelb bestreichen und 15 Minuten gehen lassen. Den Backofen auf 200° vorheizen. Die Schweinchen auf der zweiten Schiebeleiste von unten etwa 15 Minuten backen. Den Puderzucker mit dem Eiweiß verrühren. Die Schokoladen-Fettglasur zerlassen. Den Schweinchen mit den Glasuren Augen aufspritzen.

Backen für den Neujahrstag

Große Neujahrs-Breze

500 g Mehl, 30 g Hefe
60 g Zucker
1/4 l lauwarme Milch
60 g Butter, 1 Ei, 1 Prise Salz
abgeriebene Schale von 1 Zitrone
1 Eigelb
Für das Backblech: Margarine

Ein Backblech leicht einfetten. Das Mehl in eine Schüssel sieben, eine Mulde in die Mitte drücken und die zerbröckelte Hefe darin mit etwas Zucker, Mehl und der Milch zu einem Vorteig verrühren. Zugedeckt 15 Minuten gehen lassen. Den restlichen Zucker, die geschmolzene Butter, das Ei, das Salz und die Zitronenschale mit dem Hefevorteig verkneten. Den Teig schlagen, bis er Blasen wirft, und 15 Minuten gehen lassen. Den Backofen auf 220° vorheizen. Aus dem Teig 3 Stränge von 60 cm Länge rollen, deren Enden sich verjüngen. Aus den Strängen einen Zopf flechten und daraus eine Breze formen. Die Breze auf das Backblech legen, mit verquirltem Eigelb bestreichen und 15 Minuten gehen lassen. Auf der zweiten Schiebeleiste von unten 30 Minuten backen.

Unser Tip

Backen Sie in die Breze einen Pfennig, in Alufolie gewickelt, ein. Wer den Pfennig in seinem Brezenstück findet, dessen Wünsche sollen im Neuen Jahr angeblich in Erfüllung gehen.

Neujahrs-Goldfische

500 g Mehl, 30 g Hefe
60 g Zucker
1/4 l lauwarme Milch
60 g Butter, 1 Ei
1 Prise Salz
abgeriebene Schale von 1 Zitrone
1 Eigelb, einige Korinthen
2 Eßl. Puderzucker, 2–3 Teel. Zitronensaft
Für das Backblech: Margarine

Ein Backblech leicht einfetten. Das Mehl in eine Schüssel sieben und in die Mitte eine Vertiefung drücken. Die zerbröckelte Hefe darin mit etwas Zucker, der Milch und wenig Mehl verrühren und 15 Minuten gehen lassen.
Den restlichen Zucker, die geschmolzene Butter, das Ei, das Salz und die Zitronenschale mit dem Hefevorteig schlagen, bis der Teig Blasen wirft, dann 15 Minuten gehen lassen.
150 g schwere Teigstücke abwiegen und zu Fischen formen. Für das Maul jeweils eine kleine Kugel formen, in der Mitte dünner ausrollen, zusammenklappen, mit verquirltem Eigelb bestreichen und an die Fische drücken. Für die Schuppen die Teigoberfläche mit einer Schere einschneiden. Die Fische auf das Backblech legen und weitere 15 Minuten gehen lassen. Den Backofen auf 220° vorheizen. Die Fische mit verquirltem Eigelb bestreichen und auf der zweiten Schiebeleiste von unten 20 Minuten backen. Den Puderzucker mit dem Zitronensaft verrühren und den Fischen mit der Glasur je 2 Korinthen als Augen einsetzen.

Osterhasen aus Hefeteig

600 g Mehl, 40 g Hefe
1/4 l lauwarme Milch
100 g Butter, 2 Eier
1 Prise Salz, 60 g Zucker
abgeriebene Schale von 1/2 Zitrone ◇
1 Eigelb, 1 Eiweiß
40 g Puderzucker
rote Lebensmittelfarbe
Mandeln und Zuckerwerk
Für das Backblech: Butter

Ein Backblech leicht mit Butter bestreichen.
Das Mehl in eine Schüssel sieben und eine Mulde hineindrücken. Die Hefe hineinbröckeln und mit der Milch und etwas Mehl zu einem Vorteig verrühren. 15 Minuten zugedeckt gehen lassen.
Die Butter zerlassen und mit den Eiern, dem Salz, dem Zukker, der Zitronenschale, dem Vorteig und dem gesamten Mehl zu einem geschmeidigen Teig verarbeiten. Nochmals 15 Minuten gehen lassen.
Aus starker Pappe Schablonen für die Osterhasen schneiden. Den Teig 1 cm dick ausrollen, Osterhasen ausschneiden und auf das Backblech legen. Die Hasen mit dem verquirlten Eigelb bestreichen und weitere 15 Minuten gehen lassen. Den Backofen auf 210° vorheizen.
Die Osterhasen auf der mittleren Schiebeleiste 10–15 Minuten backen. Das Eiweiß mit dem Puderzucker verrühren, nach Belieben mit Lebensmittelfarbe färben. Die Osterhasen nach den Vorschlägen auf dem Bild oben mit Zuckerglasur und Zuckerwerk verzieren.

Holländische Ostermänner

500 g Mehl, 30 g Hefe
1/4 l lauwarme Milch
50 g Butter, 50 g Zucker
1 Ei, 1 Prise Salz
abgeriebene Schale von 1/2 Zitrone ◇
2 hartgekochte Eier
1 Eigelb, 8 Rosinen
Für das Backblech: Butter oder Margarine

Ein Backblech mit Fett bestreichen. Das Mehl in eine Schüssel sieben und eine Mulde hineindrücken. Die Hefe hineinbröckeln und mit der Milch und etwas Mehl zu einem Vorteig verrühren. Zugedeckt 15 Minuten gehen lassen.
Die Butter zerlassen und mit dem Zucker, dem Ei, dem Salz, der Zitronenschale, dem Vorteig und dem gesamten Mehl zu einem glatten Teig schlagen. Den Hefeteig nochmals 10 Minuten gehen lassen. Den Backofen auf 200° vorheizen.
Den Teig in zwei gleich große Stücke teilen und zu Rollen formen. Jeweils ein Stück Teig für die Arme beiseite legen. Aus den Rollen nach Vorschlag auf dem Bild oben Figuren formen, die gekochten Eier hineindrücken und die Arme darüberlegen. Die Ostermänner mit dem verquirlten Eigelb bestreichen. Mit den Rosinen Augen und Mund andeuten.
Die Ostermänner auf der zweiten Schiebeleiste von unten 20–25 Minuten backen.

Griechische Osternester

500 g Mehl, 40 g Hefe
1/4 l lauwarme Milch
50 g Butter, 1 Ei
1 Prise Salz, 50 g Zucker ◇
1 Eigelb
18 Eier (5 Minuten gekocht)
Für das Backblech: Butter oder Margarine

Ein Backblech mit Butter oder Margarine bestreichen. Das Mehl in eine Schüssel sieben und eine Mulde hineindrükken. Die Hefe hineinbröckeln und mit der Milch und etwas Mehl zu einem Vorteig verrühren. Zugedeckt 15 Minuten gehen lassen.
Die Butter zerlassen, mit dem Ei, dem Salz und dem Zucker verrühren und mit dem Vorteig und dem gesamten Mehl zu einem trockenen Hefeteig verarbeiten. Den Teig nochmals 15 Minuten gehen lassen, dann in 50 g schwere Stücke teilen und diese mit bemehlten Händen zu Kugeln drehen.
Aus den Kugeln etwa 50 cm lange Stränge rollen, zu Spiralen drehen, diese zum Kreis legen und durch eine Schlinge verschließen. Die Nester auf das Backblech legen, mit dem verquirlten Eigelb bestreichen und jeweils ein Ei in die Mitte drücken. 10 Minuten gehen lassen. Den Backofen auf 210° vorheizen.
Die Nester auf der zweiten Schiebeleiste von unten 15–20 Minuten backen. Die Eier nach dem Backen mit Wasserfarben oder mit Buntstiften bemalen.

Kleine Oster-Enten

500 g Mehl, 30 g Hefe
60 g Zucker
1/4 l lauwarme Milch
60 g Butter, 1 Ei
1 Prise Salz ◇
1 Eigelb,
200 g Erdbeerkonfitüre
2 Eßl. Puderzucker
3 Teel. Zitronensaft
einige Korinthen
Für das Backblech: Margarine

Ein Backblech leicht einfetten. Das Mehl in eine Schüssel sieben, in die Mitte eine Vertiefung drücken, die zerbröckelte Hefe darin mit etwas Zucker, Mehl und der Milch zu einem Vorteig verrühren. Zugedeckt 15 Minuten gehen lassen. Den restlichen Zucker, die geschmolzene Butter, das Ei und das Salz mit dem Vorteig verkneten. Den Teig schlagen, bis er Blasen wirft und 15 Minuten gehen lassen. Dann 4 mm dick ausrollen. Aus zwei Dritteln des Teiges Kreise von 8 cm ∅ ausstechen. Die Ränder der Kreise mit Eigelb bestreichen, in die Mitte Konfitüre geben und je 2 Plätzchen aufeinanderdrücken. Aus dem restlichen Teig als Entenköpfe Ovale mit Schnäbeln formen. Die Köpfe mit Eigelb bestreichen und an die größeren Plätzchen drücken. Die Enten auf dem Backblech 15 Minuten gehen lassen. Den Backofen auf 220° vorheizen. Die Enten mit Eigelb bestreichen und auf der zweiten Schiebeleiste von unten 15 Minuten backen. Den Puderzucker mit dem Zitronensaft verrühren. Die Korinthen als Augen mit dem Zuckerguß aufkleben.

Osterfladen, Osterbrote

Osterbrot und Osterkranz

1 kg Mehl, 50 g Hefe
1/2 l lauwarme Milch ◇
100 g geschälte, gehackte Mandeln
200 g gehacktes Zitronat
300 g Sultaninen
1 Schnapsglas Rum (2 cl) ◇
200 g Butter, 100 g Zucker
2 Eier, 1 Prise Salz
abgeriebene Schale von 1 Zitrone ◇
50 g Butter, 50 g Zucker ◇
1 Eigelb, 50 g Mandelstifte
50 g Zucker
3 Eßl. Rum
Für das Backblech: Butter und Pergamentpapier

Ein Backblech mit gefettetem Pergamentpapier auslegen. Das Mehl in eine Schüssel sieben und eine Vertiefung in die Mitte drücken. Die Hefe hineinbröckeln und mit der Milch und etwas Mehl zu einem Vorteig verrühren. 15 Minuten gehen lassen. Die Mandeln, das Zitronat und die Sultaninen mit dem Rum mischen und 30 Minuten ziehen lassen. Die Butter zerlassen und mit dem Zucker, den Eiern, dem Salz, der Zitronenschale, dem Vorteig und dem gesamten Mehl zu einem Hefeteig schlagen. Den Hefeteig 20 Minuten gehen lassen, dann in zwei Teile teilen. Einen Teil mit den Rumfrüchten mischen und nochmals 15 Minuten gehen lassen. Den Backofen auf 220° vorheizen. Den Teig mit den Früchten zu einem Brotlaib formen und auf dem Backblech nochmals 15 Minuten gehen lassen. Den Laib kreuzweise einschneiden und auf der unteren Schiebeleiste 50–60 Minuten backen. Das Brot noch heiß mit der flüssigen Butter bestreichen und mit dem Zucker bestreuen. Aus dem zweiten Teil des Teiges einen Hefekranz flechten und mit dem verquirlten Eigelb bestreichen. Die Mandelstifte mit dem Zucker und dem Rum mischen, den Kranz damit bestreuen und wie das Osterbrot backen.

Osterfladen, Osterbrote

Bremer Osterklaben

750 g Mehl, 70 g Hefe
100 g Zucker
1/8 l lauwarme Milch
400 g Butter
1 Päckchen Vanillinzucker
je 1 Teel. Salz und gemahlener Kardamom
150 g geschälte, gehackte Mandeln
125 g gehacktes Zitronat
Saft und Schale von 1 Zitrone
700 g Rosinen
Für Form und Backblech: Butter oder Margarine

Den Bremer Osterklaben können Sie zugleich als Kastenbrot und als Laib backen. Wir geben Ihnen in dem folgenden Rezept beide Möglichkeiten an. Eine Kastenform von 30 cm Länge und ein Backblech mit Butter oder Margarine ausfetten.
Das Mehl in eine Schüssel sieben und eine Vertiefung in die Mitte drücken. Die Hefe hineinbröckeln und mit dem Zukker und der Milch zu einem Vorteig verrühren. Zugedeckt 20 Minuten an einem warmen Ort gehen lassen.
Die Butter schmelzen lassen und mit dem Vanillinzucker, dem Salz und dem Kardamom schaumig rühren. Das Buttergemisch mit dem Vorteig und dem gesamten Mehl zu einem lockeren Hefeteig schlagen. Die Mandeln, das Zitronat, den Saft und die Schale der Zitrone und die Rosinen unter den Teig mengen und den Teig zugedeckt weitere 40 Minuten gehen lassen.
Den Teig in zwei gleiche Hälften teilen. Einen Teil in die ausgefettete Kastenform füllen, glattstreichen und 15 Minuten gehen lassen. Den Backofen auf 220° vorheizen.
Den gut aufgegangenen Klaben auf der unteren Schiebeleiste 65–70 Minuten backen. Vor dem Herausnehmen aus dem Backofen die Stäbchenprobe machen. Den Kuchen auf ein Kuchengitter stürzen und abkühlen lassen.
Die zweite Hälfte des Hefeteigs zu einem länglichen Laib formen, auf das gefettete Backblech legen und ebenfalls 15 Minuten gehen lassen. Den Laib auf der zweiten Schiebeleiste von unten 65–70 Minuten backen. Abkühlen lassen.

Unser Tip

Aus dem Teig für Bremer Osterklaben können Sie auch Osterbrötchen backen. Wiegen Sie von dem fertigen Hefeteig 40–50 g schwere Stücke ab und rollen Sie diese zu Kugeln. Auf das Backblech legen, etwas breit drükken und zugedeckt 15 Minuten gehen lassen. Vor dem Backen zweimal mit Eigelb bestreichen; erst wenn das erste Eigelb getrocknet ist, die zweite Schicht darüberstreichen, Hagelzucker darüberstreuen und die Brötchen bei 220° 25–30 Minuten backen.

Russische Mazurka

5 Eigelbe, 175 g feiner Zucker
1 Eßl. abgeriebene Zitronenschale
1 Eßl. Zitronensaft
250 g geröstete, pulverfein gemahlene Haselnüsse
5 Eiweiße ◇
¼ l Sahne
2 Eßl. Rum, 2 Eßl. Puderzucker
bunte Zucker-Ostereier
Für die Form: Butter oder Margarine

Eine Springform von etwa 20 cm ∅ mit Butter oder Margarine ausstreichen. Den Backofen auf 190° vorheizen. Die Eigelbe schaumig rühren, nach und nach den Zucker untermischen und so lange rühren, bis die Masse cremig ist. Die Zitronenschale, den Zitronensaft und nach und nach die Haselnüsse untermischen. Die Eiweiße zu steifem Schnee schlagen, auf die Eigelbmasse geben und unterheben. Den Teig in eine Springform füllen, glattstreichen und auf der zweiten Schiebeleiste von unten 50 Minuten backen. Sobald sich die Kuchenränder etwas von der Form gelöst haben, den Backofen abschalten und die Torte noch 15 Minuten im warmen Ofen ruhen lassen. Die Torte auf einem Kuchengitter erkalten lassen. Die Sahne steif schlagen und mit dem Rum und dem Puderzucker verrühren. Die Torte dick damit überziehen und mit den Ostereiern dekorieren.

Ostertorte aus Kampanien

300 g Mehl, 200 g Butter
100 g Zucker, 1 Eigelb ◇
2 Tassen Milchreis, 1 l Milch
175 g Zucker, 2 Eßl. Butter
4 Eier, 125 g Quark
75 g gehacktes Zitronat
¼ Teel. gemahlener Zimt
1 Teel. abgeriebene Zitronenschale
2 Teel. abgeriebene Orangenschale ◇
2 Eßl. Puderzucker mit Zimt gemischt

Aus dem gesiebten Mehl, der Butter, dem Zucker und dem Eigelb einen Mürbeteig kneten. Den Teig zugedeckt 2 Stunden im Kühlschrank ruhen lassen. Den Reis waschen und abtropfen lassen. Die Milch mit dem Zucker und der Butter zum Kochen bringen, den Reis einrühren und 15 Minuten quellen lassen. Vom Herd nehmen. Die Eier mit dem Quark, dem Zitronat, dem Zimt, der Zitronen- und der Orangenschale verrühren. Alles unter den Reis mischen. Den Backofen auf 200° vorheizen. Zwei Drittel des Mürbeteigs ausrollen und Boden und Rand einer Springform damit auslegen. Den Teigboden mehrmals mit einer Gabel einstechen, dann die Quark-Reis-Masse darauffüllen. Den Rest des Teigs ausrollen, mit dem Teigrädchen in Streifen schneiden und die Torte damit gitterartig belegen. Auf der untersten Schiebeleiste 50 Minuten backen. Die Torte auf einem Kuchengitter abkühlen lassen und mit dem Zimt-Zukker besieben.

Österliche Sahnetorte

100 g Butter, 50 g Zucker
1 Ei, 1 Eßl. Wasser
100 g ungeschälte, gemahlene Haselnüsse
150 g Mehl ◇
500 g getrocknete Erbsen ◇
6 Teel. Pulverkaffee,
1/4 l heißes Wasser
8 Blatt weiße Gelatine
2 Eigelbe, 125 g Zucker
1 Päckchen Vanillinzucker
2 Schnapsgläser Cognac (4 cl)
2 Eiweiße, 3/8 l Sahne
2 Teel. gehackte Pistazien
12 Zucker-Ostereier

Die Butter, den Zucker, das Ei, das Wasser, die Haselnüsse und das gesiebte Mehl verkneten. Den Teig in Alufolie gewickelt 2 Stunden im Kühlschrank ruhen lassen.

Den Backofen auf 200° vorheizen. Den Teig ausrollen und Boden und Rand einer Springform damit auslegen. Den Teigboden mit den Erbsen auf der mittleren Schiebeleiste 15 Minuten backen. Die Erbsen ausschütten und den Tortenboden auskühlen lassen. Den Kaffee mit dem heißen Wasser verrühren. Die Gelatine kalt einweichen, gut ausdrücken und im Kaffee auflösen. Die Eigelbe mit dem Zukker und dem Vanillinzucker schaumig rühren, den abgekühlten Kaffee und den Cognac unterrühren. Die Eiweiße und die Sahne steif schlagen. Den Eischnee und zwei Drittel der Sahne unter die Kaffeemasse ziehen. Den Tortenboden mit der Kaffeecreme füllen und mit der restlichen Sahne, den gehackten Pistazien und den Ostereiern verzieren.

Polnischer Osterkuchen

500 g Mehl, 30 g Hefe
120 g Zucker
1 Tasse lauwarme Milch
375 g Butter, 1/2 Teel. Salz
abgeriebene Schale von
1/2 Orange und 1/2 Zitrone
5 Eier, 150 g Rosinen ◇
250 g Puderzucker
1 Eßl. Zitronensaft
4 Eßl. heißes Wasser
6 kandierte Kirschen
Für die Form: Butter und Mehl

Eine Gugelhupfform ausfetten und mit Mehl ausstäuben. Das Mehl in eine Schüssel sieben und eine Mulde hineindrükken. Die Hefe hineinbröckeln und mit etwas Zucker, etwas Mehl und der Hälfte der Milch zu einem Vorteig verrühren. 20 Minuten gehen lassen. Die Butter zerlassen, mit dem restlichen Zucker, dem Salz, den abgeriebenen Schalen und den Eiern verrühren und mit der restlichen Milch und dem Vorteig zu einem Hefeteig verarbeiten. Die Rosinen waschen, trockentupfen und unter den Teig kneten. Den Teig in die Form füllen und zugedeckt 30 Minuten gehen lassen. Sein Volumen muß sich verdoppelt haben. Den Backofen auf 200° vorheizen. Den Kuchen auf der untersten Schiebeleiste 50 Minuten bakken. 20 Minuten in der Form abkühlen lassen, zum völligen Erkalten auf ein Kuchengitter stürzen. Den gesiebten Puderzucker mit dem Zitronensaft und dem Wasser verrühren, den Kuchen damit übergießen und mit den Kirschen belegen.

Lombardische Osterpinza

500 g Mehl, 30 g Hefe
1/4 l lauwarme Milch
2 Eier, 70 g Zucker
1/2 Teel. Salz
je 1 Messerspitze Muskatnuß und Piment, gerieben
abgeriebene Schale von 1/2 Zitrone
120 g Butter
50 g feingehacktes Zitronat ◇
1 Eigelb
Für die Form: Butter oder Margarine

Eine Springform von 26 cm ∅ ausfetten. Das Mehl in eine Schüssel sieben, in die Mitte eine Vertiefung drücken und die zerbröckelte Hefe darin mit der Milch und wenig Mehl zu einem Vorteig verrühren. Zugedeckt 15 Minuten gehen lassen. Die Eier mit dem Zukker, dem Salz, der Muskatnuß, dem Piment und der Zitronenschale verrühren. Sobald die Oberfläche des Hefeansatzes feine Risse zeigt, die Eimasse unter den Teig kneten. Zuletzt die möglichst weiche Butter und das Zitronat untermischen und den Teig schlagen, bis er glatt und locker ist. Den Teig nochmals 15 Minuten gehen lassen, dann in vier gleich große Stücke teilen, jedes Stück zu einer Kugel rollen und die Kugeln nebeneinander in die Springform setzen. Weitere 15 Minuten gehen lassen. Den Backofen auf 210° vorheizen. Die Pinza mit dem verquirlten Eigelb bestreichen und auf der zweiten Schiebeleiste von unten 25–45 Minuten backen. Die Pinza abkühlen lassen und mit gekühlter Butter servieren.

Griechisches Osterbrot

60 g Hefe, 1/8 l lauwarme Milch
50 g Zucker, 1 kg Mehl
1 Prise Salz
abgeriebene Schale von 1 Orange
1/4 l lauwarmes Wasser ◇
200 g Sesamsamen
5 rote Ostereier (5 Minuten gekocht)
1 Eigelb
Für das Backblech: Öl und Sesamsamen

Die Hefe mit der Milch und dem Zucker verrühren und 10 Minuten gehen lassen. 125 g Mehl darübersieben und diesen Vorteig zugedeckt an einem warmen Ort über Nacht gehen lassen. Ein Backblech mit Öl bestreichen und reichlich mit Sesamsamen bestreuen.
Das restliche Mehl in eine Schüssel sieben, eine Vertiefung hineindrücken und den Vorteig, das Salz, die Orangenschale und nach und nach das Wasser zugeben. Den Teig mindestens 10 Minuten lang kneten. Zwei Drittel des Teiges zu einem langen, glatten 5 cm hohen Laib formen. Den Laib auf das Backblech legen. Aus dem restlichen Teig zwei dünne Rollen in Länge des Laibes formen, im Sesamsamen wälzen, um den Laib legen und gut festdrücken. Die Eier senkrecht in den Brotlaib drücken. Das Brot mit Eigelb bestreichen, mit Sesam bestreuen und zugedeckt 3 Stunden gehen lassen. Den Backofen auf 200° vorheizen. Das Osterbrot 50 Minuten auf der untersten Leiste backen.

Geflochtener Osterkorb

1 kg Mehl, 40 g Hefe
80 g Zucker, 1/2 l lauwarme Milch
50 g Butter, 2 Eier
1 Teel. Salz
abgeriebene Schale von 1 Zitrone ◇
3 Eigelbe, 200 g Puderzucker
4 Eßl. Wasser
Für das Backblech: Margarine

Bitte beachten Sie für den Osterkorb die gezeichneten Anleitungen auf Seite 45.
Zwei Backbleche ausfetten. Aus den Zutaten von Mehl bis Zitronenschale einen Hefeteig nach dem Grundrezept Seite 11 bereiten. Den Hefeteig in 26 gleich große Stücke teilen. Aus 20 Stücken 35 cm lange Stränge rollen und daraus ein Gitter flechten. Eine feuerfeste Schüssel von 17 cm Ø außen einfetten, das Gitter darüberlegen, andrücken und die überstehenden Teigenden abschneiden. 2 Teigstücke zu 40 cm langen Strängen rollen, zu einer Kordel drehen, für den Fuß des Korbes um einen Ring legen, die Enden mit verquirltem Eigelb bestreichen und zusammendrücken.
2 Teigstücke für den Henkel zu Strängen rollen, eine Kordel drehen und einen gebogenen Draht damit umwickeln; die Drahtenden werden später in den Korb gesteckt. Den restlichen Teig zu 3 Strängen rollen, einen Zopf flechten, zu einem Ring im Umfang des Korbrandes zusammenlegen, die Enden mit Eigelb bestreichen und zusammendrücken. Den Backofen auf 220° vorheizen. Den Korb mit verquirltem Eigelb bestreichen und auf der untersten Schiebeleiste 45 Minuten backen; nach 15 Minuten mit Pergamentpapier abdecken. Die Einzelteile mit Eigelb bestreichen und 25 Minuten backen. Aus dem Puderzucker und dem Wasser einen dicken Guß rühren und alle Teile damit zusammensetzen. Den Henkel mit den Drahtenden in den Korb stecken.

Kuchen mit berühmten Namen

Casanova-Schnitten

8 Eigelbe, 100 g Zucker
4 Eiweiße, 80 g Mehl
20 g Speisestärke
100 g geriebene Haselnüsse ◇
½ l Milch, 4 Eßl. Zucker
1 Päckchen Vanille-Puddingpulver, 250 g Butter
2 Schnapsgläser Cognac (4 cl) ◇
½ Glas Johannisbeerkonfitüre
3 Eßl. Krokantstreusel
12 Belegkirschen
Für das Backblech: Pergamentpapier

Ein Backblech mit Pergamentpapier auslegen. Den Backofen auf 240–250° vorheizen. Die Eigelbe mit der Hälfte des Zuckers schaumig rühren. Die Eiweiße mit dem restlichen Zucker steif schlagen und unterheben. Das Mehl mit der Speisestärke darübersieben und mit den Haselnüssen unterziehen. Den Biskuitteig auf das Pergamentpapier streichen und auf der mittleren Schiebeleiste 8 Minuten backen. Das Teigblatt stürzen, das Papier abziehen. Den Teig 2 Stunden ruhen lassen, dann in drei Lagen schneiden. Aus Milch, Zucker und Puddingpulver einen Pudding bereiten. Die Butter schaumig rühren und mit dem abgekühlten Pudding und dem Cognac mischen. Zwei Biskuitlagen mit Konfitüre und Buttercreme bestreichen. Alle Böden übereinanderlegen, den Block rundum mit Creme bestreichen und mit Krokantstreuseln bestreuen. In 12 Schnitten zerteilen. Mit Creme und Kirschen verzieren.

Napoleon-Kuchen

6 Eigelbe, 200 g Zucker
6 Eiweiße, 100 g Mehl
50 g Speisestärke
50 g Kakaopulver
80 g gehackte Mandeln
½ Teel. gemahlener Zimt
¼ Teel. gemahlene Gewürznelken
1 Prise Salz, 2 Eßl. Cognac
80 g Butter ◇
100 g Schokoladen-Fettglasur
2 Eßl. gehackte Pistazien
Für die Form: Butter und Semmelbrösel

Eine Rehrücken- oder Kastenform mit Butter ausstreichen und mit Semmelbröseln ausstreuen. Den Backofen auf 200° vorheizen.
Die Eigelbe mit 50 g Zucker schaumig rühren. Die Eiweiße mit dem restlichen Zucker zu Schnee schlagen und auf die Eigelbmasse gleiten lassen.
Das Mehl mit der Stärke und dem Kakao sieben, mit den Mandeln, dem Zimt, dem Nelkenpulver und dem Salz mischen und mit dem Eischnee sowie dem Cognac unter die Eigelbmasse heben. Die Butter zerlassen und lauwarm unter den Teig ziehen. Den Teig in die Form füllen, glattstreichen und auf der untersten Schiebeleiste 55 Minuten backen.
Den Kuchen auf einem Kuchengitter abkühlen lassen.
Die Schokoladenglasur im Wasserbad schmelzen lassen, den Kuchen damit überziehen und die Pistazien auf die noch weiche Glasur streuen.

Kuchen mit berühmten Namen

Torte Madame Pompadour

6 Eigelbe, 2 Eßl. heißes Wasser
120 g Zucker
150 g geriebene Mandeln
50 g Mehl, 4 Eiweiße
1 Prise Salz ◇
1/2 l Milch
das Innere von 1 Vanilleschote
50 g Speisestärke
5 Eigelbe, 100 g Zucker
1 Päckchen Vanillinzucker
250 g Butter ◇
50 g geröstete Mandelblättchen
Für die Form: Butter und Mehl

Den Boden einer Springform von 26 cm ∅ ausfetten und mit Mehl ausstäuben. Den Backofen auf 180° vorheizen. Die Eigelbe mit dem Wasser und 90 g Zucker cremig rühren. Die Mandeln und das Mehl unterziehen. Die Eiweiße mit dem restlichen Zucker und dem Salz steif schlagen und unterheben. Den Biskuitteig in die Form füllen und auf der zweiten Schiebeleiste von unten 25–30 Minuten backen. Auf einem Kuchengitter abkühlen lassen. Nach mindestens 2 Stunden Ruhezeit zweimal durchschneiden. Die Milch mit der Vanille aufkochen. Die kalt angerührte Speisestärke einrühren und aufkochen lassen. Die Eigelbe mit dem Zucker und dem Vanillinzucker verquirlen und mit der abgekühlten Milch mischen. Die Butter schaumig rühren und die Vanillecreme löffelweise unterziehen. Zwei Böden mit jeweils einem Viertel der Creme bestreichen, alle Böden aufeinandersetzen. Die Torte mit Creme überziehen und mit Mandelblättchen bestreuen. Kalt stellen.

Kaiser-Franz-Joseph-Torte

100 g Butter, 250 g Zucker
6 Eigelbe, 1 Prise Salz
1 Teel. gemahlener Zimt
1 Schnapsglas Maraschinolikör (2 cl)
50 g Semmelbrösel
250 g geriebene Mandeln
50 g gewiegtes Zitronat
80 g Mehl, 4 Eiweiße ◇
450 g Johannisbeergelee
200 g Puderzucker
1 Eßl. Zitronensaft
2 Eßl. Maraschinolikör
Für die Form: Butter

Den Boden einer Springform von 22 cm ∅ ausfetten. Den Backofen auf 200° vorheizen. Die Butter mit der Hälfte des Zuckers schaumig rühren, nacheinander die Eigelbe zugeben. Das Salz, den Zimt, den Likör, die Semmelbrösel, die Mandeln, das Zitronat und das gesiebte Mehl unter die Eigelbmasse mischen. Die Eiweiße mit dem restlichen Zucker steif schlagen und unter den Teig heben. Den Teig in die Form füllen und auf der zweiten Schiebeleiste von unten 65 Minuten backen.
Die Torte auf einem Kuchengitter abkühlen lassen. Nach mindestens 2 Stunden Ruhezeit zweimal quer durchschneiden. Zwei der Böden mit Gelee bestreichen und alle drei Böden aufeinandersetzen. Den Puderzucker mit dem Zitronensaft und dem Likör glattrühren, auf die Mitte der Torte gießen und in dicken Tropfen über den Rand laufen lassen. Die Oberfläche mit einem Messer glattstreichen.

Sesamkekse

125 g Margarine oder Öl
250 g Farinzucker
1 Ei
200 g Weizenschrot
100 g Rosinen, 120 g Sesamsamen
2 Eßl. Milch
225 g Weizenvollkornmehl
1/2 Teel. gemahlene Muskatnuß
Für das Backblech: Margarine oder Öl

Ein Backblech mit Margarine oder Öl bestreichen. Den Backofen auf 190° vorheizen. Die möglichst weiche Margarine oder das Öl mit dem Zucker und dem Ei cremig rühren. Den Weizenschrot mit den Rosinen, dem Sesamsamen und der Milch mischen und nach und nach unter das Fett-Zucker-Gemisch rühren. Das Vollkornmehl und den Muskat zufügen und alles gut verrühren. Mit einem Teelöffel kleine Teighäufchen auf das vorbereitete Backblech setzen und die Häufchen mit einer Gabel etwas flachdrücken. Die Kekse auf der mittleren Schiebeleiste 10–15 Minuten backen.
Die Kekse mit einem breiten Messer vom Backblech heben und auf einem Kuchengitter abkühlen lassen.

Honigherzen aus Vollkornmehl

450 g Weizenvollkornmehl
1/2 Päckchen Backpulver
1 Teel. Ingwerpulver
8 Eßl. Weizenkeime
100 g Honig, 150 g Sirup
150 g Margarine
Für das Backblech: Margarine

Ein Backblech mit Margarine bestreichen. Das Mehl mit dem Backpulver in eine Schüssel sieben und mit dem Ingwerpulver und den Weizenkeimen mischen. Den Honig mit dem Sirup und der Margarine unter ständigem Rühren bei milder Hitze erwärmen, bis sich die Margarine mit dem Sirup und dem Honig völlig verbunden hat. Die Masse abkühlen lassen, und wenn sie lauwarm ist, die Mehlmischung löffelweise unterrühren. Alles gut verkneten und den Teig in Alufolie gewickelt 1 Stunde im Kühlschrank ruhen lassen.
Den Backofen auf 180° vorheizen. Den Honigteig auf einer bemehlten Fläche 1/2 cm dick ausrollen, Herzen ausstechen und auf das vorbereitete Backblech legen. Die Plätzchen auf der mittleren Schiebeleiste 10–12 Minuten backen. Auf einem Kuchengitter abkühlen lassen.

Unser Tip

Unmittelbar nach dem Backen sind die Honigherzen hart. In einer gut schließenden Blechdose werden sie aber in 1–2 Tagen weich.

Gesundheits-Kuchen heute

Obstkuchen mit Krümelboden

18 Graham- oder Vollkorn-Crackers
75 g Farinzucker
1/2 Teel. gemahlener Zimt
75 g Margarine ◇
1/2 l Milch, 2 Eßl. Zucker
1 Päckchen Vanille-Puddingpulver
1 großes Glas Stachelbeerkompott (720 ml)
2 Pfirsichhälften aus der Dose
1 Päckchen klarer Tortenguß
Für die Form: Margarine

Eine Springform von 24 cm ∅ mit Margarine ausfetten. Den Backofen auf 175° vorheizen. Die Crackers in einer Plastiktüte mit dem Wellholz fein zerdrücken. Die Brösel mit dem Zucker, dem Zimt und der Margarine verrühren. Die Krümelmasse in die Springform geben und mit den Händen an Boden und Rand etwas festdrücken. Den Kuchenboden auf der mittleren Schiebeleiste 15 Minuten backen. Dann aus dem Ofen nehmen und abkühlen lassen.
Aus der Milch, dem Zucker und dem Puddingpulver nach Vorschrift einen Vanillepudding bereiten. Erkalten lassen. Die Stachelbeeren abtropfen lassen; den Saft aufbewahren. Die Pfirsichhälften in Spalten schneiden. Den Pudding auf den Krümelboden streichen und mit dem Obst nach Vorbild auf dem Foto belegen.
Den Tortenguß nach Vorschrift mit dem Stachelbeersaft bereiten, etwas abkühlen lassen und den Kuchen damit überziehen.

Körniger Dattelkuchen

350 g Datteln, 1/8 l Wasser ◇
150 g Weizenvollkornmehl
1/4 Teel. Salz, 250 g Margarine
250 g Farinzucker
das Innere von 1 Vanilleschote
350 g Haferkörner
Für die Form: Margarine

Eine Springform von 26 cm ∅ mit der Margarine ausstreichen.
Die Datteln entkernen, klein würfeln und in dem Wasser unter öfterem Umrühren weich kochen. Die Datteln abkühlen lassen.
Den Backofen auf 170° vorheizen. Das Mehl mit dem Salz mischen. Die möglichst weiche Margarine schaumig rühren, nach und nach den Zucker und die Vanille zugeben und zuletzt das gesiebte Mehl und die Haferkörner untermischen.
Die Hälfte des krümeligen Teiges auf dem Boden der Springform verteilen, den Boden festdrücken und einen Rand formen. Die Dattelfüllung auf dem Boden verteilen und den restlichen Teig darüberkrümeln. Den Kuchen auf der zweiten Schiebeleiste von unten 70–80 Minuten backen.
Den Kuchen in der Form etwas abkühlen lassen, zum vollständigen Erkalten auf ein Kuchengitter legen.

Nuß-Bananen-Brot

150 g Margarine
160 g Farinzucker, 3 Eier
3–4 Bananen
350 g Weizenvollkornmehl
3 Teel. Backpulver
1/4 Teel. Meersalz
100 g gehackte Walnüsse
das Innere von 1/2 Vanilleschote
gut 1/8 l Milch
Für die Form: Margarine

Eine 30 cm lange Kastenform mit Margarine ausstreichen. Den Backofen auf 170° vorheizen.
Die möglichst weiche Margarine schaumig rühren und nach und nach den Zucker sowie die Eier unterrühren. Die Bananen schälen und mit einer Gabel fein zerdrücken oder durch ein Sieb streichen. Das Bananenpüree unter die Margarine-Zucker-Mischung rühren. Das Mehl mit dem Backpulver sieben und mit dem Salz, den Nüssen und der Vanille mischen, abwechselnd mit der Milch unter den Bananenteig rühren. Den Teig in die Kastenform füllen, glattstreichen und auf der unteren Schiebeleiste 50 Minuten backen. Das Nuß-Bananen-Brot auf ein Kuchengitter stürzen und erkalten lassen.

Weizenkeimbrot

150 g Weizenkörner
60 g Hefe, 1/4 l lauwarmes Wasser
1 Eßl. Salz, 8 Eßl. Honig
3 Eßl. Öl oder geschmolzene Margarine
1/2 l lauwarmes Wasser
900–1000 g Weizenvollkornmehl oder Spezialmehl (halb Weizen-, halb Vollkornmehl)

Die Weizenkörner 3 Tage vor dem Backtag nach Empfehlung auf der Packung zum Keimen ansetzen. Die Hefe mit dem lauwarmen Wasser verrühren. Das Salz, den Honig, das flüssige Fett und das Wasser zu der Hefe geben und die Hälfte des gesiebten Mehls unterrühren. Den Vorteig zugedeckt 30 Minuten bei Raumtemperatur gehen lassen.
Das restliche Mehl und die gekeimten Weizenkörner zum Teig geben und diesen gut verkneten. Den Teig nochmals gehen lassen, bis er das doppelte Volumen erreicht hat. Den Teig noch einmal gut durchkneten und zwei Brotlaibe daraus formen. Die Brotlaibe auf ein Backblech legen und weitere 15–20 Minuten gehen lassen. Den Backofen auf 200° vorheizen. Die Brote kreuzweise leicht einschneiden, mit Wasser bestreichen und auf der untersten Schiebeleiste 50–60 Minuten backen. Die gebackenen Brote auf einem Kuchengitter abkühlen lassen.

Graham-Frühstücks-brötchen

500 g Weizenschrotmehl
40 g Hefe
1 Teel. Zucker
gut 1/4 l lauwarmes Wasser
1/2 Teel. Salz
3 Eßl. Öl
Für das Backblech: Margarine

Ein Backblech leicht mit Margarine bestreichen. Das Mehl in eine Schüssel schütten und in die Mitte eine Vertiefung drücken. Die Hefe hineinbrökkeln und mit dem Zucker, dem Wasser und wenig Mehl zu einem Vorteig verrühren. Etwas Mehl darüberstäuben und zugedeckt an einem warmen Ort 15 Minuten gehen lassen.
Das Salz über den Mehlrand streuen, das Öl zum Vorteig geben und alles verkneten.
Den Teig schlagen, bis er Blasen wirft, dann noch einmal zugedeckt 15 Minuten gehen lassen.
Den Teig mit bemehlten Händen in 16 gleich große Stücke teilen, diese rund rollen, mit wenig Mehl bestäuben und auf das Backblech legen. Die Brötchen noch einmal 15 Minuten gehen lassen. Den Backofen auf 230° vorheizen. Die Brötchen auf der zweiten Schiebeleiste von unten 15–30 Minuten backen.

Echtes Grahambrot

400 g Mehl
400 g Weizenschrotmehl
40 g Hefe
1/2 l lauwarme Milch
1 Teel. Salz
1/8 l Öl
Für das Backblech: Mehl

Das Mehl in eine Schüssel sieben und mit dem Weizenschrotmehl mischen. In die Mitte eine Vertiefung drücken, die Hefe hineinbröckeln und mit der Hälfte der Milch zu einem Vorteig verrühren. Den Vorteig mit Mehl bestreut zugedeckt 15 Minuten gehen lassen, bis er starke Risse zeigt. Die restliche Milch, das Salz und das Öl zum Vorteig geben und alles mit dem gesamten Mehl zu einem glatten Teig verkneten. Den Teig kräftig schlagen, bis er Blasen wirft und sich vom Schüsselrand löst. Den Teig noch einmal 15 Minuten zugedeckt gehen lassen, dann auf einer bemehlten Arbeitsfläche einen Laib daraus formen. Ein Backblech mit Mehl bestreuen, den Laib daraufsetzen und zugedeckt weitere 20 Minuten gehen lassen. Den Backofen auf 200° vorheizen. Den Brotlaib mit Mehl bestäuben und auf der untersten Schiebeleiste 45–50 Minuten backen.

Rustikale Brotlaibe

Rosinenstuten

100 g Rosinen, 2 Eßl. Rum
500 g Mehl, 30 g Hefe
40 g Zucker
knapp 3/8 l lauwarme Milch
80 g Butter, 2 Eier
1 Teel. Salz
abgeriebene Schale von 1 Zitrone ◇
1 Eigelb
Für die Form: Butter

Eine 30 cm lange Kastenform mit Butter ausstreichen. Die Rosinen mit dem Rum mischen und durchziehen lassen. Das Mehl in eine Schüssel sieben und in der Mitte die zerbröckelte Hefe mit etwas Zukker, Mehl und der Milch zu einem Vorteig verrühren. Zugedeckt 15 Minuten gehen lassen. Den restlichen Zucker, die geschmolzene Butter, die Eier, das Salz und die Zitronenschale mit dem Vorteig und dem gesamten Mehl verkneten und den Teig schlagen, bis er Blasen wirft. 15 Minuten gehen lassen. Die Rosinen unterkneten, den Teig in die Kastenform füllen und weitere 15 Minuten gehen lassen. Den Backofen auf 200° vorheizen. Den Kuchen mit verquirltem Eigelb bestreichen und auf der untersten Schiebeleiste 50–60 Minuten backen.

Mandelstuten

Statt der mit Rum getränkten Rosinen 125 g geschälte, gehackte Mandeln unter den Teig kneten und wie Rosinenstuten backen.

Grieben-Fladen

1 kg Roggenmehl
100 g Sauerteig (vom Bäcker)
etwa 1 l Wasser
20 g Hefe ◇
2 gehäufte Eßl. Salz
1 Eßl. Kümmel
200 g frischer (grüner) Schweinespeck
je 1 Eßl. Kümmel und grobes Salz
Für das Backblech: Mehl

Ein bis zwei Backbleche mit Mehl bestäuben. Die Hälfte des Mehls in eine Schüssel sieben. Den Sauerteig mit Wasser und der zerbröckelten Hefe verrühren und gut unter das Mehl mischen. Diesen Vorteig zugedeckt über Nacht bei Raumtemperatur stehen lassen.
Das Salz, den Kümmel und das restliche Mehl unter den gesäuerten Teig kneten. Den Teig schlagen, bis er Blasen wirft. Den Speck in feine Würfel schneiden und unter den Teig mengen. Den Backofen auf 200° vorheizen. Den Teig in sechs gleich große Stücke teilen und zu Fladen von etwa 23 cm Durchmesser ausrollen. Die Oberfläche der Fladen mit Wasser bestreichen, rautenförmig einschneiden und mit dem Kümmel und dem groben Salz bestreuen. Die Fladen auf ein bemehltes Backblech legen und auf der zweiten Schiebeleiste von unten 30 Minuten backen.

Gewürzbrot im Blumentopf

500 g Mehl, 40 g Hefe
1/8 l lauwarme Milch
1 Prise Zucker
2 Zwiebeln
1 Knoblauchzehe
50 g Butter, 2 Eier
1/2 Teel. Salz
1 Prise geriebene Muskatnuß
1 Teel. Anis, 1/2 Teel. Fenchel
4 Eßl. getrockneter Dill
1/2 Teel. getrockneter Rosmarin
1 Teel. Anis
Für die Blumentöpfe: Margarine

Zwei neue Blumentöpfe von 14 cm Ø ausfetten. Das Mehl in eine Schüssel sieben, eine Mulde hineindrücken, die Hefe hineinbröckeln und mit der Milch, dem Zucker und wenig Mehl zu einem Vorteig verrühren. Den Vorteig mit Mehl bestreut zugedeckt 15 Minuten gehen lassen. Die Zwiebeln und die Knoblauchzehe schälen. Die Zwiebeln fein hacken, die Knoblauchzehe zerdrükken. Die geschmolzene Butter mit den Eiern, den Gewürzen und dem Dill verrühren. Den Rosmarin im Mörser zerreiben, mit dem Buttergemisch zum Vorteig geben und alles verkneten. Den Teig schlagen, bis er Blasen wirft, dann 15 Minuten gehen lassen. Die beiden Blumentöpfe mit Teig füllen und diesen weitere 20 Minuten gehen lassen. Den Backofen auf 225° vorheizen. Die Oberfläche der Brote mit Wasser bestreichen und mit Anis bestreuen. Die Brote auf der unteren Schiebeleiste 40 Minuten backen.

Pariser Brot

1 kg Weizenmehl (möglichst Type 550)
40 g Hefe
1/2 l lauwarmes Wasser
4 Teel. Salz
Für das Backblech: Mehl

Ein Backblech mit Mehl bestäuben. Das Mehl in eine Schüssel sieben, in die Mitte eine Vertiefung drücken und die Hefe hineinbröckeln. Die Hefe mit dem Wasser und wenig Mehl verrühren und zugedeckt an einem warmen Ort gehen lassen. Das Salz auf das gut durchgewärmte Mehl streuen und alles zu einem glatten Teig vermengen. Den Teig schlagen, bis er Blasen wirft und sich vom Schüsselrand löst. Den Teig gut mit Mehl bestäuben, damit die Oberfläche nicht verkrustet, und zugedeckt an einem warmen Ort (Raumtemperatur) 5–6 Stunden gehen lassen. Den Teig auf einer bemehlten Arbeitsfläche noch einmal kurz durchkneten und in 5–6 Stücke teilen. Aus jedem Teil eine Rolle formen und die Rolle mit der Nahtstelle, die beim Formen entsteht, nach unten auf das bemehlte Backblech legen. Die Rollen zugedeckt noch einmal 15 Minuten gehen lassen. Den Backofen auf 250° vorheizen. Die Rollen mit einem scharfen, dünnen Messer mehrmals schräg einschneiden und mit lauwarmem Wasser bestreichen. Auf der zweiten Schiebeleiste von unten 10 Minuten backen. Dann den Backofen auf 220° zurückschalten und die Rollen weitere 30 Minuten backen.

Rustikale Brotlaibe

Nordisches Wirbelrad

1 kg Roggenmehl
100 g Sauerteig (vom Bäcker)
etwa 1 l Wasser
20 g Hefe ◇
2 gehäufte Eßl. Salz
je 2 Teel. Kümmel, Fenchel und Anis
etwas Milch
Für das Backblech: Mehl

Ein Backblech mit Mehl bestäuben. Die Hälfte des Mehles in eine Schüssel sieben. Den Sauerteig mit dem Wasser und der zerbröckelten Hefe verrühren und alles unter das Mehl mischen. Zugedeckt an einem warmen Ort über Nacht stehen lassen.
Das Salz, die Hälfte der Gewürze und das restliche gesiebte Mehl unter den angesäuerten Teig kneten. Den Teig in drei gleich große Stücke teilen. Aus zwei Stücken acht gleich große Teile schneiden. Das ungeteilte Teigstück zu einer Rolle formen, schneckenartig aufrollen und in die Mitte des bemehlten Backblechs legen. Die kleineren Stücke zu 20 cm langen Rollen formen, um die große Schnecke legen und die Enden jeweils in entgegengesetzter Richtung leicht einrollen (nach Vorschlägen auf dem obenstehenden Bild). Den Backofen auf 250° vorheizen. Die Oberfläche des Brotes mit der Milch bestreichen und mit den restlichen Gewürzen bestreuen. Das Brot auf der unteren Schiebeleiste 25 Minuten backen.

Kräuter-Weißbrot

400 g Weizenmehl vom Typ 405
25 g Hefe
3/8 l lauwarme Milch
1 Teel. Salz
1 Eßl. gehackte frische Kräuter wie Dill, Schnittlauch, Thymian, Petersilie
1 Teel. grobgemahlener schwarzer Pfeffer
Für die Form: Butter oder Margarine und Mehl

Eine Kastenform von 30 cm Länge ausfetten und mit Mehl ausstäuben. Das Mehl in eine Schüssel sieben und in die Mitte eine Vertiefung drücken. Die Hefe hineinbröckeln und mit der Milch verrühren. Den Vorteig mit Mehl bestreut zugedeckt 15 Minuten gehen lassen. Den Vorteig mit dem Salz und dem gesamten Mehl zu einem lockeren Hefeteig schlagen. Nochmals 20 Minuten gehen lassen. Die Kräuter mit dem Pfeffer unterkneten. Den Teig in die Kastenform füllen, die Oberfläche kreuzweise mit einem Messer einschneiden. Das Brot in der Form zugedeckt weitere 20–25 Minuten gehen lassen. Den Backofen auf 250° vorheizen. Das Brot auf der unteren Schiebeleiste 10 Minuten backen. Dann die Oberfläche des Brotes mit lauwarmer Milch bestreichen. Die Hitze auf 180° reduzieren und weitere 60 Minuten backen.

Unser Tip
Ohne Kräuter ergibt der Teig ein ganz normales Kastenweißbrot.

Rustikale Brotlaibe

Anis-Marmorbrote

500 g Mehl, 40 g Hefe
1/8 l lauwarme Milch
1 Prise Zucker
50 g Butter, 2 Eier
1/2 Teel. Salz ◇
500 g Roggenmehl
40 g Hefe
1/8 l lauwarme Milch
1 Prise Zucker
50 g Butter, 2 Eier
1/2 Teel. Salz
1/2 Teel. im Mörser zerstoßener Anis ◇
1 gehäufter Eßl. Anis
Für das Backblech: Mehl

Ein Backblech mit Mehl bestreuen. Das Mehl in eine Schüssel sieben, in die Mitte eine Vertiefung drücken, die Hefe hineinbröckeln und mit wenig Mehl, der Milch und dem Zucker zu einem Vorteig verrühren. Mit Mehl bestreut zugedeckt 15 Minuten gehen lassen. Die Butter zerlassen, mit den Eiern und dem Salz verrühren, zum Vorteig geben und alles mit dem gesamten Mehl zu einem Teig verkneten. Den Teig schlagen, bis er Blasen wirft und sich vom Schüsselrand löst. Noch einmal zugedeckt 15 Minuten gehen lassen. Das Roggenmehl mit der Hefe, der Milch, dem Zukker, der Butter, den Eiern, dem Salz und dem zerstoßenen Anis in derselben Weise verarbeiten wie das Weizenmehl. Den Teig zuletzt ebenfalls 15 Minuten gehen lassen. Den hellen und den dunklen Teig in je drei Stücke teilen und diese zu Strängen rollen. Jeweils einen hellen und einen dunklen Strang aufeinanderlegen und zu einem kleinen Laib zusammenwirken. Die Laibe auf das bemehlte Backblech legen und zugedeckt weitere 20 Minuten gehen lassen. Die Brotlaibe mit Wasser bestreichen und mit dem groben Anis bestreuen. Auf der unteren Schiebeleiste bei 220° 30–40 Minuten backen.

Rustikale Brotlaibe

Pikantes Bauernbrot

1 kg Roggenmehl
100 g Sauerteig (vom Bäcker)
etwa 1 l Wasser
20 g Hefe ◇
200 g durchwachsener Speck
1 Eßl. Salz
200 g geriebener Emmentaler Käse
100 g geschälte, gehackte Mandeln
2 Eßl. gehackte Petersilie
Für das Backblech: Mehl

Ein Backblech mit Mehl bestreuen. Die Hälfte des Mehls in eine Schüssel sieben. Den Sauerteig mit dem Wasser und der zerbröckelten Hefe verrühren und mit dem Mehl mischen. Das Mehl leicht verkneten und zugedeckt über Nacht bei Raumtemperatur stehen lassen. Den Backofen auf 220° vorheizen. Den Speck in kleine Würfel schneiden. Die Speckwürfel mit dem Salz, dem Käse, den Mandeln, der Petersilie und dem restlichen gesiebten Mehl mit dem gesäuerten Teig verkneten und zwei runde Laibe daraus formen. Die Laibe auf das Backblech legen, ihre Oberfläche mit Wasser bestreichen und mit Mehl bestäuben und rautenförmig einschneiden. Die Brote auf der unteren Schiebeleiste 70 Minuten backen.

Zwiebelbrote Landhausart

1 kg Roggenmehl
100 g Sauerteig (vom Bäcker)
etwa 1 l Wasser
20 g Hefe ◇
2 gehäufte Eßl. Salz
1/2 Teel. gemahlener schwarzer Pfeffer
1 Messerspitze Kardamom
4 mittelgroße Zwiebeln
2 Eßl. Butter oder Margarine
Für das Backblech: Mehl

Ein Backblech mit Mehl bestreuen. Die Hälfte des Mehls in eine Schüssel sieben. Den Sauerteig mit dem Wasser und der zerbröckelten Hefe verrühren, unter das Mehl mischen und diesen Vorteig zugedeckt an einem warmen Ort über Nacht stehen lassen. Das Salz, den Pfeffer und den Kardamom mit dem restlichen Mehl unter den gesäuerten Teig kneten und den Teig gut schlagen, bis er Blasen wirft. Die Zwiebeln schälen und fein hacken. Die Hälfte der Zwiebeln in der Butter oder der Margarine anbraten und zusammen mit den rohen Zwiebeln unter den Teig kneten. Aus dem Teig drei Laibe von je 35 cm Länge formen und auf das bemehlte Backblech legen. Die Brote zugedeckt noch einmal 15 Minuten ruhen lassen. Den Backofen auf 250° vorheizen. Die Brote mit Wasser bestreichen und mit einem dünnen, scharfen Messer mehrmals schräg einschneiden. Auf der unteren Schiebeleiste 30 Minuten backen.

Rustikale Brotlaibe

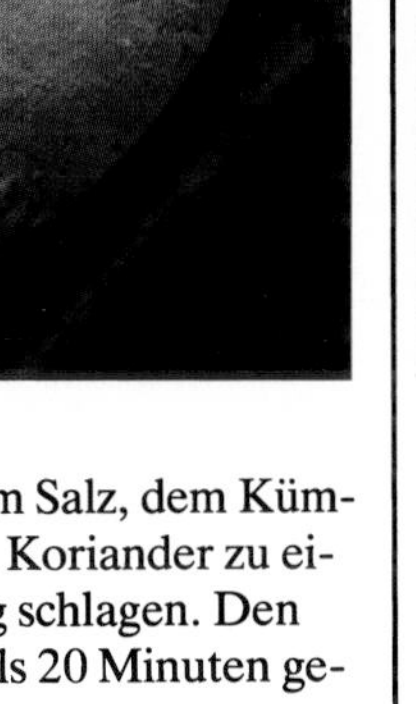

Ladiner Fladenbrot

je 375 g Roggen- und Weizenmehl
40 g Hefe
1/4 l lauwarmes Wasser
1/8 l lauwarme Milch
1 Teel. Salz, 1 Eßl. Kümmel
1 Eßl. zerstoßene Korianderkörner
Für das Backblech: Margarine

Ein Backblech mit Margarine bestreichen.
Das Mehl zusammen in eine Schüssel sieben und eine Vertiefung in die Mitte drücken. Die Hefe hineinbröckeln und mit dem Wasser und der Milch verrühren. Den Vorteig mit etwas Mehl bestreut zugedeckt an einem warmen Ort 15 Minuten gehen lassen.
Den Vorteig mit dem gesamten Mehl, dem Salz, dem Kümmel und dem Koriander zu einem Hefeteig schlagen. Den Teig nochmals 20 Minuten gehen lassen.
Den Hefeteig in vier gleich große Stücke teilen. Jedes Stück zu einem Fladen ausrollen, die Fladen auf das Backblech legen, mit etwas Mehl bestäuben und noch einmal 20 Minuten gehen lassen. Den Backofen auf 250° vorheizen. Die Fladen auf der zweiten Schiebeleiste von unten 30 Minuten backen. Sie müssen knusprig braun sein.

Prälaten-Ringbrot

50 g Butter
1/4 l lauwarmes Wasser
25 g Hefe
300 g Roggenmehl
300 g Weizenmehl
1 Eßl. Salz
1 Eßl. gemischte gehackte Kräuter wie Majoran, Salbei, Estragon und Basilikum
4–5 Eßl. gehackte Petersilie
Für das Backblech: Margarine

Ein Backblech mit Margarine bestreichen. Die Butter in dem Wasser zergehen lassen. Die Hefe in das Wasser bröckeln und darin verrühren. Das Roggenmehl mit der Hälfte des Weizenmehls in eine Schüssel sieben und mit dem Salz mischen. Die aufgelöste Hefe mit dem Mehl zu einem glatten Teig verkneten. Den Teig so lange schlagen, bis er Blasen wirft, dann zugedeckt 30 Minuten gehen lassen. Den Backofen auf 225° vorheizen.
Das restliche gesiebte Mehl und die Kräuter unter den Teig kneten und einen flachen Laib daraus formen. Mit einem Kochlöffel in die Mitte des Laibes ein Loch stechen und durch drehende Bewegungen so vergrößern, daß ein Ring entsteht. Den Ring auf das Backblech legen und zugedeckt 20 Minuten gehen lassen. Den Brotring mit Wasser bestreichen und dünn mit Mehl bestäuben. Auf der unteren Schiebeleiste 20–30 Minuten backen.

Rustikale Brotlaibe

Kräftiges Roggenbrot

50 g Sauerteig (vom Bäcker)
3/4 l lauwarmes Wasser
750 g Roggenschrotmehl
250 g Weizenmehl
2 Teel. Salz
Für das Backblech: Alufolie

Den Sauerteig bestellen Sie am besten einen Tag vor dem Backen bei Ihrem Bäcker. Das Roggenschrotmehl können Sie im Reformhaus kaufen.
Den Sauerteig mit 1/2 l lauwarmem Wasser in einer Schüssel gut verrühren. Das Roggenmehl und das Weizenmehl zusammen in eine gut vorgewärmte Schüssel schütten. In die Mitte des Mehles eine Vertiefung drücken und den Sauerteig hineingießen. Nach und nach etwa die Hälfte des Mehles mit dem Sauerteig verrühren, bis ein dickflüssiger Teig entstanden ist. Die Schüssel mit Tüchern zudecken und an einem warmen Ort über Nacht gehen lassen. Am nächsten Tag das restliche lauwarme Wasser und das Salz zum Teig geben. Das gesamte Mehl mit dem Sauerteig verrühren und den Teig so lange kneten, bis er fest ist und nicht mehr auseinanderläuft. Den Teig zu einer Kugel formen, in eine gut angewärmte und mit Mehl ausgestäubte Schüssel geben, mit Tüchern zudecken und 3 Stunden an einem warmen Ort gehen lassen.
Das Backblech mit Alufolie auslegen. Mit bemehlten Händen aus dem Teig einen runden, nicht zu hohen Laib formen, auf das Backblech legen und bei Raumtemperatur noch einmal 1 1/2–2 Stunden gehen lassen. Während dieser Zeit die Oberfläche des Brotes 3–4mal mit lauwarmem Wasser bestreichen, damit sich keine Risse bilden.
Den Backofen auf 200° vorheizen. Den gegangenen Brotlaib mit einem scharfen Messer karoförmig einschneiden und auf der untersten Schiebeleiste 2 Stunden backen.
Den Backofen ausschalten, das Brot herausnehmen, mit kaltem Wasser bestreichen und zum Trocknen nochmals einige Minuten in den ausgeschalteten, aber noch warmen Backofen schieben.

Unser Tip

Wenn Ihr Bäcker Ihnen keinen Sauerteig verkaufen will, so probieren Sie diesen selbst herzustellen. Verrühren Sie zwei Hände voll Roggenmehl mit soviel Wasser, daß ein weicher Brei entsteht. Stellen Sie den Brei mit feuchten Tüchern zugedeckt neben die Heizung. Nach 2 Tagen schäumt der Sauerteig und wirft Bläschen. Riecht er nach frischem Roggenbrot, ist er richtig, riecht er nach Essig, ist er leider unbrauchbar; das kann vorkommen, da es schwer ist, eine konstante Temperatur von 30–35° zu halten.

Rustikale Brotlaibe

Überraschungsbrot

600–700 g Kalbsfilet
je 1 Teel. Salz und Paprikapulver
2 Eßl. Öl
1 mittelgroße Zwiebel
6 Eßl. grüner Pfeffer (aus dem Glas)
4 Eßl. mittelscharfer Senf
je 1 Messerspitze Rosmarin und Salbei ◇
250 g Brotteig (vom Bäcker)
2 Eßl. Milch

Das Kalbsfilet mit dem Salz und dem Paprikapulver einreiben und in einer Pfanne im heißen Öl 10 Minuten von allen Seiten gut anbraten. Das Fleisch herausnehmen und völlig erkalten lassen.
Die Zwiebel fein hacken. Den grünen Pfeffer abtropfen lassen und grob hacken. Den Backofen auf 220° vorheizen. Den Senf mit dem Rosmarin und dem Salbei, beides fein zerrieben, den Zwiebelwürfeln und dem grünen Pfeffer verrühren und das Kalbsfilet rundum damit bestreichen. Den Brotteig auf einer bemehlten Fläche zu einem Rechteck ausrollen, das groß genug ist, um das Fleisch damit völlig zu umhüllen. Die Teigränder fest zusammendrücken. Das Brot mit der »Naht« nach unten auf ein Backblech legen, mit der Milch bestreichen und auf der unteren Schiebeleiste 30 Minuten backen.
Dieses herzhafte Brot können Sie warm oder kalt servieren.

Poularden-Brote

500 g Roggenmehl
50 g Sauerteig (vom Bäcker)
etwa 1/2 l Wasser, 10 g Hefe
1 Eßl. Salz ◇
400 g Poulardenbrust
20 g Butter, 4 Schalotten
50 g Pfifferlinge aus der Dose
100 g Bratwurstmasse
1 Eßl. gehackte Kräuter
1 Eigelb, 1 Eßl. Sahne
je 1 Prise Salz, Pfeffer, Koriander und Pimentpulver
1 Eigelb ◇
etwas Kümmel und Majoran
Für das Backblech: Mehl

Ein Backblech mit Mehl bestreuen. Aus den Zutaten von Roggenmehl bis Salz nach dem Rezept Pikantes Bauernbrot auf Seite 214 einen Teig bereiten. Die Poulardenbrust würzen, in vier gleich große Stücke schneiden, in der Butter anbraten und erkalten lassen. Den Backofen auf 200° vorheizen. Die Schalotten schälen, die Pfifferlinge abtropfen lassen, beides hacken und mit der Bratwurstmasse, den Kräutern, dem Eigelb, der Sahne und den Gewürzen mischen. Die Poulardenstücke rundherum damit bestreichen. Den Teig 5 mm dick ausrollen, vier Quadrate daraus schneiden und in jedes Quadrat ein Stück Poularde wickeln. Die Ränder gut zusammendrükken. Die Oberfläche der Brote mit verquirltem Eigelb bestreichen und mit Kümmel und Majoran bestreuen. Auf der untersten Schiebeleiste 30–40 Minuten backen und warm oder kalt servieren.

Brötchen, Brezen, Hörnchen

Mohnsemmeln

500 g Mehl, 30 g Hefe
1/4 l lauwarme Milch
50 g Butter oder Margarine
1 Ei, 1 Teel. Salz
je 1 Messerspitze Pfeffer und geriebene Muskatnuß ◇
2 Eigelbe, 2 Eßl. Milch
4 Eßl. Mohn
Für das Backblech: Butter oder Margarine

Das Mehl in eine Schüssel sieben und eine Mulde hineindrücken. Die Hefe hineinbröckeln und mit der Milch und etwas Mehl zu einem Vorteig verrühren. Zugedeckt 15 Minuten gehen lassen.
Die Butter oder die Margarine zerlassen, mit dem Ei, dem Salz, dem Pfeffer und der Muskatnuß mischen, an den Vorteig geben und mit dem gesamten Mehl zu einem glatten Hefeteig schlagen. Den Teig nochmals 15 Minuten gehen lassen. Ein bis zwei Backbleche mit Fett bestreichen. Vom Hefeteig 40 g schwere Stücke abwiegen, mit bemehlten Händen zu Kugeln formen und in genügendem Abstand voneinander auf das Backblech legen. Mit dem Handballen etwas flachdrücken. Die Semmeln zugedeckt weitere 20 Minuten gehen lassen. Den Backofen auf 220° vorheizen.
Die Eigelbe mit der Milch verquirlen, die Semmeln damit bestreichen, mit dem Mohn bestreuen und kreuzweise einschneiden. Auf der zweiten Schiebeleiste von unten 20 Minuten backen.

Resche Roggenbrötchen

500 g Roggenmehl
50 g Sauerteig (vom Bäcker)
etwa 1/2 l Wasser
10 g Hefe ◇
1 gehäufter Eßl. Salz
Für das Backblech: Mehl

Die Hälfte des Mehles in eine Schüssel sieben. Den Sauerteig mit dem Wasser verrühren und mit der zerbröckelten Hefe gut unter das Mehl mischen. Diesen Vorteig zugedeckt an einem warmen Ort über Nacht stehen lassen.
Den Backofen auf 225° vorheizen. Das Salz mit dem restlichen gesiebten Mehl unter den Vorteig kneten und den Teig schlagen, bis er Blasen wirft. Vom Teig 50 g schwere Stücke abwiegen und zu Kugeln formen. Ein Backblech mit Mehl bestäuben, die Kugeln darauflegen, mit Wasser bepinseln, mit Mehl bestäuben und mit einem Messer einmal einschneiden. Die Brötchen auf der zweiten Schiebeleiste von unten 25 Minuten backen.

Unser Tip

Wenn Sie den vom Bäkker gekauften Sauerteig nicht am gleichen Tag verwenden, so können Sie ihn 1–2 Tage zugedeckt in einer Schüssel im Kühlschrank aufbewahren.

Geflochtene Luxusbrötchen

500 g Mehl
30 g Hefe
1/4 l lauwarme Milch
1 Prise Zucker
1 Teel. Salz ◇
1 Eigelb
je 2 Eßl. Sesamsamen und Mohn
Für das Backblech: Margarine

Ein bis zwei Backbleche mit Margarine bestreichen. Das Mehl in eine Schüssel sieben, in die Mitte eine Vertiefung drücken, die Hefe hineinbröckeln und mit der Milch, dem Zucker und wenig Mehl zu einem Vorteig verrühren. Den Vorteig mit Mehl bestäubt zugedeckt 15 Minuten gehen lassen. Das Salz auf den Mehlrand streuen und das gesamte Mehl mit dem Vorteig verkneten. Den Teig schlagen, bis er sich trocken anfühlt und Blasen wirft, dann noch einmal zugedeckt 20 Minuten gehen lassen. Aus dem Teig 20 cm lange Rollen von ungefähr 2 cm Durchmesser formen. Aus diesen Rollen nach Vorschlägen auf dem nebenstehenden Bild Brötchen flechten oder ausrollen und formen (bitte beachten Sie auch die Arbeitsanleitungen für geflochtenes Gebäck auf den Seiten 43).
Die Brötchen auf das Backblech legen und zugedeckt weitere 20 Minuten gehen lassen. Den Backofen auf 230° vorheizen. Die Brötchen mit dem verquirltem Eigelb bestreichen, die eine Hälfte mit Sesamsamen, die andere Hälfte mit Mohnsamen bestreuen. Die Brötchen auf der zweiten Schiebeleiste von unten 20–25 Minuten backen.

Brötchen, Brezen, Hörnchen

Milchhörnchen

500 g Mehl, 30 g Hefe
$^{1}/_{4}$ l lauwarme Milch
30 g Butter oder Margarine
1 Teel. Zucker, $^{1}/_{2}$ Teel. Salz ◇
1 Eigelb
Für das Backblech: Butter oder Margarine

Ein Backblech mit Butter oder Margarine bestreichen. Das Mehl in eine Schüssel sieben und in die Mitte eine Vertiefung drücken. Die Hefe hineinbröckeln und mit der lauwarmen Milch verrühren. Den Vorteig mit etwas Mehl bestreut zugedeckt 15 Minuten gehen lassen.
Die Butter oder die Margarine zerlassen, mit dem Zucker und dem Salz verrühren und mit dem Vorteig und dem gesamten Mehl zu einem trockenen, etwas festen Hefeteig schlagen. Den Teig weitere 15 Minuten gehen lassen.
Vom Hefeteig 50 g schwere Stücke abwiegen und zu Kugeln drehen. Die Teigkugeln zu 15 cm langen Ovalen ausrollen. Das eine Ende jedes Teigovals fest auf das Backbrett drücken. Vom anderen Ende her die Teigovale mit beiden Händen aufrollen. Dabei mit etwas Druck die beiden Enden zu dünnen Spitzen formen. Die in der Mitte dickeren Stangen zu Hörnchen biegen, auf das Backblech legen und mit dem verquirlten Eigelb bestreichen. Weitere 15 Minuten gehen lassen. Den Backofen auf 230° vorheizen. Die Hörnchen auf der zweiten Schiebeleiste von unten in 10–15 Minuten braun backen. Möglichst ofenfrisch servieren.

Knusprige Mohnzöpfe

500 g Mehl, 40 g Hefe
$^{1}/_{4}$ l lauwarmes Wasser
1 Teel. Salz ◇
$^{1}/_{2}$ Tasse Mohn
Für das Backblech: Margarine

Ein Backblech mit Margarine bestreichen.
Das Mehl in eine Schüssel sieben und eine Vertiefung in die Mitte drücken. Die Hefe hineinbröckeln, und mit dem lauwarmen Wasser verrühren. Den Vorteig mit etwas Mehl bestreut 15 Minuten zugedeckt an einem warmen Ort gehen lassen.
Das Salz über den Mehlrand streuen und den Vorteig mit dem gesamten Mehl zu einem trockenen, lockeren Teig schlagen. Sollte der Teig zu fest sein, etwas lauwarmes Wasser zugeben. Den Teig noch einmal 15 Minuten gehen lassen.
Vom Hefeteig 50 g schwere Stücke abwiegen. Aus jedem Stück drei Stränge von 15 cm Länge rollen und daraus kleine Zöpfe flechten. Die Zöpfe mit etwas Wasser bestreichen und in den Mohn drücken. Die Zöpfe auf das Backblech legen und weitere 15 Minuten gehen lassen. Den Backofen auf 230° vorheizen und die gegangenen Mohnzöpfe 10–20 Minuten auf der zweiten Schiebeleiste von unten backen. Möglichst ofenfrisch servieren.

Brötchen, Brezen, Hörnchen

Croissants oder Plunderhörnchen

500 g Mehl, 30 g Hefe
1/4 l lauwarme Milch
50 g Butter, 1 Ei
1 Teel. Salz ◇
200 g Butter, 50 g Mehl ◇
1 Eigelb

Aus den Zutaten von Mehl bis Salz nach dem Grundrezept für Hefeteig Seite 11 einen Hefeteig bereiten und diesen 15 Minuten gehen lassen. Die Butter mit dem Mehl verkneten und eine Platte von 15 × 15 cm daraus formen. Den Hefeteig zu einer Platte von 20 × 35 cm ausrollen, die Butterplatte darauflegen, die Längsseiten des Hefeteigs darüberschlagen und die Ränder gut zusammendrücken. Den Hefeteig zu einer Platte von 30 × 40 cm ausrollen. Den Teig von der Schmalseite her zweimal übereinanderschlagen, damit drei Schichten entstehen, und für 15 Minuten in den Kühlschrank legen. Diesen Vorgang noch zweimal wiederholen. Den Teig dazwischen immer 15 Minuten im Kühlschrank ruhen lassen. Den Backofen auf 230° vorheizen. Den Plunderteig zu einer Platte von 40 × 25 cm ausrollen, Dreiecke mit zwei Seiten von 25 und einer Seite von 10 cm Länge ausschneiden und von der Schmalseite her zu Hörnchen aufrollen. Die Hörnchen mit genügend Abstand auf das Backblech legen. Das Eigelb mit etwas Wasser verquirlen, die Hörnchen damit bestreichen und auf der zweiten Schiebeleiste von unten 15–20 Minuten backen.

Pariser Brioches

500 g Mehl, 30 g Hefe
3 Eßl. lauwarme Milch
1 Teel. Zucker, 200 g Butter
4 Eier, 1/2 Teel. Salz ◇
1 Eigelb
Für die Förmchen: Butter

30 kleine Pasteten- oder Aluförmchen mit Butter ausstreichen. Das Mehl in eine Schüssel sieben und eine Mulde hineindrücken. Die Hefe hineinbröckeln und mit der Milch, dem Zucker und wenig Mehl zu einem Vorteig verrühren. Zugedeckt 15 Minuten gehen lassen. Die Butter zerlassen. Die flüssige, aber nicht heiße Butter mit den Eiern und dem Salz zum Mehl geben, alles mit dem Vorteig verrühren und den Teig schlagen, bis er Blasen wirft. Den Teig 15 Minuten gehen lassen, dann zu einer langen Rolle formen und 30 gleich große Stücke davon abschneiden. Von jedem Teigstück ein Viertel abschneiden und mit bemehlten Händen jeweils eine große und eine kleine Kugel daraus formen. Die großen Kugeln in die Förmchen legen, in die Mitte eine Vertiefung drücken und mit verquirltem Eigelb bestreichen. Die kleinen Kugeln hineinsetzen und die Brioches rundum mit Eigelb bestreichen. Die Brioches 10 Minuten gehen lassen. Den Backofen auf 220° vorheizen. Das Gebäck auf der zweiten Schiebeleiste von unten 15–20 Minuten backen. Die Brioches aus dem Ofen nehmen, vorsichtig aus den Förmchen nehmen und auf einem Kuchengitter abkühlen lassen.

Knuspriges Schmalzgebäck

Ausgebackene Safranzöpfe

500 g Mehl, 30 g Hefe
50 g Zucker
1/4 l lauwarme Milch
1 Döschen Safran, 2 Eßl. Milch
120 g Margarine (Sanella)
2 Eier
1/2 Teel. Salz
abgeriebene Schale von 1/2 Zitrone ◇
1 Tasse Zucker
Für die Friteuse: 1 kg Pflanzenfett (Biskin)

Das Mehl in eine Schüssel sieben und eine Vertiefung in die Mitte drücken. Die Hefe hineinbröckeln und mit etwas Zucker, der Milch und etwas Mehl verrühren. 15 Minuten gehen lassen. Den Safran in der Milch auflösen. Die Margarine zerlassen, mit den Eiern, dem restlichen Zucker, dem Salz, der Zitronenschale und dem Safran zum Vorteig geben und so lange schlagen, bis der Teig Blasen wirft. Weitere 15 Minuten gehen lassen. Den Teig in 25 g schwere Stükke teilen und diese zu 20 cm langen Rollen formen. Die Enden dabei dünner ausrollen. Je zwei Rollen zu einem Zopf drehen und die Enden gut zusammendrücken. (→ Arbeitsanleitung S. 43). Die Zöpfe 15 Minuten gehen lassen. Das Fett in der Friteuse auf 175° erhitzen.
Jeweils zwei Zöpfe auf einmal 10 Minuten backen, bis sie goldbraun sind. Nach der halben Backzeit mit einem Schaumlöffel wenden. Die Zöpfe abtropfen lassen und noch warm auf einer Seite in den Zucker drücken.

Zuckerknoten des Clowns

125 g Margarine (Sanella)
125 g Zucker
1 Prise Salz, 3 Eier
1 Schnapsglas Rum (2 cl)
450 g Mehl
2 Teel. Backpulver ◇
100 g Zucker
1 Päckchen Vanillinzucker
Für die Friteuse: 1 kg Pflanzenfett (Biskin)

Die Margarine mit dem Zukker, dem Salz und den Eiern schaumig rühren. Den Rum unter den Teig mischen. Das Mehl mit dem Backpulver über den Teig sieben und unterziehen. Den Teig zuletzt gut verkneten und in Alufolie gewikkelt 30 Minuten im Kühlschrank ruhen lassen.
Das Pflanzenfett in der Friteuse auf 175° erhitzen. Den Teig auf einer bemehlten Fläche 5 mm dick ausrollen und zu Streifen von 20 × 2 cm zerschneiden. Jeden Streifen lokker verknoten. Jeweils vier Zuckerknoten auf einmal ins heiße Fett geben und in 5 Minuten goldbraun backen. Nach der halben Backzeit mit einem Schaumlöffel umwenden. Die fertig gebackenen Zuckerknoten auf Küchenkrepp abtropfen lassen. Den Zucker mit dem Vanillinzucker mischen und die noch warmen Zuckerknoten darin wenden.

Knuspriges Schmalzgebäck

Tunesische Honigringe

3 Eier, 4 Eßl. Öl (Biskin)
4 Eßl. Orangensaft
2 Teel. abgeriebene Orangenschale
50 g Zucker, 300 g Mehl
1 Päckchen Backpulver ◇
1/2 l kaltes Wasser
2 Eßl. Zitronensaft
450 g Zucker, 1/2 Tasse Honig
Für die Friteuse: 1 kg Pflanzenfett (Biskin)

Die Eier mit dem Öl, dem Orangensaft, 1 Teelöffel Orangenschale und dem Zucker schaumig rühren. Das Mehl mit dem Backpulver sieben und löffelweise unterrühren. Den Teig gut schlagen und 45 Minuten ruhen lassen.
Das Wasser mit dem Zitronensaft und dem Zucker zum Kochen bringen und unter Rühren 5 Minuten sprudelnd kochen lassen, bis sich der Zucker völlig aufgelöst hat. Den Honig und die restliche Orangenschale unterrühren und den Sirup noch weitere 5 Minuten bei milder Hitze kochen lassen. Warm stellen.
Das Fett auf 175° erhitzen. Den Teig in zwölf Stücke teilen. Jedes Stück zwischen den bemehlten Händen rollen und zu einem Kreis von 8 cm ∅ flachdrücken. In die Mitte ein Loch von 4 cm ∅ drücken. Jeweils drei Ringe in 5 Minuten im heißen Fett goldbraun backen. Nach der halben Backzeit mit einem Schaumlöffel wenden. Die Ringe auf Küchenkrepp abtropfen lassen, noch warm mehrmals mit einer Gabel einstechen und in den warmen Sirup tauchen. Die Ringe sofort servieren.

Gelee-Rosen

150 g Margarine (Sanella)
100 g Zucker, 2 Eier
50 geschälte, gemahlene Mandeln
1 Teel. gemahlener Zimt
1/8 l saure Sahne
500 g Mehl ◇
1 Eiweiß
1/2 Tasse Puderzucker
200 g Johannisbeergelee
Für die Friteuse: 1 kg Pflanzenfett (Biskin)

Die Margarine mit dem Zucker und den Eiern schaumig rühren. Die Mandeln, den Zimt, die Sahne und einen Teil des gesiebten Mehls unterrühren. Das restliche Mehl unterkneten und den Teig in Alufolie gewickelt 1 Stunde im Kühlschrank ruhen lassen.
Das Fett in der Friteuse auf 175° erhitzen. Den Mürbeteig 2–3 mm dick ausrollen und Plätzchen von 6 cm ∅ ausstechen. Jeweils drei Plätzchen in der Mitte mit dem verquirlten Eiweiß bestreichen und aufeinanderlegen. In die Mitte mit einem Kochlöffel eine kleine Mulde drücken. Die Plätzchen strahlenförmig fünfmal einschneiden (→ Arbeitsanleitung Seite 24). Jeweils 2–3 Plätzchen auf einmal in das heiße Fett legen und in 4–5 Minuten goldbraun backen. Nach der halben Backzeit wenden. Die fertigen »Rosen« herausheben, auf Küchenkrepp abtropfen lassen und mit dem Puderzucker besieben. Die Mitte der Plätzchen mit Gelee füllen.

Ländlicher Zwetschgenstrudel

1 Eßl. Schweineschmalz
1/2 Tasse lauwarmes Wasser
1 Ei, 1 Prise Salz
250 g Mehl ◇
1 kg Zwetschgen
140 g Butter
100 g Semmelbrösel
5 Eßl. Zucker
1/2 Tasse Puderzucker
Für das Backblech: Butter oder Margarine

Ein Backblech mit Butter oder Margarine bestreichen.
Das Schmalz zerlassen und mit dem Wasser, dem Ei und dem Salz verquirlen. Nach und nach das gesiebte Mehl untermengen und aus allen Zutaten einen glatten Teig kneten. Den Teig zu einer Kugel formen und mit einer Schüssel bedeckt eine Stunde ruhen lassen.
Die Zwetschgen waschen, entsteinen und vierteln. Den Strudelteig auf einem großen bemehlten Tuch möglichst dünn ausrollen. Den Teig anschließend von der Mitte aus über beide Handrücken nach allen Seiten dehnen, bis er papierdünn ist. Reißt der Teig dabei ein, müssen die Risse sofort wieder fest zusammengedrückt werden. Den ausgezogenen Teig auf das Tuch zurücklegen.
Den Backofen auf 200° vorheizen. die Butter zerlassen, 2 Eßlöffel davon zurückbehalten, den Rest mit den Semmelbröseln mischen und zwei Drittel des Teiges mit dem Butter-Brösel-Gemisch bestreichen.
Die Zwetschgen gleichmäßig darauf verteilen und mit dem Zucker bestreuen. Den unbelegten Teig mit etwas Butter bestreichen und den Strudel durch Anheben des Tuches von der belegten Seite her zu einer Rolle formen. Den Strudel auf das Backblech legen, mit der restlichen Butter bestreichen und auf der zweiten Schiebeleiste von unten 40 Minuten backen. Den Strudel mit dem Puderzucker besieben und heiß servieren.

Blätterteig-Nußstrudel

600 g tiefgefrorener Blätterteig ◇
2 Eigelbe, 80 g Zucker
50 g Butter
200 g geriebene Walnüsse
100 g Biskuitbrösel
$^{1}/_{2}$ Teel. gemahlener Zimt
abgeriebene Schale von $^{1}/_{2}$ Zitrone
1 Schnapsglas Rum (2 cl)
50 g Rosinen
3–4 Eßl. Milch ◇ 1 Eigelb

Den Blätterteig bei Raumtemperatur 30–60 Minuten auftauen lassen.
Für die Füllung die Eigelbe mit dem Zucker schaumig rühren. Die Butter schmelzen lassen und mit den Nüssen, den Biskuitbröseln, dem Zimt, der Zitronenschale, dem Rum und den Rosinen mit der Eigelb-Zucker-Masse mischen und so viel Milch zugeben, daß eine feste Füllung entsteht.
Neun Blätterteigscheiben aufeinanderlegen und zu einer Platte von 35 × 40 cm ausrollen. Die Füllung auf die Mitte des Teigblattes verteilen. Die Ränder des Teiges mit verquirltem Eigelb bestreichen und über die Füllung schlagen. Den restlichen Blätterteig ausrollen, mit dem Teigrädchen zu Streifen schneiden, mit Eigelb bestreichen und auf den Strudel legen. Die Teigstreifen gut andrücken. Ein Backblech mit kaltem Wasser abspülen, den Strudel darauflegen und 15 Minuten ruhen lassen. Den Backofen auf 220° vorheizen und den Strudel auf der zweiten Schiebeleiste von unten 45 Minuten backen.

Feine Apfelbeignets

75 g Zucker
$^{3}/_{4}$ Teel. gemahlener Zimt
4 große, mürbe Äpfel
$1^{1}/_{2}$ Schnapsgläser Rum (3 cl) ◇
125 g Mehl, $^{1}/_{2}$ Teel. Backpulver
1 Prise Salz
2 Eigelbe, $1^{1}/_{2}$ Eßl. Olivenöl
$^{3}/_{4}$ Tassen helles Bier
2 Eiweiße ◇
1 Tasse Zucker mit $^{1}/_{2}$ Teel. gemahlenem Zimt gemischt
Für die Friteuse: 1 l Öl oder 1 kg Plattenfett

Den Zucker mit dem Zimt mischen. Die Äpfel schälen, die Kerngehäuse mit einem Apfelausstecher entfernen und die Äpfel in etwa $^{3}/_{4}$ cm dicke Scheiben schneiden. Die Apfelscheiben mit dem Zimtzucker bestreuen, mit dem Rum beträufeln und zugedeckt 30 Minuten ziehen lassen. Die Äpfel während dieser Zeit mit dem sich bildenden Saft übergießen. Das Mehl mit dem Backpulver sieben und mit dem Salz, den Eigelben und dem Öl glattrühren. Nach und nach das Bier unter den Teig rühren. Die Eiweiße zu steifem Schnee schlagen und unterheben. Das Fett in der Friteuse auf 180° erhitzen. Die Apfelscheiben nacheinander in den Teig tauchen und im heißen Öl in 8–10 Minuten goldgelb backen. Nach der halben Garzeit mit einem Schaumlöffel wenden und zuletzt auf Küchenkrepp abtropfen lassen. Die Apfelbeignets noch heiß mit Zimtzucker bestreuen und warm servieren.

Böhmische Kolatschen

500 g Mehl, 30 g Hefe
1/4 l lauwarme Milch
100 g Butter, 80 g Zucker
2 Eier, 1 Prise Salz
abgeriebene Schale von 1/2 Zitrone ◇
500 g Quark, 50 g Butter
200 g Zucker, 2 Eigelbe
1 Eßl. Speisestärke, 1 Eßl. Rum
2 Eiweiße ◇
250 g gemahlener Mohn
80 g Zucker
1 Eßl. Semmelbrösel
1/4 l Milch ◇
1 Eigelb
250 g Pflaumenmus (Powidl)
Für das Backblech: Butter

Aus den Zutaten von Mehl bis Zitronenschale nach dem Grundrezept auf Seite 11 einen Hefeteig bereiten. Den Quark mit der Butter, dem Zucker, den Eigelben, der Speisestärke und dem Rum verrühren. Die Eiweiße zu Schnee schlagen und unter die Quarkmasse heben. Den Mohn mit dem Zukker, den Semmelbröseln und der Milch verrühren, einmal aufkochen und dann abkühlen lassen. Den Hefeteig in 50 g schwere Stücke teilen, aus jedem Stück einen Fladen mit Rand formen und den Rand mit verquirltem Eigelb bestreichen. Jeden Fladen mit vier Häufchen Quarkmasse, vier Häufchen Mohnmasse und in der Mitte mit einem Häufchen Pflaumenmus belegen. Die Kolatschen 10 Minuten gehen lassen. Den Backofen auf 200° vorheizen und die Kolatschen auf der zweiten Schiebeleiste von unten 20–25 Minuten backen.

Siebenbürger Rahm-Hancklich

500 g Mehl, 40 g Hefe
80 g Zucker
1/4 l lauwarme Milch
80 g Margarine, 1 Ei
1 Prise Salz ◇
1/2 l Sahne
5 Eigelbe, 75 g Zucker
1 gehäufter Eßl. Grieß
5 Eiweiße, 100 g Rosinen
Für das Backblech: Margarine

Ein Backblech leicht einfetten. Das Mehl in eine Schüssel sieben, eine Mulde hineindrükken, die Hefe hineinbröckeln und mit etwas Zucker, Mehl und der Milch zu einem Vorteig verrühren. Zugedeckt 15 Minuten gehen lassen. Den restlichen Zucker, die geschmolzene Margarine, das Ei und das Salz mit dem Vorteig und dem gesamten Mehl verkneten und den Teig schlagen, bis er Blasen wirft. Den Teig 15 Minuten gehen lassen. Den Backofen auf 200° vorheizen. Den Teig ausrollen und das Backblech damit auslegen. Den offenen Rand des Backblechs mit doppeltgefalteter Alufolie verschließen. Die Sahne mit den Eigelben, dem Zucker und dem Grieß verrühren. Die Eiweiße zu steifem Schnee schlagen und mit den Rosinen unter die Sahnemasse ziehen. Die Sahnemasse auf dem Hefeteig verteilen und den Rahm-Hancklich auf der mittleren Schiebeleiste 35–40 Minuten backen. Den Kuchen etwas abkühlen lassen und dann in Stücke schneiden.

Gedrehte Rohrnudeln

500 g Mehl, 30 g Hefe
50 g Zucker
1/4 l lauwarme Milch
40 g Butter, 2 Eier
1 Teel. Salz
abgeriebene Schale von 1/2 Zitrone
6 Eßl. flüssige Butter
8 Eßl. Farinzucker
75 g Rosinen, 150 g Butter
2 Eßl. Zucker

Das Mehl in eine Schüssel sieben und eine Mulde hineindrücken. Die zerbröckelte Hefe darin mit wenig Zucker, der Milch und etwas Mehl verrühren. 15 Minuten gehen lassen. Die Butter zerlassen, den restlichen Zucker, die Eier, das Salz und die Zitronenschale mit dem Vorteig verkneten und 15 Minuten gehen lassen. Den Teig in 50-g-Stücke teilen, 20 cm lange Streifen von etwa 8 cm Breite rollen, mit der flüssigen Butter bestreichen, dem Farinzucker und den Rosinen bestreuen, längs zusammenklappen und von der Schmalseite her aufrollen. Die Butter zerlassen, 4 Eßlöffel in eine Springform gießen. Die Rohrnudeln mit der zusammengeklappten Seite nach oben in die Form setzen. 15 Minuten gehen lassen. Den Backofen auf 220° vorheizen. Die Nudeln mit der restlichen Butter beträufeln, mit dem Zucker bestreuen und auf der zweiten Schiebeleiste von unten 40–45 Minuten backen. Heiß servieren.

Buchteln

Buchteln werden aus dem gleichen Teig bereitet; aber Rosinen und Farinzucker bleiben weg. 50 g schwere Teigkugeln in die Butter in der Springform setzen und bei 220° 35 Minuten backen. Noch warm mit Vanillesauce servieren.

Buttermilchwaffeln

125 g Butter, 50 g Zucker
2 Eßl. Vanillinzucker
1 Prise Salz
4 Eier, 250 g Mehl
1 Teel. Backpulver
$^{1}/_{8}$–$^{1}/_{4}$ l Buttermilch
Für das Waffeleisen: Öl

Die Butter mit dem Zucker, dem Vanillinzucker, dem Salz und den Eiern gut schaumig rühren. Das Mehl mit dem Backpulver sieben und nach und nach löffelweise abwechselnd mit der Buttermilch unter den Teig rühren. So viel von der Buttermilch zugeben, daß ein dünnflüssiger Teig entsteht. Das Waffeleisen mit Öl auspinseln und erhitzen. Jeweils einen kleinen Schöpflöffel Teig in das heiße Waffeleisen geben und die Waffeln 4–6 Minuten backen, bis sie goldbraun sind. Von der angegebenen Teigmenge erhalten Sie etwa zwölf Waffeln.

Unser Tip

Die Waffeln schmecken am besten frisch aus dem Waffeleisen, aber etwas abgekühlt. Man kann auf jede Waffel 1 gehäuften Eßlöffel steifgeschlagene eiskalte Sahne setzen.

Hefewaffeln

375 g Mehl, 25 g Hefe
50 g Zucker
$^{1}/_{2}$ l lauwarme Milch
4 Eier, 125 g Butter
1 Prise Salz
abgeriebene Schale von $^{1}/_{2}$ Zitrone ◇
$^{3}/_{8}$ l Sahne, 3 Eßl. Zucker
$^{1}/_{2}$ Tasse Puderzucker
Für das Waffeleisen: Öl

Das Mehl in eine Schüssel sieben und in die Mitte eine Vertiefung drücken. Die Hefe hineinbröckeln und mit 1 Teelöffel Zucker, $^{1}/_{8}$ l Milch und etwas Mehl verrühren. Den Vorteig zugedeckt 15 Minuten gehen lassen.
Den restlichen Zucker, die restliche Milch, die Eier, die geschmolzene Butter, das Salz und die Zitronenschale zum Vorteig geben und alles mit dem gesamten Mehl so lange schlagen, bis der Teig Blasen wirft. Den Teig nochmals 25 Minuten gehen lassen.
Das Waffeleisen anheizen und die Innenflächen mit Öl bestreichen. Für jede Waffel 3 Eßlöffel Teig auf das Waffeleisen streichen und goldbraun backen. Das dauert je nach Temperatur des Waffeleisens 5–7 Minuten.
Die Waffeln in drei Stücke teilen und auf einem Kuchengitter abkühlen lassen. Die Sahne mit dem Zucker steif schlagen und in einen Spritzbeutel mit Sterntülle füllen. Jeweils auf eine Waffel einen Sahnetupfen spritzen und die zweite Waffel daraufsetzen. Die gefüllten Waffeln mit dem Puderzucker besieben.

Mürbe Brezen

300 g tiefgefrorener Blätterteig ◇
300 g Mehl, 1 Eigelb
100 g Zucker, 200 g Butter ◇
1 Eigelb
½ Tasse Aprikosenmarmelade

Den Blätterteig bei Raumtemperatur 30–60 Minuten auftauen lassen.
Das gesiebte Mehl mit dem Eigelb, dem Zucker und der Butter zu einem Mürbeteig verkneten. Den Teig in Alufolie gewickelt 2 Stunden im Kühlschrank ruhen lassen.
Den Blätterteig auf einer bemehlten Fläche leicht ausrollen. Den Mürbeteig zu einer Platte von 50 × 35 cm ausrollen. Den Mürbeteig mit dem zweiten Eigelb bestreichen, die Blätterteigplatten darauflegen und etwas andrücken. Aus der Teigplatte 1½ cm breite Streifen schneiden, spiralförmig drehen, so daß die Blätterteigseite außen ist, und zu Brezen formen. Die Enden gut zusammendrücken. Die Brezen auf ein Backblech legen und 15 Minuten ruhen lassen. Den Backofen auf 220° vorheizen und die Brezen auf der mittleren Schiebeleiste 15 Minuten backen. Die Marmelade bei milder Hitze verrühren und die noch warmen Brezen damit bestreichen.

Unser Tip

Die Brezen eignen sich zum Einfrieren, nur dürfen sie dann nicht glasiert werden. Man verpackt sie noch heiß und friert sie ein.

Sahne-Omelettes

4 Eiweiße, 80 g Zucker
5 Eigelbe
40 g Speisestärke
45 g Mehl, 1 Prise Salz
40 g geschmolzene lauwarme Butter ◇
⅜ l Sahne
500 g Beeren nach Saison: Himbeeren, Erdbeeren oder Johannisbeeren
½ Tasse Puderzucker
Für das Backblech: Pergamentpapier

Ein bis zwei Backbleche mit Pergamentpapier auslegen. Mit einem Bleistift 12 Kreise von 13 cm ∅ darauf zeichnen. Den Backofen auf 220° vorheizen. Die Eiweiße mit der Hälfte des Zuckers steif schlagen. Die Eigelbe mit dem restlichen Zucker schaumig rühren. Die Stärke mit dem Mehl sieben und mit dem Salz und der Butter unter die Eigelbmasse heben. Zuletzt den Eischnee unterziehen. Den Biskuitteig in einen Spritzbeutel füllen und die Kreise damit bespritzen. Die Oberfläche glattstreichen und die Omelettes auf der mittleren Schiebeleiste 10 Minuten backen.
Die fertigen Omelettes auf ein Tuch oder Backbrett stürzen, das Pergamentpapier mit kaltem Wasser befeuchten und abziehen. Die Omelettes zusammenklappen und auskühlen lassen. Die Sahne steif schlagen, die Omelettes damit füllen und mit einigen Früchten belegen. Die Omelettes wieder zusammenklappen und mit dem Puderzucker besieben.

Schlesischer Streuselkuchen

450 g Mehl, 30 g Hefe
2 Tassen lauwarme Milch
50 g Butter, 50 g Zucker
1 Ei, 1 Prise Salz ◇
200 g Butter, 200 g Zucker
3 Eier, 1 kg Quark
40 g Speisestärke, 1 Prise Salz
abgeriebene Schale von 1 Zitrone ◇
350 g Mehl, 200 g Zucker
je 1 Messerspitze Salz und gemahlener Zimt
200 g Butter
Für das Backblech: Butter oder Margarine

Ein Backblech mit Fett bestreichen. Das Mehl in eine Schüssel sieben und eine Mulde hineindrücken. Die Hefe hineinbröckeln und mit der Milch und etwas Mehl zu einem Vorteig verrühren. Zugedeckt 15 Minuten gehen lassen. Die Butter zerlassen, mit dem Zucker, dem Ei und dem Salz zum Vorteig geben und alles mit dem gesamten Mehl zu einem festen Teig schlagen. Den Teig nochmals 15 Minuten gehen lassen. Die Butter mit dem Zucker schaumig rühren, die Eier, den Quark, die Speisestärke, das Salz und die Zitronenschale zugeben und alles gut verrühren. Den Hefeteig in Größe des Backblechs ausrollen, auf das Blech legen und die Quarkfüllung daraufstreichen. Für den Streusel das Mehl mit dem Zucker, dem Salz und dem Zimt mischen. Die Butter zerlassen und unter ständigem Rühren tropfenweise zugeben. Den Teig mit den Händen zu Streuseln reiben und auf die Quarkfüllung streuen. Den Kuchen nochmals 15 Minuten gehen lassen. Den Backofen auf 210° vorheizen. Den Streuselkuchen 20–25 Minuten auf der zweiten Schiebeleiste von unten backen.

Ländlicher Butterkuchen

1 kg Mehl, 80 g Hefe
knapp 1/2 l lauwarme Milch
430 g Zucker, 450 g Butter
1 Prise Salz, 2 Eier ◇
1–2 Eßl. gemahlener Zimt
1/2 Tasse Zuckerwasser
Für das Backblech: Butter oder Margarine

Zwei Backbleche mit Fett bestreichen. Das Mehl in eine Schüssel sieben und eine Mulde hineindrücken. Die Hefe hineinbröckeln und mit etwas Milch, etwas Zucker und ein wenig Mehl zu einem Vorteig verrühren. Zugedeckt 15 Minuten gehen lassen. 200 g Butter schmelzen lassen, die restliche Butter in den Kühlschrank stellen. 125 g Zucker, das Salz, die Eier, die geschmolzene Butter und die restliche Milch zum Vorteig geben und alles mit dem gesamten Mehl zu einem Hefeteig schlagen. Den Hefeteig 15 Minuten gehen lassen. Den restlichen Zucker mit dem Zimt mischen. Den Hefeteig 1 cm dick ausrollen, auf die Backbleche legen und nochmals 15 Minuten gehen lassen. Den Backofen auf 250° vorheizen.
In den Teig kleine Mulden drücken und die kalte Butter in Flöckchen hineinsetzen. Die Butter dick mit Zimtzucker bestreuen. Die Kuchen auf der mittleren Schiebeleiste 25 Minuten backen. Die noch heißen Kuchen mit dem Zuckerwasser besprengen. Erkalten lassen und in schmale Streifen schneiden.

Bienenstich Alt-Weimar

500 g Mehl, 20 g Hefe
200 g Zucker
1/4 l lauwarme Milch
2 Eier, 150 g Butter
1 Prise Salz ◇
1 Päckchen Vanillinzucker
200 g feine Mandelstifte ◇
1/8 l Sahne
Vanillepudding aus 1 Päckchen Puddingpulver
Für das Backblech: Butter

Ein Backblech mit Fett bestreichen. Das Mehl in eine Schüssel sieben und eine Mulde hineindrücken. Die Hefe hineinbröckeln und mit etwas Zucker, Milch und Mehl zu einem Vorteig verrühren. 15 Minuten gehen lassen. Die Eier, 50 g Zucker, 50 g Butter, die restliche Milch und das Salz zum Vorteig geben und alles mit dem gesamten Mehl zu einem Hefeteig verarbeiten. Den Teig weitere 15 Minuten gehen lassen. Den Backofen auf 200° vorheizen.
Die restliche Butter mit dem restlichen Zucker, dem Vanillinzucker und den Mandelstiften bei mittlerer Hitze verrühren, bis der Zucker karamelisiert. 1–2 Eßlöffel Milch untermischen und die Masse abkühlen lassen. Den Teig ausrollen, auf das Backblech legen und mit der Mandelmasse bestreichen. Den Kuchen auf der zweiten Schiebeleiste von unten 30 Minuten backen.
Die Sahne steif schlagen und mit dem Vanillepudding mischen. Den erkalteten Kuchen in Vierecke schneiden, diese waagrecht halbieren, mit der Puddingcreme füllen und wieder zusammensetzen.

Die besten Mittwochskuchen

Geliebter Kleckerkuchen

1/4 l Milch, 20 g Margarine
abgeriebene Schale von
1/4 Zitrone
30 g Grieß, 100 g gemahlener Mohn
50 g Zucker, 1 Ei
1 Eßl. Rum, 1/4 Teel. Zimt
250 g Quark, 4 Eßl. Milch
1 Eigelb, 80 g Zucker
1 Päckchen Vanillinzucker
1 Eiweiß ◇
250 g Kirschmarmelade
1 Eßl. Rum ◇
175 g Mehl, 100 g Zucker
1/2 Päckchen Vanillinzucker
100 g Butter
Für das Backblech: Margarine

Ein Backblech ausfetten. Einen Hefeteig wie für Eierschecke (nebenan) herstellen, und auf das Backblech legen. Milch, Margarine, Zitronenschale und Grieß aufkochen und 5 Minuten quellen lassen. Den Grießbrei mit dem Mohn, dem Zucker, dem Ei, dem Rum und dem Zimt verrühren. Den Quark mit der Milch, dem Eigelb, dem Zucker und dem Vanillinzucker mischen. Das Eiweiß steif schlagen und unterheben. Die Marmelade mit dem Rum verrühren. Das Mehl mit Zucker und Vanillinzucker mischen, die zerlassene Butter zugeben und alles zu Streuseln verreiben. Kleckse von der Mohnmasse, dem Quark und der Marmelade auf dem Hefeteig verteilen. Die Streusel darübergeben und 15 Minuten gehen lassen. Den Backofen auf 225° vorheizen und den Kuchen auf der zweiten Schiebeleiste von unten 20 Minuten backen.

Dresdner Eierschecke

500 g Mehl, 40 g Hefe
80 g Zucker
1/4 l lauwarme Milch
80 g Margarine, 1 Ei
1 Prise Salz ◇ 1 kg Quark
250 g Zucker, 2 Eier
abgeriebene Schale von
1 Zitrone
50 g Rosinen ◇ 300 g Butter
300 g Zucker, 1 Eßl. Mehl
6 Eier, 100 g Mandelblättchen
Für das Backblech: Margarine

Ein Backblech leicht ausfetten. Das Mehl in eine Schüssel sieben, eine Mulde hineindrükken, die Hefe hineinbröckeln und mit etwas Zucker, Mehl und der Milch zu einem Vorteig verrühren. Zugedeckt 15 Minuten gehen lassen. Den restlichen Zucker, die geschmolzene Margarine, das Ei und das Salz mit dem Vorteig verkneten und den Teig schlagen, bis er Blasen wirft. Den Teig 15 Minuten gehen lassen. Den Backofen auf 220° vorheizen. Den Quark mit dem Zukker, den Eiern und der Zitronenschale schaumig rühren. Den Hefeteig ausrollen, das Backblech damit belegen und den offenen Rand mit gefalteter Alufolie verschließen. Den Quark auf den Teig streichen und die Rosinen daraufstreuen. Die Butter mit dem Zucker schaumig rühren, das Mehl und nacheinander die Eier zugeben. Die Butter-Eier-Masse auf den Quark streichen. Die Mandelblättchen darüberstreuen. Den Kuchen auf der zweiten Schiebeleiste von unten 25–30 Minuten backen. Etwas abgekühlt in gleich große Stücke schneiden.

Die besten Mittwochskuchen

Augsburger Zwetschgendatschi

500 g Mehl, 30 g Hefe
1/4 l lauwarme Milch
80 g Butter, 2 Eier
50 g Zucker, 1/2 Teel. Salz ◇
1 1/2 kg Zwetschgen
50 g Hagelzucker
1/2 Teel. gemahlener Zimt
Für das Backblech: Butter

Ein Backblech ausfetten. Das Mehl in eine Schüssel sieben, eine Mulde hineindrücken, die Hefe hineinbröckeln und mit der Milch und wenig Mehl zu einem Vorteig verrühren. Zugedeckt 15 Minuten gehen lassen.
Die Butter zerlassen, aber nicht erhitzen, mit den Eiern, dem Zucker und dem Salz zum Vorteig geben und alles mit dem gesamten Mehl zu einem trockenen Teig verschlagen. Den Teig 15 Minuten gehen lassen.
Die Zwetschgen waschen, entsteinen und zweimal längs einschneiden. Den Hefeteig in Größe des Backblechs ausrollen, auf das Blech legen und mehrmals mit der Gabel einstechen. Die Zwetschgen nebeneinander in dichten Reihen auf den Hefeteig legen – jede Reihe muß die vorhergehende halb bedecken – und den Kuchen 15 Minuten gehen lassen. Den Backofen auf 200° vorheizen. Den Kuchen auf der mittleren Schiebeleiste 20–30 Minuten backen und noch warm mit dem Hagelzucker und dem Zimt bestreuen.

Apfel-Streuselkuchen

250 g Mehl, 15 g Hefe
25 g Zucker
1/8 l lauwarme Milch
30 g Butter, 1 Ei
1 Prise Salz
1 Teel. abgeriebene Zitronenschale ◇
1 kg Äpfel ◇
350 g Mehl
200 g Zucker
1 Päckchen Vanillinzucker
200 g Butter, 100 g Korinthen
Für das Backblech: Butter

Ein Backblech leicht einfetten. Das Mehl in eine Schüssel sieben, eine Mulde hineindrükken, die Hefe hineinbröckeln und mit etwas Zucker, Mehl und der Milch zu einem Vorteig verrühren. Zugedeckt 15 Minuten gehen lassen. Den restlichen Zucker, die geschmolzene Butter, das Ei, das Salz und die Zitronenschale mit dem Vorteig schlagen, bis der Teig Blasen wirft und 15 Minuten gehen lassen. Die Äpfel schälen, vierteln, vom Kerngehäuse befreien und in Spalten schneiden. Den Teig ausrollen und das Backblech damit auslegen. Die Apfelspalten dicht auf den Hefeteig legen. Den Backofen auf 210° vorheizen. Das Mehl in eine Schüssel sieben, mit dem Zukker, dem Vanillinzucker und der geschmolzenen Butter zu Streuseln zerreiben, auf den Äpfeln verteilen und die Korinthen darüberstreuen.
Den Kuchen auf der mittleren Schiebeleiste 25–30 Minuten backen. Den Kuchen etwas abkühlen lassen, dann in Stücke schneiden.

Nußstollen Pfarrhausart

500 g Mehl, 30 g Hefe
70 g Zucker
$^1/_4$ l lauwarme Milch
100 g Margarine (Sanella)
2 Eier, $^1/_2$ Teel. Salz
abgeriebene Schale von $^1/_2$ Zitrone ◇
100 g Marzipan-Rohmasse
100 g Farinzucker
100 g geriebene Haselnüsse
2 Eiweiße, 2 Eßl. Rum
$^1/_2$ Teel. gemahlener Zimt ◇
1 Eigelb, 120 g Puderzucker
1–2 Eßl. Zitronensaft
50 g Krokantstreusel
Für das Backblech: Margarine

Ein Backblech ausfetten. Aus den Zutaten von Mehl bis Zitronenschale nach dem Grundrezept auf Seite 11 einen Hefeteig bereiten. Die Marzipan-Rohmasse mit dem Farinzucker, den Haselnüssen, den Eiweißen, dem Rum und dem Zimt verrühren. Den Hefeteig 45 × 45 cm groß ausrollen, die Füllung daraufstreichen, die Ränder aber freilassen. Die Platte aufrollen. Den Rand und die Enden mit verquirltem Eigelb bestreichen und gut zusammendrücken. Den Stollen auf das Backblech legen, alle $2^1/_2$ cm einschneiden und mit verquirltem Eigelb bestreichen. 15 Minuten gehen lassen. Den Backofen auf 220° vorheizen. Den Stollen auf der untersten Schiebeleiste 30 Minuten backen. Aus dem gesiebten Puderzucker und dem Zitronensaft eine Glasur rühren, den Stollen damit bestreichen und mit den Krokantstreuseln bestreuen.

Böhmischer Striezel

500 g Mehl, 30 g Hefe
60 g Zucker
$^1/_4$ l lauwarme Milch
100 g Margarine
1 Prise Salz, 50 g Rosinen ◇
1 Eigelb, 2 Eßl. Hagelzucker
Für das Backblech: Margarine

Ein Backblech mit Margarine bestreichen.
Das Mehl in eine Schüssel sieben und eine Vertiefung in die Mitte drücken. Die Hefe hineinbröckeln und mit wenig Zucker, der Milch und etwas Mehl zu einem Vorteig verrühren. 15 Minuten gehen lassen. Die Margarine zerlassen, mit dem restlichen Zucker und dem Salz zum Vorteig geben und alles mit dem gesamten Mehl zu einem Hefeteig schlagen. Die Rosinen untermischen und den Teig nochmals 15 Minuten gehen lassen.
Den Teig halbieren. Aus der einen Hälfte drei Stränge von 35 cm rollen und einen Zopf flechten. Auf das Backblech legen. Aus zwei Dritteln der zweiten Teighälfte einen kleinen Zopf flechten. Aus dem übrigen Teig zwei Stränge rollen und zu einer Spirale drehen. Den großen Zopf mit verquirltem Eigelb bestreichen, den kleinen daraufsetzen, ebenfalls bestreichen und auf diesen die Spirale legen. Mit Eigelb bestreichen und alles mit Hagelzucker bestreuen. Den Zopf weitere 15 Minuten gehen lassen. Den Backofen auf 200° vorheizen. Den Striezel 25–30 Minuten auf der unteren Schiebeleiste backen. Auf einem Kuchengitter abkühlen lassen.

Die besten Mittwochskuchen

Reiskuchen Baronesse

150 g tiefgefrorener Blätterteig ◇
250 g Milchreis, 1 l Milch
½ l Sahne, 1 Prise Salz
2 Päckchen Vanillinzucker ◇
500 g getrocknete Erbsen ◇
9 Eigelbe
½ Tasse Zwiebackbrösel
je 3 Eßl. kleingewiegtes Zitronat und Orangeat
je 100 g kandierte rote und gelbe Kirschen, klein gewürfelt
50 g ungeschälte, geriebene Mandeln
50 g Korinthen
3 Eßl. Zucker

Den Blätterteig auftauen lassen. Den Reis mit der Milch, der Sahne, dem Salz und dem Vanillinzucker bei milder Hitze 30 Minuten quellen, dann erkalten lassen. Den Blätterteig dünn ausrollen. Rand und Boden einer Springform damit auslegen, den Teigboden mehrmals einstechen und 15 Minuten ruhen lassen. Den Backofen auf 180° vorheizen. Den Teigboden mit den Erbsen auf der mittleren Schiebeleiste 10 Minuten vorbacken. Die Erbsen ausschütten. Den Reis mit 4 Eigelben, den Zwiebackbröseln, dem Zitronat und dem Orangeat mischen und die Hälfte davon auf den vorgebackenen Teigboden streichen. Die kleingeschnittenen Kirschen, die Mandeln und die Korinthen mit dem restlichen Reis mischen und diesen auf die erste Reisschicht streichen. Die restlichen 5 Eigelbe mit dem Zucker verquirlen, über den Kuchen gießen und diesen bei 200° nochmals 15 Minuten backen.

Tante Doras Schneckenkuchen

500 g Mehl, 40 g Hefe
60 g Zucker
¼ l lauwarme Milch ◇
200 g Rosinen
1½ Schnapsgläser Rum (3 cl)
350 g Margarine (Sanella) ◇
125 g Zucker
60 g geriebene Mandeln
2 Teel. gemahlener Zimt
je 40 g gehacktes Zitronat und Orangeat
1 Eigelb
2 Eßl. Aprikosenmarmelade
Für die Form: Margarine

Eine Springform ausfetten. Das Mehl in eine Schüssel sieben. Die zerbröckelte Hefe mit etwas Zucker, der Milch und wenig Mehl darin verrühren. 15 Minuten gehen lassen. Die Rosinen mit dem Rum übergießen. 100 g Margarine zerlassen, mit dem Vorteig verrühren. 15 Minuten gehen lassen, dann 3 mm dick ausrollen. Die restliche Margarine zerlassen, den Teig damit bestreichen und mit dem Zucker, den Mandeln und dem Zimt bestreuen. Die Rosinen, das Zitronat und das Orangeat darauf verteilen. Den Teig in 5 cm breite Streifen schneiden. Einen Streifen aufrollen und in die Mitte der Springform setzen, die anderen Streifen um den inneren legen, bis die ganze Form gefüllt ist. Den Kuchen 15 Minuten gehen lassen, dann mit dem verquirlten Eigelb bestreichen. Den Backofen auf 220° vorheizen und den Kuchen auf der zweiten Schiebeleiste von unten 35 Minuten backen. Den etwas abgekühlten Kuchen mit der verrührten Marmelade bestreichen.

Die besten Mittwochskuchen

Arabischer Honigkuchen

75 g Margarine (Sanella)
3 Eier, 125 g Zucker
1 Päckchen Vanillinzucker
3 Eßl. Sahne, 150 g Mehl
1/2 Päckchen Backpulver ◇
100 g Margarine (Sanella)
je 80 g Zucker und Honig
2 Eßl. Sahne
150 g Mandelblättchen
1/2 Teel. gemahlener Zimt
abgeriebene Schale von 1/2 Orange
Für die Form: Margarine

Eine Springform von 28 cm Ø mit Margarine ausstreichen. Den Backofen auf 200° vorheizen.
Die Margarine schmelzen lassen. Die Eier mit dem Zucker und dem Vanillinzucker schaumig rühren. Die abgekühlte Margarine und die Sahne unter die Eimasse rühren. Das Mehl mit dem Backpulver darübersieben und unterheben. Den Teig in die Springform füllen, glattstreichen und auf der zweiten Schiebeleiste von unten 10–12 Minuten backen.
Die Margarine in einem Topf zerlassen, den Zucker, den Honig, die Sahne, die Mandelblättchen, den Zimt und die Orangenschale zugeben und unter Rühren alles einmal aufkochen lassen. Den Kuchen aus dem Backofen nehmen, die Füllung aufstreichen und den Kuchen weitere 12–15 Minuten backen.
Den Kuchen aus der Form lösen und auf einem Kuchengitter abkühlen lassen.

Bananenkranz

250 g Margarine (Sanella)
150 g Zucker, 1 Prise Salz
5 Eigelbe
15 g geriebener kandierter Ingwer
75 g Kokosraspeln
abgeriebene Schale von 1 Zitrone
500 g Bananen
4 Eßl. Zitronensaft
1 Schnapsglas Rum (2 cl)
250 g Mehl
1 Päckchen Backpulver
5 Eiweiße ◇
200 g Puderzucker
4 Eßl. Zitronensaft
Für die Form: Margarine

Eine Kranzkuchenform mit Margarine ausstreichen. Den Backofen auf 200° vorheizen.
Die Margarine mit dem Zukker und dem Salz schaumig rühren. Nacheinander die Eigelbe, den Ingwer, die Kokosraspeln und die Zitronenschale unterrühren. Die Bananen schälen, würfeln, mit dem Zitronensaft und dem Rum beträufeln und unter den Teig heben. Das Mehl mit dem Backpulver darübersieben und unterrühren. Die Eiweiße zu steifem Schnee schlagen und unter den Teig heben. Den Teig in die Kranzkuchenform füllen, glattstreichen und auf der unteren Schiebeleiste 70–80 Minuten backen.
Den Kuchen auf einem Kuchengitter erkalten lassen. Den gesiebten Puderzucker mit dem Zitronensaft verrühren und den Kuchen mit dieser Glasur überziehen.

Zimtkuchen mit Mandeln

250 g Mehl
125 g Margarine (Sanella)
75 g Zucker, 1 Prise Salz ◇
500 g getrocknete Erbsen ◇
3 Eier, 1/8 l Sahne
1/8 l Milch, 150 g Zucker
1 Prise Salz
1 Teel. gemahlener Zimt
1/2 Teel. Backpulver
200 g ungeschälte, geriebene Mandeln
4 geriebene Zwiebäcke
50 g feingehacktes Zitronat

Das Mehl auf ein Backbrett sieben und mit der Margarine, dem Zucker und dem Salz verkneten. Den Mürbeteig in Alufolie gewickelt 2 Stunden im Kühlschrank ruhen lassen.
Den Backofen auf 175–200° vorheizen. Den Teig auf einer bemehlten Fläche ausrollen, den Boden einer Springform von 26 cm Ø damit auslegen und einen 2 cm hohen Rand formen. Den Boden mehrmals einstechen, mit den getrockneten Erbsen füllen und auf der zweiten Schiebeleiste von unten 10 Minuten vorbacken.
Aus dem Ofen nehmen und die Erbsen ausschütten.
Die Eier, die Sahne, die Milch, den Zucker, das Salz, den Zimt und das Backpulver miteinander verrühren. Die Mandeln, die Zwiebackbrösel und das Zitronat unterrühren. Die Füllung auf den Kuchenboden streichen. Ist der Teigrand zu hoch, bis zur Höhe der Füllung abschneiden. Den Kuchen weitere 45–50 Minuten backen.
Den Kuchen aus der Form lösen und auf einem Kuchengitter erkalten lassen.

Mizzis Fruchtkuchen

160 g getrocknete, steinlose Pflaumen
100 g getrocknete Aprikosen
50 g Rosinen
100 g grobgehackte Walnüsse
300 g Margarine (Sanella)
300 g Zucker, 1 Prise Salz
abgeriebene Schale von 1 Zitrone
das Innere von 2 Vanilleschoten
6 Eier, 350 g Mehl
2 Teel. Backpulver ◇
1/2 Tasse Puderzucker
Für die Form: Margarine

Eine 30 cm lange ovale Kuchenform oder eine Kastenform mit der Margarine ausstreichen. Den Backofen auf 175° vorheizen.
Die Pflaumen und die Aprikosen kleinschneiden und mit den Rosinen und den Walnüssen mischen. Etwas Mehl darüberstäuben. Die Margarine mit dem Zucker, dem Salz, der Zitronenschale und der Vanille schaumig rühren. Nacheinander die Eier und mit jedem Ei 1 Eßlöffel gesiebtes Mehl unterrühren. Das restliche Mehl mit dem Backpulver sieben und unter den Teig rühren. Zuletzt die Früchte unterziehen. Den Teig in die Kuchenform füllen, glattstreichen und auf der unteren Schiebeleiste 60–70 Minuten backen.
Den Kuchen auf ein Kuchengitter stürzen, erkalten lassen und mit dem Puderzucker besieben.

Die besten Mittwochskuchen

Nudelkuchen Mirandola

500 g Mehl, 5 Eier
1 Schnapsglas Maraschinolikör (2 cl) ◇
100 g Suppenmakrönchen
200 g ungeschälte, kleingehackte Mandeln
300 g Zucker
1 Päckchen Vanillinzucker ◇
1/2 Tasse Milch, 2 Eier
Für die Form: Butter und Mehl

Eine Springform ausfetten und mit Mehl ausstäuben. Den Backofen auf 200° vorheizen. Das Mehl auf ein Backbrett sieben und mit den Eiern, dem Maraschinolikör und so viel warmem Wasser verkneten, daß ein fester, nicht zu feuchter Teig entsteht. Den Teig halbieren und eine Hälfte davon nudeldünn ausrollen. Das Teigblatt etwas antrocknen lassen, zu einer Rolle formen und in sehr schmale Streifchen schneiden. Die Scheibchen zu Nudeln auseinanderziehen. Den restlichen Teig zu einem Kuchenboden ausrollen und in die Springform legen. Die Makrönchen zerbröckeln und mit den Mandeln, dem Zucker und dem Vanillinzucker mischen. Jeweils eine Schicht Nudeln und Makronenbrösel auf den Kuchenboden streuen, mit einer Nudelschicht abschließen. Die Milch mit den Eiern verquirlen und über den Kuchen gießen. Den Kuchen auf der zweiten Schiebeleiste von unten 35–40 Minuten backen. Der Nudelkuchen schmeckt lauwarm am besten.

Feigen-Nuß-Kuchen

200 g Mehl, 100 g Butter
30 g Zucker, 1 Eigelb
1 Prise Salz, 1 Eßl. Wasser ◇
120 g Butter, 200 g Zucker
8 Eigelbe
abgeriebene Schale von 1 Zitrone
1 Teel. gemahlener Zimt
je 1 Prise Salz, Muskatnuß und gemahlene Gewürznelken
100 g gemahlene Haselnüsse
4 Eiweiße, 100 g gehackte Walnüsse
je 100 g gehackte Feigen und Datteln
50 g Mehl

Das Mehl auf ein Backbrett sieben und mit der Butter, dem Zucker, dem Eigelb, dem Salz und dem Wasser verkneten. Den Mürbeteig zugedeckt 2 Stunden im Kühlschrank ruhen lassen.
Den Teig etwa 4 mm dick ausrollen und Boden und Rand einer Springform damit auslegen. Den Backofen auf 180° vorheizen.
Die Butter mit der Hälfte des Zuckers schaumig rühren. Nach und nach die Eigelbe, die Zitronenschale, die Gewürze und die Haselnüsse zugeben. Die Eiweiße mit dem restlichen Zucker zu Schnee schlagen und unter die Eigelbmasse ziehen. Die Walnüsse, die Feigen und Datteln und das gesiebte Mehl mischen und ebenfalls unterziehen. Den Teigboden mit der Füllung bestreichen und auf der zweiten Schiebeleiste von unten 50–70 Minuten backen. Den Kuchen auf einem Kuchengitter erkalten lassen.

Die besten Mittwochskuchen

Mürber Pflaumenkuchen

1 kg Pflaumen
½ Tasse Wasser
2 Eßl. Speisestärke
150 g Zucker, 2 Eßl. Butter
½ Tasse grobgehackte Walnüsse ◇
300 g Mehl 1 Prise Salz
180 g Butter
1 Eigelb, 120 g Zucker
Für die Form: Butter oder Margarine

Eine Springform ausfetten. Die Pflaumen waschen, entsteinen, vierteln und mit ¼ Tasse Wasser zugedeckt 5 Minuten kochen lassen. Die Speisestärke mit dem restlichen Wasser verrühren, mit dem Zucker unter die Pflaumen mischen und so lange kochen lassen, bis die Masse dick wird. Vom Herd nehmen, die Butter, die Walnüsse unterziehen und erkalten lassen. Das Mehl auf ein Backbrett sieben. Das Salz darüberstreuen und die Butter in Flöckchen auf dem Mehl verteilen. Den Zucker und das Eigelb in die Mitte geben und alles rasch zu einem geschmeidigen Teig verkneten. Den Teig eingewickelt 1 Stunde im Kühlschrank ruhen lassen. Den Backofen auf 200° vorheizen. Zwei Drittel des Teiges ausrollen und Boden und Rand der Springform damit auslegen. Die Pflaumenmasse einfüllen. Den restlichen Teig ausrollen, mit dem Teigrädchen Streifen daraus schneiden und diese gitterförmig über die Pflaumenmasse legen. Den Kuchen auf der zweiten Schiebeleiste von unten 35–45 Minuten backen.

Trauben-Cremekuchen

200 g Butter, 100 g Zucker
1 Ei, 300 g Mehl ◇
500 g getrocknete Erbsen ◇
2 Eiweiße, ½ l Milch
1 Päckchen Vanille-Puddingpulver
3 Eßl. Zucker, 2 Eigelbe ◇
500 g blaue Trauben
⅛ l Sahne

Die Butter mit dem Zucker, dem Ei und dem gesiebten Mehl verkneten. Den Mürbeteig eingewickelt 2 Stunden im Kühlschrank ruhen lassen. Den Backofen auf 190° vorheizen. Den Teig ausrollen und Boden und Rand einer Springform damit auslegen. Den Teigboden mehrmals einstechen, mit den Erbsen füllen und auf der mittleren Schiebeleiste 20 Minuten backen. Die Erbsen ausschütten.
Den Teigboden erkalten lassen. Die Eiweiße steif schlagen. 4 Eßlöffel Milch mit dem Puddingpulver, dem Zucker und den Eigelben verquirlen. Die restliche Milch zum Kochen bringen, das Puddingpulver einrühren, mehrmals aufkochen und unter Rühren abkühlen lassen. Den Eischnee unterziehen. Den Kuchenboden mit einer dünnen Schicht der erkalteten Puddingcreme bestreichen. Die Trauben waschen und abtropfen lassen. 12 davon zurückbehalten, die übrigen Trauben auf der Creme verteilen. Die restliche Creme darüberstreichen und im Kühlschrank fest werden lassen. Den Kuchen mit der steifgeschlagenen Sahne bespritzen und mit den zurückbehaltenen Trauben verzieren.

Köstlicher Käsekuchen

250 g Mehl, 125 g Butter
1 Messerspitze Salz
30 g Zucker, 1 Eigelb
2 Eßl. Wasser ◇
750 g Quark (20%ig)
1/2 Tasse Öl, 300 g Zucker
3 Eigelbe, 40 g Speisestärke
das Innere von 1 Vanilleschote
1/8 l Milch, 3 Eiweiße

Das Mehl auf ein Backbrett sieben und rasch mit der Butter, dem Salz, dem Zucker, dem Eigelb und dem Wasser verkneten. Den Mürbeteig in Alufolie gewickelt 1 Stunde im Kühlschrank ruhen lassen. Den Backofen auf 180° vorheizen. Den Quark mit dem Öl, dem Zucker, den Eigelben, der Speisestärke, der Vanille und der Milch schaumig rühren.

Die Eiweiße steif schlagen und unterheben. Den Mürbeteig ausrollen, Boden und Rand einer Springform damit auslegen und die Quarkcreme auf den Boden streichen. Den Kuchen auf der zweiten Schiebeleiste von unten 50–60 Minuten backen. Die Backofentür darf erst während der letzten 10 Backminuten geöffnet werden. Den garen Kuchen im geöffneten, abgeschalteten Backofen erkalten lassen.

Philadelphia-Kuchen

600 g Doppelrahm-Frischkäse (Kraft) ◇
12 Zwiebäcke
50 g Margarine, 3 Eßl. Zucker ◇
6 Eier, 150 g Zucker
1 Becher saure Sahne (200 ml)
1 1/2 Teel. abgeriebene Zitronenschale
1 1/2 Eßl. Zitronensaft
4 Eßl. Speisestärke
1 Teel. Backpulver
Für die Form: Margarine

Eine Springform ausfetten. Den Backofen auf 150° vorheizen. Den Doppelrahm-Frischkäse aus dem Kühlschrank nehmen. Die Zwiebäcke in einem Tuch mit dem Rollholz zu Bröseln zerdrücken. Die Zwiebackbrösel mit der Margarine und dem Zucker zwischen den Handflächen zerreiben, bis sich alle Zutaten gut gemischt haben. Die Zwiebackmasse glatt als Boden in die Springform drücken. Die Eier in Eigelbe und Eiweiße trennen und die Eiweiße zu steifem Schnee schlagen. Den Frischkäse mit den Eigelben, dem Zucker, der sauren Sahne, der Zitronenschale, dem Zitronensaft, der Speisestärke und dem Backpulver verrühren. Den Eischnee unterheben. Die Käsemasse auf den Zwiebackboden streichen und den Kuchen auf der unteren Schiebeleiste 1 1/2 Stunden backen. Der Kuchen ist fertig, wenn die Mitte fest, aber noch elastisch ist. Den Rand des Kuchens sofort nach dem Backen mit einem spitzen Messer aus der Springform lösen. Abkühlen lassen.

Die besten Mittwochskuchen

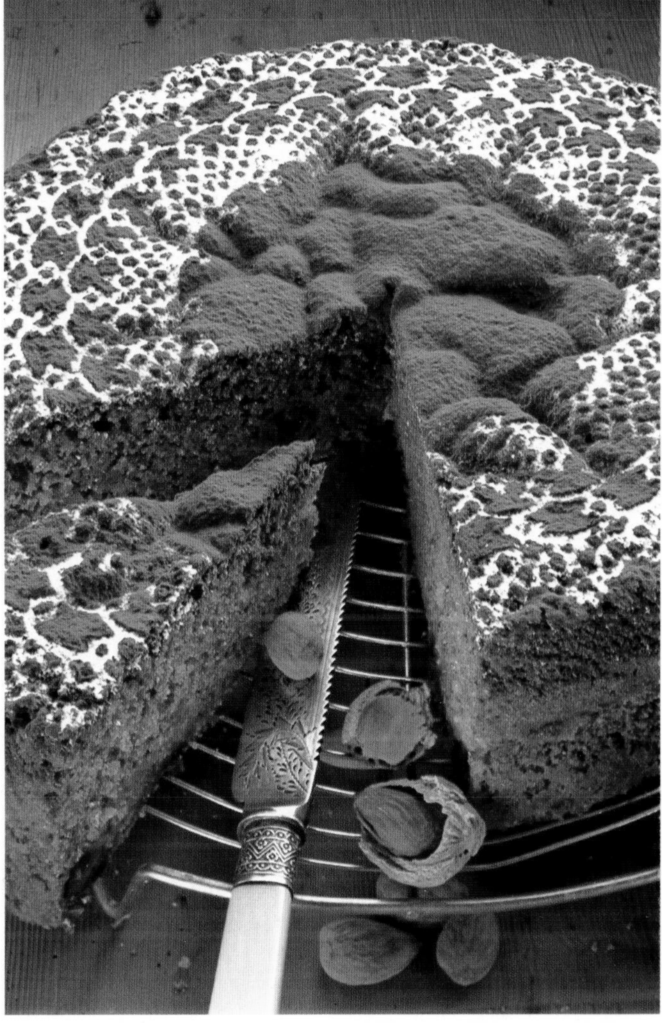

Klassischer Sandkuchen

5 Eier, 250 g Zucker
das Innere von 1/2 Vanilleschote
abgeriebene Schale von 1/2 Zitrone
1 Prise Salz, 125 g Mehl
125 g Speisestärke
170 g Butter ◇
1/2 Tasse Puderzucker
Für die Form: Butter und Mehl

Eine Kastenkuchenform von 30 cm Länge gut einfetten und mit Mehl ausstreuen. Den Backofen auf 190° vorheizen. Die Eier mit dem Zucker, der Vanille, der Zitronenschale und dem Salz im Wasserbad lauwarm schlagen. Die Eiermasse aus dem Wasserbad nehmen und wieder kaltrühren. Das Mehl mit der Speisestärke sieben und unterziehen. Die Butter schmelzen lassen und warm, aber nicht heiß unter den Teig ziehen. Den Teig in die Kastenform füllen, glattstreichen und auf der unteren Schiebeleiste 40–45 Minuten backen.
Nach 40 Minuten die Stäbchenprobe machen (→ Seite 298). Eventuell den Kuchen noch einige Minuten nachbacken. Den Kuchen auf einem Kuchengitter erkalten lassen, dann mit dem Puderzucker besieben.

Brauner Kirschkuchen

300 g Herzkirschen (vorbereitet gewogen) ◇
200 g Butter, 250 g Zucker
6 Eigelbe, 1 Prise Salz
abgeriebene Schale von 1 Zitrone
1/2 Teel. gemahlener Zimt
je 100 g ungeschälte, gemahlene Haselnüsse und Mandeln
150 g Mehl, 1 Teel. Backpulver
6 Eiweiße
200 g geriebene Vollmilchschokolade ◇
je 2 Eßl. Puderzucker und Kakaopulver
Für die Form: Margarine und Semmelbrösel

Eine Springform ausfetten und mit Semmelbröseln ausstreuen. Den Backofen auf 200° vorheizen. Die Kirschen waschen, entstielen und entsteinen. Die Butter mit dem Zucker schaumig rühren, nach und nach die Eigelbe, das Salz, die Zitronenschale, den Zimt, die Haselnüsse, die Mandeln und das mit dem Backpulver gesiebte Mehl unterrühren. Die Eiweiße zu steifem Schnee schlagen und unter den Teig heben. Zuletzt die Schokolade untermischen. Den Teig in die Springform füllen, die Oberfläche glattstreichen und die Kirschen darauf verteilen. Den Kuchen auf der zweiten Schiebeleiste von unten 75 Minuten backen. Den Kuchen auf einem Kuchengitter abkühlen lassen, dann mit Puderzucker besieben. Eine Tortenspitze als Schablone über den Kuchen legen und den Kakao darübersieben. Die Schablone vorsichtig entfernen.

Mohnbeugerl Helenental

20 g Hefe
$^{1}/_{2}$ Tasse lauwarme Milch
450 g Mehl, 120 g Butter
1 Prise Salz, 1 Eßl. Zucker
1 Tasse saure Sahne
1 Ei ◇ $^{3}/_{4}$ Tassen Milch
120 g Zucker, 150 g gemahlener Mohn
50 g Rosinen, 1 Tasse Honig ◇
1 Eiweiß, 1 Eigelb
Für das Backblech: Butter oder Margarine

Ein Backblech mit Fett bestreichen. Die Hefe mit der Milch verrühren. Das gesiebte Mehl mit der Butter, dem Salz, dem Zucker, der sauren Sahne, dem Ei und der verrührten Hefe zu einem festen Teig verkneten. Zugedeckt 20 Minuten gehen lassen. Die Milch mit dem Zucker unter Rühren erhitzen, den Mohn und die Rosinen hineinrühren und so lange kochen, bis die Masse dick wird. Den Honig untermischen und alles abkühlen lassen. Den Backofen auf 220° vorheizen. Den Hefeteig messerrückendick ausrollen und zu Rechtecken schneiden. Auf jedes Teigstück in die Mitte etwa 1 Eßlöffel der Füllung geben. Die Ränder mit verquirltem Eiweiß bestreichen. Die Rechtecke von einer Ecke her aufrollen und zu Hörnchen (Beugerln) formen. Die Beugerl auf das Backblech legen, mit verquirltem Eigelb bestreichen und nochmals 10 Minuten gehen lassen. Dann 12–15 Minuten auf der mittleren Schiebeleiste backen.

Falscher Pumpernickel

5 Eier, 500 g Puderzucker
500 g geschälte, grobgehackte Mandeln
100 g grobgehackte Haselnüsse
1 Prise Salz, 1 Teel. gemahlener Zimt
je 1 Messerspitze gemahlene Gewürznelken und Kardamom
1 Teel. Hirschhornsalz
50 g kleingehacktes Orangeat
abgeriebene Schale von $^{1}/_{2}$ Zitrone und $^{1}/_{2}$ Orange
700 g Mehl
Für das Backblech: Butter oder Margarine

Ein Backblech mit Butter oder Margarine bestreichen. Die Eier mit dem gesiebten Puderzucker gut schaumig rühren. Die Mandeln, die Haselnüsse, das Salz, den Zimt, die gemahlenen Gewürznelken, den Kardamom und das Hirschhornsalz unter die Eimasse rühren. Das Orangeat, die Zitronen- und die Orangenschale sowie das gesiebte Mehl unterarbeiten und den Teig zuletzt mit den Händen gut verkneten. Den Backofen auf 200° vorheizen.

Aus dem Teig drei Rollen von etwa 5 cm ∅ formen. Die Rollen mit genügend Abstand voneinander auf das Backblech legen und auf der zweiten Schiebeleiste von unten 60 Minuten backen.

Die noch heißen Pumpernikkelstangen auf ein Brett legen, in gleichmäßig dünne Scheiben schneiden und erkalten lassen.

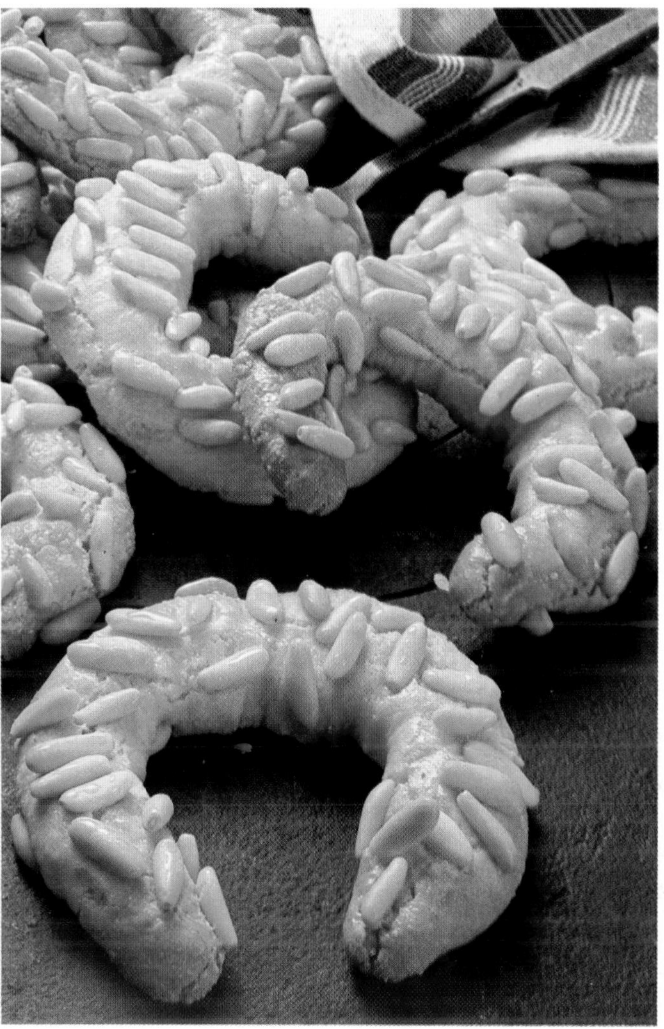

Amsterdamer Pitmoppen

150 g Butter, 150 g Zucker
1 Ei
abgeriebene Schale von ½ Zitrone
1 Prise Salz
1 Messerspitze Backpulver
250 g Mehl ◇ 1 Eigelb
100 g geschälte, halbierte Mandeln
Für das Backblech: Butter oder Margarine

Ein Backblech mit Butter oder Margarine bestreichen. Die Butter schaumig rühren, den Zucker, das Ei, die Zitronenschale, das Salz und das mit dem Backpulver gesiebte Mehl untermischen. Alles zu einem festen Mürbeteig verkneten. Den Teig zu einer Kugel formen und in Alufolie oder Pergamentpapier gewickelt 2 Stunden im Kühlschrank ruhen lassen.
Den Backofen auf 200° vorheizen. Den Teig portionsweise 4 mm dick ausrollen und Quadrate von 3 cm Seitenlänge daraus schneiden. Das Eigelb mit ein paar Tropfen Wasser verquirlen und die Quadrate damit bestreichen. Jedes Quadrat mit vier Mandelhälften belegen. Die Pitmoppen mit genügend Abstand voneinander auf ein Backblech legen und 10–15 Minuten auf der mittleren Schiebeleiste backen. Das Gebäck etwas abkühlen lassen, mit einem breiten Messer vom Blech heben und auf einem Kuchengitter erkalten lassen.

Pignoli-Kipferl

250 g geschälte, geriebene Mandeln
300 g Zucker, 4 Eiweiße
abgeriebene Schale von 1 Zitrone ◇
1 Eiweiß, 100 g Pinienkerne ◇
50 g Zucker, 1 Eßl. Wasser
1 Schnapsglas Rum (2 cl)
Für das Backblech: Butter oder Margarine

Ein Backblech ausfetten. Den Backofen auf 190° vorheizen. Die Mandeln mit dem Zucker, den Eiweißen und der Zitronenschale verrühren und alles bei milder Hitze unter Rühren erwärmen, bis eine formbare Masse entsteht. Den Teig abkühlen lassen und zu einer Rolle formen. Von der Rolle 24 gleich große Stücke abschneiden, aus jedem Stück ein Hörnchen (Kipferl) formen und mit dem verquirlten Eiweiß bestreichen. Die Pinienkerne über die Hörnchen streuen und etwas in den Teig drücken, damit sie beim Backen nicht abfallen. Die Hörnchen mit einem Spatel oder breiten Messer auf das Backblech legen und auf der mittleren Schiebeleiste in 15 Minuten hellbraun backen.
Den Zucker mit dem Wasser verrühren und 2 Minuten sprudelnd kochen lassen. Den Topf vom Herd nehmen, den Rum unter die Zuckermasse rühren und 5 Minuten vor Ende der Backzeit die Hörnchen mit dem Rumguß bestreichen.
Die Hörnchen mit einem breiten Messer vorsichtig vom Backblech heben und auf einem Kuchengitter erkalten lassen.

Fürs kleine Kaffeekränzchen

Orange-Almond-Cookies

250 g Butter oder Margarine
250 g Farinzucker
2 Eier, 325 g Mehl
1 Teel. Backpulver
$^{1}/_{2}$ Teel. Salz
abgeriebene Schale von
1 großen oder 2 kleinen Orangen
75 g geschälte, gehackte Mandeln

Das Fett mit dem Zucker schaumig rühren und nacheinander die Eier untermischen. Das Mehl mit dem Backpulver sieben, mit dem Salz vermischen und löffelweise unter den Teig mengen. Zuletzt die Orangenschale und die Mandeln unterkneten und den Teig zu einer etwa 6 cm dicken Rolle formen. Die Rolle in Alufolie einwickeln und 24 Stunden im Kühlschrank ruhen lassen. Den Backofen auf 200° vorheizen. Von der Teigrolle sehr dünne Scheiben abschneiden, auf ein Backblech legen und auf der mittleren Schiebeleiste 8–10 Minuten backen.

Unser Tip

Diese leckeren Plätzchen können Sie statt mit purer Orangenschale auch mit $^{1}/_{3}$ Zitronenschale und $^{2}/_{3}$ Orangenschale backen. – Außerdem schmecken die Cookies statt mit geriebenen Mandeln auch gut mit Kokosnußraspeln; am besten natürlich mit frisch geraspelter Kokosnuß.

Makronenschnitten

4 Eiweiße
250 g Zucker
250 g Mandelblättchen
$^{1}/_{4}$ Teel. gemahlener Zimt
abgeriebene Schale von
1 Zitrone ◇
4 Oblaten im Format 19 × 11,5 cm
50 g Schokoladen-Fettglasur

Den Backofen auf 150° vorheizen. Die Eiweiße halb steif schlagen, den Zucker einrieseln lassen und kurz unter den Eischnee schlagen. Die Mandelblättchen, den Zimt und die Zitronenschale unterziehen. Die Eiweiß-Mandel-Masse in einem großen, flachen Topf bei mittlerer Hitze unter ständigem Rühren erhitzen. Die noch heiße Masse auf die vier Oblaten verteilen und glattstreichen. Die Oblaten in je fünf Schnitten schneiden. Die Schnitten auf ein Backblech legen und auf der mittleren Schiebeleiste 15–20 Minuten backen.
Die Makronenschnitten auf einem Kuchengitter abkühlen lassen. Die Schokoladen-Fettglasur im Wasserbad schmelzen lassen und die Makronenschnitten an beiden Enden eintauchen.

Unser Tip

Wenn Sie die Makronenschnitten über eine leere Flasche legen und auf dieser backen, erhalten Sie wunderschöne »Mandelbögen«.

Fürs kleine Kaffeekränzchen

Gefüllte Schuhsohlen

300 g tiefgefrorener Blätterteig ◇
2–3 Eßl. Zucker
100 g Hagelzucker ◇
¼ l Sahne
1 Päckchen Vanillinzucker

Den Blätterteig bei Raumtemperatur 30–60 Minuten auftauen lassen.
Die Blätterteigscheiben aufeinanderlegen und zu einer 1 cm dicken Platte ausrollen. Aus dem Blätterteig Kreise von 6 cm Ø ausstechen. Die Arbeitsfläche mit Zucker bestreuen und darauf die Plätzchen zu etwa 12 cm langen »Schuhsohlen« ausrollen. Die Plätzchen dabei einmal wenden. Die Oberseite der Schuhsohlen in den Hagelzucker drücken. Ein Backblech mit kaltem Wasser abspülen, die Schuhsohlen mit der unbestreuten Seite darauflegen und 15 Minuten ruhen lassen. Den Backofen auf 180° vorheizen.
Die Schuhsohlen auf der mittleren Schiebeleiste 10 Minuten backen, danach auf einem Kuchengitter abkühlen lassen.
Die Sahne mit dem Vanillinzucker steif schlagen. Jeweils eine Schuhsohle auf der unbestreuten Seite mit Sahne bestreichen und eine zweite Schuhsohle, ebenfalls mit der unbestreuten Seite, daraufsetzen.

Unser Tip
Die Schuhsohlen schmecken auch als trockenes Gebäck ohne Sahnefüllung gut, vor allem zum Tee.

Gogicas Zitronenringe

150 g Mehl, 1 Teel. Backpulver
100 g feines Maismehl
100 g Butter
100 g Zucker, 2 Eigelbe
abgeriebene Schale von 2 Zitronen ◇
120 g Puderzucker
1–2 Eßl. Zitronensaft
50 g gehackte Pistazien
Für das Backblech: Butter

Ein bis zwei Backbleche ausfetten. Das Mehl mit dem Backpulver in eine Schüssel sieben und mit dem Maismehl mischen. Die Butter zerlassen und mit dem Zucker, den Eigelben und der Zitronenschale verrühren. Alles zu einem glatten Mürbeteig verkneten und diesen zugedeckt 45 Minuten im Kühlschrank ruhen lassen.
Den Backofen auf 200° vorheizen.
Den Teig auf einer bemehlten Arbeitsfläche 2 mm dick ausrollen. Mit einem Ausstecher von 7,5 cm Außen- und 2 cm Innendurchmesser Ringe ausstechen. Die Ringe auf das Backblech legen und auf der mittleren Schiebeleiste 15 Minuten backen.
Die Zitronenringe einige Minuten auf dem Blech abkühlen lassen, dann mit einem Spatel oder breiten Messer auf ein Kuchengitter legen. Den gesiebten Puderzucker mit dem Zitronensaft verrühren und die Ringe damit bestreichen. Auf die noch weiche Glasur die Pistazien streuen.

Florentiner

100 g Butter, 150 g Zucker
50 g Honig, 1/8 l Sahne
1 Messerspitze Salz
abgeriebene Schale von 1/2 Zitrone
180 g Mandelblättchen
30 g feingehacktes Orangeat ◇
100 g Schokoladen-Fettglasur
10 rote Belegkirschen
Für das Backblech: Butter und Mehl

Zwei Backbleche mit Butter bestreichen und mit Mehl bestäuben. Den Backofen auf 190° vorheizen. Die Butter, den Zucker, den Honig, die Sahne, das Salz und die Zitronenschale unter Rühren 4–5 Minuten leicht kochen lassen. Die Mandelblättchen und das Orangeat unterrühren und die Masse vom Herd nehmen.

Je 1 gehäuften Eßlöffel der Mandelmasse in großen Abständen auf das Backblech setzen und mit einem nassen Löffelrücken rund und breit streichen. Die Florentiner auf der mittleren Schiebeleiste 10–15 Minuten backen. Sollten sie während des Backens zu breit auseinanderlaufen, das Blech herausnehmen und das Gebäck mit einem befeuchteten runden Ausstecher wieder zusammenschieben. Die Florentiner knusprig braun backen. Eventuell noch einmal mit dem Ausstecher zusammenschieben. Die Florentiner mit einem Spatel auf ein Kuchengitter lagern und abkühlen lassen. Die Schokoladen-Fettglasur schmelzen lassen und die Rückseite der Florentiner dick damit bestreichen. Jeden Florentiner mit einer halben Kirsche belegen.

Mandeltörtchen der Madame

300 g tiefgefrorener Blätterteig ◇
125 g geschälte, gemahlene Mandeln
120 g Zucker, 1 Ei
4 Eßl. Milch, 2 Eßl. Rum
abgeriebene Schale von 1 Zitrone
18–24 Mandelhälften

Den Blätterteig 30–60 Minuten auftauen lassen. Die Blätterteigscheiben auf einer bemehlten Arbeitsfläche aufeinanderlegen und 3 mm dick ausrollen. 6–8 Torteletteförmchen mit kaltem Wasser ausspülen. Für jedes Förmchen einen Teigstreifen schneiden und die Förmchen damit auslegen. Die Teigböden mit der Gabel mehrmals einstechen und den Blätterteig 15 Minuten ruhen lassen. Den Backofen auf 220° vorheizen.

Die Mandeln mit dem Zucker, dem Ei, der Milch, dem Rum und der Zitronenschale verrühren, die Blätterteigböden damit füllen, die Oberfläche glattstreichen und mit je drei Mandelhälften belegen.

Die Törtchen auf der zweiten Schiebeleiste von unten 25 Minuten backen.

Die Törtchen einige Minuten in den Förmchen abkühlen lassen, dann vorsichtig herauslösen und auf einem Kuchengitter völlig erkalten lassen.

Fürs kleine Kaffeekränzchen

Schweizer Cremeringe

1/4 l Wasser, 60 g Butter
1 Messerspitze Salz
200 g Mehl, 4 Eier ◇
50 g Aprikosenmarmelade
100 g Schokoladen-Fettglasur ◇
4 Eiweiße, 180 g Zucker
1/2 l Milch, 4 Eigelbe
1 1/2 Päckchen Vanille-Puddingpulver
das Innere von 1 Vanilleschote

Den Backofen auf 230° vorheizen. Das Wasser mit der Butter und dem Salz zum Kochen bringen. Das gesiebte Mehl ins kochende Wasser schütten und rühren, bis sich der Teig vom Topfboden löst. Den Teig in eine Schüssel geben, etwas abkühlen lassen und nacheinander die Eier unterrühren. Vom Teig mit einem Spritzbeutel 16 kleine Kreise auf das Backblech spritzen und auf der zweiten Schiebeleiste von unten 20 Minuten backen. Die Ringe abkühlen lassen. Die Marmelade erhitzen und die Ringe damit bestreichen. Die Schokoladen-Fettglasur im Wasserbad zerlassen und die Ringe damit überziehen. Die Eiweiße mit 150 g Zucker zu steifem Schnee schlagen. 4 Eßlöffel Milch mit den Eigelben, dem Puddingpulver, dem restlichen Zucker und der Vanille verquirlen, in die restliche kochende Milch rühren und einige Male aufkochen lassen. Den Eischnee unterziehen, noch einmal kurz aufkochen, dann abkühlen lassen. Die Ringe quer halbieren und mit der Creme füllen.

Vanille-Cremeschnitten

300 g tiefgefrorener Blätterteig (Iglo) ◇
200 g Puderzucker, 1–2 Eßl. Wasser
1–2 Eßl. Zitronensaft ◇
4 Eiweiße, 150 g Puderzucker
1/2 l Milch, 4 Eigelbe
1 1/2 Päckchen Vanille-Puddingpulver, 30 g Zucker
das Innere von 1 Vanilleschote

Den Blätterteig 30–60 Minuten auftauen lassen. Den Backofen auf 220° vorheizen. Die Teigscheiben aufeinanderlegen, zu einer Platte von 30 × 50 cm ausrollen, auf ein kalt abgespültes Backblech legen, mit einer Gabel dicht einstechen und 15 Minuten ruhen lassen. Die Teigplatte auf der mittleren Schiebeleiste 12 bis 18 Minuten backen. Die Platte längs halbieren und erkalten lassen. Den gesiebten Puderzucker mit dem Wasser und dem Zitronensaft verrühren, eine Teigplatte damit bestreichen und in acht gleich große Stücke schneiden. Die zweite Teigplatte auf Alufolie legen und die Folienränder rundherum 4 cm hochklappen. Die Eiweiße mit dem Puderzucker steif schlagen. 4 Eßlöffel Milch mit den Eigelben, dem Puddingpulver, dem Zucker und der Vanille verquirlen, in der Milch einige Male aufkochen lassen. Den Eischnee unterziehen, ganz kurz aufkochen, dann abkühlen lassen. Die Creme auf die Teigplatte in der Alufolie streichen, die glasierten Stücke darauflegen und im Kühlschrank festwerden lassen. Danach durchschneiden.

Geröstetes Anisbrot

10 Eier, 1/8 l Wasser
300 g Zucker, 380 g Mehl
15 g gemahlener Anis
Für die Formen: Margarine

Zwei Kastenkuchenformen von 35 cm Länge mit Margarine ausstreichen. Den Backofen auf 180° vorheizen.
Die Eier in Eigelbe und Eiweiße trennen. Die Eigelbe mit dem Wasser und dem Zucker schaumig rühren. Das Mehl sieben und mit dem Anis unter die Eigelbmasse mischen. Die Eiweiße zu steifem Schnee schlagen und unter den Teig heben. Den Teig in die beiden Formen füllen, glattstreichen und auf der unteren Schiebeleiste 40–45 Minuten backen. Die Kuchen auf ein Kuchengitter stürzen. Nach dem Abkühlen zwei Tage ruhen lassen. Den Backofen auf 200° vorheizen. Die Kuchen in 1 cm dicke Scheiben schneiden, die Scheiben auf ein Backblech legen und von jeder Seite etwa 5 Minuten rösten.

Unser Tip

Am besten schmeckt das geröstete Anisbrot mit Butter und Honig bestrichen.

Nuß-Pirogi

500 g Mehl, 30 g Hefe
60 g Zucker
1/4 l lauwarme Milch
60 g Butter, 1 Ei
1 Prise Salz
abgeriebene Schale von 1 Zitrone ◇
200 g ungeschälte, geriebene Haselnüsse
100 g Zucker, 2 Eßl. Rum
3 Eiweiße ◇
1 Eigelb
Für das Backblech: Margarine

Ein Backblech einfetten. Das Mehl in eine Schüssel sieben, eine Mulde hineindrücken, die Hefe hineinbröckeln, mit etwas Mehl, Zucker und der Milch zu einem Vorteig verrühren. Zugedeckt 15 Minuten gehen lassen. Den restlichen Zucker, die geschmolzene Butter, das Ei, das Salz und die Zitronenschale mit dem Vorteig und dem gesamten Mehl verkneten. Den Teig schlagen, bis er Blasen wirft, dann 15 Minuten gehen lassen. Für die Füllung die Haselnüsse mit dem Zucker, dem Rum und den Eiweißen verrühren. Den Hefeteig etwa 4 mm dick ausrollen und 20 Kreise von 11 cm Ø ausstechen. 10 der Plätzchen mit der Füllung bestreichen, die Ränder jedoch frei lassen und mit verquirltem Eigelb bestreichen. Auf jedes belegte ein unbelegtes Plätzchen legen und die Ränder gut zusammendrücken. Die Pirogi mit dem restlichen Eigelb bestreichen und kreuzweise einschneiden. 15 Minuten gehen lassen. Den Backofen auf 220° vorheizen und die Pirogi auf der zweiten Schiebeleiste von unten 15–20 Minuten backen.

Gefüllte Schnecken

500 g Mehl, 30 g Hefe
gut 1/8 l lauwarme Milch
100 g Zucker, 130 g Butter
1 Prise Salz
abgeriebene Schale von 1/2 Zitrone
1 Messerspitze Piment ◇
je 50 g Sultaninen und Korinthen
50 g gewürfeltes Zitronat
50 g Mandelblättchen
Für das Backblech: Butter

Ein Backblech ausfetten. Das Mehl in eine Schüssel sieben und eine Mulde hineindrükken. Die Hefe hineinbröckeln, und mit etwas Milch, Zucker und Mehl zu einem Vorteig verrühren. Zugedeckt 15 Minuten gehen lassen. 80 g Butter zerlassen, mit 50 g Zucker, der restlichen Milch, dem Salz, der Zitronenschale, dem Piment, dem Vorteig und dem gesamten Mehl zu einem Hefeteig verarbeiten und so lange schlagen, bis er Blasen wirft. Zugedeckt 15 Minuten gehen lassen. Die Sultaninen, die Korinthen, das Zitronat und die Mandeln miteinander mischen. Den Teig zu einem Quadrat ausrollen, mit der restlichen zerlassenen Butter bestreichen und mit der Füllung belegen. Den Teig aufrollen und in etwa 3 cm dicke Scheiben schneiden. Den Backofen auf 220° vorheizen. Die Schnecken auf dem Backblech noch 10 Minuten gehen lassen, mit dem restlichen Zucker bestreuen und auf der mittleren Schiebeleiste etwa 25 Minuten backen.

Dänische Hörnchen

450 g Mehl, 30 g Hefe
1/4 l lauwarme Milch
50 g Butter, 1 Eigelb
1/2 Teel. Salz ◇
150 g Butter, 50 g Mehl ◇
100 g Marzipan-Rohmasse
2 Eßl. geriebene Haselnüsse
1 Eßl. Arrak, 1 Eßl. Puderzucker
1 Eiweiß ◇
1 Eigelb
2 Eßl. Puderzucker
1 Eßl. Zitronensaft

Aus den Zutaten von Mehl bis Salz nach dem Grundrezept auf Seite 11 einen Hefeteig bereiten und 15 Minuten gehen lassen. Den Hefeteig mit der Butter und dem Mehl nach dem Grundrezept für Plunderteig Seite 21 verarbeiten. Die Marzipan-Rohmasse mit den Haselnüssen, dem Arrak, dem Puderzucker und dem Eiweiß verrühren. Den Plunderteig zu einer Platte von 40 × 25 cm ausrollen. Vier langgezogene Dreiecke von 10 × 25 × 25 cm ausschneiden. Die Füllung auf dem Teig verteilen und die Streifen von der schmalen Seite zur Spitze hin locker aufrollen. Die Hörnchen auf ein Backblech legen, mit verquirltem Eigelb bestreichen und 12–15 Minuten auf der zweiten Schiebeleiste von unten backen. Den gesiebten Puderzucker mit dem Zitronensaft verrühren und die noch warmen Hörnchen damit bestreichen.

Haselnußbeutel

300 g tiefgefrorener Blätterteig ◇
100 g geröstete, gemahlene Haselnüsse
30 g Zucker
1 Messerspitze gemahlener Zimt
1 Eßl. Honig, 2 Eßl. Eiweiß ◇
1 Eigelb, 100 g Puderzucker
1–2 Eßl. heißes Wasser

Den tiefgefrorenen Blätterteig bei Raumtemperatur 30–60 Minuten auftauen lassen. Den Backofen auf 230° vorheizen.
Die Blätterteigscheiben auf einer bemehlten Fläche zu Platten von 12 × 24 cm ausrollen. Die Platten halbieren, so daß Quadrate entstehen. Die Nüsse mit dem Zucker, dem Zimt, dem Honig und dem Eiweiß verrühren. Jeweils 1 Löffel der Füllung auf die Quadrate geben. Die Teigränder mit verquirltem Eigelb bestreichen, übereinanderschlagen und gut zusammendrücken. Aus dem restlichen Teig beliebige kleine Plätzchen ausstechen, ebenfalls mit Eigelb bestreichen und auf das Gebäck setzen.
Ein Backblech mit kaltem Wasser abspülen, die Haselnußbeutel darauflegen, mit verquirltem Eigelb bestreichen und 15 Minuten ruhen lassen. Dann auf der zweiten Schiebeleiste von unten 15–20 Minuten backen.
Die Haselnußbeutel auf einem Kuchengitter abkühlen lassen. Den Puderzucker mit dem heißen Wasser verrühren und das Gebäck damit überziehen.

Mandel-Kirschblätterteig

300 g tiefgefrorener Blätterteig (Iglo) ◇
80 g Marzipan-Rohmasse
1 Eiweiß
1 Schnapsglas Kirschwasser (2 cl)
50 g Zucker
3 Eßl. geriebene Mandeln
50 g gehackte Belegkirschen ◇
1 Eigelb
2–3 Eßl. Puderzucker
1 Eßl. Wasser

Die Blätterteigscheiben nebeneinanderlegen und bei Raumtemperatur etwa 30 Minuten auftauen lassen. Die Blätterteigscheiben halbieren, so daß Quadrate entstehen.
Ein Backblech mit kaltem Wasser abspülen und neun Quadrate darauflegen. Die Marzipan-Rohmasse mit dem Eiweiß, dem Kirschwasser, dem Zucker, den Mandeln und den Belegkirschen mischen und auf die Quadrate verteilen. Die Ränder der Teigquadrate mit verquirltem Eigelb bestreichen. Den Rest des Blätterteigs ausrollen und mit einem Teigrädchen in 1 cm breite Streifen schneiden. Die Streifen kreuzweise auf die Quadrate legen, gut andrücken und ebenfalls mit Eigelb bestreichen. Das Blätterteiggebäck 15 Minuten ruhen lassen.
Den Backofen auf 220° vorheizen. Das Blätterteiggebäck auf der zweiten Schiebeleiste von unten 15 Minuten backen. Das Gebäck vom Backblech heben und noch warm mit einer Glasur aus dem gesiebten Puderzucker und dem Wasser bestreichen.

Schweinsöhrchen

300 g tiefgefrorener Blätterteig (Iglo)
etwa 100 g Zucker

Die Blätterteigscheiben nebeneinanderlegen und etwa 30 Minuten auftauen lassen. Die Scheiben dann mit Zucker bestreuen, aufeinanderlegen und auf einer mit Zucker bestreuten Arbeitsfläche zu einer Platte von 20 × 30 cm ausrollen. Die Platte von den Längsseiten her zur Mitte hin so einschlagen, daß die beiden Außenkanten auf der Mitte des Teigblattes etwa 2 cm weit auseinanderliegen. Die Oberfläche des Teigs wieder mit Zukker bestreuen und noch einmal zusammenklappen. (Bitte beachten Sie die Arbeitsanleitungen für Schweinsöhrchen auf Seite 20). Von diesem Teigpaket 1 cm breite Scheiben abschneiden. Ein Backblech mit kaltem Wasser abspülen, die Scheiben mit der Schnittfläche auf das Backblech legen – dabei genügend Zwischenraum lassen – und 15 Minuten ruhen lassen. Die schmalen Scheiben gehen beim Backen auf und ergeben dann die bekannte Form von Schweinsöhrchen. Den Backofen auf 220° vorheizen. Die Schweinsöhrchen auf der mittleren Schiebeleiste 8–12 Minuten backen. Nach etwa 6 Minuten beginnen die Schweinsöhrchen auf der Unterseite zu karamelisieren und leicht braun zu werden. Dann die Schweinsöhrchen mit einem breiten Messer wenden und so lange weiterbacken, bis die Unterseite wiederum knusprig karamelisiert ist.

Orangen-Windrädchen

300 g tiefgefrorener Blätterteig (Iglo) ◇
50 g Marzipan-Rohmasse
2 Eßl. Orangenmarmelade
1 Eßl. Orangenlikör
2 Eßl. geschälte, geriebene Mandeln ◇
1 Eigelb
50 g Puderzucker
1 Eßl. Wasser
20 g gehackte Pistazien

Die Blätterteigscheiben 30 Minuten auftauen lassen. Vier der Teigscheiben zu je einer Platte von 12 × 24 cm ausrollen und in je zwei Quadrate teilen. Jede Ecke der Quadrate etwa 4 cm lang zur Mitte hin einschneiden. Die Marzipan-Rohmasse, die Marmelade, den Likör und die Mandeln verrühren. In die Mitte jedes Quadrats ein Häufchen setzen. Die eingeschnittenen Ecken zur Mitte hin einschlagen, so daß ein Windrad entsteht, die Enden fest zusammendrücken und das Gebäck mit verquirltem Eigelb bestreichen. Die fünfte Blätterteigscheibe ausrollen, acht Plätzchen von 6 cm Ø ausstechen und auf die Mitte der Windrädchen legen. Die Plätzchen ebenfalls mit Eigelb bestreichen. Ein Backblech kalt abspülen, die Windrädchen darauflegen und 15 Minuten ruhen lassen. Den Backofen auf 220° vorheizen und die Windrädchen auf der zweiten Schiebeleiste von unten 12–15 Minuten backen. Den Puderzucker sieben und mit dem Wasser verrühren. Die Windrädchen mit der Glasur bestreichen und mit den Pistazien bestreuen.

Schweizer Rüblitorte

7 Eigelbe, 200 g Zucker
je 1 Prise Salz, gemahlener Zimt und Nelkenpulver
1 Schnapsglas Kirschwasser (2 cl)
200 g feingeriebene Karotten
je 120 g geschälte, geriebene Mandeln und Haselnüsse
50 g Semmelbrösel, 50 g Mehl
1 Teel. Backpulver, 5 Eiweiße
100 g Zucker, 200 g Puderzucker ◇
je 2 Eßl. Kirschwasser und Zitronensaft
50 g geröstete Mandelblättchen
100 g Marzipan-Rohmasse
50 g Puderzucker
etwas rote Lebensmittelfarbe
einige Pistazienstifte
Für die Form: Butter oder Margarine

Den Boden einer Springform von 26 cm ∅ mit Butter oder Margarine ausstreichen. Den Backofen auf 190° vorheizen. Die Eigelbe mit dem Zucker, dem Salz, dem Zimt, dem Nelkenpulver und dem Kirschwasser schaumig rühren. Die Karotten, die Mandeln, die Nüsse, die Semmelbrösel und das mit dem Backpulver gesiebte Mehl mischen und alles mit der Eigelbmasse verrühren.
Die Eiweiße mit 100 g Zucker zu steifem Schnee schlagen und unter den Teig heben. Den Teig in die Springform füllen, glattstreichen und auf der zweiten Schiebeleiste von unten 45–55 Minuten backen. Die Torte zum Abkühlen auf ein Kuchengitter legen und nach Möglichkeit zwei Tage ruhen lassen. Den Puderzucker mit dem Kirschwasser und dem Zitronensaft verrühren und die Torte damit glasieren. Den Rand mit den Mandelblättchen bestreuen. Die Marzipan-Rohmasse mit dem Puderzucker und etwas Farbe mischen, kleine Rüben daraus formen und die Pistazien als Stiele hineinstecken. Die Torte mit den Rüben belegen.

Alices Schokoladentorte

140 g Blockschokolade
140 g Butter, 160 g Zucker
3 Eigelbe
80 g geschälte, geriebene Mandeln, 3 Eiweiße
80 g Roggen- oder Weizenmehl
100 g Marzipan-Rohmasse
40 g Puderzucker
100 g Schokoladen-Fettglasur
12 geschälte Mandeln, etwas Hagelzucker
Für die Form: Butter und Semmelbrösel

Eine Springform von 26 cm ∅ ausfetten und mit Semmelbröseln ausstreuen. Den Backofen auf 180° vorheizen. Die Blockschokolade schmelzen lassen. Die Butter mit 80 g Zucker schaumig rühren, die abgekühlte Schokolade, die Eigelbe und die Mandeln untermischen. Die Eiweiße mit dem restlichen Zucker zu Schnee schlagen und unter die Schokoladenmasse heben. Das gesiebte Mehl unter den Teig ziehen. Den Teig in die Form füllen und auf der zweiten Schiebeleiste von unten 40–45 Minuten backen. Die Marzipan-Rohmasse mit dem Puderzucker verkneten und zu einer Platte von 30 cm ∅ ausrollen. Die Schokoladenglasur zerlassen, die Torte dünn damit überziehen, auf die noch feuchte Glasur die Marzipandecke legen und mit der restlichen Schokoladenglasur bestreichen. Die Mandeln in etwas Schokoladenglasur tauchen, in Hagelzucker wenden und die Torte damit verzieren.

Wiener Sachertorte

8 Eier, 200 g Zucker
60 g Kakaopulver
120 g Mehl, 100 g Butter
50 g Biskuitbrösel ◇
1 Tasse Aprikosenmarmelade
200 g Schokoladen-Fettglasur
Für die Form: Butter oder Margarine

Den Boden einer Springform von 26 cm ∅ ausfetten. Den Backofen auf 200° vorheizen. Die Eier in Eigelbe und Eiweiße trennen. Die Eigelbe mit 100 g Zucker schaumig rühren. Die Eiweiße mit dem restlichen Zucker zu steifem Schnee schlagen. Den Kakao mit dem Mehl über die Eigelbmasse sieben und mit der erwärmten Butter unterheben. Den Eischnee und die Biskuitbrösel ebenfalls unterheben. Den Teig in die Springform füllen, glattstreichen und auf der zweiten Schiebeleiste von unten 60 Minuten backen. In den ersten 15 Minuten die Backofentür mit Hilfe eines Kochlöffelstiels einen Spalt offenhalten.
Den fertigen Kuchen im abgeschalteten Ofen noch kurz stehen lassen, dann zum Erkalten auf ein Kuchengitter legen. Den Kuchen nach mindestens 2 Stunden Ruhezeit einmal durchschneiden, mit der Marmelade füllen und wieder zusammensetzen. Die Schokoladenglasur im Wasserbad schmelzen lassen und die Torte damit gleichmäßig überziehen. In die noch weiche Glasur mit einem Messer 16 Tortenstücke markieren.

Altwiener Schokoladentorte

8 Eigelbe
1 Päckchen Vanillinzucker
1 Prise Salz, 150 g Zucker
8 Eiweiße
100 g Biskuitbrösel
100 g zartbittere, geriebene Schokolade ◇
100 g geriebene Haselnüsse ◇
2 Schnapsgläser Sherry (4 cl)
300 g Aprikosenmarmelade ◇
100 g zartbittere, geriebene Schokolade
1 Ei, 200 g Puderzucker
60 g Kokosfett
Für die Form: Butter oder Margarine

Den Boden einer Springform von 26 cm Ø mit Butter oder Margarine ausstreichen. Den Backofen auf 180° vorheizen. Die Eigelbe mit dem Vanillinzucker, dem Salz und der Hälfte des Zuckers schaumig rühren. Die Eiweiße zu steifem Schnee schlagen, den restlichen Zucker nach und nach einrieseln lassen und gut unterrühren. Es soll ein schnittfester Eischnee entstehen. Den Eischnee unter die Eigelbmasse heben. Die Biskuitbrösel mit der geriebenen Schokolade und den Haselnüssen mischen und unterziehen. Den Teig in die Springform füllen, glattstreichen und auf der zweiten Schiebeleiste von unten 50–60 Minuten backen.
Den Tortenboden auf ein Kuchengitter stürzen und über Nacht abkühlen lassen.
Den Tortenboden zweimal durchschneiden und jeden Boden mit Sherry tränken. Zwei Tortenböden mit der verrührten Marmelade bestreichen und aufeinandersetzen, den dritten Tortenboden darauflegen.
Die geriebene Schokolade im Wasserbad schmelzen und wieder abkühlen lassen. Die Schokolade mit dem Ei und dem Puderzucker verrühren. Das Kokosfett schmelzen lassen und tropfenweise unter die Schokoladenmasse ziehen. Sie muß cremig sein. Die Glasur über die Oberfläche und den Rand der Torte streichen, dabei mit einem breiten Messer ein wellenartiges Muster auf der Oberfläche anbringen. Die Glasur gut trocknen lassen, ehe die Torte angeschnitten wird.

Unser Tip

Der Clou der Altwiener Schokoladentorte ist der zarte Schokoladenbiskuit und die Schokoladenglasur. Wer einmal besonders ausgiebig süß schlemmen möchte, füllt die Torte zusätzlich noch mit Marzipan. Dafür 200 g Marzipan-Rohmasse mit 100 g gesiebten Puderzucker verkneten und zu zwei dünnen Böden ausrollen. Die Marzipanböden auf die Aprikosenmarmelade legen und die Torte zusammensetzen. Das ergibt einen süßen Traum, von dem man aber nur in kleinsten Mengen genießen kann.

Große Torten-Nostalgie

Frankfurter Kranz

450 g Butter, 350 g Zucker
2 Päckchen Vanillinzucker
1/4 Teel. Salz
6 Eier, 1 Eßl. Rum
Saft und abgeriebene Schale von 1/2 Zitrone
150 g Mehl, 3 Teel. Backpulver
150 g Speisestärke ◇ 50 g Krokantstreusel
8 kandierte Kirschen
Für die Form: Butter oder Margarine

Eine Kranzform mit Fett ausstreichen. Den Backofen auf 175° vorheizen. 200 g Butter, 200 g Zucker, 1 Päckchen Vanillinzucker, das Salz, 3 Eier, den Rum, den Zitronensaft und die Zitronenschale schaumig rühren. Das Mehl mit dem Backpulver und der Speisestärke sieben und nach und nach unter den Teig rühren. Den Teig in die Kranzform füllen und auf der unteren Schiebeleiste 60 Minuten backen. Den Kuchen erkalten lassen, dann dreimal waagrecht durchschneiden. Die restliche Butter, den restlichen Zucker, den Vanillinzucker und die restlichen Eier zu einer geschmeidigen Creme verrühren und drei Schichten damit bestreichen. Den Kranz zusammensetzen und auch außen mit Creme überziehen. Die Krokantstreusel darauf verteilen. Mit etwas zurückbehaltener Creme Rosetten auf den Kranz spritzen und in jede eine halbe Cocktailkirsche setzen.

Rehrücken nach Art der Mamsell

140 g Butter, 170 g Zucker
120 g Blockschokolade
8 Eigelbe
170 g geschälte, geriebene Mandeln
70 g Biskuitbrösel
8 Eiweiße ◇
50 g Mandelstifte
100 g Schokoladen-Fettglasur
Für die Form: Butter oder Margarine und Mehl

Eine Rehrückenform mit Butter oder Margarine austreichen und mit Mehl überstäuben. Den Backofen auf 190° vorheizen.
Die Butter mit dem Zucker schaumig rühren. Die Schokolade in Stückchen schneiden, im Wasserbad schmelzen lassen und unter das Buttergemisch rühren. Nach und nach die Eigelbe unterziehen und die Masse entweder 30 Minuten mit der Hand oder 5 Minuten mit dem elektrischen Rührgerät rühren. Sie muß sehr schaumig sein. Die Mandeln und die Biskuitbrösel unterziehen.
Die Eiweiße zu steifem Schnee schlagen und unter den Teig heben. Den Teig in die Form füllen und auf der zweiten Schiebeleiste von unten 50–60 Minuten backen.
Den Kuchen auf einem Kuchengitter abkühlen lassen und mit den Mandelstiften spicken. Die Schokoladenglasur im Wasserbad schmelzen lassen und den Rehrücken dick damit überziehen.

Torte mit Zitronen-Himbeer-Sahne

1 fertiger Schokoladen-Biskuitboden
3/4 l Sahne, 200 g Zucker
Saft und abgeriebene Schale von 1 Zitrone
200 g frische oder tiefgefrorene Himbeeren
1 Schnapsglas Maraschinolikör (2 cl)
100 g Krokantstreusel
16 dünne Scheiben Zitrone

Den Tortenboden zweimal quer durchschneiden. Die Sahne mit dem Zucker steif schlagen. Die Sahne in drei Teile teilen. Einen Teil der Sahne mit dem Zitronensaft und der Zitronenschale verrühren. 16 Himbeeren beiseite stellen, die restlichen Himbeeren pürieren und mit dem zweiten Sahnedrittel verrühren. Die Zitronensahne und die Himbeersahne in je einen Spritzbeutel mit Lochtülle füllen. Auf zwei Tortenböden abwechselnd einen Ring Zitronensahne und einen Ring Himbeersahne spritzen, bis beide Tortenböden gefüllt sind. Die Tortenböden aufeinanderlegen. Das letzte Sahnedrittel mit dem Maraschinolikör verrühren, den Rand und die Oberfläche der Torte damit bestreichen und mit den Krokantstreuseln bestreuen. Mit einem Messer in die Oberfläche der Torte 16 Tortenstücke markieren. Jedes Tortenstück mit einer Rosette aus Maraschinosahne bespritzen und auf jede Rosette eine Zitronenscheibe und eine Himbeere legen. Die Torte sofort servieren.

Unser Tip

Wenn Sie die Torte nicht gleich servieren können, dann legen Sie sie noch ohne Sahnerosetten bis zu 8 Stunden ins Geriergerät. Sie erhalten so eine Eistorte.

Große Torten-Nostalgie

Charlotte royal

4 Eiweiße, 1 Prise Salz
das Innere von 1 Vanilleschote
125 g Zucker, 4 Eigelbe
100 g Mehl, 1 Teel. Backpulver
1 Päckchen Vanille-Puddingpulver ◇
500 g Kirschkonfitüre ◇
6 Blatt weiße Gelatine
1/4 l Weißwein, 100 g Zucker
1 Eßl. Zitronensaft, 1 Prise Salz
3/8 l Sahne
5 Cocktailkirschen
Für das Backblech und die Form: Butter und Pergamentpapier

Ein Backblech mit gefettetem Papier auslegen. Eine Schüssel ausfetten. Den Backofen auf 225° vorheizen. Aus den Zutaten von Eiweißen bis Puddingpulver nach dem Grundrezept auf Seite 31 einen Biskuitteig bereiten, auf das Papier streichen und auf der mittleren Schiebeleiste 10–15 Minuten backen. Das Teigblatt auf ein Tuch stürzen, das Papier abziehen. Den Biskuit mit Konfitüre bestreichen, aufrollen und abkühlen lassen. Die Roulade in 20 Scheiben schneiden und die Schüssel mit 15 Scheiben auslegen. Die Gelatine einweichen. Den Wein mit dem Zukker, dem Zitronensaft und dem Salz erhitzen und die ausgedrückte Gelatine darin auflösen. Beginnt die Creme zu gelieren, 1/4 l geschlagene Sahne unterziehen. In die Form füllen, mit den restlichen Rouladenscheiben bedecken und im Kühlschrank erstarren lassen. Die Charlotte auf eine Platte stürzen, mit der Schlagsahne und Kirschen garnieren.

Heidelbeer-Sahnetorte

80 g Butter, 40 g Zucker
1 Prise Salz, 1 Eigelb
160 g Mehl ◇
500 g Heidelbeeren
1 Schnapsglas Orangenlikör (2 cl) ◇
8 Blatt weiße Gelatine
1/2 l Sahne, 50 g Zucker
1 Päckchen klarer Tortenguß
100 g Mandelblättchen

Die Butter mit dem Zucker, dem Salz und dem Eigelb verkneten, das Mehl darübersieben und alle Zutaten rasch zu einem Mürbeteig verarbeiten. Den Teig zugedeckt 1 Stunde im Kühlschrank ruhen lassen. Die Heidelbeeren waschen, abtropfen lassen und mit dem Likör 30 Minuten durchziehen lassen. Den Backofen auf 220° vorheizen. Den Mürbeteig ausrollen und eine Springform von 26 cm Ø damit auslegen. Den Teigboden auf der mittleren Schiebeleiste 15 Minuten bakken. Zum Abkühlen auf ein Kuchengitter legen. Die Gelatine in kaltem Wasser einweichen, ausdrücken und in wenig Wasser im Wasserbad auflösen. Die Sahne mit dem Zukker steif schlagen, die Gelatine und drei Viertel der Heidelbeeren unterheben. Den Mürbeteigboden wieder in die Springform legen. Den Rand der Springform mit Alufolie auslegen. Die Heidelbeersahne einfüllen, die restlichen Heidelbeeren darauf verteilen und mit dem nach Vorschrift zubereiteten Tortenguß überziehen. Die Torte im Kühlschrank erstarren lassen. Den Rand der Torte mit Mandelblättchen bestreuen.

Große Torten-Nostalgie

Schwarzwälder Kirschtorte

100 g Butter, 100 g Zucker
1 Päckchen Vanillinzucker
4 Eier, 70 g geschälte, geriebene Mandeln
100 g geriebene halbbittere Schokolade
50 g Mehl, 50 g Speisestärke
2 Teel. Backpulver ◇
7 Eßl. Kirschwasser, 1/2 l Sahne
750 g Sauerkirschen aus dem Glas
1 Eßl. Schokoladenstreusel
Für die Form: Butter

Den Boden einer Springform von 26 cm ∅ mit Fett ausstreichen. Den Backofen auf 180° vorheizen. Die Butter mit dem Zucker und dem Vanillinzucker schaumig rühren, nach und nach die Eier, die Mandeln und die Schokolade zufügen. Das Mehl mit der Speisestärke und dem Backpulver sieben und unterziehen. Den Teig in die Springform füllen und auf der zweiten Schiebeleiste von unten 30–40 Minuten backen. Den Kuchen abkühlen lassen. Nach einer Ruhezeit von mindestens 2 Stunden zweimal waagrecht durchschneiden. Die unterste Platte mit dem Kirschwasser beträufeln. Die Sahne mit etwas Zucker steif schlagen. Die Kirschen abtropfen lassen. Auf zwei Böden etwa 2 cm hoch Sahne streichen und die Kirschen darauf verteilen. Die oberste Platte nur mit Sahne bestreichen und die Mitte mit Schokoladenstreusel bestreuen. Mit der restlichen Sahne Rosetten auf die Torte spritzen und jede mit einer Kirsche verzieren.

Schachbrett-Torte

1 fertiger Schokoladen-Biskuitboden ◇
4 Eßl. Orangenlikör ◇
1/8 l Milch, 700 g Quark
150 g Zucker
abgeriebene Schale und Saft von 1 Zitrone und 1 Orange
6 Blatt weiße Gelatine
1/2 l Sahne ◇
16 Stückchen Orange
8 kandierte Kirschen
1 Teel. gehackte Pistazien
1 Eßl. Schokoladenstreusel

Den Tortenboden zweimal durchschneiden und jeden Boden mit dem Likör beträufeln. Zwei der Böden von außen nach innen in 2 cm breite Ringe schneiden.
Die Milch mit dem Quark, dem Zucker, sowie Saft und Schale von Orange und Zitrone schaumig rühren und leicht im Wasserbad erwärmen. Die Gelatine kalt einweichen, in wenig warmem Wasser auflösen und unter den Quark rühren. Die Sahne steif schlagen und unter die Quarkcreme ziehen. Den Tortenboden dünn mit der Creme bestreichen, den ersten Kuchenring – in Größe des Bodens – daraufsetzen und eine Schicht Creme darüberstreichen. Nun abwechselnd jeweils kleinere und größere Ringe aufeinandersetzen und mit Creme ausfüllen. Die Torte mit der Creme rundum überziehen und die Oberfläche mit gespritzten Rosetten verzieren. Jede Rosette mit einem Stückchen Orange und einer halben Kirsche belegen. Die Mitte mit gehackten Pistazien, den Rand mit Schokoladenstreuseln verzieren.

Himbeer-Sahnetorte

100 g Butter oder Margarine
50 g Zucker, 150 g Mehl ◇
8 Eigelbe, 100 g Zucker
4 Eiweiße, 80 g Mehl
20 g Speisestärke
40 g Kakaopulver ◇
1 Paket tiefgefrorene Himbeeren (Iglo)
1 Schnapsglas Himbeergeist (2 cl)
4 Blatt weiße Gelatine
1/2 l Sahne, 70 g Zucker ◇
1/4 l Sahne, 1 Eßl. Zucker
20 g geröstete Mandelblättchen
Für das Backblech: Pergamentpapier

Die Butter oder die Margarine mit dem Zucker verkneten. Das Mehl darübersieben und alles zu einem geschmeidigen Mürbeteig verarbeiten. Den Teig zu einer Kugel formen und in Alufolie oder Pergamentpapier gewickelt 2 Stunden im Kühlschrank ruhen lassen.
Ein Backblech mit Pergamentpapier auslegen. Den Backofen auf 220–230° vorheizen. Die Eigelbe mit der Hälfte des Zuckers schaumig rühren. Die Eiweiße mit dem restlichen Zucker zu steifem Schnee schlagen und unter die Eigelbmasse ziehen. Das Mehl mit der Stärke und dem Kakao darübersieben und unterziehen. Den Biskuitteig auf das Pergamentpapier streichen und auf der mittleren Schiebeleiste 10–15 Minuten backen, dann auf ein mit Zucker bestreutes Tuch stürzen, das Papier abziehen, den Biskuitteig mit einem feuchten Tuch bedeckt erkalten lassen. Die Hitze auf 190° reduzieren.
Den Mürbeteig ausrollen und den Boden einer Springform von 26 cm Ø damit auslegen. Auf der mittleren Schiebeleiste 15–20 Minuten backen. Den Teigboden in der Form erkalten lassen. Die Himbeeren nach Vorschrift auftauen lassen. 200 g Himbeeren mit einer Gabel leicht zerdrücken und mit dem Himbeergeist mischen. Die restlichen Himbeeren zugedeckt aufbewahren.
Die Gelatine in wenig kaltem Wasser einweichen, ausdrükken und im Wasserbad unter ständigem Rühren auflösen.
Die Sahne mit dem Zucker steif schlagen. Die abgekühlte Gelatine und die mit dem Himbeergeist gemischten Himbeeren unter die Sahne mischen. Die Biskuit-Teigplatte gleichmäßig mit der Himbeersahne bestreichen und der Länge nach in 5 cm breite Streifen schneiden.
Einen der Streifen zu einem Röllchen formen und in die Mitte des Mürbeteigbodens in der Springform legen. Die übrigen Biskuitstreifen vorsichtig um das mittlere Röllchen legen, bis die ganze Form gefüllt ist. Den Kuchen im Kühlschrank festwerden lassen.
Die Sahne mit dem Zucker steif schlagen. Die Torte aus der Form lösen, auf eine Platte legen und rundum gleichmäßig mit der Sahne bestreichen. Die restliche Sahne in einen Spritzbeutel mit kleiner Sterntülle füllen und die Torte mit Girlanden und Rosetten verzieren. Die Sahnerosetten mit den restlichen Himbeeren belegen und mit den Mandelblättchen bestreuen.

Holländer Sahnetorte

300 g Blätterteig, tiefgefroren oder selbstbereitet ◇
50 g Johannisbeermarmelade
100 g Puderzucker
1 Eßl. Zitronensaft
1 kg Sauerkirschen aus der Dose
50 g Zucker
1 Messerspitze gemahlener Zimt
3 Teel. Speisestärke ◇
1/2 l Sahne, 40 g Zucker
16 kandierte Kirschen

Den tiefgefrorenen Blätterteig 30–60 Minuten bei Raumtemperatur auftauen lassen.
Ein Backblech kalt abspülen. Den Backofen auf 200° vorheizen.
Den aufgetauten Blätterteig in drei Stücke teilen und drei gleich große Böden von 28 cm Ø ausrollen. Die Böden sollen etwas größer als der Boden der Springform von 26 cm Ø sein, weil sie beim Backen kleiner werden. Die Böden auf das Backblech legen, mehrmals einstechen und 15 Minuten ruhen lassen. Dann auf der mittleren Schiebeleiste in 10–12 Minuten hellbraun backen.
Den schönsten Blätterteigboden mit der erhitzten Marmelade bestreichen. Den Puderzucker mit dem Zitronensaft verrühren und mit dieser Glasur die Marmelade bestreichen. Trocknen lassen. Den glasierten Blätterteigboden in 16 Stücke schneiden. (Auf der gefüllten Torte ließe sich die Deckschicht nicht mehr zerteilen, weil die Sahne herausquellen würde.) Die Sauerkirschen abtropfen lassen. Den Kirschsaft mit dem Zucker und dem Zimt aufkochen. Die Stärke mit etwas kaltem Wasser anrühren, zum Kirschsaft geben, unter Rühren einmal aufkochen lassen und vom Herd nehmen. Die Kirschen in den Saft rühren. Erkalten lassen.
Die abgekühlten Kirschen auf dem zweiten Blätterteigboden verteilen. Die Sahne mit dem Zucker steif schlagen. 6 Eßlöffel Sahne in einen Spritzbeutel mit Sterntülle füllen. Einen Teil der restlichen Sahne auf die Kirschen streichen und den letzten Blätterteigboden daraufsetzen. Den Rest der Sahne daraufstreichen und die glasierten Blätterteigstücke daraufsetzen. Jedes Tortenstück mit einer Sahnerosette bespritzen und jede Rosette mit einer kandierten Kirsche belegen.

Unser Tip

Wird die Holländer Sahnetorte nicht unmittelbar nach dem Zubereiten serviert, so sollten Sie zur Sahne ein Steifmittel geben und die Torte bis zum Servieren im Kühlschrank aufbewahren.

Große Torten-Nostalgie

Baisertorte Lucull

6 Eiweiße, 200 g Zucker
80 g Puderzucker
1 Eßl. Speisestärke
80 g geriebene Haselnüsse ◇
100 g Blockschokolade ◇
3/8 l Sahne, 1 Eßl. Zucker
1 Teel. Kakaopulver
Für das Backblech: Pergamentpapier

Ein Backblech mit Pergamentpapier auslegen und zwei Kreise von 24 cm ∅ mit Bleistift daraufzeichnen. Den Backofen auf 110° vorheizen.
Die Eiweiße mit dem Zucker zu steifem Schnee schlagen. Den gesiebten Puderzucker mit der Speisestärke und den Haselnüssen mischen und unter den Eischnee heben. Auf jeden Kreis ein Viertel der Baisermasse streichen und 3 Stunden im Backofen trocknen lassen. Die Backofentür dabei mit Hilfe eines Löffelstiels einen Spalt offenhalten. Danach die beiden anderen Böden backen.
Die Schokolade im Wasserbad schmelzen und dünn auf Alufolie im Format 24 × 30 cm streichen. Erkalten lassen und in zehn Streifen von 3 cm Breite zerschneiden. Acht Streifen auf 8 cm Länge schneiden, die restlichen auf 6 cm. Die Sahne mit dem Zukker steif schlagen. Die Baiserböden damit bestreichen und aufeinandersetzen. Die Torte mit der Sahne überziehen und mit Sahnerosetten bespritzen. Die Sahne mit dem Kakao besieben. Die längeren Schokoladenstreifen als Rosette auf die Torte legen, die kürzeren um den Rand.

Pfirsichtorte Uncle Sam

4 Eigelbe, 40 g Zucker
1/4 l Teel. gemahlener Zimt
4 Eiweiße, 90 g Zucker
60 g Mehl, 40 g Speisestärke
40 g Kakaopulver ◇
1/2 l Sahne, 60 g Zucker
30 g Kakaopulver
1/2 Dose Pfirsichhälften
2 Eßl. Maraschinolikör ◇
200 g Blockschokolade
225 g Puderzucker, 6 Eßl. Wasser, 2 Eßl. Butter
1 Eßl. gehackte Pistazien
Für die Form: Butter

Den Boden einer Springform ausfetten. Den Backofen auf 200° vorheizen. Aus den Zutaten von Eigelben bis Kakao nach dem Grundrezept auf Seite 30 einen Biskuitteig bereiten, in die Form füllen, glattstreichen und auf der zweiten Schiebeleiste von unten 35 Minuten backen. Den Tortenboden über Nacht ruhen lassen, dann zweimal durchschneiden. Die Sahne mit 40 g Zucker schlagen. Ein Drittel der Sahne mit dem restlichen Zucker und dem Kakao verrühren, auf einen Tortenboden streichen und den zweiten darauflegen. Die Pfirsiche in Spalten schneiden und auf den zweiten Boden legen. Das zweite Sahnedrittel mit dem Likör mischen und auf die Pfirsiche streichen. Den dritten Boden darauflegen und die Torte rundherum mit Sahne bestreichen. Die Schokolade schmelzen lassen, mit dem Puderzucker, dem Wasser und der Butter verrühren und die Torte damit überziehen. Die Torte mit Sahne, Pfirsichstücken und Pistazien verzieren.

Dobostorte

6 Biskuitböden
1/2 l Milch
1 Päckchen Vanille-Puddingpulver
1 Eigelb, 120 g Zucker
250 g Butter, 50 g Nougat
60 g Blockschokolade
200 g Zucker
1 Teel. Butter

Die Biskuitböden wie im Rezept für Prinzregententorte (Rezept nebenstehend) bereiten und mit folgender Creme füllen:
4 Eßlöffel Milch mit dem Puddingpulver und dem Eigelb verquirlen. Die restliche Milch mit dem Zucker zum Kochen bringen, das Puddingpulver einrühren und einige Male aufkochen lassen. Erkalten lassen, dabei mehrmals umrühren, damit sich keine Haut bildet.
Die Butter schaumig rühren und den abgekühlten Pudding löffelweise untermischen. Den Nougat und die Blockschokolade im Wasserbad schmelzen lassen und unter die Buttercreme ziehen. Fünf Böden mit dieser Creme bestreichen und aufeinandersetzen. Die Torte rundherum mit der restlichen Creme überziehen.
Den Zucker mit der Butter unter Rühren hellbraun karamelisieren lassen und sofort auf den sechsten Boden streichen. Solange der Karamelüberzug noch weich ist, mit einem geölten Messer zwölf Stücke abteilen und auf die Torte legen. (Der hartgewordene Überzug ließe sich nämlich nicht mehr zerschneiden.)

Prinzregententorte

7 Eigelbe, 150 g Zucker
1 Prise Salz, 7 Eiweiße
150 g Mehl ◇
1/2 l Milch
1 Päckchen Vanille-Puddingpulver
2 Eigelbe, 100 g Zucker
250 g Butter, 50 g Kakaopulver
50 g Blockschokolade
200 g Schokoladen-Fettglasur
Für das Backblech: Butter und Mehl

Möglichst zwei bis drei Backbleche ausfetten und mit Mehl bestäuben. Den Backofen auf 220° vorheizen. Die Eigelbe mit der Hälfte des Zuckers und dem Salz schaumig rühren. Die Eiweiße mit dem restlichen Zucker steif schlagen und unterheben. Das Mehl darübersieben und unterziehen.
Von der Biskuitmasse sechs Böden von 26 cm ∅ auf die Backbleche streichen und 5–7 Minuten auf der mittleren Schiebeleiste backen.
Aus der Milch, dem Puddingpulver, den Eigelben und dem Zucker einen Pudding kochen und unter Rühren abkühlen lassen. Die Butter schaumig rühren und den Pudding löffelweise untermischen. Zuletzt den Kakao und die im Wasserbad geschmolzene Blockschokolade unter die Buttercreme ziehen. Die Biskuitböden mit der Creme bestreichen und zusammensetzen. Oberfläche und Rand der Torte gleichmäßig mit der Creme überziehen. Im Kühlschrank festwerden lassen. Zuletzt die Torte mit der im Wasserbad aufgelösten Schokoladenglasur überziehen.

Mailänder Makronentorte

6 Eigelbe
3 Eßl. warmes Wasser
120 g Zucker
abgeriebene Schale von 1/2 Zitrone
4 Eiweiße
80 g Mehl, 20 g Speisestärke
120 g geschälte, gemahlene Mandeln ◇
300 g Himbeermarmelade ◇
400 g Marzipan-Rohmasse
100 g Zucker, 6 Eigelbe
1 Eßl. Rum, 1 Eiweiß ◇
80 g geröstete Mandelblättchen
Für die Form: Butter oder Margarine

Den Boden einer Springform von 26 cm ∅ mit Butter oder Margarine ausstreichen. Den Backofen auf 200° vorheizen. Die Eigelbe mit dem Wasser, einem Drittel des Zuckers und der Zitronenschale gut schaumig rühren. Die Eiweiße steif schlagen und während des Schlagens den restlichen Zukker einrieseln lassen. Den Eischnee unter die Eigelbmasse heben. Das Mehl mit der Speisestärke darübersieben und mit den Mandeln unter den Teig ziehen. Den Mandel-Biskuit-Teig in die Springform füllen, glattstreichen und auf der zweiten Schiebeleiste von unten 35–40 Minuten backen. Die Torte über Nacht ruhen lassen und am nächsten Tag zweimal quer durchschneiden. Die beiden unteren Tortenböden mit Himbeermarmelade bestreichen und alle drei Böden aufeinandersetzen. Die Marzipan-Rohmasse mit dem Zucker, den Eigelben und dem Rum schaumig rühren. Die Hälfte der Marzipanmasse in einen Spritzbeutel mit Sterntülle füllen, die andere Hälfte mit dem Eiweiß verrühren. Mit dieser dünneren Marzipanmasse die Torte rundherum bestreichen. Die Marzipanmasse im Spritzbeutel auf die Oberfläche der Torte spritzen. Am besten richten Sie sich dabei nach unserem Vorschlag auf dem Bild und spritzen eine Blütenform auf die Torte.
Den Backofen auf 250° vorheizen und die Torte auf der mittleren Schiebeleiste noch einmal kurz backen, bis die Marzipanmasse leicht zu bräunen beginnt. Das Überbacken kann ebensogut im Grill geschehen. Die restliche Himbeermarmelade unter Rühren erhitzen und den Rand dünn damit bestreichen. Auf die Marmelade die Mandelblättchen streuen. Die Zwischenräume der aufgespritzten Makronenblüte auf der Oberfläche mit erwärmter Himbeermarmelade ausfüllen.

Nußtorte Bürgermeisterin

225 g Zucker, 10 Eigelbe
250 g geriebene Haselnüsse
3 Eßl. Semmelbrösel
6 geriebene bittere Mandeln
10 Eiweiße, 150 g Zucker ◇
3 Eiweiße, 50 g Zucker
1 Eßl. geriebene Haselnüsse ◇
$^{1}/_{2}$ l Milch, 2 Eßl. Zucker
1 Päckchen Vanille-Puddingpulver
3 Eigelbe ◇
200 g Marzipan-Rohmasse
300 g Puderzucker
3–4 Eßl. Zitronensaft
22 Walnußhälften
Für die Form: Butter

Den Boden einer Springform ausfetten. Den Backofen auf 190° vorheizen. Den Zucker mit den Eigelben schaumig rühren und die Haselnüsse, die Semmelbrösel und die Mandeln zugeben. Die Eiweiße mit dem Zucker steif schlagen, unterheben, in die Form füllen und $1^{1}/_{4}$ Stunden backen. Den Kuchen nach 24 Stunden quer halbieren. Die Eiweiße mit dem Zucker steif schlagen und die Haselnüsse unterheben. Aus der Milch, dem Zucker und dem Puddingpulver einen Pudding kochen, die verquirlten Eigelbe einrühren, den Eischnee unterheben und kurz aufkochen. Die abgekühlte Creme auf einen Tortenboden streichen und den zweiten darauflegen. Die Marzipan-Rohmasse mit 100 g Puderzucker verkneten, rund ausrollen und leicht auf die Torte drücken. Den restlichen Puderzucker mit dem Zitronensaft verrühren, die Torte damit bestreichen und mit den Walnüssen verzieren.

Maronentorte Zerbinetta

1 fertiger Schokoladen-Biskuitboden, nach Grundteig auf Seite 30 gebacken ◇
440 g Maronenpüree aus der Dose
1 Eßl. Zitronensaft
6 Eßl. Sahne
7 Eßl. Puderzucker ◇
$^{1}/_{2}$ Glas Aprikosenmarmelade
250 g Marzipan-Rohmasse
150 g Puderzucker
200 g Schokoladen-Fettglasur

Den Schokoladen-Biskuitboden zweimal quer durchschneiden. Das Maronenpüree mit dem Zitronensaft, der Sahne und dem gesiebten Puderzucker zu einer geschmeidigen Masse verrühren. Zwei der Biskuitböden mit dieser Creme bestreichen und alle drei Böden aufeinandersetzen. Die Aprikosenmarmelade unter Rühren erhitzen und die Tortenoberfläche damit bestreichen. Die Marzipan-Rohmasse mit dem gesiebten Puderzucker verkneten, dünn ausrollen und die Torte rundherum damit einhüllen. Das restliche Marzipan etwa 1 cm dick ausrollen. Die Marzipanplatte auf ein Holzmodel legen, mit dem Wellholz einmal darüberrollen und mit einem spitzen Messer wieder aus dem Model lösen. Die Figuren ausschneiden. Die Schokoladen-Fettglasur im Wasserbad schmelzen lassen und die Torte damit überziehen. Die Torte mit den Marzipanfiguren belegen.

Mandel-Kaffeetorte

7 Eigelbe
abgeriebene Schale von $^{1}/_{2}$ Zitrone
250 g geriebene Mandeln
7 Eiweiße, 80 g Zucker ◇
3 Eßl. Sauerkirschmarmelade ◇
$^{1}/_{4}$ l Milch, 100 g Zucker
$^{1}/_{2}$ Päckchen Vanille-Puddingpulver
2 Eigelbe, 150 g Butter
3 Teel. Instant-Kaffeepulver ◇
16 Schokoladen-Mokkabohnen
16 Mandeln
Für die Form: Butter

Den Boden einer Springform ausfetten. Den Backofen auf 190° vorheizen. Die Eigelbe mit der Zitronenschale schaumig rühren und die Hälfte der Mandeln unterziehen. Die Eiweiße mit dem Zucker zu Schnee schlagen und mit den restlichen Mandeln unter die Eimasse heben. Den Teig in die Form füllen und auf der zweiten Schiebeleiste von unten 35–40 Minuten backen. Den erkalteten Tortenboden nach mindestens 2 Stunden Ruhezeit quer halbieren. Einen Tortenboden mit Marmelade bestreichen und den zweiten darauflegen. Aus der Milch, dem Zucker, dem Puddingpulver und den Eigelben einen Pudding bereiten und unter Rühren erkalten lassen. Die Butter mit dem Instant-Kaffee schaumig rühren. Löffelweise den Pudding unterrühren. Die Torte mit der Buttercreme rundherum bestreichen. Die restliche Creme nach dem Bildvorschlag aufspritzen und mit Mokkabohnen und Mandeln verzieren.

Fürst-Pückler-Torte

1 heller Biskuitboden
1 Schokoladen-Biskuitboden
beide Böden nach dem Grundrezept Seite 30 gebacken ◇
100 g Erdbeeren
2 Blatt weiße Gelatine
$^{5}/_{8}$ l Sahne, 50 g Zucker
16 kandierte Kirschen ◇
2 Eßl. Schokoladenspäne
1 Teel. Puderzucker
4 Eßl. geröstete Mandelblättchen

Jeden der beiden Biskuitböden quer halbieren. Die Erdbeeren waschen, gut abtropfen lassen, entstielen und mit einer Gabel zerdrücken. Die Gelatine in wenig kaltem Wasser einweichen. Die Sahne mit dem Zucker steif schlagen. Ein Drittel der Sahne mit dem Erdbeerpüree mischen. Die Gelatine gut ausdrücken, in wenig Wasser im Wasserbad auflösen und unter die Erdbeersahne rühren. Die beiden hellen Biskuitböden mit der Sahne bestreichen und jeweils einen dunklen Boden daraufsetzen. Einen dunklen Boden mit der Erdbeersahne bestreichen und die anderen beiden Böden darauflegen. Die Torte rundherum mit der Sahne überziehen. Die restliche Sahne in einen Spritzbeutel mit Sterntülle füllen und 16 Rosetten auf die Torte spritzen. Jede Rosette mit einer Kirsche belegen. Die Schokoladenspäne in die Mitte der Torte streuen und mit dem Puderzucker besieben. Den Rand der Torte mit den Mandelblättchen bestreuen. Die Torte vor dem Servieren in den Kühlschrank stellen.

Welsche Honigtorte

gut $^{1}/_{8}$ l Milch, 2 Eßl. Zucker
$^{1}/_{4}$ Teel. Salz, 2 Eßl. Butter
20 g Hefe
2 Eßl. lauwarmes Wasser
80 g Mandelblättchen
380 g Mehl, 1 Ei
2 Eßl. Rosinen ◇
1 Eßl. Butter, 2 Eßl. Zucker
$^{1}/_{2}$ Teel. gemahlener Zimt ◇
2 Eßl. Butter, 6 Eßl. Honig
2 Eßl. Zucker
100 g ungeschälte, grobgehackte Mandeln
Für die Form: Butter

Eine Springform ausfetten. Die Milch zum Kochen bringen, mit dem Zucker, dem Salz und der Butter verrühren und abkühlen lassen. Die Hefe im lauwarmen Wasser auflösen. Die Mandelblättchen mit der Hälfte des Mehls mischen, die lauwarme Milch sowie die aufgelöste Hefe zugeben und alles mit dem Ei und den Rosinen verkneten. Den Teig zugedeckt 20 Minuten gehen lassen. Den Teig 20 × 40 cm groß ausrollen. Die Butter zerlassen, den Teig damit bestreichen, mit dem Zucker und dem Zimt bestreuen, von der schmaleren Seite her aufrollen und in 2–3 cm dicke Scheiben schneiden. Die Butter mit dem Honig, dem Zucker und den Mandeln schmelzen lassen und als Boden in die Springform füllen. Von den Teigscheiben kleine Kugeln formen, spiralförmig auf den Honigboden legen und 25 Minuten gehen lassen. Den Backofen auf 200° vorheizen. Die Honigtorte 20–30 Minuten auf der zweiten Schiebeleiste von unten backen.

Schwarzbrottorte

50 g Schwarzbrotbrösel
$^{1}/_{2}$ Schnapsglas Rum (1 cl)
2 Eier, 6 Eigelbe
150 g Zucker
150 g ungeschälte, gemahlene Mandeln
50 g geriebene Blockschokolade
abgeriebene Schale von $^{1}/_{2}$ Zitrone
1 Messerspitze gemahlene Gewürznelken
je 30 g gehacktes Zitronat und Orangeat
6 Eiweiße ◇
200 g Puderzucker
2 Eßl. Rum, 2 Eßl. Wasser
12 Belegkirschen
Für die Form: Butter und Semmelbrösel

Eine Springform ausfetten und mit Semmelbröseln ausstreuen. Den Backofen auf 200° vorheizen. Die Brotbrösel mit dem Rum mischen. Die Eier, die Eigelbe und den Zucker schaumig rühren. Die Mandeln, die Schokolade, die Zitronenschale, das Nelkenpulver, das Zitronat und das Orangeat unter die Eigelbmasse rühren. Die Eiweiße steif schlagen und unterheben. Die getränkten Brösel unter den Teig ziehen. Den Teig in die Springform füllen, glattstreichen und auf der zweiten Schiebeleiste von unten 60–75 Minuten backen.
Die Torte auf ein Kuchengitter stürzen und abkühlen lassen. Den gesiebten Puderzucker mit dem Rum und dem Wasser verrühren und die noch warme Torte mit dieser Glasur überziehen. Die Torte mit den Kirschen belegen.

Linzer Torte

200 g Butter oder Margarine
200 g Zucker
3 Eier, 1 Eigelb
je 1 Messerspitze Salz und gemahlene Gewürznelken
1/2 Teel. gemahlener Zimt
abgeriebene Schale von 1/2 Zitrone
100 g Biskuitbrösel
150 g geriebene Mandeln
1 Eßl. Mehl ◇
200 g Himbeermarmelade
1 Eigelb
Für die Form: Butter

Eine Springform von 26 cm ∅ mit Butter ausstreichen.
Die Butter oder die Margarine mit dem Zucker schaumig rühren. Nacheinander die Eier, das Eigelb, Salz, Nelken, Zimt und Zitronenschale unterrühren. Die Biskuitbrösel mit den Mandeln mischen und unterkneten. Zwei Drittel des Teiges ausrollen und den Boden einer Springform so damit auslegen, daß ein 2 cm hoher Rand entsteht. Den restlichen Teig mit dem Eßlöffel Mehl mischen und zugedeckt 30 Minuten im Kühlschrank ruhen lassen.
Den Backofen auf 190° vorheizen. Den Teigboden mit der Marmelade bestreichen. Den restlichen Teig ausrollen, mit dem Teigrädchen in Streifen schneiden, diese gitterartig über die Marmelade legen und mit dem verquirlten Eigelb bestreichen. Den Kuchen auf der zweiten Schiebeleiste von unten 35–40 Minuten backen.
Den Kuchen in der Form etwas abkühlen lassen. Zum völligen Erkalten auf ein Kuchengitter legen.

Torta di Mandorle

200 g Mehl, 100 g Butter
40 g Zucker, 1 Eigelb
1 Prise Salz
abgeriebene Schale von 1/2 Zitrone
1 Eßl. kaltes Wasser ◇
70 g Aprikosenmarmelade ◇
1 Ei, 2 Eigelbe
125 g Zucker, 1 Prise Salz
das Innere von 1 Vanilleschote
1 Eßl. Mehl, 300 g geschälte, geriebene Mandeln
4 Eiweiße, 60 g Butter
150 g Zucker

Das Mehl auf ein Backbrett sieben und mit der Butter, dem Zucker, dem Eigelb, dem Salz, der Zitronenschale und dem Wasser verkneten. Den Teig zugedeckt im Kühlschrank 2 Stunden ruhen lassen. Den Teig etwa 4 mm dick ausrollen und Rand und Boden einer Springform damit auslegen.
Den Teigboden mit der Marmelade bestreichen. Den Backofen auf 180° vorheizen.
Das Ei und die Eigelbe mit der Hälfte des Zuckers, dem Salz, der Vanille, dem Mehl und 150 g Mandeln verrühren.
2 Eiweiße mit dem restlichen Zucker zu Schnee schlagen und unterheben. Die Butter zerlassen und unter den Teig ziehen. Die Masse auf den Tortenboden füllen und auf der zweiten Schiebeleiste von unten 45 Minuten backen. Die restlichen Eiweiße mit dem restlichen Zucker zu Schnee schlagen und die restlichen Mandeln unterheben. Die Baisermasse auf die noch heiße Torte streichen und 15 Minuten bei 210° überbacken, bis die Oberfläche leicht gebräunt ist.

Punschtorte

1 hoher fertiger Biskuitboden ◇
70 g Marzipan-Rohmasse
30 g Puderzucker
2 Schnapsgläser Rum (4 cl) ◇
10 Eßl. Orangensaft
2 Eßl. Zitronensaft ◇
200 g Orangenmarmelade
100 g Marzipan-Rohmasse
225 g Puderzucker
2–3 Eßl. heißes Wasser
1 walnußgroßes Stück Butter
1 Teel. Kakaopulver
100 g Mandelblättchen

Den Biskuitboden zweimal quer durchschneiden. Die Marzipan-Rohmasse mit dem gesiebten Puderzucker und einem Schnapsglas Rum verrühren, auf den untersten Boden streichen und den zweiten Boden daraufsetzen. Orangen- und Zitronensaft mit dem restlichen Rum verrühren und den zweiten Boden damit gut tränken. Den dritten Boden darauflegen. Die Marmelade erhitzen und die Torte rundherum damit bestreichen. Die Marzipan-Rohmasse mit 50 g gesiebtem Puderzucker verkneten, in Tortengröße ausrollen und leicht auf die Torte drücken. Den restlichen Puderzucker sieben, mit dem Wasser glattrühren, die geschmolzene heiße Butter unterziehen und den Guß über die Marzipandecke streichen. 2 Eßlöffel der Glasur mit dem Kakao verrühren. Den dunklen Guß von der Mitte aus spiralförmig auf die Torte spritzen. Mit einem Messer von der Mitte aus Linien nach außen ziehen; genaue Anweisung auf Seite 42 beachten. Den Rand mit den Mandelblättchen bestreuen.

Malakow-Torte

½ l Milch
1 Päckchen Vanille-Puddingpulver
5 Eßl. Zucker
250 g Butter
3 Eßl. Puderzucker ◇
250 g Löffelbiskuits
1 Eßl. Zuckersirup
4 Eßl. Marsalawein
1 Eßl. Rum
50 g Johannisbeermarmelade ◇
100 g geröstete Mandelblättchen
14 Butterkekse

Aus der Milch, dem Puddingpulver und dem Zucker einen Pudding kochen und unter Rühren erkalten lassen. Die Butter mit dem gesiebten Puderzucker schaumig rühren und löffelweise unter den abgekühlten Pudding rühren. Den Boden einer Springform mit Löffelbiskuits auslegen. Den Zuckersirup mit dem Marsalawein und dem Rum verrühren und die Biskuits damit tränken. Die Marmelade erhitzen und kleine Tupfen davon auf die Biskuits setzen. Einen Teil der Buttercreme über die Biskuits streichen, auf die Buttercreme wiederum Biskuits legen, mit der Marsalamischung tränken und mit Marmelade betupfen. Als Abschluß Buttercreme darüberstreichen. Die Torte im Kühlschrank erstarren lassen, dann aus der Form lösen, rundherum mit Buttercreme bestreichen und mit Mandelblättchen bestreuen. Von der restlichen Buttercreme 14 Rosetten auf die Torte spritzen und jede Rosette mit einem Keks belegen. Die Torte vor dem Servieren noch einmal kalt stellen.

Grandis Cremetorte

6 Eigelbe, 140 g Zucker
je 1 Messerspitze Salz und gemahlener Zimt
2 Eßl. Rum
6 Eiweiße, 100 g Mehl
30 g Speisestärke
50 g Kakaopulver
50 g geriebene Mandeln ◇
1/2 l Milch, 2 Eigelbe
1 Päckchen Schokoladen-Puddingpulver
120 g Zucker, 200 g Butter
4 Eßl. Kirschlikör
80 g feingeriebene Kuvertüre ◇
12 rote Belegkirschen
2 Eßl. Schokoladenspäne
Für die Form: Butter

Den Boden einer Springform ausfetten. Den Backofen auf 200° vorheizen. Die Eigelbe mit der Hälfte des Zuckers, dem Salz, dem Zimt und dem Rum schaumig rühren. Die Eiweiße mit dem restlichen Zukker steif schlagen und unter die Eimasse heben. Das Mehl mit der Speisestärke und dem Kakao darübersieben und mit den Mandeln unterziehen. Den Teig in die Form füllen und 35 Minuten backen. Den erkalteten Tortenboden nach mindestens 2 Stunden Ruhezeit zweimal durchschneiden. Aus der Milch, den Eigelben, dem Puddingpulver und dem Zucker einen Pudding kochen. Die Butter schaumig rühren, löffelweise erst den kalten Pudding, dann den Likör und die Kuvertüre unterrühren. Die Tortenböden mit Creme bestreichen, aufeinandersetzen und rundum mit Creme überziehen. Zwölf Rosetten aufspritzen, mit Kirschen und Schokoladenspänen verzieren.

Gâteau Saint-Honoré

80 g Butter, 40 g Zucker
1 Prise Salz, 1 Eigelb
160 g Mehl ◇
1/4 l Wasser, 70 g Butter
1 Prise Salz
200 g Mehl, 4 Eier ◇
1/2 l Milch
das Innere von 1 Vanilleschote
1 Prise Salz, 5 Eigelbe
180 g Zucker, 1 Päckchen Vanille-Puddingpulver
5 Eiweiße, Aprikosenmarmelade

Aus Butter, Zucker, Salz, Eigelb und gesiebtem Mehl einen Mürbeteig kneten und zugedeckt 30 Minuten im Kühlschrank ruhen lassen. Den Teig zu einer Platte von 26 cm Ø ausrollen und auf ein Backblech legen. Den Backofen auf 210° vorheizen. Das Wasser mit der Butter und dem Salz zum Kochen bringen, das gesiebte Mehl hineinschütten und rühren, bis sich der Teig vom Topfboden löst. Den Teig in eine Schüssel geben und die Eier einzeln unterrühren. Vom Brandteig einen dicken Ring auf den Mürbeteigboden spritzen, daneben 8–10 kleine Windbeutel. Den Kuchen auf der zweiten Schiebeleiste von unten 15–20 Minuten backen. Die Milch mit der Vanille und dem Salz aufkochen. Die Eigelbe mit der Hälfte des Zukkers und dem Puddingpulver verquirlen und in die kochende Milch rühren. Die Eiweiße mit dem restlichen Zucker zu Schnee schlagen, unter die kochende Creme heben und abkühlen lassen. Die Creme in den Brandteigring füllen. Ring und Windbeutel mit erhitzter Marmelade bestreichen.

Herzhafte Speckspiralen

1 Dose Knack & Back Frischteig für Hörnchen (Pillsbury)
100 g Frühstücksspeck in Scheiben
1 Ei

Den Backofen auf 200° vorheizen. Die Dose nach Vorschrift auf dem Etikett öffnen, den Teig herausnehmen, entrollen und die einzelnen Teigstücke voneinander trennen. Die Teigstücke mit bemehlten Händen vorsichtig zu etwa 30 cm langen Stangen formen. Die Stangen zu Spiralen drehen. Den Frühstücksspeck in Streifen schneiden und die Spiralen locker damit umwickeln. Das Ei verquirlen und die Speckspiralen von allen Seiten damit bestreichen. Die Spiralen auf ein Backblech legen und auf der mittleren Schiebeleiste in 15 Minuten knusprig braun backen.
Die Speckspiralen noch warm zu Bier oder Wein servieren.

Unser Tip

Statt Speckspiralen können Sie auch Schinkenspiralen machen. Sie schneiden dazu Streifen von rohem oder auch gekochtem Schinken. Die Schinkenstreifen auf die langgezogenen Teigstangen legen und mit dem Teig zu Spiralen aufrollen. Die Spiralen dann ebenfalls mit verquirltem Ei bestreichen und wie oben beschrieben backen.

Elsässer Käseküchli

1 Dose Knack & Back Frischteig für Brötchen aus Blätterteig (Pillsbury) ◇
1 große Zwiebel
1 Eßl. Butter
100 g Frühstücksspeck in Scheiben
1 Ei
200 g Doppelrahm-Frischkäse (Kraft)
1 Eßl. kleingewiegte Petersilie

Den Backofen auf 200° vorheizen. Die Dose nach Vorschrift auf dem Etikett öffnen, die Teigstücke herausnehmen und etwas flachdrücken. Die Zwiebel schälen, in Ringe schneiden und die Zwiebelringe in der Butter leicht anbraten. Den Speck in kleine Würfel schneiden. Die Teigstücke mit verquirltem Ei bestreichen. Den Frischkäse in Flöckchen schneiden und auf den Küchli verteilen. Die Zwiebelringe und die Speckwürfelchen ebenfalls darauf verteilen und die Küchli auf das Backblech legen. Die Küchli auf der mittleren Schiebeleiste etwa 20 Minuten knusprig braun backen.
Die Küchli mit der Petersilie bestreuen und noch warm servieren.

Würstchen in der Teighülle

1 Dose Knack & Back Frischteig für Hörnchen (Pillsbury)
6 Wiener Würstchen
1 Eigelb

Den Backofen auf 200° vorheizen. Die Dose nach Vorschrift auf dem Etikett öffnen, den Teig entrollen und in drei Rechtecke trennen. Die diagonalen Perforationen im Teig zusammendrücken. Die drei Rechtecke halbieren. Jedes der sechs Rechtecke diagonal mit einem Würstchen belegen und von einer Ecke her aufrollen. Die obenliegende Ecke mit verquirltem Eigelb bestreichen und festdrücken. Die Würstchen so auf ein Backblech legen, daß die Ecke jeweils nach unten kommt. Die Teighüllen mit verquirltem Eigelb bestreichen und das Gebäck auf der mittleren Schiebeleiste in etwa 15 Minuten knusprig braun backen.

Unser Tip

Wenn Sie die Teigstücke nach der eingestanzten Perforation auseinanderteilen, können Sie ganz einfach knusprige Schinkenhörnchen herstellen. Jedes Teigdreieck mit gekochten oder rohen Schinkenwürfeln belegen, die Hörnchen aufrollen, mit verquirltem Eigelb bestreichen und wie oben beschrieben backen.

Fladenbrötchen Küsterart

Eine Dose Knack & Back Frischteig für Bauernbrötchen (Pillsbury) ◇
etwas Wasser und Mehl

Den Backofen auf 200° vorheizen. Die Dose nach Vorschrift auf dem Etikett öffnen, den Teig herausnehmen und die Stücke voneinander trennen. Die Teigstücke bei Raumtemperatur etwas ruhen lassen, damit sie sich erwärmen. Jedes Teigstück danach auf einer bemehlten Fläche zu einem sehr dünnen Fladen ausrollen. Die Oberfläche der Fladen mit einem Messer karoförmig einritzen. Die Fladen mit Wasser bestreichen, dünn mit Mehl bestäuben, auf ein Backblech legen und auf der mittleren Schiebeleiste 15–20 Minuten backen.

Unser Tip

Die Fladenbrötchen schmecken am besten ganz frisch gebacken mit etwas Rahm-Frischkäse und Räucherlachs, den man mit Pfeffer übermahlt.

Birnenkuchen moderne Art

1 Paket Backmischung für Obstkuchen (Kraft)
125 g Butter oder Margarine
1 Ei, 1 Eßl. Wasser ◇
4–5 weiche Birnen
2 Eßl. Mandelstifte
2 Eßl. Farinzucker
Für die Form: Butter oder Margarine

Eine Springform von 26 cm Ø ausfetten. Den Backofen auf 200° vorheizen.
Den Obstkuchenteig nach Anleitung auf dem Paket mit der Butter oder Margarine, dem Ei und dem Wasser zubereiten, in die Springform füllen und die Oberfläche glattstreichen. Die Birnen schälen, vierteln, vom Kerngehäuse befreien und die Birnenviertel von der runden Seite her dünn einschneiden; sie sollen jedoch am unteren Ende noch zusammenhängen. Die Birnenviertel kreisförmig auf dem Teig verteilen. Den Kuchen auf der untersten Schiebeleiste 50–60 Minuten backen. Nach 30 Minuten Backzeit die Mandelstifte und den Farinzucker über die Birnen streuen und den Kuchen fertigbacken.

Unser Tip

Statt mit Farinzucker können Sie den Kuchen nach dem Backen auch mit dem Puderzucker aus dem Paket bestreuen. – Statt mit frischen Birnen kann der Kuchen auch mit Dosenbirnen zubereitet werden.

Sonntags-Traubenkuchen

1 Paket Backmischung für Obstkuchen (Kraft)
125 g Butter oder Margarine
1 Ei, 1 Eßl. Wasser ◇
1 kg helle Weintrauben
4 Eiweiße, 150 g Zucker
Für die Form: Butter oder Margarine

Eine Springform von 26 cm Ø einfetten. Den Backofen auf 175° vorheizen. Den Obstkuchenteig nach Anleitung auf dem Paket mit der Butter oder der Margarine, dem Ei und dem Wasser zubereiten, in die Springform füllen und die Oberfläche glattstreichen. Die Weintrauben waschen, abtropfen lassen, entstielen, halbieren und entkernen. Die Weintrauben auf dem Teig verteilen und den Kuchen auf der untersten Schiebeleiste 30 Minuten vorbacken. Die Eiweiße steif schlagen, nach und nach den Zucker unterrühren und den Eischnee in einen Spritzbeutel füllen. Den Baiserguß auf die Trauben spritzen und den Kuchen weitere 40–50 Minuten backen.

Unser Tip

Den Kuchen gut auskühlen lassen, bevor er angeschnitten wird.

Raffinierte Varianten

Apfelkuchen mit Rosinen

1 Paket Backmischung für Obstkuchen (Kraft)
125 g Butter oder Margarine
1 Ei, 1 Eßl. Wasser ◇
4–5 mittelgroße Äpfel
Saft von 1 Zitrone
2 Eßl. Rosinen
3 Eßl. Apfelgelee
Für die Form: Margarine

Eine Springform von 26 cm Ø ausfetten. Den Backofen auf 200° vorheizen.
Den Obstkuchenteig nach Anleitung auf dem Paket mit der Butter oder Margarine, dem Ei und dem Wasser zubereiten, in die Springform füllen und die Oberfläche glattstreichen. Die Äpfel schälen, vierteln, vom Kerngehäuse befreien und in feine Spalten schneiden. Die Apfelspalten mit dem Zitronensaft beträufeln. Die Hälfte der Rosinen auf den Teig streuen und darüber dicht die Apfelspalten rosettenförmig legen. Mit den restlichen Rosinen bestreuen. Den Kuchen auf der zweiten Schiebeleiste von unten 50–60 Minuten backen.
Das Apfelgelee unter Rühren erhitzen und die noch warmen Äpfel damit bestreichen. Den Kuchen abkühlen lassen und nach Belieben mit dem Puderzucker aus dem Paket besieben.

Zitronen-Apfelkuchen

1 Paket Backmischung für Zitronenkuchen (Kraft)
100 g Butter oder Margarine
2 Eier
75 ccm kaltes Wasser ◇
3–4 große säuerliche Äpfel
Saft von 1 Zitrone
1–2 Eßl. warmes Wasser für die Glasur
100 g gehackte Pistazien
Für die Form: Margarine

Eine Springform von 26 cm Ø ausfetten. Den Backofen auf 175° vorheizen.
Den Zitronenkuchenteig nach Vorschrift auf dem Paket mit der Butter oder Margarine, den Eiern und dem Wasser zubereiten, in die Springform füllen und die Oberfläche glattstreichen. Die Äpfel schälen, vierteln, vom Kerngehäuse befreien und in feine Spalten schneiden. Die Apfelspalten mit dem Zitronensaft beträufeln und kreisförmig dicht auf den Teig drücken. Den Kuchen auf der zweiten Schiebeleiste von unten 50–60 Minuten backen. Die Zitronenglasur aus dem Paket nach Vorschrift zubereiten und den noch warmen Kuchen damit bestreichen. In die noch weiche Glasur einen Kreis aus den gehackten Pistazien streuen.

Schneller Königskuchen

1 Paket Backmischung für Königskuchen (Kraft)
100 g Butter oder Margarine
2 Eier
5 Eßl. Rum ◇
100 g Schokoladen-Fettglasur
Für die Form: Butter oder Margarine, Semmelbrösel

Eine etwa 19 cm lange ovale Kuchenform mit Butter oder Margarine ausstreichen und mit Semmelbröseln ausstreuen. Den Backofen auf 175° vorheizen.
Den Königskuchenteig nach Anleitung auf dem Paket mit der Butter oder Margarine, den Eiern und dem Rum anrühren, in die vorbereitete Kuchenform füllen und die Oberfläche glattstreichen. Den Kuchen auf der untersten Schiebeleiste 60 Minuten backen. Den Kuchen auf ein Kuchengitter stürzen und erkalten lassen, dann entweder mit Puderzucker aus der Packung besieben oder mit der im Wasserbad aufgelösten Schokoladen-Fettglasur überziehen.

Unser Tip

Wenn Sie aus Erfahrung wissen, daß ein Rührkuchen nicht in 1–2 Tagen aufgegessen wird, so überziehen Sie ihn am besten mit Schokoladen-Fettglasur. Der Kuchen bleibt dann länger frisch und saftig.

Marmor-Kleeblattkuchen

150 g Butter oder Margarine
2 Eier, 150 ccm Wasser
1 Paket Backmischung für Marmorkuchen (Kraft) ◇
1 Eßl. Puderzucker
Für die Form: Butter oder Margarine, Semmelbrösel

Eine Kleeblatt-Kuchenform mit Butter oder Margarine ausstreichen und mit Semmelbröseln ausstreuen. Den Backofen auf 175° vorheizen.
Die Butter oder Margarine halbieren. Jedes Ei in eine Tasse schlagen. Die Wassermenge ebenfalls halbieren.
Die im Paket getrennten Backmischungen für den dunklen und den hellen Teig jeweils mit der Hälfte der Butter oder Margarine, 1 Ei und der Hälfte des Wassers cremig rühren.
Die beiden Teigarten schichtweise in die Kuchenform füllen: mit der dunklen Schicht anfangen, mit der hellen Schicht aufhören. Die Oberfläche glattstreichen und den Kuchen im vorgeheizten Backofen auf der untersten Schiebeleiste 50–60 Minuten backen. Den Kuchen auf einem Kuchengitter erkalten lassen und mit Puderzucker besieben.

Unser Tip

Wenn Sie statt des Schichtkuchens einen echten Marmorkuchen wünschen, so ziehen Sie die Schichten in der Form mit einer Gabel locker spiralförmig durcheinander.

Raffinierte Varianten

Streuselkuchen mit Aprikosen

1 Paket Backmischung für Streuselkuchen (Kraft)
125 g Butter oder Margarine
1 Ei
480 g Aprikosen aus der Dose
Für die Form: Margarine

Eine Springform von 26 cm Ø ausfetten. Den Backofen auf 175° vorheizen. Den Streuselteig aus dem Paket nach Anweisung mit der Butter oder Margarine und dem Ei zubereiten und gut die Hälfte davon in der Springform zu einem glatten Boden drücken. Die Aprikosen abtropfen lassen, auf den Kuchenboden legen und die restlichen Streusel locker darüberstreuen. Den Kuchen auf der zweiten Schiebeleiste von unten 40–50 Minuten backen.

Streuselkuchen mit Pflaumenmus

Statt der abgetropften Aprikosen werden 450 g Pflaumenmus aus der Dose auf den Teigboden gestrichen und der Kuchen wie oben beschrieben gebacken.

Quark-Streuselkuchen

Statt der Früchte wird der Boden mit Quark belegt. 250 g Quark mit 1 Ei, 50 g Zucker, etwas abgeriebener Zitronenschale und 50 g Rosinen mischen. Den Quark mit den Streuseln bestreuen und den Kuchen wie oben beschrieben backen.

Raffinierte Varianten

Kirschenmichel

1 kg frische Kirschen oder 920 g entsteinte Kirschen aus dem Glas ◇
1 Paket Backmischung für Haselnußkuchen (Kraft)
100 g Butter oder Margarine
75 ccm Kirschsaft oder Wasser
3 Eigelbe
je 1 Prise Zimt und Gewürznelken, gemahlen
3 Eiweiße ◇
1/2 Tasse Puderzucker
Für die Form: Margarine und Semmelbrösel

Eine flache Obstkuchenform mit glattem Rand, eine Pieform oder eine Form aus Jenaer Glas reichlich mit Fett ausstreichen und mit Semmelbröseln ausstreuen. Den Backofen auf 175° vorheizen.
Die Kirschen waschen, entstielen und entsteinen; die Kirschen aus dem Glas abtropfen lassen und den Saft aufbewahren. Die Backmischung mit der Butter oder Margarine, dem Kirschsaft oder dem Wasser, den Eigelben, dem Zimt und den Nelken cremig rühren. Die abgetropften Kirschen unter den Teig heben. Die Eiweiße zu steifem Schnee schlagen und ebenfalls unterheben. Den Teig in die Form füllen, glattstreichen und auf der untersten Schiebeleiste 50–60 Minuten backen. Den Kirschenmichel nach dem Backen mit dem Puderzucker besieben und noch heiß mit Kirschsaft, Schlagsahne oder Vanillesauce servieren.

Nußkuchen mit Zimtglasur

1 Paket Backmischung für Haselnußkuchen (Kraft)
100 g Butter oder Margarine
2 Eier
75 ccm Wasser
2 Eßl. Rum
50 g feingewürfeltes Orangeat
100 g geraspelte bittere Schokolade
1–2 Eßl. warmes Wasser
2 Scheiben kandierte Orangenscheiben und Angelika
Für die Form: Margarine

Eine Kastenform von 25 cm Länge ausfetten. Den Backofen auf 175° vorheizen.
Den Haselnußkuchenteig nach Anleitung auf dem Paket mit der Butter oder Margarine, den Eiern und dem Wasser zubereiten und zum Schluß den Rum, das Orangeat und die Schokolade untermischen. Den Kuchenteig in die Form füllen, glattstreichen und auf der untersten Schiebeleiste 50–60 Minuten backen.
Den Kuchen etwas abkühlen lassen und vorsichtig aus der Form lösen. Die Zimtglasur aus dem Paket nach Anweisung zubereiten und den Kuchen damit überziehen. Die Orangenscheiben achteln, das Angelika in Würfelchen schneiden und den Kuchen damit verzieren.

Raffinierte Varianten

Schokoladen-Nußring

1 Paket Backmischung für Haselnußkuchen (Kraft)
100 g Butter oder Margarine
2 Eier
75 ccm Wasser ◇
100 g Schokoladenstreusel ◇
1–2 Eßl. warmes Wasser für die Glasur
1/4 l Sahne, 1 Eßl. Puderzucker
1/2 Teel. gemahlener Zimt
1 Messerspitze geriebene Muskatnuß
Für die Form: Margarine

Eine Kranzform von 24 cm ∅ ausfetten. Den Backofen auf 175° vorheizen.
Den Haselnußkuchenteig nach Anweisung auf dem Paket mit der Butter oder Margarine, den Eiern und dem Wasser zubereiten und die Hälfte der Schokoladenstreusel unterrühren. Den Teig in die Form füllen, glattstreichen und auf der untersten Schiebeleiste 50–60 Minuten backen.
Den Kuchen etwas abkühlen lassen und aus der Form stürzen. Die Zimtglasur aus dem Paket nach Anweisung zubereiten und den Schokoladen-Nußring damit überziehen. Den unteren Rand des Ringes mit den restlichen Schokoladenstreuseln verzieren.
Die Sahne steif schlagen und mit dem Puderzucker, dem Zimt und dem Muskat verrühren. Die Zimt-Sahne zum Kuchen servieren.

Englischer Kuchen mit Whiskyglasur

1 Paket Backmischung für Mandelkuchen (Kraft)
150 g Butter oder Margarine
2 Eier, 2 Eßl. Wasser
250 g feingehacktes Orangeat und Zitronat, gemischt
50 g geviertelte kandierte Kirschen
50 g gehackter kandierter Ingwer
50 g gehackte Walnüsse ◇
je 1/2 Teel. gemahlener Zimt und Gewürznelken
200 g Puderzucker, 3 Eßl. Whisky
kandierte Früchte
einige Angelikastreifen
Für die Form: Margarine

Eine Kastenform ausfetten. Den Backofen auf 175° vorheizen.
Den Kuchenteig mit der Butter oder Margarine, den Eiern und dem Wasser rühren. Das Zitronat, das Orangeat, die Kirschen, den Ingwer, die Walnüsse, den Zimt und die Nelken mischen. Die Fruchtmischung in 1–2 Eßlöffeln Mehl wenden, unter den Teig heben, in die Form füllen und auf der untersten Schiebeleiste 70–80 Minuten backen. Die Stäbchenprobe machen.
Den Kuchen abkühlen lassen und aus der Form heben. Den Puderzucker sieben und mit dem Whisky verrühren. Den noch warmen Kuchen damit überziehen und mit kandierten Früchten und Angelikastreifen nach Vorschlag auf dem Bild verzieren. Einen Tag ruhen lassen, erst dann anschneiden.

Garnierte Savarinchen

1 Paket Backmischung für Biskuit (Kraft)
3 Eier
50 ccm Wasser ◇
$^{1}/_{8}$ l Orangensaft
2 Eßl. Orangenlikör ◇
$^{1}/_{4}$ l Sahne
Mandarinenspalten, Kirschen, Stachelbeeren, Pfirsichspalten
gehackte Pistazien und gehobelte, geröstete Mandeln zum Verzieren
Für die Förmchen: Margarine

22 Savarinförmchen von 8 cm Ø ausfetten. Den Backofen auf 200° vorheizen.
Den Biskuitteig nach Anleitung auf dem Paket mit den Eiern und dem Wasser zubereiten und jedes der Förmchen zu $^{3}/_{4}$ mit dem Teig füllen. Die Förmchen auf das Backblech stellen und auf der zweiten Schiebeleiste von unten 15–18 Minuten backen. Die Kuchen vorsichtig aus den Förmchen lösen und etwas abkühlen lassen.
Den Orangensaft, den Orangenlikör und den Puderzucker aus dem Paket miteinander verrühren. Die Savarinchen nacheinander mit der Flüssigkeit tränken. Die Sahne steif schlagen, in einen Spritzbeutel füllen und die Savarinchen damit verzieren. Die Savarinchen außerdem mit den Früchten, den Pistazien und den Mandelblättchen garnieren.

Cremetorte mit Esprit

1 Paket Backmischung für Haselnußkuchen (Kraft)
100 g Butter oder Margarine
2 Eier
75 ccm Wasser ◇
1 Paket Creme-Mix Schokolade (Kraft)
$^{1}/_{8}$ l Milch, 60 g Butter
2 Teel. Kirschwasser oder Birnengeist
Schokoladen-Mokkabohnen
Für die Form: Margarine

Eine Springform von 24 cm Ø ausfetten. Den Backofen auf 175° vorheizen.
Den Haselnußkuchenteig nach Anleitung auf dem Paket mit der Butter oder Margarine, den Eiern und dem Wasser zubereiten, in die Springform füllen, glattstreichen und auf der untersten Schiebeleiste 50–60 Minuten backen.
Den Kuchen auf einem Kuchengitter abkühlen lassen.
Für die Creme den Schokoladen-Mix nach Anweisung auf dem Paket mit der Milch, der zerlassenen, aber nicht heißen Butter und dem Kirschwasser oder Birnengeist zubereiten.
Die Torte einmal quer durchschneiden, mit einem Drittel der Creme füllen und den zweiten Boden daraufsetzen.
Den Rand und die Oberfläche der Torte mit der übrigen Creme bestreichen, den Rest in einen Spritzbeutel füllen und die Torte gefällig damit garnieren. Die Cremerosetten mit den Mokkabohnen verzieren.

Festliche Besuchs-Schnitten

1 Paket Backmischung für Gewürzkuchen (Kraft)
125 g Butter oder Margarine
2 Eier, 1/8 l Wasser
100 g Rosinen ◇
1 Paket Creme-Mix Schokolade (Kraft)
1/8 l kalte Milch
60 g Butter oder Margarine ◇
1–2 Eßl. Rum
1–2 Eßl. warmes Wasser
1 Eßl. Schokoladenspäne
Für das Backblech: Pergamentpapier und Margarine

Ein Backblech mit gefettetem Pergamentpapier auslegen. Den Backofen auf 175° vorheizen. Den Gewürzkuchenteig nach Anweisung auf dem Paket mit der Butter oder Margarine, den Eiern und dem Wasser anrühren. Die Rosinen unter den Teig heben. Den Teig auf das Pergamentpapier streichen und auf der mittleren Schiebeleiste 15–20 Minuten backen. Die Teigplatte auf den Küchentisch stürzen, das Pergamentpapier befeuchten und abziehen. Vier gleich breite Längsstreifen aus dem Teig schneiden und diese in gleich große Schnitten teilen. Die Cremeмischung nach Anweisung auf dem Paket mit der Milch und der Butter oder Margarine zubereiten und die Creme mit einem Spritzbeutel auf die Hälfte der Schnitten spritzen. Die andere Hälfte der Schnitten darauflegen. Die Glasur aus der Packung mit dem Rum und dem Wasser glattrühren, die Schnitten damit bestreichen, mit der restlichen Creme und den Schokoladenspänen verzieren.

Torte Alicante

1 Paket Backmischung für Orangenkuchen (Kraft)
100 g Butter oder Margarine
2 Eier
75 ccm Wasser ◇
1–2 Eßl. warmes Wasser
6 kandierte Orangenscheiben
15 kandierte Kirschen
einige Angelikastreifen
Für die Form: Butter oder Margarine und Semmelbrösel

Eine Form für Margaretenkuchen mit Butter oder Margarine ausstreichen und mit Semmelbröseln ausstreuen. Den Backofen auf 175° vorheizen. Den Orangenkuchenteig nach Anweisung auf dem Paket mit der Butter oder Margarine, den Eiern und dem Wasser verrühren, in die vorbereitete Form füllen, glattstreichen und auf der untersten Schiebeleiste 50 Minuten backen.
Den Kuchen auf ein Kuchengitter stürzen und etwas abkühlen lassen. Die Glasur aus dem Paket mit dem warmen Wasser glattrühren und die noch warme Torte damit bestreichen. Die Orangenscheiben und die Kirschen halbieren. Den Rand der Tortenoberfläche mit den kandierten Früchten und den Angelikastreifen nach Vorschlag auf dem obigen Bild verzieren.

AEG

Back-Wissen im Überblick

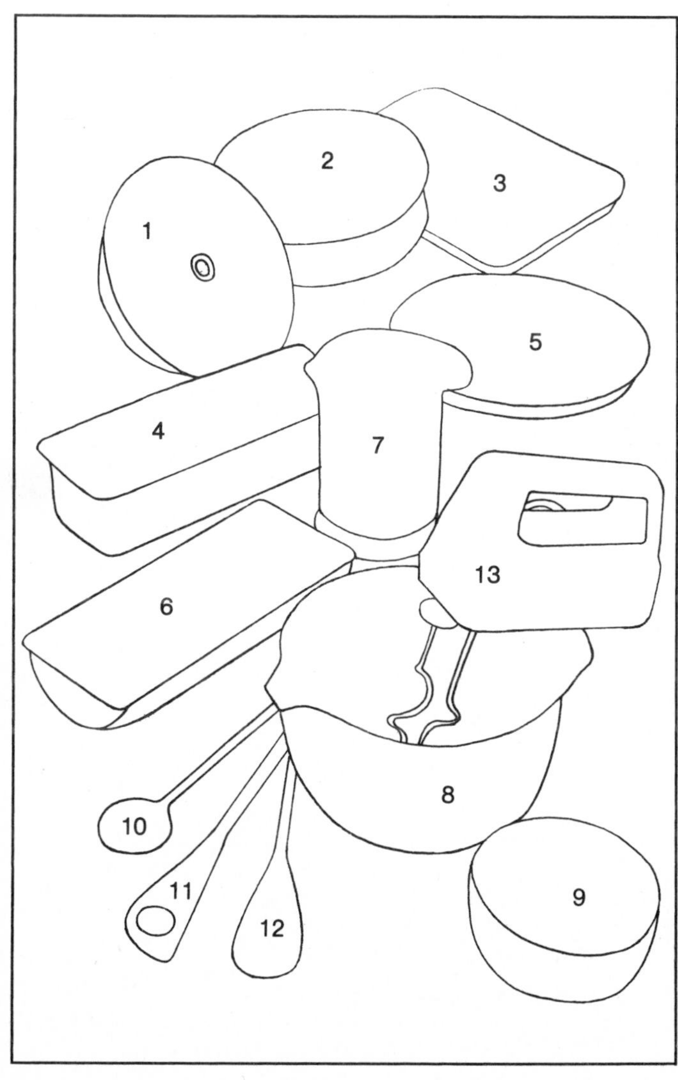

Moderne Backgeräte

Mit diesen Kuchenformen, den Rührschüsseln, den Rührlöffeln und dem elektrischen Handrührgerät können Sie die unterschiedlichsten Kuchen und Torten backen. Die Geräte erfüllen alle Ansprüche an schnelles, praktisches und müheloses Arbeiten.

1 – 6: Ritter Silikon Backformen aus nichtrostendem Leichtmetall. Durch die Silikonbeschichtung klebt und haftet kein Kuchen, man kriegt ihn heil aus der Form auf das Kuchengitter, auch wenn die Form nur wenig eingefettet war. Das Spülen geht mühelos. Die abgebildeten Formen: ① Gugelhupf- oder Napfkuchenform, auch als Bundform im Handel. ② Springform. ③ Backschale. ④ Königskuchenform. ⑤ Obstkuchenform. ⑥ Rehrückenform.

7 – 12: Ornamin Schüsseln und Rührlöffel in den Farben Gelb, Grün, Orange und Rot sind hygienisch und pflegeleicht, hitze- und kältebeständig sowie schnitt- und schlagfest und haben eine harte Oberfläche. Die abgebildeten Formen: ⑦ + ⑧ Mixkrug und Rührschüssel mit Haftmagnet. ⑨ Schüssel aus einem Satz verschiedener Größen. ⑩ – ⑫ Rührlöffel in gebräuchlichen Formen; RAL-geprüft.

13: Handmixer Turbomaster von AEG. Das elektrische Handrührgerät mit hoher Dauerleistung zum Mixen, Quirlen, Rühren, Schlagen und Kneten arbeitet in drei Geschwindigkeitsstufen. Zur Grundausstattung gehören zwei Knethaken/Knetwendel, zwei Rührbesen/Quirle, ein Wandhalter und ein Rezeptbuch. Zusätzlich läßt sich der Turbomaster noch mit einem Schnellmixstab zum Zerkleinern, Hacken und Pürieren ausstatten, mit einem Schnitzelwerk zum Reiben und Raspeln von Cbst und Gemüse, mit einem Passierstab, mit einer Rührschüssel und mit einem Mixbecher mit Spritzschutz. Das komplette Gerät läßt sich natürlich für viele Bereiche des Backens zeitsparend einsetzen.

Backgeräte und Backformen

Natürlich erleichtert es das Backen, wenn eine Küche zweckmäßig eingerichtet ist: der Arbeitsplatz gut beleuchtet, die Arbeitsfläche in der richtigen Höhe, Geräte wie Kühl- und Gefrierschrank, Spüle mit fließendem heißem und kaltem Wasser und der Herd sinnvoll angeordnet. Küchenmaschinen wie zum Beispiel das elektrische Handrührgerät, die Küchenwaage und das nötige Kleingerät sollten griffbereit sein und nicht in den hintersten Winkeln des Küchenschrankes verstaut.
Besitzen Sie einen Küchenhocker mit entsprechender Sitzhöhe oder einen verstellbaren Küchenstuhl, dann können Sie Arbeiten, die Geschick und eine ruhige Hand erfordern, im Sitzen erledigen. Das ist sehr viel weniger anstrengend, als wenn Sie im Stehen arbeiten würden. Was auf den folgenden Seiten aufgezählt und beschrieben werden soll, sind jedoch jene Geräte, die 1. zum Backen unbedingt erforderlich sind, 2. Ihnen die Arbeit erleichtern und somit Zeit sparen und 3. beim Verzieren und Dekorieren des fertigen Gebäcks benötigt werden.

Geräte zum Bereiten von Teig

Küchenwaage: Auf sie sollten Sie keinesfalls verzichten. Der Meßbecher ist nicht exakt genug, und es können nur bestimmte Zutaten – Flüssigkeiten, Zucker und Mehl beispielsweise – damit abgemessen werden.
Die Küchenwaage muß Gewichte von 5 Gramm bis 1 Kilogramm zuverlässig wiegen. Am vorteilhaftesten entscheiden Sie sich für ein Modell, das fest an der Wand montiert werden kann. Achten Sie aber darauf, daß die Waage nicht zu hoch angebracht wird, daß der Platz gut beleuchtet und die Waagschale abnehmbar ist. Wenn Sie bereits eine Küchenwaage besitzen, diese aber kleine Mengen nur ungenau wiegt, so könnten Sie sich zusätzlich eine Löffelwaage kaufen. Sie wiegt kleine Mengen aufs Gramm genau und braucht nur wenig Platz.
Meßbecher: Zum Abmessen von Flüssigkeit ist ein durchsichtiges Modell mit detaillierten Maßangaben unentbehrlich.
Geeichtes Schnapsglas: Kleinste Flüssigkeitsmengen messen Sie am besten mit dem Schnapsglas. Es gibt in allen Kaufhäusern ganz billige mit den Eichstrichen für 1 cl und 2 cl.
Rührschüsseln: Davon sollten Sie drei bis vier verschiedene Größen besitzen. Man braucht sie ja nicht nur zum Backen, sondern auch zum Anmachen von Salaten, Knödelmasse, Quarkspeisen oder anderen Gerichten. Keinesfalls darf das Material jedoch Aluminium sein. In Aluminium wird Teig grau. Emaillierte Schüsseln sind empfindlich gegen Schlag und Stoß; die Emailleschicht springt leicht und blättert ab, und das Blech darunter fängt zu rosten an. Ideal wenn auch teuer, sind Edelstahlschüsseln. Doch auch die preiswerteren Kunststoffschüsseln sind sehr gut geeignet, vorausgesetzt, der Kunststoff ist schlagfest, bruchfest und hitzebeständig. Allerdings müssen Sie sich die Form der Schüsseln genau ansehen. Der Boden soll ohne Rille in die Rundung übergehen, damit sich beim Rühren und auch beim Ausschaben nichts an unerreichbarer Stelle festsetzen kann. Haben die Schüsseln am Boden einen dicken Gummiring, der ihre Standfestigkeit sichert, so erleichtert dies die Arbeit; fehlt der Ring, legen Sie ein gefaltetes feuchtes Tuch unter die Schüssel.
Backbrett: Großmutters Backbrett war groß, aus glattem, hellem Hartholz und hatte zwei Leisten an den Längsseiten: eine Leiste nach oben als hintere Begrenzung, eine nach unten, die vorn über die Tischkante griff, damit das Brett nicht verrutschte. Solche Backbretter gibt es natürlich auch heute noch zu kaufen. Aber viele Hausfrauen fragen: Wohin damit, wenn nicht gebacken wird? Da es aber auch Backbretter aus glattem, hartem Kunststoff gibt, liegt der Gedanke nahe, auf das Backbrett überhaupt zu verzichten, wenn man in seiner Küche ohnehin über eine genügend große Arbeitsfläche aus solchem Kunststoff verfügt. Allerdings muß dieser Kunststoff wirklich ganz glatt sein. Dennoch ist das Holzbrett vorzuziehen, da Teig auf Kunststoffbelag leicht »schwitzt«. Sollte sich jedoch in Ihrem Besitz noch zufällig eine Marmorplatte finden, wie sie früher als Auflage für Waschkommoden diente, oder haben Sie Gelegenheit, beim Trödler eine zu erwerben: Versuchen Sie unter allen Umständen, in Ihrer Küche einen Platz ausfindig zu machen, wo sie fest montiert werden kann. Marmor als Arbeitsfläche zum Backen ist jedem anderen Material weit überlegen.
Rührlöffel: Sie brauchen zwei bis vier in verschiedenen Größen, ob aus Holz oder Kunststoff ist eine reine Geschmacksfrage. Zwei sollten ein Loch im Löffel haben. Die Rührlöffel mit Loch sind zum Rühren besonders gut geeignet, die ohne Loch zum Schlagen von Teig.
Schneebesen: Kaufen Sie sich einen ganzen Satz in verschiedenen Größen aus rostfreiem Metall mit hitzebeständigen Griffen, damit man sie in der Geschirrspülmaschine spülen kann. Schneebesen brauchen Sie zum Schlagen von Eischnee und Sahne, zum Rühren von dünnen Teigen, von Cremes und Quark und nicht zuletzt zum Unterziehen von Eischnee, Mehl oder anderen Substanzen.

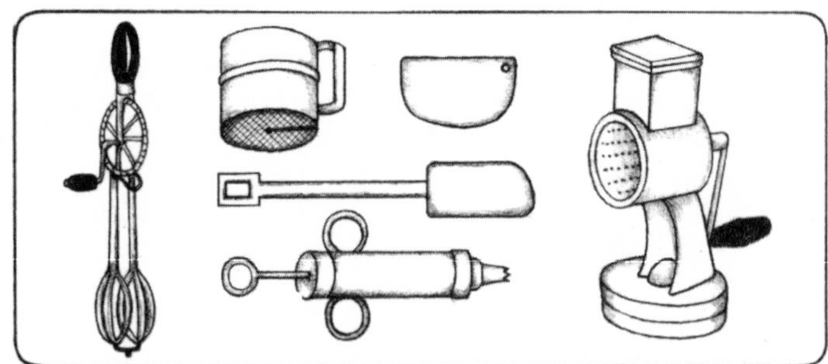

Handrührrädchen, Mehlsieb, Teigschaber aus Plastik und Teigschaber aus Hartgummi mit Holzgriff, Gebäckspritze, Mandelmühle.

Handrührrädchen: Bei diesem Gerät sind zwei Rührrädchen an einem senkrechten Griff mit Drehkurbel befestigt. Man stellt es in eine Schüssel und schlägt damit Eischnee oder Sahne oder mischt leichtere Substanzen. Das Gerät kann aber auch im Deckel eines dazupassenden Gefäßes montiert sein. Die zuerst beschriebene Ausführung ist vorzuziehen, da das Gefäß natürlich nur eine begrenzte Menge faßt. Das Handrührrädchen brauchen Sie aber nur, wenn Sie kein elektrisches Handrührgerät besitzen.

Backgeräte und Backformen

Mehlsieb: Es gibt spezielle Mehlsiebe, die einen Griff haben, an dem man sie hin und her schwenkt. Über dem Boden des Siebs bewegt sich dabei ein Schiebeleistchen hin und her, das das Mehl rasch durch das Sieb streicht. Schütten Sie das abgewogene Mehl – eventuell mit der Speisestärke und dem Backpulver zusammen – portionsweise in das Sieb, da es nur kleinere Mengen auf einmal faßt. Wenn das Sieb bei der Benutzung nicht feucht wird, braucht es nach Gebrauch nicht gespült zu werden. Es genügt, wenn man es gut ausschüttelt.

Rollholz oder Wellholz: Ob mit glatter Holzoberfläche oder kunststoffbeschichtet – es muß sich leicht um seine Achse drehen lassen! Denken Sie beim Ausrollen daran: Den Teig nicht mit viel Kraft zerquetschen, sondern mit sanftem Druck in die Breite und in die Länge dehnen.

Backpinsel: Sie brauchen einen breiten Pinsel zum Bestreichen der Backformen oder des Backblechs mit Fett sowie drei weitere in verschiedenen Breiten mit möglichst zarten Borsten: einen zum Bestreichen von Gebäck mit Eiweiß, Eigelb oder Glasur; einen zum Bestreichen mit Wasser oder Milch; einen für »trockene« Arbeiten, nämlich, um Brösel, Zucker oder Mehl vom Backblech oder von der Arbeitsplatte zu entfernen. Kaufen Sie Pinsel mit Naturborsten und hitzebeständigen Griffen. Nach dem Gebrauch die Pinsel mit warmem Wasser abspülen – anschließend dürfen sie in der Maschine gespült werden. Verliert ein Pinsel seine Borsten, ersetzen Sie ihn sofort durch einen neuen. Sie verderben sonst das Gebäck durch ausgegangene Borsten.

Kleines Haarsieb: Es wird zum Durchsieben von Puderzucker und Kakaopulver gebraucht und zum gleichmäßigen Besieben von Gebäck.

Teigrädchen: Leisten Sie sich zwei, eines aus Kunststoff mit gezacktem Rand und eines aus Metall mit scharfem, glattem Rand. Blätterteig und Mürbeteig werden am besten mit dem glatten Teigrädchen geschnitten. Soll eine Teigplatte in Streifen, Quadrate oder Rauten zerschnitten werden, so nehmen Sie das gezackte Rädchen. Die Teigränder erhalten durch die Zacken eine leichte Verzierung.

Teigspatel: Es werden zwei Arten angeboten: ein Kunststoffschaber in rechteckiger Form, dessen eine Seite sich verjüngt, und ein Gummispatel am Holzgriff. Beide kosten nur wenig Geld. Wenn Sie beide kaufen, können Sie mit dem Gummispatel Eischnee, Schlagsahne oder ähnliches aus hohen Schüsseln oder aus dem Mixer schaben und mit dem breiten Kunststoffspatel schwere Teige aus großen, flachen Schüsseln und auf das Backblech streichen.

Kuchengitter: Kaufen Sie sich ein rundes und ein eckiges. Beide Formen werden für die entsprechenden Kuchen und für Kleingebäck gebraucht.

Palette: Das lange, breite, aber dünne Metallblatt am Stiel soll möglichst stabil und scharfkantig sein. Die Palette brauchen Sie zum Anheben von Kleingebäck und Plätzchen vom Backblech und zum Glattstreichen von Füllungen und Glasuren.

Schaumlöffel: Er wird zum Herausheben von fritiertem Gebäck aus dem heißen Fett gebraucht.

Spritzbeutel: Er ist unerläßlich zum Verzieren von Torten und Kuchen sowie zum Spritzen von Windbeuteln und Baisergebäck. Spritzbeutel aus Stoff müssen zwar nach jedem Gebrauch ausgekocht werden, halten aber beim Spritzen den Druck von festen Teigen ohne weiteres aus; achten Sie darauf, daß die Naht eines

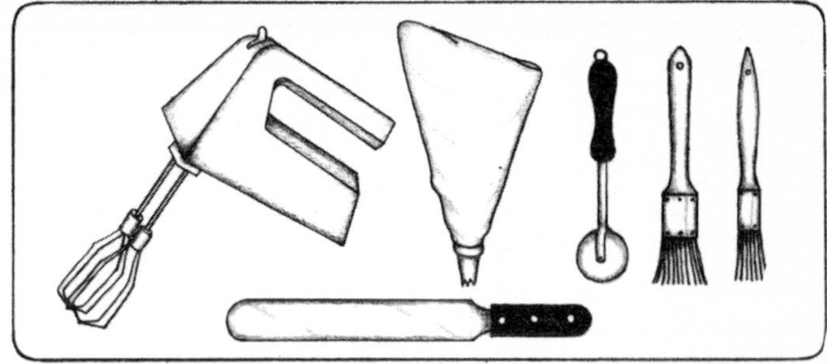

Elektrisches Handrührgerät, Spritzbeutel, Teigrädchen, Backpinsel und Palette.

Stoffbeutels immer außen ist. Einwegspritzbeutel sind praktischer, denn sie werden nach jedem Gebrauch weggeworfen. Außerdem können Sie kräftige Plastikbeutel, wie sie zum Einfrieren verwendet werden, als Spritzbeutel benützen, indem Sie eine Ecke des Beutels abschneiden und die Spritztülle durch das Loch stecken. Die üblichen dünnen Frischhaltebeutel sind ungeeignet! Sie halten dem Druck nicht stand und würden platzen. Zum Spritzbeutel brauchen Sie Lochtüllen und Sterntüllen, jeweils in verschiedenen Größen, damit Sie genügend Variationsmöglichkeiten haben. Welche Art Spritzbeutel Sie auch verwenden: Füllen Sie den Beutel nur halb, raffen Sie ihn mit der linken Hand über der Füllung zusammen und führen Sie die Tülle mit der rechten Hand – vorausgesetzt, Sie sind Rechtshänder. Linkshänder verfahren genau umgekehrt.

Gebäckspritze: Sie wird aus Kunststoff und aus Metall angeboten, oft mit mehreren Vorsätzen für verschiedene Formen. Die Arbeit mit ihr ist etwas mühevoll, und im Ergebnis bleibt der Spritzbeutel überlegen.

Garnierspritze: Sie ist für feine Verzierungen mit Zuckerguß gedacht, wird aber von der selbstgedrehten Spritztüte aus Pergamentpapier an Funktionsfähigkeit übertroffen. Lediglich die ganz lange Spritztülle ist praktisch zum Füllen von gebackenen Krapfen.

Entkerner: Kirschen, Pflaumen und Mirabellen lassen sich mit diesen kleinen Hilfsgeräten zeitsparend entkernen oder entsteinen.

Reibeisen: Zum Abreiben von Zitronen- und Orangenschale und zum Reiben kleinerer Portionen fester Substanzen wird es ständig gebraucht.

Mandelreibe: Mandeln und Nüsse sollte man in jedem Fall mit der Mandelreibe zerkleinern. Benutzt man dazu den Mixer, so entsteht leicht ein ölhaltiger Brei.

Hackmesser oder Wiegemesser: Sie brauchen es für alle Substanzen, die grob- oder feingehackt verwendet werden. Als Unterlage beim Hacken verwenden Sie am besten ein möglichst großes Küchenbrett, damit die zerkleinerten Stücke nicht so rasch vom Brett springen oder rollen.

Messer: Zum Schälen von Obst, zum Kleinschneiden aller möglichen Substanzen und zum Aufschneiden von Kuchen und Torten werden Küchenmesser aus nichtrostendem Stahl in verschiedenen Größen gebraucht. Meist sind sie ohnehin in jeder gut ausgestatteten Küche vorhanden. Das lange Messer – mit oder ohne Wellenschliff – zum Zerteilen von Kuchen und Torten muß eine möglichst dünne Klinge und eine scharfe Schneide haben. Beim

Backgeräte und Backformen

Durchschneiden von Cremetorten tauchen Sie es immer wieder in warmes Wasser; die Creme bleibt dann nicht an der Klinge haften.
Zitruspresse: Wenn Sie nur eine oder zwei Früchte auspressen wollen, ist die Handpresse praktischer als die Zitruspresse der Küchenmaschine.
Ausstechförmchen: Kaufen Sie sich einen ganzen Satz der verschiedensten Förmchen. Es gibt solche speziell für Weihnachtsgebäck und andere, die keine Beziehung zu Weihnachten haben, wie Kreise, Ringe, stilisierte Blütenformen, Dreiecke und Quadrate. Ob Sie die Ausstechförmchen aus Plastik oder Metall wählen, ist unerheblich. Sie erleichtern sich aber das Ausstechen, wenn Sie die Förmchen vor dem Ausstechen immer wieder in Mehl tauchen.
Modeln: Modeln aus Holz brauchen Sie für bestimmte Gebäckarten wie beispielsweise Springerle oder Spekulatius.

Nützliche Hilfsmittel

Alufolie: Doppelt gefaltet oder extra stark ist sie das ideale Verpackungsmaterial zum Einfrieren von Kuchen, Torten und Teigen. Einfache Alufolie können Sie für folgende Zwecke verwenden: zum Abdecken von Gebäck während des Backens, damit die Oberfläche nicht zu dunkel wird; als Rand für die offene Seite des Backblechs, damit weicher Belag nicht vom Blech tropft; als Mulde für Stollen, damit sie nicht zu breit werden; zum Selbstfalten kleiner Backförmchen.
Pergamentpapier: Man verwendet es zum Auslegen von Kuchenformen und Backblechen; zum Abdecken von Gebäck während des Backens, damit die Oberfläche nicht zu dunkel wird; als Rand für die offene Seite des Backblechs, damit weicher Belag nicht vom Blech tropft; zum Formen von Spritztüten, mit denen man Glasuren aufspritzt.
Backtrennpapier: Es wird gebraucht zum Auslegen des Backblechs beim Backen von Plätzchen und Kleingebäck (dafür kann es mehrmals verwendet werden); zum Auslegen von Kuchenformen.
Küchenkrepp: Zum Abtropfenlassen von fritiertem Gebäck und zum Sauberhalten der Arbeitsfläche sehr nützlich.
Holzspießchen: Wird für die Stäbchenprobe gebraucht.
Tortenspitzen: Es gibt runde und eckige in verschiedenen Größen zum Anrichten von Torten, Kuchen und Gebäck und als Schablone fürs Verzieren durch Besieben.

Elektrische Rührgeräte

Das elektrische Rührgerät ist beim Rühren von Teigen eine große Arbeitserleichterung; es hilft Zeit und Kraft sparen. Elektrische Handrührgeräte und elektrische Küchenmaschinen arbeiten grundsätzlich nach dem gleichen Prinzip. Für das elektrische Handrührgerät gilt die Faustregel: Es bearbeitet problemlos Teigmengen bis zu 500 g Mehlanteil. Die Küchenmaschine bearbeitet ohne weiteres die doppelte Menge.
Beide Rührgeräte sind mit Rührbesen und mit Knethaken ausgestattet. Die Rührbesen werden zum Schaumigrühren oder -schlagen von leichten, fast flüssigen Teigarten, für Eigelbmassen, für Biskuitteig, Eischnee, Schlagsahne oder für Cremes gebraucht. Die Knethaken werden zum Herstellen von festen Teigen wie Rührteig, Hefeteig oder Brandteig benützt. Wichtig bei der Verwendung von Rührgeräten: Beginnen Sie beim Rühren oder Kneten stets mit einer niedrigen Drehzahl (kleiner Schaltstufe) und erhöhen Sie erst allmählich die Geschwindigkeit des Geräts. Denken Sie daran, daß durch die Intensität, mit der elektrische Rührgeräte arbeiten, selbst schwere Teige in 8 bis höchstens 10 Minuten fertiggerührt sind.

- Vermeiden Sie ein Überrühren der Teige!
- Die Zusatzgeräte für die Maschinen wie Zitruspresse, Passierscheibe, Schneidstab, Schnitzel- oder Mahlwerk sind von Fall zu Fall auch beim Backen von Nutzen.

Backformen: welches Material?

Wenn Sie wollen, können Sie aus Ihrer Küche ein kleines Museum für Backformen machen. Dazu brauchen Sie nicht einmal zum Antiquitätenhändler zu gehen; denn auch unter den neuen Formen gibt es so hübsche und verschiedenartige, daß sie gleichzeitig Wandschmuck sind. Das Angebot ist so vielfältig und verwirrend, daß einem zunächst die Wahl schwer fällt. Am besten entscheiden Sie zunächst nach praktischen Gesichtspunkten: Welche Kuchen backen Sie oft, welche selten, aber aus Tradition doch zu bestimmten Festen? Brauchen Sie häufiger eine große oder eine kleine Form? Die meisten Formen gibt es übrigens nicht nur aus unterschiedlichem Material, sondern auch in zwei bis drei verschiedenen Größen.
Wichtiger als die Größe ist jedoch das Material:
Weißblech: Weißblech gibt einen Teil der Hitze nach außen ab; die Oberfläche eines Kuchens ist daher oft schon braun, während der Teil in der Form noch blaß ist. Weißblechformen werden vor allem für Gasherde empfohlen.
Vor dem ersten Gebrauch die leere Form einmal im Backofen hoch erhitzen.
Nach dem Backen heiß spülen – mit Spülmittel –, gut nachspülen, abtrocknen, nachtrocknen lassen.
Rauh verzinktes Blech: Die Oberfläche dieser ebenfalls hellen Backformen ist leicht rauh, wodurch die Hitze gut vom Material aufgenommen und weitergegeben wird.
Rauh verzinktes Blech ist für Gas- und für Elektroherde zu empfehlen. Vor dem ersten Gebrauch wie Weißblechformen behandeln; spülen ebenfalls wie Weißblechformen.
Schwarzblech: Die Formen haben gute Backeigenschaften, die Kuchen bräunen darin gut und gleichmäßig.
Schwarzblechformen sind vor allem für Elektroherde geeignet, in Gasherden wird das Material leicht zu heiß.
Schwarzblechformen vor dem ersten Gebrauch wie Weißblechformen hoch erhitzen; wie Weißblechformen spülen.
Aluminium: Matte Aluminiumformen nehmen die Hitze gut auf und geben sie gut weiter. Die Kuchen garen und bräunen gleichmäßig.
Aluminiumformen sind für Gas- und Elektroherde zu empfehlen. Vor dem ersten Gebrauch ist keine besondere Behandlung erforderlich. Spülen wie Weißblechformen.
Aluminium mit goldfarbener Außenfläche: Alle Eigenschaften entsprechen denen von Aluminiumformen.

Backgeräte und Backformen

Aluminium beschichtet: Die Backeigenschaften sind so gut wie die der Aluminiumformen. Die Formen sind für Elektro- und Gasherde geeignet.
Die Beschichtung hat zwar einen Antihafteffekt; dennoch sollten Sie die Formen ausfetten und ausstreuen, wenn dies im jeweiligen Rezept empfohlen wird.
Die Kunststoffschicht ist kratzempfindlich; niemals mit scharfen oder spitzen Gegenständen an der Schicht arbeiten.
Vor dem ersten Gebrauch ist keine besondere Behandlung nötig; spülen wie Weißblechformen.
Kupfer, innen verzinkt: Vorzügliche Backeigenschaften für alle Herde.
Kupferformen müssen aber nach jedem Gebrauch nicht nur gespült, sondern außen noch mit einem Spezialmittel geputzt werden.
Keine besondere Behandlung vor dem ersten Gebrauch.
Steingut: Gute Backeigenschaften für alle Herde, jedoch längere Backzeiten erforderlich.
Besonders gut für Teigarten, die langsam gebacken werden sollen, wie schwerer Hefeteig und Rührteig; sie nehmen die Wärme langsam auf, speichern sie und geben sie allmählich an das Backgut weiter. Beim Berechnen der Backzeit die Nachwärme mitberechnen, die die Form nach dem Abschalten des Ofens noch abgibt.
Keine besondere Behandlung vor dem ersten Gebrauch nötig. Spülen wie Weißblechformen.
Ton: Wie Steingutformen, aber wenig geeignet für süßes Gebäck. Vor allem für zuckerarmen Hefeteig und für Brotteig geeignet. Vor jedem Gebrauch die Form 15 Minuten in kaltes Wasser legen.
Die gefüllte Form immer in den kalten Backofen stellen, entweder auf den Rost, der auf dem Boden des Backofens liegt, oder auf die unterste Schiebeleiste. Etwas längere Backzeiten berücksichtigen.
Feuerfestes Glas: Wie Steingut. Besonders geeignet für Biskuitteig.
Aluminium-Einwegformen: Die leichten Einwegformen sparen Arbeit und ermöglichen es, aus einer Teigmenge mehrere kleine Kuchen zu backen. Da das blanke Aluminium etwas Hitze abstrahlt, müssen die Backzeiten um ein weniges verlängert werden. Besonders praktisch sind die Aluminiumformen für Kuchen, die eingefroren werden sollen; man verpackt die Kuchen gleich in der Form, friert sie ein und bäckt sie später noch gefroren bei milder Hitze in der Form auf.

Die wichtigsten Backformen

Welches Material Sie auch wählen: Denken Sie daran, daß bestimmte Backformen bestimmten Gebäckarten vorbehalten sind.
Kastenkuchenform: Für Rührkuchen, Sandkuchen, Hefekuchen, Königskuchen, Teekuchen, Früchtekuchen.
Königskuchenform: Eine spezielle Backform für Königskuchen.
Gugelhupf- oder Napfkuchenform: Für Gugelhupf- oder Napfkuchen aus Hefe- und Rührteig, für Früchtekuchen, Marmorkuchen.

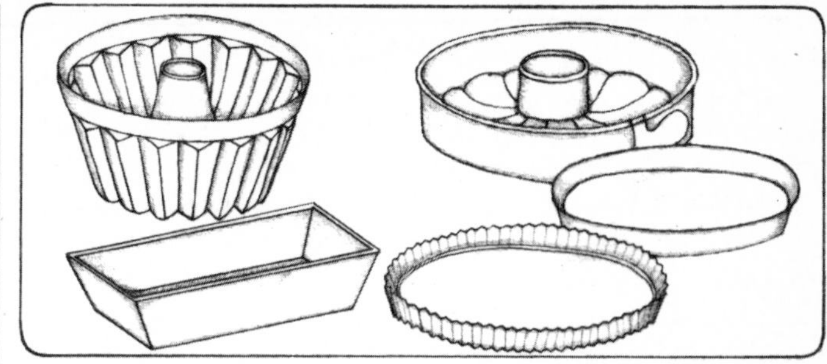

Gugelhupf- oder Napfkuchenform, Springform mit Einsatz für Kranzkuchen, Kastenkuchenform, Obstkuchenform mit gerilltem Rand und Obstkuchenform mit glattem Rand.

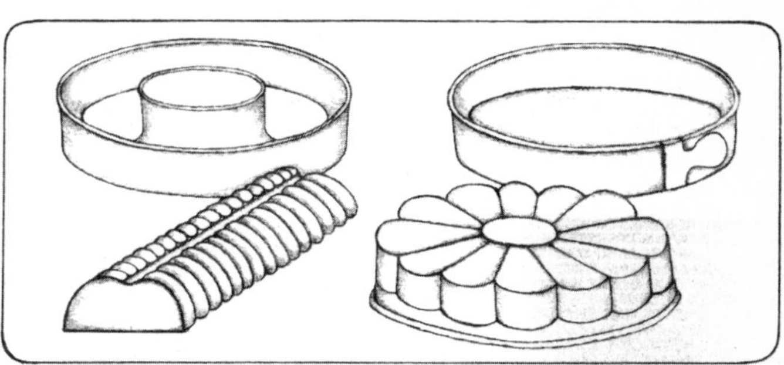

Ringform, Springform ohne Einsatz, Rehrückenform und Rosenform.

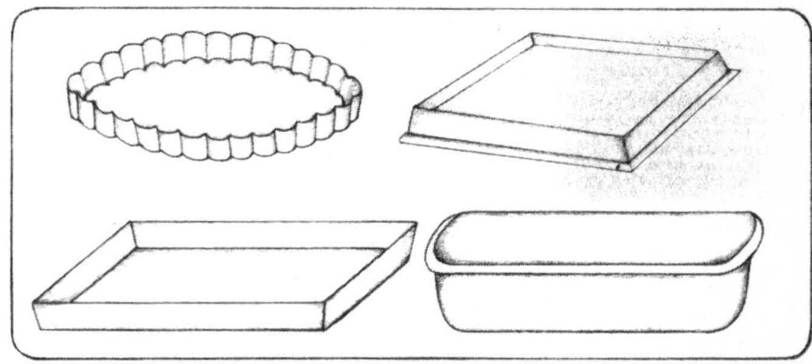

Ovale Obstkuchenform, Pieform, Backschale – als kleines Backblech zu benützen – und Königskuchenform.

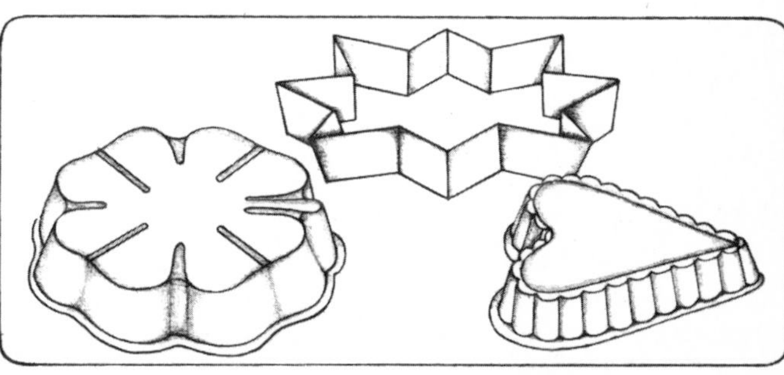

Für besondere Anlässe geeignet: Kleeblattform, Sternform und Herzform. Diese Formen gibt es aus Metall und aus Keramik.

Backgeräte und Backformen

Kranzform: Für Hefekränze und Nußkränze.
Ringform: Für Sandkuchen, Savarin, Rührkuchen.
Rehrückenform: Für Rehrücken, Biskuitkuchen, Zwieback.
Obstkuchenform: Für flache Obstkuchen aus jeder Teigart.
Springform: Für Torten und Kuchenböden. Zur Springform gibt es einen auswechselbaren Boden, wodurch eine niedere Kranzkuchenform entsteht.
Rosenform: Für kleine Rührkuchen, Biskuitkuchen, Schokoladenkuchen.
Pieform: Es gibt sie rund und viereckig, für süße und herzhaft gefüllte Pies.

- Außerdem können Sie Formen für beliebige Kuchen in Herzform, Kleeblattform oder Sternform kaufen sowie ovale Ringformen und rechteckige und quadratische flache Formen für Obstkuchen und Tortenböden.

Das Backblech:
Eines gehört jeweils zur Standardausführung Ihres Herdes. Wird viel Kleingebäck auf einmal gebacken, ergeben sich bei nur einem Backblech lästige Wartezeiten und Energieverlust. Kaufen Sie sich für solche Gelegenheiten und vor allem für die Weihnachtsbäckerei mindestens ein zweites Backblech. Dann können Sie, während ein Backblech im Ofen ist, das zweite in Ruhe belegen. Stollen, Zöpfe und Laibe, die auf dem Backblech gebacken werden, können aus einer Teigmenge von etwa 1 kg Mehlanteil bereitet werden.
Für Blechkuchen aus Hefeteig reicht eine Teigmenge aus 350 g Mehl, für Mürbeteig oder Honigkuchenteig aus 500 g Mehl, zum Auslegen eines Backblechs mit Blätterteig brauchen Sie etwa 600 g fertigen Teig.

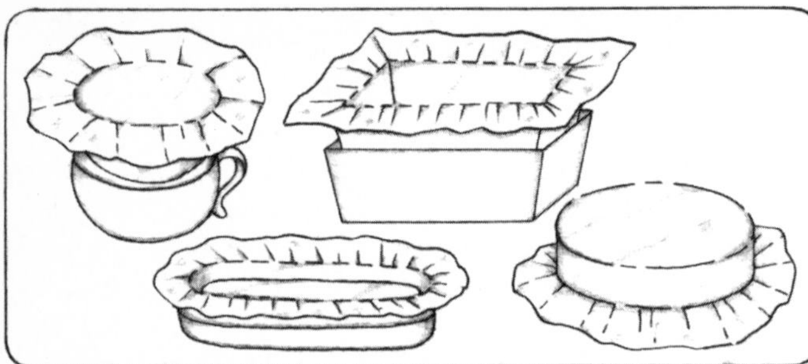

Wenn Ihre kleinen Backformen nicht ausreichen, dann formen Sie weitere aus Alufolie: Folie in oder um Formen, Schalen oder Tassen drücken und den Rand umknicken.

Kleine Förmchen:
Für Törtchen gibt es flache Formen, entweder rund mit glattem oder gezacktem Rand, sechseckig, in Schiffchenform, es gibt kleine Ringformen für Savarinchen, kleine Gugelhupfformen für Babas sowie Einweg-Aluformen. Reichen die Förmchen für die Teigmenge einmal nicht aus, so drücken Sie in eines der Förmchen Alufolie und stellen auf diese Weise weitere Förmchen her.

Ausstechförmchen: Die wichtigsten sehen Sie auf der Zeichnung. Sie können Ihr Sortiment natürlich beliebig erweitern oder sich mit einer geringeren Anzahl begnügen.

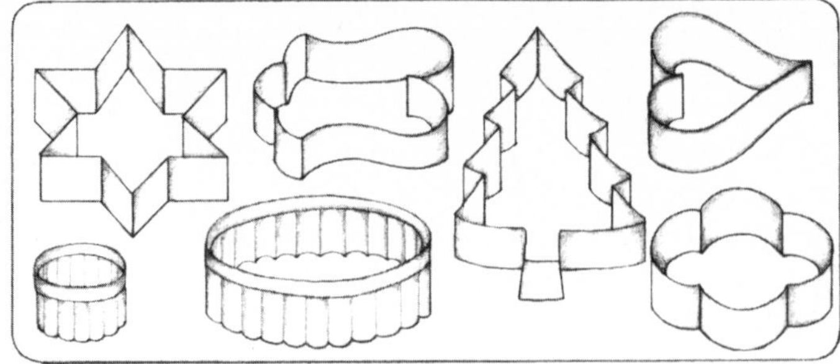

Ausstechförmchen gibt es in vielen Größen und in den unterschiedlichsten Motiven. Hier eine kleine Auswahl der beliebtesten Formen.

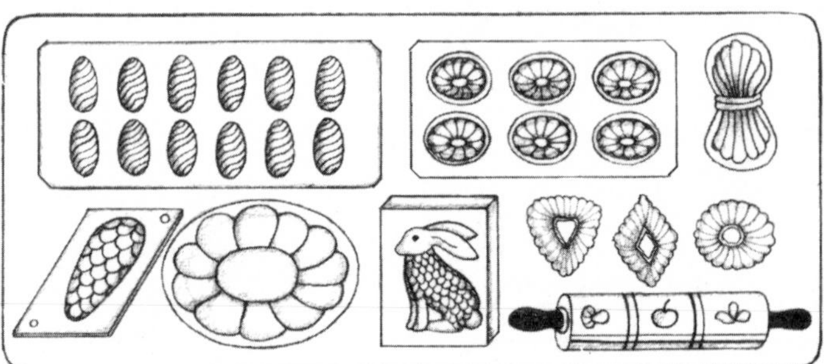

Modeln aus Holz, Metall und Keramik mit alten und modernen Motiven werden heute vor allem in Boutiquen angeboten, ebenso das Wellholz mit gleich neun verschiedenen Figürchen.

Formgrößen und Liter-Inhalt

- Viele Kuchenformen gibt es in zwei oder sogar drei verschiedenen Größen. Runde Formen werden im Durchmesser von 24, 26 und 28 cm angeboten, rechteckige Formen in Längen von 24, 26, 28 und 30 cm.
- Der Rauminhalt von hohen und halbhohen Backformen wird nach Liter bemessen. Wenn Sie nicht wissen, wieviel Teig eine Form faßt, dann füllen Sie die Form mit Wasser und messen Sie die Wassermenge. Für eine Teigmenge aus 500 g Mehl brauchen Sie mindestens eine Form von 2 Liter Inhalt, da die Form nur zu zwei Dritteln mit Teig gefüllt werden darf, denn der Teig geht beim Backen auf.
- Bei runden, flachen Formen ergibt sich aus dem Durchmesser die Größe eines Kuchens oder einer Torte. Je nach Teigmenge erhalten Sie einen dünnen oder dickeren Boden.

Formen ausfetten

- Am besten befolgen Sie hierfür die Anweisungen im jeweiligen Rezept. Die Entscheidung, wann eine Form oder das Backblech ausgefettet, mit Mehl oder mit Semmelbröseln ausgestreut und mit Pergamentpapier oder Alufolie ausgelegt wird, ist nicht immer nur von der Teigart abhängig, sondern auch von der benützten Form. Manche Formen geben ihren Inhalt nicht ohne weiteres her, die Kuchen lassen sich immer schlecht aus ihnen lösen: Das betrifft in erster Linie Kastenformen. In solchen Fällen ist es ratsam, die Form mit Papier auszulegen.

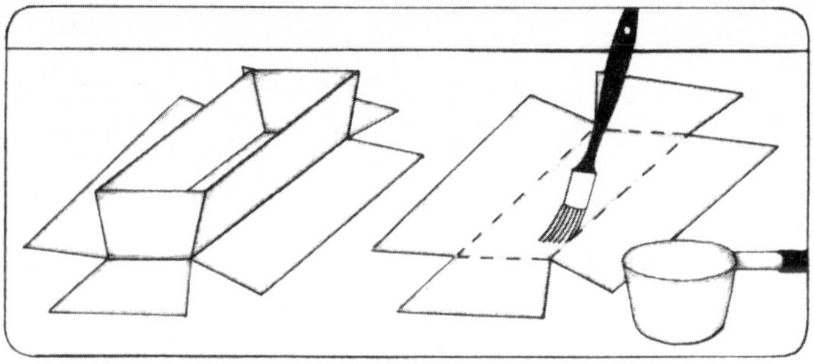

Eine Form mit Papier oder Alufolie auslegen: Zunächst das Material von außen um die Form knicken. Die Ecken ein-, überstehende Ränder abschneiden, die Folie mit Fett bestreichen und in die Form legen.

- Dazu knicken Sie das Papier von außen um die Form, schneiden überstehende Ränder ab und die Ecken ein und falten das Papier dann der Form entsprechend.
- Für Teigarten, für die die Form ausgefettet wird, fetten Sie auch das Papier oder die Alufolie ein. Das Auslegen mit Papier empfiehlt sich auch dann, wenn der Kuchen/Boden in der Form bis zum Aufschneiden/Durchschneiden in der Form bleiben soll, der Frische oder der Empfindlichkeit wegen.
- Blech, Formen oder Förmchen werden für die nachstehend aufgezählten Teigarten folgendermaßen behandelt:

Baisermasse: Backblech mit Pergamentpapier oder Alufolie auslegen.
Biskuitteig: Boden der Springform ausfetten, gegebenenfalls mit Pergamentpapier/Alufolie auslegen und dieses fetten; hohe Formen ausfetten und ausstreuen.
Blätterteig: Backblech kalt abspülen, Formen nicht behandeln.
Brandteig: Backblech nicht behandeln.
Hefeteig: Formen und Backblech ausfetten. Ausnahme: Brioches. In ungefettete Förmchen geben, der Teig ist fettreich genug.
Honigkuchen: Formen und Backblech ausfetten.
Makronenmasse: Backblech mit Backtrennpapier, Pergamentpapier oder Oblaten auslegen.
Mürbeteig: Backblech und Backformen nicht ausfetten. Ausnahme: fettarmer Mürbeteig.
Rührteig: Formen ausfetten und ausstreuen oder mit Pergamentpapier/Alufolie auslegen und mit Fett bestreichen.

Ob der Kuchen reicht?

- Damit Sie sich beim Planen für die Kaffeerunde nicht verkalkulieren, hier die Anzahl Kuchenstücke, die sich aus einer bestimmten Form schneiden lassen. Natürlich können Sie diese Angaben nach oben oder nach unten korrigieren, je nachdem, ob Sie Riesenstücke servieren möchten oder bescheidenere Probierhappen. Kleine Stückchen sind vor allem dann zu empfehlen, wenn Sie mehrere Kuchen und noch eine Torte anbieten möchten.
- Aus einem Plattenkuchen in Größe eines Backblechs können Sie 24–30 Kuchenstücke schneiden.
- Aus einem runden Kuchen/Torte von mittlerer Größe 12–16 Stücke.
- Aus einem Napfkuchen oder Kranzkuchen 12–16 Stücke. Aus einem Kastenkuchen 10–15 Stücke.

Rund um den Herd

Wir nehmen an, daß in Ihrer Küche ein Herd mit Backofen steht. Ob es sich dabei um das neueste Luxusmodell handelt, oder ob er schon zehn oder gar zwanzig Jahre alt ist, spielt keine große Rolle, und ebenso ist es nicht sehr wichtig, ob er mit Gas oder mit Elektrizität beheizt wird. Denn grundsätzlich arbeiten die meisten Herde nach dem gleichen Prinzip: Sie geben ihre Energie als Strahlungshitze ab; eine Reglerschaltung sorgt dafür, daß der Backofen auf die gewünschte Temperatur erhitzt wird.
Die Regler zum Einstellen der gewünschten Temperatur sind leider nicht genormt. Einige Herde lassen sich stufenlos auf Temperaturen von 50–300°C schalten, andere geben die Hitzebereiche durch Zahlen auf den Schaltern an. Die folgende Tabelle ermöglicht es Ihnen, für die jeweils gewünschte Temperatur die richtigen Zahlen auf diesen Schaltern zu wählen:

Grad Celsius entsprechen	Schaltstufe in Zahlen	Schaltstufe für Ober- und Unterhitze
150–175	1–2	O 1 – U 2
175–200	2–3	O 1 – U 3
200–225	3–4	O 2 – U 3
225–250	4–5	O 3 – U 3

Der Backofen muß für jede Gebäckart vorgeheizt werden; er soll also die im Rezept angegebene Backtemperatur bereits erreicht haben, bevor das Gebäck eingeschoben wird. Ausnahme: Backen in der Tonform. Bei Elektroherden dauert die Vorheizzeit auf 200° je nach Herdtyp zwischen 10 und 20 Minuten.
Diese Zeit muß natürlich im Arbeitsablauf einkalkuliert werden. Gasbackherde erreichen die gewünschte Backtemperatur in wenigen Minuten. Bei automatisch geregelten Backherden leuchtet ein rotes Lämpchen, wenn die gewählte Temperatur noch nicht erreicht ist. Erlischt das rote Lämpchen, dürfen Sie sicher sein, daß die Backtemperatur stimmt.
So praktisch die Automatik – das selbständige Einschalten und Ausschalten von Backofen oder Herdplatte – bei modernen Herden auch ist, so wenig ist sie bei empfindlichen und vor allem bei hohen Kuchen zu empfehlen. Der Grund hierfür: Schaltet sich der Automatikherd zu einem gewählten Zeitpunkt ein, so muß der Kuchen zwangsläufig in den noch kalten Ofen gestellt werden und ist dem allmählichen Ansteigen der Temperatur sowie nach Backende ihrem allmählichen Absinken ausgesetzt. Das kann die Qualität beeinträchtigen. Aus dem gleichen Grunde lehnen wir auch die oft gehörte Empfehlung ab, beim Backen die »Nachwärme« auszunützen, um Energie zu sparen. Wenn Sie den Backofen abschalten, ehe der Kuchen wirklich gut durchgebacken ist, kann er durch die allmählich absinkende Temperatur an Qualität einbüßen. Ausnahmen sind jene Kuchen, bei denen im Rezept das Ausnützen der Nachwärme ausdrücklich empfohlen wird.
Der Innenraum der Herde ist mit einem Rost ausgestattet, mit mindestens einem Backblech und mit der Fett- oder Braten-

pfanne. Zum Einschieben in verschiedenen Höhen stehen vier Schiebeleisten zur Verfügung. Welche Schiebeleiste für welche Gebäckart benutzt wird, geht aus den einzelnen Rezepten hervor. Als Faustregel gilt, daß über jedem Gebäck ein Raum von mindestens 15 cm bleiben muß; dieser Raum muß auch dann noch vorhanden sein, wenn das Gebäck während des Backens durch das Aufgehen an Höhe gewinnt. Die nachfolgende Übersicht erleichtert Ihnen die Wahl der richtigen Schiebeleiste, wenn in einem Rezept der entsprechende Hinweis fehlt.

- Auf die unterste Schiebeleiste kommen alle Kuchen, die in einer hohen und in einer halbhohen Backform gebacken werden: Kuchen in der Springform, die während des Backens die volle Höhe des Randes erreichen, Stollen, Zöpfe, Brote und Aufläufe.
- Auf die zweite Schiebeleiste von unten gehören hohe Tortenböden in der Springform, halbhohe Gebäckstücke wie Hörnchen, Brötchen, gefüllte Taschen, Pastetchen, Windbeutel, Obstkuchen mit Belag und halbhohe Törtchen.
- Auf die mittlere Schiebeleiste (die dritte von unten) gehören Obstkuchenböden ohne Belag, Plätzchen, Blechkuchen, flache Tortelettes und Schaumgebäck.

Auf die unterste Schiebeleiste kommen alle Kuchen, die in einer hohen oder einer halbhohen Form gebacken werden, Kuchen in der Springform, die während des Backens die volle Höhe des Randes erreichen, Stollen, Zöpfe, Brote und Aufläufe.

Auf die zweite Schiebeleiste von unten gehören hohe Tortenböden, halbhohe Gebäckstücke wie Hörnchen, Brötchen, Windbeutel, Obstkuchen mit Belag und halbhohe Törtchen.

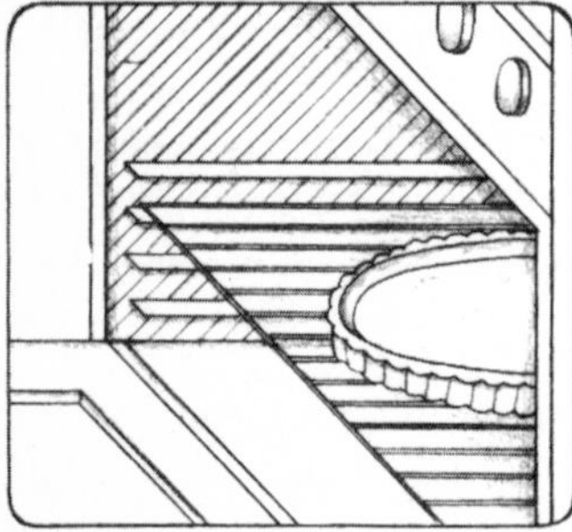

Auf die mittlere Schiebeleiste – die dritte von unten – gehören Obstkuchenböden ohne Belag, Plätzchen, Blechkuchen, flache Tortelettes und Schaumgebäck.

Auf die oberste Schiebeleiste – die vierte von unten – kommt alles, was nur überbacken wird, also starke Oberhitze benötigt.

- Auf die oberste Schiebeleiste (die vierte von unten) kommt alles, was nur überbacken wird, also starke Oberhitze benötigt.
- Alle Kuchen in einer Form werden auf den Rost des Backofens gestellt, keinesfalls auf das Backblech. Da immer nur auf einer Ebene gebacken werden kann, sparen Sie Energie, wenn Sie möglichst in zwei mittelgroßen oder mehreren kleinen Formen zugleich backen. Lediglich in Backöfen mit Rundum-Hitze ist es möglich, auf mehreren Ebenen gleichzeitig zu backen. Man kann in diesen Herden also ein Backblech auf der dritten Leiste von unten einschieben, den Rost mit mehreren Kuchenformen auf einer Schiebeleiste darunter und unter diesen wiederum ein Backblech mit Gebäck. In Herden mit Rundum-Hitze sorgt ein Umwälzsystem dafür, daß die heiße Luft gleichmäßig alle Regionen im Inneren des Backofens erreicht, auch wenn der in anderen Herden geforderte Luftraum von mindestens 15 cm über einem Gebäck nicht eingehalten wird.
- Übrigens, wenn Sie mehrere Gebäckarten – auch salzige und süße – gleichzeitig backen, so brauchen Sie nicht zu befürchten, daß der Obstkuchen vielleicht nach den Käsestangen schmecken könnte. Eine Geschmacksübertragung ist bei Strahlungshitze in keinem Fall und in keinem Herd möglich.
- Backöfen mit Sichtfenster wirken beim Backen außerordentlich beruhigend, weil man Gebäck überwachen kann, ohne die Tür öffnen zu müssen. Grundsätzlich soll ja der Backofen während des ersten Drittels der angegebenen Backzeit, mindestens aber 15–20 Minuten lang, nicht geöffnet werden. Können Sie jedoch durch das Sichtfenster beobachten, daß das Gebäck verhältnismäßig rasch bräunt, so dürfen Sie selbstverständlich auch vor Ablauf der angegebenen Zeit die Backofentür öffnen und das Gebäck mit Pergamentpapier oder Alufolie abdecken. Ob aber Sichtfenster oder nicht: Verlassen Sie sich niemals nur auf das Aussehen Ihres Kuchens, sondern machen Sie auf jeden Fall vor dem Herausnehmen des Kuchens aus dem Backofen, vor allem bei hohem Gebäck, die Stäbchenprobe → Seite 298.
- Bei einer ganzen Anzahl Gebäckarten, beispielsweise bei Kleingebäck, Lebkuchen, Plätzchen oder Windbeuteln, sollten Sie zur Sicherheit ein oder zwei Stück zur Probe backen. Diese kleine zusätzliche Arbeit lohnt sich bestimmt, weil Sie dadurch sowohl die Teigqualität als auch die richtige Temperatur und die Backzeit prüfen können.
- In manchen Rezepten wird empfohlen, die Backofentür während der Backzeit einen Spalt offen zu halten. Stecken Sie dazu

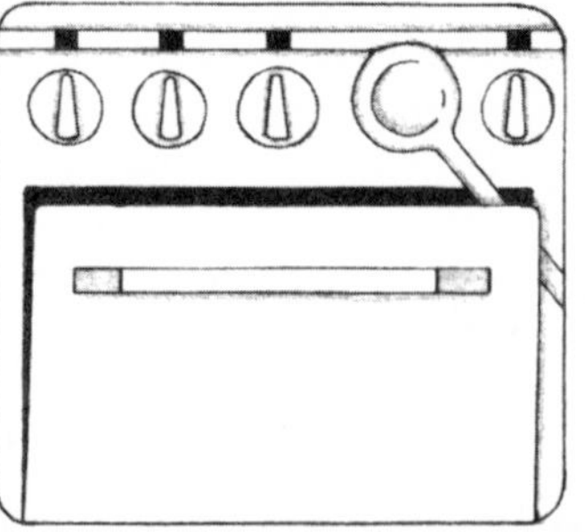

Soll die Backofentür während des Backens einen Spalt offen bleiben, so klemmen Sie einen Kochlöffel dazwischen.

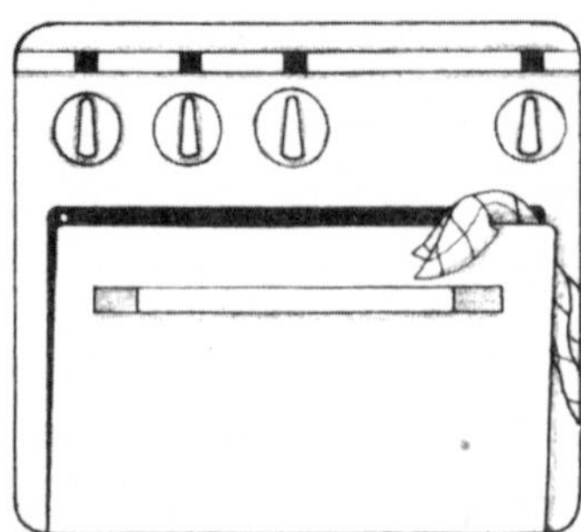

Die Backofentür kann auch durch einen gefalteten Topflappen einen Spalt offen gehalten werden! Aber kontrollieren, ob die Hitze den Lappen nicht versengt!

einen Kochlöffel in die Tür oder klemmen Sie einen zwei- bis dreifach gefalteten Topflappen dazwischen.

- Wenn ein Obstkuchenboden oder Tortelettes ohne Füllung gebacken werden, nennt man das Blindbacken. Bei einer mit

Werden Tortenböden aus Mürbeteig oder Törtchen ohne Füllung, das heißt blindgebacken, füllt man das Gebäck mit getrockneten Hülsenfrüchten, damit der Rand während des Backens nicht einbricht.

Mürbeteig ausgelegten Springform würde beim Blindbacken der Rand aber heruntersinken. Das läßt sich vermeiden, indem man die mit Teig ausgelegte Form mit getrockneten Erbsen oder Bohnen füllt. Die Hülsenfrüchte werden nach dem Backen einfach wieder ausgeschüttet. Sie können beliebig oft wieder zum Blindbacken verwendet werden.

- In der Form gebackene Kuchen sollten in der Regel einige Minuten in der Form abkühlen, ehe sie auf ein Kuchengitter gestürzt werden. Sie erhalten dadurch etwas mehr Stabilität. Will sich ein Kuchen beim Stürzen nicht aus der Form lösen, so wenden Sie einen bewährten Trick an: die Form fest mit einem feuchten Tuch umwickeln, einige Minuten warten und das Stürzen nochmals probieren. Von Blechkuchen oder Plattenkuchen löst man den Rand mit einem Messer, schneidet den Kuchen in Stücke und läßt sie auf einem Kuchengitter abkühlen. Dünnes Gebäck wird nach dem Backen am besten sofort mit einem breiten Messer oder einem Spatel vom Blech gehoben, da es leicht nachdunkelt und durch das langsam erstarrende Fett auch leicht haften bleibt.
- Zu jedem Herd wird eine Gebrauchsanweisung mitgeliefert, die spezielle Eigenarten des Herdtyps erklärt und die wichtigsten Garzeiten bei den verschiedenen Temperaturen angibt. Meist sind auch noch einige Rezeptbeispiele enthalten sowie genaue Anweisungen für das Reinigen des Backofens. Diese Anleitungen bilden eine wichtige Arbeitsgrundlage; denn die Leistung der einzelnen Herdtypen sind nicht nach einer Norm ausgerichtet. Die Angaben in den Rezepten, soweit sie die Backdauer bei bestimmten Temperaturen betreffen, sind also nicht in jedem Fall verbindlich. Es kann also durchaus sein, daß ein Kuchen, der nach Rezeptangabe bei 250° nach 45–50 Minuten fertig sein müßte, nach dieser Zeit noch zu hell und nicht durchgebacken ist. Denken Sie bitte auch daran, daß der Gasdruck bzw. die elektrische Spannung während der Zeit der Spitzenbelastung eine Rolle spielen. Man sollte daher seinen Backofen in jedem Fall erst einmal prüfen, um seine Heizkraft kennen zu lernen.
- Wenn Sie übrigens einen billigen Nachtstromtarif haben, können Sie das zum Backen ausnutzen – vorausgesetzt, es stört Sie nicht, noch zu nächtlicher Stunde zu werken.

Backzutaten von A bis Z

Die meisten in den Rezepten benötigten Zutaten gehören zum täglichen Küchenbedarf. Dennoch werden diese Dinge für die Bäckerei manchmal anders behandelt und gebraucht als gewöhnlich, weshalb viele von ihnen in der folgenden Aufstellung ebenfalls erwähnt sind. Selbstverständlich werden aber vor allem jene Substanzen besprochen, die man vorwiegend oder ausschließlich für das Backen benötigt. Damit Sie beim Einkaufen und beim Umgang mit allen Backzutaten wissen, worauf es ankommt, hier folgende Übersicht:

ABC-Trieb: Die Bezeichnung für ein Backtriebmittel aus Ammoniumbicarbonat; es wird jedoch selten für die private Hausbäckerei verwendet.
Angelika = Engelwurz: Die getrockneten und kandierten Stengel der Angelikapflanze, von leicht bitterem aromatischem Geschmack. Sie werden hauptsächlich zum Verzieren feiner Kuchen und Torten verwendet.
Anis: Gewürz aus der Frucht einer Mittelmeerpflanze. Dieses wundervolle Backgewürz ist reich an ätherischen Ölen. Man kann Anis ganz kaufen, zerquetscht und pulverisiert. Das besondere Aroma verflüchtigt sich schnell. Deshalb sollte Anis nie in größeren Mengen, vor allem nicht zerkleinert, vorrätig gehalten werden. Am besten ganzen Anis kurz vor dem Verwenden selbst zerkleinern. Wird ein Gebäck mit Anis gewürzt, sollten andere Gewürze wegbleiben, da der Geschmack von Anis stark ist und sich kaum mit anderen Gewürzen verträgt.
Arrak: Branntwein aus Reis. Für Gebäck ist Arrak ein geschätztes Aroma, sollte aber stets sparsam verwendet werden. Gut schmeckt Zuckerglasur mit Arrak angerührt.
Auszugsmehl: Feines, kleiefreies Mehl der Type 405, Rohstoff aus dem Weizenkern mit wenig Schalenanteilen.
Backaromen = Backessenzen: Auszüge aus verschiedenen Grundsubstanzen in Öl zum Aromatisieren von Gebäck, oft aus künstlichen Geschmacks- und Geruchsstoffen hergestellt. Backaromen sollten Sie nur verwenden, wenn natürliche Aromastoffe nicht zur Verfügung stehen, und dann nur in kleinsten Dosen – immer nur wenige Tropfen verwenden –, da sie sonst leicht den Eigengeschmack eines Gebäcks überdecken und damit verderben. Backaromen werden in kleinen Fläschchen angeboten, deren Inhalt für eine Menge von 500 g Mehl bestimmt ist; feiner schmeckt aber jedes Gebäck, wenn man nur die Hälfte oder ein Viertel der Menge verwendet. Backaromen gibt es mit Rum-, Arrak-, Zitronen-, Vanille- und Bittermandelgeschmack.
Backhefe: Ein biologisches Triebmittel, das möglichst frisch verwendet werden soll. Doppelt in Alufolie eingeschlagen, hält sich Hefe im Butterfach des Kühlschranks einige Tage. Eingetrocknete, überlagerte Hefe verliert ihre Triebkraft. Trockenhefe im Beutel ist so lange haltbar, wie auf dem Päckchen angegeben. Für Trockenhefe stets die Anweisung auf dem Beutel beachten.
→ Hefe, Kapitel Hefeteig, Seite 10.
Backoblaten: Papierdünnes weißes Dauergebäck aus Mehl oder Speisestärke, als Unterlage für Makronen, Lebkuchen und Konfekt. Backoblaten gibt es rund und viereckig in verschiedenen Größen zu kaufen.

Backzutaten von A bis Z

Backpulver: Ein Triebmittel, vorwiegend aus Natriumcarbonat bestehend, das in kleinen Tüten, meist in einer Menge für 500 g Mehl ausreichend, angeboten wird. Trotz der Angaben auf den Tüten empfiehlt es sich, die jeweilige Dosierung in den Rezepten dieses Buches genau einzuhalten. Backpulver im Päckchen stets kühl und trocken aufbewahren. Beim Zubereiten des Teigs das Backpulver mit dem Mehl mischen, gemeinsam sieben und dieses Gemisch erst kurz vor dem Backen unter die anderen Zutaten rühren oder kneten.
Belegfrüchte: Früchte, die mit Dickzucker behandelt wurden und vor allem zum Verzieren und Belegen von feinem Gebäck verwendet werden, aber auch kleingehackt Bestandteil von Füllungen sein können.
Belegkirschen: → Belegfrüchte; Belegkirschen werden in gelber, grüner und roter Farbe angeboten.
Bittere Mandeln: Mandeln mit bitterem Geschmack, die nicht am gleichen Baum wie süße Mandeln wachsen. Sie enthalten giftige Blausäure und dürfen deshalb nur in kleinsten Mengen als Aroma verwendet werden. Bis zu 30 g geriebene bittere Mandeln auf 500 g Mehl sind jedoch völlig unbedenklich und als würzige Zutat für spezielle Gebäckarten wie beispielsweise Weihnachtsstollen geschmacklich angenehm. Bittere Mandeln stets für Kinder unerreichbar aufbewahren.
Bittermandelöl: Backaroma aus ätherischem Öl von der bitteren Mandel: wird aber auch aus Aprikosen- oder Pfirsichkernen gewonnen. Bittermandelöl enthält ebenfalls etwas Blausäure und muß deshalb sparsam dosiert werden.
Bittere Schokolade: Schokolade mit mindestens 60% reinen Kakaoanteilen.
Blattgelatine: → Gelatine
Blockschokolade: Einfache und preiswerte Schokolade in dicken Blöcken mit unerschiedlich hohen Kakaoanteilen. Gerieben oder im Wasserbad geschmolzen als Zutat für verschiedene Teige verwendet. Blockschokolade ist nicht dasselbe wie Kuvertüre oder Schokoladen-Fettglasur.
Brezensalz: Besonders grob kristallisiertes Salz zum Bestreuen von Brezen und salzigem Gebäck.
Biskuitbrösel: Zerbröselter trockener Biskuit (Löffelbiskuit), als ideales Isoliermittel zwischen Teig und Fruchtbelag oder Fruchtfüllungen oder als Zusatz für Füllungen und Teige.
Butter: Sie ist das ideale Backfett für sämtliche feine Backwaren. Zum Backen eignet sich auch ohne weiteres Kühlhausbutter oder Butter, die Sie selbst eingefroren haben. Nur ranzige Butter darf zum Backen nicht verwendet werden, da sich der Geschmack dem Gebäck mitteilt. Statt Butter kann aber auch Butterschmalz und vor allem Margarine verwendet werden (von Butterschmalz stets 15% weniger verwenden, als die im Rezept angegebene Fettmenge).
Buttermilch: Für jedes Rezept, zu dem Milch benötigt wird, kann auch Buttermilch genommen werden.
Cashewkerne: Samen des Cashew-Apfels, Frucht eines exotischen Baumes. Die geschält angebotenen Kerne sind mandelähnlich im Geschmack und können wie Mandeln vor allem zum Bakken, Belegen und Verzieren verwendet werden.
Dosenmilch: Sie kann beim Backen als Ersatz für frische Milch dienen. Dosenmilch sollte aber stets auf einen Fettgehalt von 5% verdünnt werden (bei Dosenmilch mit einem Fettgehalt von 10% also die doppelte Menge Wasser zugeben). Für Cremes und Puddings ist Dosenmilch aus geschmacklichen Gründen aber nicht zu empfehlen.
Eier: Grundsätzlich sind in den Rezepten Hühnereier gemeint. Die Rezepte beziehen sich alle auf mittelgroße Eier mit einem Gewicht von 60–65 g. Werden kleinere oder größere Eier verwendet, so muß das unterschiedliche Gewicht ausgeglichen werden. Am einfachsten wiegen Sie dafür die Eier mit der Schale. Werden mehrere Eier für einen Teig oder für eine Creme benötigt, so schlagen Sie die Eier am besten einzeln nacheinander in eine Tasse, um den Geruch prüfen und schlechte Eier ausscheiden zu können, ehe die ganze Masse durch ein verdorbenes Ei ruiniert würde.
Zum Trennen von Eiern in Eiweiße und Eigelbe möglichst frische Eier verwenden, da bei älteren Eiern leicht etwas Eigelb in das Eiweiß gerät und dann kein steifer Eischnee mehr gelingt.
Zum Steifschlagen von Eiweiß ein hohes, völlig sauberes und vor allem fettfreies Gefäß verwenden (Aluminiumgefäße machen Eischnee grau). Auch der Schneebesen oder die Rührbesen der Küchenmaschine müssen fettfrei sein. Das Eiweiß zu Schnee schlagen, in den bereits steifen Schnee langsam den Zucker einrieseln lassen und einige Minuten weiterschlagen, bis sich der Zucker aufgelöst hat. Eischnee ist steif genug und für den Kuchen richtig, wenn ein Messerschnitt auf der Oberfläche einige Minuten deutlich sichtbar bleibt oder wenn eine mit dem Rührbesen spitz nach oben gezogene Haube senkrecht stehen bleibt.
Erdnüsse: Zum Backen wie andere Nüsse zu verwenden; eine preiswerte Möglichkeit, nach Belieben Mandeln, Pekannüsse, Hasel- oder Walnüsse zu ersetzen, wenn es sich nicht um eine Spezialität handelt, die eine bestimmte Sorte Nüsse erfordert.
Farinzucker: Brauner Zucker, leicht karamelisiert, aus Zuckerablaufsirup hergestellt.
Fett: Butter und Margarine sind die idealen Fette zum Kuchenbacken. Reines Pflanzenfett ist zum Ausbacken bzw. zum Fritieren geeignet, Schmalz oder Öl mit Eigengeschmack vor allem für spezielles Gebäck.
Fondantmasse: Grund-Zuckerglasur, die durch Erwärmen bis maximal 40° und durch Verdünnen mit Eiweiß streichfähig wird. Fondantglasur gibt Torten und Törtchen, vor allem Petits fours, einen besonders festlichen Charakter. Fondantmasse ist im Fachhandel und in Konditoreien erhältlich.
Fondants: Leicht schmelzendes Zuckerkonfekt.
Fritierfett = Ausbackfett: Zum Fritieren oder Ausbacken eignet sich nur reines Pflanzenfett wie Öl, Palmin und Biskin.
Diese Fette sind frei von Wasser, Eiweißstoffen und anderen Spuren und vertragen deshalb Temperaturen bis zu 220°, ohne zu rauchen oder zu verbrennen. Die Temperatur beim Ausbacken oder Fritieren liegt je nach Form des Gebäcks zwischen 165° und 190°. Nach dem Gebrauch muß das erhitzte Fett abkühlen und durch ein Filterpapier oder Filtertüchlein laufen, um Röstrückstände zu entfernen. Fritierfett sollte nicht öfter als drei- bis fünfmal zum Fritieren verwendet werden; anschließend können mit dem Fett noch Fleisch oder Kartoffeln gebraten werden.
Gelatine: Ein Gelierstoff in Blattform oder pulverisiert, jeweils farblos oder rot erhältlich. In unseren Rezepten wird hauptsächlich Blattgelatine verwendet. Blattgelatine in wenig kaltem Wasser einweichen, nach etwa 10 Minuten gut ausdrücken und in heißer, aber niemals kochender Flüssigkeit auflösen. Ist für das jeweilige Rezept nicht ohnehin heiße Flüssigkeit angegeben, so

lösen Sie die Gelatine am besten im heißen Wasserbad auf. Gemahlene Gelatine im Einweichwasser bei milder Hitze auf dem Herd unter ständigem Rühren auflösen.

Gewürzkörner: → Piment

Gewürzmischung: → Lebkuchengewürz

Gewürznelken: Gewürz aus getrockneten, vor dem Blühen geernteten Knospen des Gewürznelkenbaumes. Gewürznelken werden als ganze Knospen oder gemahlen angeboten. Pulverisiert büßen Nelken ihre aromatische Intensität rascher ein als ganze Knospen. Deshalb stets nur kleine Mengen vorrätig halten. Gemahlene Gewürznelken gehören in Lebkuchenteige, in bestimmte Spezialitäten und schmecken gut zu Pflaumenkuchen. Gemahlene Nelken stets sparsam dosieren.

Graham-Mehl: Weizenschrotmehl. Die Bezeichnung »Graham« in Verbindung mit Brot und Brötchen ist eigentlich nur dann richtig, wenn es sich um Gebäck handelt, das nach einem Rezept des amerikanischen Arztes Graham zubereitet wurde.

Grappa: Tresterbranntwein, aus Rotweintrester (Rückstände beim Pressen von Trauben) gewonnener Branntwein, der in Italien Grappa genannt wird.

Hagelzucker: Besonders groß kristallisierter Zucker zum Verzieren und Bestreuen von Gebäck.

Halbbittere Schokolade: Feine Schokolade in Tafelform mit mindestens 50% Kakaoanteilen.

Haselnüsse: Sollen Haselnüsse geschält werden, so schüttet man sie auf ein Backblech und röstet sie bei etwa 200°. Sobald die dünne braune Haut platzt, die Haselnüsse wieder aus dem Ofen nehmen, etwas abkühlen lassen und zwischen den Händen reiben; dabei löst sich die Haut fast von selbst. Für Kuchenteig werden Haselnüsse allerdings gerne mit der dünnen braunen Schale gerieben, da sie so geschmacksintensiver sind. Haselnüsse sind auch bereits gehackt und gehobelt im Handel. Wenn Sie Haselnüsse selbst reiben, so möglichst in der Mandelreibe, da sie mit dem Schlagmesser des Mixers zu ölig werden.

Hefe: → Backhefe

Hirschhornsalz: Lockerungs- und Triebmittel für schwere Teigarten, das vor allem für bestimmte Spezialitäten verwendet wird. Hirschhornsalz stets gut verschlossen aufbewahren, da es sich zersetzt, wenn es längere Zeit mit Luftsauerstoff in Berührung kommt.

Honig: Wenn in den Rezepten dieses Buches Honig verwendet wird, so ist damit immer Bienenhonig gemeint. Als Ersatz kann aber auch Kunsthonig verwendet werden.

Ingwer: Gewürz aus der getrockneten Wurzel der Ingwerpflanze, ganz oder gemahlen im Handel oder kandiert in Sirup eingelegt als Ingwer-»Pflaume«. Ingwer ist sehr geschmacksintensiv und sollte stets sparsam dosiert werden. Ingwerpulver wird vor allem dem Teig zugegeben. Kandierter Ingwer ist beliebt als aromatisches Dekor, aber auch kleingewiegt als Bestandteil von Teigen. Ingwer wird vor allem für die Weihnachtsbäckerei und für die berühmten englischen Ingwerkuchen verwendet.

Instant-Kaffee: Sofort löslicher Pulverkaffee, der nach einem bestimmten Verfahren hergestellt wird. Instant-Kaffee ist sehr geschmacksintensiv. Die Mengenangaben für Pulverkaffee in den Rezepten stets genau beachten, da ein Zuviel die geschmackliche Qualität des Gebäcks gefährdet.

Instant-Mehl: Besonders feines Mehl, das sich in Flüssigkeit leicht löst, nicht klumpt, nicht staubt und leicht rieselt. Die hauptsächlichste Bedeutung von Instant-Mehl liegt auf dem Gebiet des Kochens (binden von Saucen und Suppen).

Käse: Für Käsegebäck wird in erster Linie geriebener Hartkäse wie Emmentaler Käse, Sbrinzkäse, Chesterkäse oder Parmesankäse verwendet. Für Käsefüllungen – süß oder herzhaft – eignet sich hervorragend auch Rahm-Frischkäse, den man gut mit allen möglichen Geschmackszutaten mischen kann.

Kaffee: Als Würzzutat für Backteig, für Glasuren und Füllungen wird entweder gefilterter starker Kaffee verwendet oder der leicht lösliche und stark aromatische Instant-Kaffee. Kaffee als Aromazusatz niemals überdosieren!

Kandierte Früchte: Mit dicker Zuckerlösung getränktes und anschließend getrocknetes Obst wie Kirschen, Ananasscheiben, Orangenscheiben oder Pflanzenteile wie Angelikastengel, Veilchenblüten, Wurzeln wie Ingwer oder Schalen wie Zitronat und Orangeat; für die Bäckerei werden jedoch vielfach auch Belegfrüchte (→ Seite 290) verwendet, die nicht kandiert sind, sondern nur mit Dickzucker behandelt wurden und deshalb weicher sind.

Kaneel: Stangenzimt, Zimtstangen → Zimt.

Kakao: Rohstoff für alle Erzeugnisse aus Kakao ist die Kakaobohne. Sie liefert Blockkakao, aus dem für den Konditoreibedarf Spritzschokolade, Glasuren und Überzugsmassen hergestellt werden. Außerdem liefert sie Kakaobutter, einen aromatischen und leicht schmelzenden Bestandteil der Schokolade, und das Kakaopulver.

Kakaopulver: Das pulverisierte Produkt, das beim Auspressen der Kakaomasse anfällt. Wird Kakaopulver für Schokoladengebäck verwendet, so gibt man zum Kakao stets noch etwas Zucker, damit kein bitterer Geschmack entsteht. Größere Mengen Kakaopulver sollte man am besten in den Teig sieben, damit sich keine Klümpchen bilden können.

Kartoffelmehl: Speisestärke, aus Kartoffeln gewonnen.

Kokosraspeln = Kokosflocken: Das feingeraspelte Fruchtfleisch von Kokosnüssen. Wegen ihres hohen Fettgehalts sind Kokosraspeln nur begrenzt lagerfähig. Sie werden in geschlossenen Beuteln abgepackt angeboten. Geöffnete Packungen sollen rasch verbraucht werden. Kokosraspeln vor dem Verwenden zwischen den Händen reiben, damit sich feinste Klümpchen auflösen. Geschmacklich beste Qualität haben selbstgeraspelte frische Kokosnüsse.

Koriander: Gewürz aus getrockneten Spaltfrüchten, ganz oder gemahlen im Handel. Eine kleine Prise gemahlener Koriander paßt gut zu Apfelkuchen und als Gewürz zu Lebkuchen.
Grob gestoßener Koriander gibt der Brotkruste eine besondere Würze.

Korinthen: Kleine, luftgetrocknete, kernlose dunkle Weintrauben, vor allem aus griechischen Anbaugebieten. Sie finden für Napfkuchen, ähnlich wie Rosinen, Verwendung. Korinthen müssen stets in heißem Wasser gewaschen, gut abgetropft und wieder trockengerieben werden.

Krokantstreusel: Aus Krokantmasse hergestellte Streusel, in Päckchen oder Beutel zu kaufen, zum Bestreuen oder Verzieren von Gebäck.

Kardamom: Scharfes Gewürz, das vor allem für die Weihnachtsbäckerei verwendet wird. Mit Kardamom sollte man hin und wieder auch Hefegebäck oder Plundergebäck würzen.

Kümmel: Gewürz aus der Frucht der Kümmelpflanze. Herzhaftes Gebäck, Brot und Brötchen werden gern mit ganzem Kümmel

bestreut. Mit einer Prise gemahlenem Kümmel läßt sich aber auch nicht sehr süßer Hefeteig gut abschmecken.
Kunsthonig: Honigähnliche Masse, aus Invertzucker hergestellt, mit Honigaroma angereichert. Kunsthonig kann anstelle von Bienenhonig für Gebäck verwendet werden.
Lebensmittelfarben = Speisefarben: Vom Lebensmittelgesetz zugelassene, also unschädliche Substanzen zum Färben von Lebensmitteln. Lebensmittelfarben gibt es in Blau, Gelb, Grün, Orange, Rot und Schwarz. Sie sind in kleinen Fläschchen erhältlich und sollten stets sparsam dosiert werden. Höchstmengen nach Vorschrift auf dem jeweiligen Etikett.
Lebkuchengewürz: Speziell für Lebkuchen, Honigkuchen und Weihnachtsgebäck abgestimmte fertige Gewürzmischung, in Päckchen im Handel.
Kuvertüre: Ein Überzug aus reiner Schokolade von unterschiedlichem Kakaobuttergehalt, also in den Geschmacksnuancen Milchschokolade, halbbittere und bittere Schokolade erhältlich. Kuvertüre eignet sich aber nicht nur zum Überziehen von Gebäck, sondern ist auch hervorragend als Teig- und Cremezusatz geeignet.
Liebesperlen: Bunte, kleine Zuckerperlen von 3–5 mm ∅, die zum Verzieren von Gebäck, vor allem von Weihnachtsplätzchen, verwendet werden.
Madeira-Wein: Dessertwein aus Trauben, die auf der Insel Madeira wachsen.
Mandeln: Sie werden ungeschält oder geschält angeboten, im ganzen, gehackt, gestiftelt oder gehobelt und jeweils noch geröstet und ungeröstet. Wenn Sie Mandeln selbst abziehen möchten, so überbrühen Sie sie mit heißem Wasser, lassen sie darin etwas weichen und drücken die Kerne dann einfach aus der braunen Haut. Mandeln werden am besten mit dem Messer kleingehackt oder in der Mandelreibe gerieben. Gehackte oder gehobelte Mandeln entfalten leicht geröstet ein ganz besonderes Aroma.
Margarine: Sie läßt sich für alle Backrezepte anstatt Butter verwenden. Als besondere Back-Margarine wird Sanella empfohlen.
Marillenmarmelade: Österreichische Bezeichnung für Aprikosenmarmelade.
Marshmallows: Weiche Schaummasse aus Zucker, von gummiartiger Konsistenz, in kleinen »bomben«ähnlichen Formen in weiß und rosa erhältlich. Aus Marshmallows lassen sich für Torten und Kuchen Figürchen zum Verzieren herstellen.
Marzipan-Rohmasse: Marzipan wird als Rohmasse in Blöcken ab 125 g angeboten. Marzipan-Rohmasse findet als Teigzusatz, als Grundstoff für Makronenmasse, für Füllungen und Garnierungen Verwendung. Marzipan-Rohmasse zu gleichen Teilen mit gesiebtem Puderzucker verknetet, ergibt ein modellierfähiges Marzipan, aus dem Figürchen, Konfekt und Verzierungen hergestellt werden können.
Mehl: Für den Verbraucher ist praktisch nur noch die Mehltype 405 unter verschiedenen Markenbezeichnungen im Handel und für alle Backrezepte verwendbar.
Dunkleres Weizenmehl vom Typ 812 und 1050 sowie Roggenmehl vom Typ 997 und 1150 erhalten Sie kaum im Lebensmittelgeschäft, sondern beim Bäcker oder im Reformhaus. Auch Vollkornmehle oder grob ausgemahlenes Mehl (Schrot) für spezielles Gebäck und für Brot erhalten Sie im Reformhaus.
Milch: Jede angebotene Milchsorte ist zum Backen geeignet. Wichtig ist stets nur die im Rezept angegebene Menge. Verwendet werden kann auch angerührtes Milchpulver, verdünnte Dosenmilch oder verdünnte Sahne. Statt Milch kann je nach Geschmack auch Buttermilch oder Sauermilch verwendet werden. Wichtig: Beachten Sie bei jedem Rezept die Hinweise auf die jeweils notwendige Temperatur der Milch!
Mohn: Samen der Mohnpflanze, die vorwiegend gemahlen als Füllung oder als Teigzusatz verwendet werden. Mohnkörner können Sie selbst im Mixer zerkleinern, aber auch bereits gemahlen kaufen. Gemahlener Mohn wird jedoch rasch ranzig und sollte nicht zu lange lagern. Ganzer Mohnsamen wird zum Bestreuen von herzhaftem Gebäck, von Brot und Brötchen verwendet.
Mokkabohnen: Schokolade mit Mokkageschmack in Form von Kaffeebohnen, die zum Verzieren von Torten verwendet werden.
Muskatblüte = Macis: Gewürz aus dem getrockneten Samenmantel der Muskatfrucht. Für bestimmte Gebäckarten wird Macis gemahlen verwendet.
Muskatnuß: Gewürz aus dem Samenkern der Muskatfrucht. Muskatnuß wird stets gerieben verwendet und verfeinert Gewürzgebäck, Biskuitböden, Obstkuchen und Hefeteig.
Natron: Pulverförmiges Trieb- und Lockerungsmittel für schwere Teigarten. Natron in der im jeweiligen Rezept angegebenen Menge stets unter den fertigen Teig kurz vor dem Backen mischen.
Nougatmasse: Die Masse besteht aus gerösteten und feingemahlenen Haselnüssen oder Mandeln mit Zucker und Kakaobestandteilen und wird meist geschmolzen als Teigzusatz und für Füllungen verwendet sowie zum Zusammensetzen von Plätzchen.
Nonpareille: → Liebesperlen
Oblaten: → Backoblaten
Orangeat: Die kandierte Schale der Pomeranze oder der Orange wird kleingewiegt für Rührkuchen, Hefeteig und für Honigkuchen verwendet. Orangeat wird in großen Stücken oder in Würfeln angeboten. Größere Stücke von Orangeat können beliebig geschnitten und zum Garnieren verwendet werden. Gewürfeltes Orangeat muß für Teigzusätze meist noch kleingewiegt werden.
Orangen: Wird Orangenschale frisch abgerieben als Aroma für ein Gebäck gebraucht, so müssen ungespritzte Orangen verwendet und diese vor dem Abreiben der Schale heiß gewaschen und abgetrocknet werden.
Pekannüsse: In der Holzschale sehen Pekannüsse wie große Haselnüsse aus, geschält ähneln sie im Aussehen aber der Walnuß. Pekannüsse sind für alle Arten von Nußgebäck, gerieben im Teig oder ganz zum Belegen geeignet.
Pignoli: Italienisch für Pinienkerne.
Piment = Nelkenpfeffer, Gewürzkörner, Allgewürz: Gewürz aus den getrockneten Beeren des Nelkenpfefferbaumes. Piment wird in der Bäckerei nur gemahlen für Gewürzkuchen, Honig-, Pfeffer- oder Lebkuchen verwendet.
Pinienkerne: Nußartige Samenkerne der Pinie, die anstelle von Mandeln gerieben als Teigzusatz und ganz zum Belegen für Gebäck verwendet werden.
Pistazien: Die Frucht des Pistazienbaumes. Pistazien werden zum Backen immer ohne Schale verwendet. Als Teigzusatz werden Pistazien fein gehackt, zum Garnieren verwendet man die hellgrünen Kerne grob gehackt oder halbiert.
Pottasche: Kaliumcarbonat, wird als Triebmittel vor allem für Honigkuchenteig verwendet.
Preßhefe = Backhefe: Die handelsübliche Form der in Würfel gepreßten Hefe.

Rahm-Frischkäse: Frischkäse mit mindestens 50% Fett i. Tr., feinsäuerlich im Geschmack, für herzhaftes und süßes Gebäck wie Quark zu verwenden, doch ist Frischkäse feiner und zarter.
Rosenwasser: Kondensat, das beim Gewinnen von Rosenöl anfällt. Es wird in der Bäckerei zum Aromatisieren vor allem von Weihnachtsgebäck geschätzt und für das Herstellen von Marzipan gebraucht.
Rosinen = Sultaninen, Sultanas: Luftgetrocknete helle und dunkle Weintrauben aus verschiedenen Anbaugebieten in Griechenland, der Türkei, Kalifornien und Australien. Rosinen müssen vor dem Verwenden heiß gewaschen und anschließend getrocknet werden; um zu verhindern, daß Rosinen während des Backens in einem leichten Rührteig nach unten sinken, wendet man sie vor dem Unterheben unter den Teig leicht in Mehl.
Safran: Gewürz aus den Blütenstempeln einer Krokusart. Der leicht bitter schmeckende Safran wird vor allem wegen seines gelben Farbstoffs verwendet, in der Bäckerei überall dort, wo eine intensiv gelbe Tönung erwünscht ist.
Sahne: Beim Backen wird sie vor allem für Schlagsahne oder als Zusatz für Teige und Cremes verwendet. Sahne muß grundsätzlich kühl gelagert werden. Die Schlagsahne sollte vor allem im Sommer in einem stark gekühlten Gefäß geschlagen werden. Den Zucker für gesüßte Schlagsahne immer zu Beginn des Schlagvorganges zugeben. Beim Steifschlagen mit dem Handrührgerät zu Beginn mit der mittleren Schaltstufe arbeiten, sobald die Sahne beginnt fest zu werden, das Gerät auf niedrigste Tourenzahl schalten.
Sahnesteifmittel: Ein Pulver aus besonderen Stärkeprodukten, das die Sahne für länger als normal gut steif hält und vor allem verhindert, daß sich Flüssigkeit absetzt. Sahnesteifmittel stets nach Vorschrift auf dem Päckchen verwenden. Sahnesteifmittel ist eine gute Hilfe, wenn Schlagsahne oder ein Kuchen mit Sahnefüllung längere Zeit vor dem Servieren zubereitet werden muß.
Sauerteig: Gesäuerter, gärender Teig, der vor allem als Trieb- und Lockerungsmittel für Teige aus Roggenmehl verwendet wird, aber auch Geschmackskomponente ist. Sauerteig kann beim Bäkker in kleinen Mengen gekauft werden.
Schokoladenstreusel: Schokolade in Streuselform zum Verzieren von Gebäck, aber auch manchmal als Teigzusatz gebraucht. Schokoladenstreusel werden in Beuteln zu 100 g angeboten.
Sesamsamen: Kleine, flache Samenkörner der Sesampflanze. Sie enthalten hochwertige Öle und werden geschrotet als Teigzusatz, unzerkleinert als Belag oder zum Bestreuen von Gebäck und von Brot verwendet.
Sternanis: Gewürz aus dem Samen eines chinesischen Baumes. Sternanis und Anis stammen nicht von verwandten Pflanzen. Beide Gewürzarten enthalten aber intensive ätherische Öle von ähnlichem Geschmack und werden deshalb als Geschmacksgewürz verwendet.
Sultaninen: → Rosinen
Sukkade: Eine andere Bezeichnung für Zitronat.
Speisestärke: Sie wird – meist mit Mehl gemischt – für Teige verwendet, aber auch zum Binden von Cremes. Wird Speisestärke zum Binden verwendet, rührt man sie stets in wenig kaltem Wasser oder kalter Milch an, ehe sie in die heiße Flüssigkeit gerührt wird und unter Rühren einige Male aufkochen soll. Speisestärke ist unter den verschiedensten Markennamen je nach Ausgangsprodukt im Handel.
Tortenguß: Ein Geleepulver, im Päckchen zu kaufen, das mit Wasser, Obstsaft oder Wein nach Vorschrift zubereitet wird. Man gießt es meist noch flüssig über Obstbelag von Kuchen und Torten, wo es dann zu Gelee erstarrt. Tortenguß wird farblos (klar) und rot angeboten.
Trockenfrüchte = Dörrobst, Backobst: Luftgetrocknetes reifes Obst wie Aprikosen, Äpfel, Bananen, Birnen, Datteln, Feigen, Pflaumen, Pfirsiche oder Weintrauben. Trockenfrüchte werden in der Bäckerei vielfach verwendet, vor allem für Früchtebrote.
Vanille: Von der exotischen Vanilleschote wird das Innere, nämlich das Vanillemark verwendet. Die lederartigen dunklen Schoten werden immer längs aufgeschnitten und dann beispielsweise in Milch gekocht. So können sie ihr volles Aroma abgeben. Wird Vanille ungekocht verwendet, so schneidet man die Vanilleschote längs auf, kratzt das Vanillemark heraus und mischt es unter den Teig oder die Creme. Im Teig hinterläßt Vanille zwar feine schwarze Pünktchen, doch schmeckt sie hervorragend. Auch echten Vanillezucker erkennen Sie an den feinen schwarzen Pünktchen.
Vanillezucker: Zucker mit einem Zusatz von mindestens 5% zerkleinerter Vanilleschote, die als dunkle Pünktchen sichtbar sind.
Vanillinzucker: Zucker mit Vanillin, einem künstlichen Vanille-Trockenaroma angereichert. Vanillinzucker ist in Päckchen im Handel und der am meisten verwendete Vanille-Aromastoff.
Veilchen, kandierte: → kandierte Früchte
Walnüsse: Reife Walnüsse werden gerieben als Teigzusatz und halbiert als Belag verwendet. Unreife Walnüsse gibt es in Zuckersirup eingelegt als »schwarze Nüsse«, die für Füllungen und als Dekor verwendet werden.
Weinbeeren: → Rosinen
Zimt: Gewürz aus der getrockneten Rinde vom ceylonesischen Zimtbaum. Gemahlener Zimt ist hellbraun und riecht mild aromatisch im Gegensatz zu Kassia, einer Zimtsorte minderer Qualität von dunklerer Färbung und schärferem Geschmack. Kassia wird bei uns ebenfalls als Zimt verkauft. Zimt wird in der Bäckerei fast ebenso häufig verwendet wie Vanille. Gemahlener Zimt sollte stets in gut verschlossenen Gefäßen aufbewahrt werden, da er sein Aroma leicht verliert. Zimtstangen spielen beim Backen keine große Rolle; sie werden höchstens für Füllungen in Milch mitgegart und dann entfernt.
Zitronat = Sukkade: Kandierte Fruchtschale der besonderen Zitronat-Zitrone vom Zedratbaum.
Zitronen: Wird die Zitronenschale frisch abgerieben als Aroma gebraucht, so dürfen nur ungespritzte Zitronen verwendet werden. Vor dem Abreiben die Schale heiß abwaschen und abtrocknen.
Zucker: Im allgemeinen wird zur Bäckerei Zuckerraffinade verwendet. Für besondere Gebäckarten, beispielsweise Honigkuchen und Lebkuchen, nimmt man Farinzucker. Zum Besieben, aber auch für besondere Rezepte, wird Puderzucker bevorzugt.
Zuckerstreusel: Bunter Zucker in Streuselform zum Verzieren von Gebäck.

Lexikon der Backkunst

Von A bis Z finden Sie hier die wichtigsten Begriffe zum Thema Backen. Außerdem geben wir im Lexikon noch kurze Beschreibungen spezieller Gebäcke, Kuchen und Torten für den Fall, daß Sie auch diese einmal probieren wollen. Backen können Sie diese Spezialitäten dann leicht mit Hilfe des entsprechenden Grundrezeptes und den Hinweisen auf das Aussehen des fertigen Gebäcks sowie nach den Vorschlägen in dem einschlägigen Kapitel »Verzieren«. Das Lexikon erläutert aber ebenso alle handwerklichen Begriffe, die Ihnen in den Rezepten begegnen und über die Sie sich vielleicht noch einmal genau informieren möchten.

Aachener Printen: Rechteckige, längliche braune Lebkuchen, entweder mit Zuckerguß versehen oder mit grobem Zucker bestreut. Eine Spezialität der Stadt Aachen.
Albertkekse: Kekse, für die auf eine Menge von 1 kg Mehl oder / und Speisestärke mindestens 120 g Butter oder Margarine verarbeitet werden.
Almond fingers: Englische Plätzchen, auf deutsch Mandelfinger. Es sind gefüllte Mürbeteigplätzchen; die Füllung besteht aus Marmelade und einer Mandelmakronenmasse.
Amaretti: Italienische Mandelmakronen, die vor dem Backen mit Puderzucker besiebt werden.
Amerikaner: Flaches, halbkugelförmiges Gebäck aus einem ziemlich festen Rührteig mit Backpulver. Vom Teig werden Kreise auf das Backblech gesetzt; beim Backen geht das Gebäck halbkugelförmig auf. Die flache Seite der Amerikaner wird nach dem Backen mit hellem Zuckerguß überzogen.
Äpfel im Schlafrock: Geschälte, ausgehöhlte Äpfel werden mit Marmelade gefüllt, in Blätterteig oder Hefeteig eingeschlagen und auf dem Backblech bei etwa 200° 20–25 Minuten gebacken.
Apfeltaschen: Quadrate aus Blätterteig oder Plunderteig werden mit feinen Apfelscheibchen, nach Belieben mit Rosinen gemischt, gefüllt, zusammengeschlagen und auf dem Backblech bei etwa 200° 20–25 Minuten gebacken. Die Apfeltaschen vor dem Servieren mit einer Zuckerglasur überziehen.
Apostelkuchen: Ein Kranzkuchen aus dem gleichen Teig wie Brioches. Das Rezept finden Sie auf Seite 221.
Aprikotieren: Erhitzte, durchpassierte Aprikosenmarmelade über ein Gebäck streichen, entweder als Glasur oder als Isolierschicht unter Glasuren und Creme- oder Obstfüllungen.
Aufbacken: Kurzes, nochmaliges Backen von bereits fertigem Gebäck, das durch langes Lagern an Frische eingebüßt hat. Beispiel: Brötchen, Hefe-, Plunder- oder Blätterteigteilchen; nur bei Gebäck ohne Zuckerguß möglich.
Ausbacken: Gebäck schwimmend in heißem Pflanzenfett oder Schmalz backen. (→ Fritieren, Seite 27.)
Backen: Backen ist Garen von Teigen (Gebäck) oder teigartigen Massen (Aufläufe, Pasteten) in trockener Hitze bei Temperaturen von 120–250° im Backofen. Das Backgut bräunt während des Backens. Die anfangs trockene Luft im Backofen wird während des Backvorgangs feucht, da das Backgut Feuchtigkeit abgibt. Das Backgut gart in einer Backform, in einer Auflauf- oder Pastetenform oder auf dem Backblech. Backtemperaturen und Garzeiten richten sich nach der jeweiligen Backmasse, nach deren Größe und Form und nach dem Gefäß, in dem das Backgut gebacken wird.
Bain-marie: → Wasserbad
Baiser = Meringe, Meringue, Schaumgebäck: Lockeres, zartes Gebäck aus Eiweiß und Zucker, nach Belieben mit Schokolade oder / und geriebenen Mandeln oder Nüssen gemischt. Das schalenförmige oder in Kringel oder Streifen gespritzte Gebäck wird gerne mit Schlagsahne oder Eiscreme gefüllt. Das Wort Baiser kommt aus dem Französischen und bedeutet Kuß. Diese Bezeichnung für Schaumgebäck wurde aber in Deutschland erfunden, in Frankreich heißt es meringue.
Baklava: Ein sehr süßes orientalisches Gebäck aus Strudelteig mit einer Füllung aus gehackten Mandeln, Pistazien und Walnüssen. Der Strudelteig wird dünn ausgerollt und in vier gleich große Teigplatten geschnitten. Sie werden, jeweils mit Füllung dazwischen, aufeinandergelegt und auf dem Backblech gebacken. Der Strudel wird mit Honig übergossen und in kleine Vierecke geschnitten.
Bärentatzen: Kleingebäck aus Mürbe- oder Rührteig in besonderen Förmchen gebacken, ähnlich wie französische Madeleines, → Rezept Seite 166.
Bärnbrötchen = Rosinenbrötchen: Brötchen aus Hefeteig mit Milch angerührt und mit Rosinen angereichert.
Barches: Jüdische Brötchen aus reinem Weizenmehl für den Sabbat bereitet; auch Sabbatbrot genannt.
Baumkuchen: Spezialität von Konditoreien, die für Baumkuchen eigene Backwalzen zur Verfügung haben. Der Teig wird aus $1^1/_2$ Teilen Butter, 1 Teil Zucker, 1 Teil Mehl und Speisestärke sowie 3 Teilen Eier bereitet und nach Belieben mit geriebenen Mandeln verfeinert. Der Teig wird in dünnen Schichten auf der sich drehenden erhitzten Walze gebacken; sobald die jeweils äußere Schicht fast gar ist, wird die nächste Teigschicht aufgetragen. Die fertige Kuchenröhre wird mit Zucker-, Nougat- oder Schokoladenglasur überzogen. – Im privaten Haushalt wird Baumkuchen aus der gleichen Teigmasse in der Springform gebacken. Man streicht eine dünne Teigplatte auf den mit Pergamentpapier ausgelegten Boden der Springform, bäckt die Schicht kurz und streicht eine neue Schicht darauf. Jeweils 3 Teigschichten werden aus der Form genommen und mit Gelee oder angerührter Marzipan-Rohmasse mit weiteren Teigschichten zusammengesetzt.
Beignets: Fritierte Küchlein aus Obst, das in Ausbackteig gehüllt und in heißem Fett schwimmend ausgebacken wird; → Rezept: Feine Apfelbeignets Seite 225.
Beignets aux fraises: Französisch für Erdbeerküchlein: Die Erdbeeren werden in Ausbackteig getaucht und schwimmend in heißem Fett ausgebacken.
Berliner Pfannkuchen = Berliner Ballen, Krapfen: Hefekugeln, in heißem Fett schwimmend ausgebacken, meist mit Marmelade gefüllt und mit grobem Zucker besiebt, → Silvesterkrapfen, Rezept Seite 190.
Besieben: Gebäck mit Puderzucker oder Kakaopulver bestreuen, wobei Zucker oder Kakao in ein Haarsieb gegeben und durch Schwenken des Siebes gleichmäßig über das Gebäck verteilt werden.
Biskotten = österreichisch für italienisch Biscotto: In Österreich versteht man unter Biskotten Löffelbiskuits, in Italien unter Biscotto Kekse oder Plätzchen oder allgemein Teegebäck.

Lexikon der Backkunst

Blechkuchen: Kuchen, die auf dem Backblech, nicht in einer Kuchenform gebacken werden.
Blindbacken: Ein Mürbeteigboden mit Rand wird ohne Füllung vor- oder fertiggebacken. Damit der Teigrand nicht einsinkt, füllt man zum Blindbacken auf den Kuchenboden getrocknete Erbsen, Bohnen oder Linsen. Vorgebackene Kuchen werden dann mit der Füllung fertiggebacken, fertiggebackene Kuchen werden meist mit Obst gefüllt und nicht mehr gebacken.
Blini = Plinsen: Kleine, in einer besonderen Pfanne gebackene Hefepfannkuchen aus Weizen- oder Buchweizenmehl, meist mit saurer Sahne gereicht; eine russische Spezialität.
Blitzkuchen: Flacher Kuchen, meist auf dem Backblech gebakken, aus Butter, Eiern, Mehl und Zucker ohne Backpulver, mit Mandelblättchen bestreut und in Rauten oder Streifen geschnitten. – Manchmal werden aber auch Eclairs oder Liebesknochen, → Liebesknochen, als Blitzkuchen bezeichnet.
Bohnentorte = Falsche Mandeltorte: Biskuittorte aus einem Biskuitteig mit Backpulver, dem weichgekochte weiße Bohnen zugegeben werden. Wichtig ist die Zugabe von etwas Bittermandelöl, denn dieses schafft den Mandelgeschmack, der von den weißen Bohnen ablenken soll.
Chantilly: Französisch für Schlagsahne.
Charimsel: Jüdisches Schmalzgebäck für das Passah-Fest. Die Grundlage für dieses Gebäck sind Matzen, nämlich das ungesäuerte Spezialbrot. Matzen können Sie im Reformhaus kaufen. Die Matzen werden zum Teil eingeweicht, zum Teil gerieben und mit Gänseschmalz, Zitronenschale, Zucker, Zimt und Eiern sowie gemahlenen Mandeln verknetet. Aus dem Teig kleine, runde Scheiben formen und in heißem Schmalz schwimmend ausbacken.
Charlotte: Ein Cremedessert, das stets in einer Hülle aus Biskuitgebäck, Baumkuchen oder Waffeln serviert wird; → Charlotte Royal, Rezept Seite 257.
Cookies: Englisches Wort für Mürbeplätzchen, die hauptsächlich zum Tee gereicht werden; amerikanisch auch für Weihnachtsplätzchen.
Creme Chantilly: Schlagsahne, die mit Zucker und Vanille oder auch mit anderen Geschmackszutaten abgeschmeckt wurde.
Dampfnudeln: Klöße aus leicht gesüßtem Hefeteig, im Dampf im festgeschlossenen Topf in Milch und Butter gegart und warm mit Vanille- oder Weinschaumsauce serviert.
Dauerbackwaren: Gebäck mit relativ langer Haltbarkeit und daher lagerfähig, wie beispielsweise Zwieback, Hartkekse, Löffelbiskuits, ungefüllte Waffeln, Oblaten, Russisches Brot.
Dresdner Stollen: Schwerer Christstollen mit Rosinen, Zitronat und Mandeln angereichert. → Christstollen, Rezept Seite 148.
Dressieren: Das Formen von Gebäckstücken mit dem Spritzbeutel (Dressierbeutel).
Duchesses: Mit Nougat gefüllte Plätzchen, eine Spezialität aus der Normandie, aus feinem Rührteig mit Marzipan und mit Mandeln bestreut. – Mit Duchesses werden aber auch kleine Krapfen aus Brandteig bezeichnet, die in heißem Fett schwimmend ausgebakken werden. Die Krapfen werden meist halbiert und süß gefüllt.
Eiserkuchen: Dünne, trockene Waffeln aus Oblatenteig in besonderen Formen gebacken und zu Tütchen oder Röllchen geformt. → Rezept für Zimtwaffeln auf Seite 103.
Elisenlebkuchen: Feinste Lebkuchenart, deren Teig zu $^1/_2$–$^1/_3$ aus Mandeln oder Haselnüssen und höchstens $^1/_{10}$ aus Mehl oder / und Speisestärke besteht; auf Backoblaten gebacken.
Fettgebäck = Schmalzgebäck: Gebäck, in heißem Pflanzenfett oder Schmalz schwimmend ausgebacken (fritiert).
Feuilletes: Französische Blätterteigplätzchen in Form von kleinen, dünnen Quadraten. Das Wort Feuillete kommt aus dem Französischen und bedeuted dünnes Blatt. Feuilletes werden vor allem zu feinen, aber herzhaften Vorspeisen gereicht wie Kaviar, Gänseleberpaste oder geräuchertem Lachs.
Frangipan oder Franchipan: Füllung aus Makronenmasse oder Mandelmasse für Törtchen.
Frankfurter Brenten: Kleingebäck aus geriebenen Mandeln, Puderzucker, Mehl, Eiweiß und Rosenwasser, das in besonderen Förmchen – ähnlich den Springerle – gebacken wird.
Fritieren: Ausbacken von Gebäck schwimmend in heißem Pflanzenfett oder Schmalz. → ausführliche Behandlung auf Seite 27.
Gargouillau: Französischer Birnenkuchen aus einem Biskuitteig mit Backpulver, der schichtweise mit Birnenscheiben in die Form gefüllt wird.
Garprobe: Für die verschiedenen Gebäckarten gibt es besondere Arten von Garproben.
Bei Plätzchen genügt es, sich an der Oberflächenbräune zu orientieren. Ist ein Plätzchen gelb bis goldbraun, ist es auch durchgebacken.
Flache Honigkuchen oder Biskuitplatten hinterlassen keine Druckstelle, wenn sie durchgebacken sind. Bleibt der Fingerdruck auf der Kuchenplatte sichtbar, ist sie noch nicht durchgebacken.
Am wichtigsten ist die Stäbchenprobe. Kuchen in der Form, aber auch Stollen, Zöpfe und Laibe müssen vor dem Herausnehmen aus dem Backofen geprüft werden, ob sie auch wirklich durchgebacken sind. Stechen Sie an der höchsten Stelle des Gebäcks mit einem Holzstäbchen oder Zahnstocher hinein; bleiben keine Teigreste am Holzstäbchen hängen, ist das Gebäck durchgebacken.
Gâteau: Französisches Wort für Kuchen und Torten. Ursprünglich war ein gâteau ein Zwischengericht oder ein Dessert, das wegen seiner Empfindlichkeit rasch verzehrt werden mußte.
Gebildgebäck: Gebäck in bestimmten Formen oder Figuren; ursprünglich besonders geformte Brote für kultische oder religiöse Anlässe. → Grittibänz, Rezept Seite 158.
Gerinnen: Ein Teig, eine Creme oder Sauce können gerinnen, wenn die einzelnen Zutaten ungleich temperiert sind. Ein geronnener Teig oder geronnene Creme bilden winzig kleine Klümpchen und lassen sich nur durch Erwärmen im heißen Wasserbad (→ Seite 299) wieder zu einer homogenen Masse verrühren.
Germ: Österreichische Bezeichnung für Hefe.
Gewürzplätzchen: Runde Plätzchen, oft aus Honigkuchenteig, aber auch aus Rührteig hergestellt und mit verschiedenen Gewürzen intensiv aromatisiert.
Gezogene Küchle = ausgezogene Nudeln, Fensterküchle: Rundes Hefe-Schmalzgebäck, das in der Mitte fast papierdünn ausgezogen ist und einen wulstigen Rand hat.
Ginger nuts: Amerikanisch/englisches Ingwergebäck, meist aus Mürbeteig hergestellt, mit Ingwer gewürzt und mit kandiertem Ingwer gemischt und belegt.
Giraff-Torte: Torte aus Schokoladenbaiser mit weißbrauner Tupfenglasur.
Glums = Glumse: Ostpreußische Bezeichnung für Quark.
Grasmere Gingerbread: Ein Traum von einem mit reichlich Ingwer gewürztem Mürbeteigkuchen, der nach dem englischen

Städtchen Grasmere benannt wurde. Ein Teil des Mürbeteigs wird fest auf das Backblech gedrückt, der zweite Teil wird als Streusel darüber gestreut.
Grillage-Torte: Eine Torte aus Blätterteigböden, in die Zucker eingerollt wurde, mit Buttercreme und Sahne gefüllt und garniert.
Hasenöhrle: Süddeutsche und schweizerische Bezeichnung für Schmalzgebäck in spitzer Form.
Hippen: Zarte Waffelröllchen, entweder aus dem gleichen Teig wie Schlotfeger gebacken, → Rezept Seite 85, oder aus flüssigem Teig ohne Marzipan, der dünn auf das Backblech gestrichen und nach dem Backen gerollt wird; auch als Hohlhippen bekannt.
Hobelspäne: Gebäck aus einem Knetteig mit Backpulver und Schmalz, der ausgerollt und in 2 cm breite Streifen ausgerädelt wird. Die Streifen werden im heißen Schmalz schwimmend ausgebacken.
Holländischer Mandelkuchen: Stollenähnliches Hefegebäck mit Mandelfüllung, das stets aprikotiert (→ Seite 38) oder mit Zuckerlösung glasiert wird.
Hollerküchle: Schmalzgebäck aus frischen Holunderblüten. Die Blütendolden werden am Stiel in einen Ausbackteig getaucht und schwimmend in heißem Fett ausgebacken.
Indianerkrapfen: Österreichische Bezeichnung für Mohrenköpfe.
Ischler Törtchen: Runde Plätzchen aus Mürbeteig mit Mandelanteil, die mit Himbeermarmelade bestrichen und mit Ringen aus dem gleichen Teig, mit Puderzucker besiebt, belegt werden.
Kalter Hund: Ein Kuchen, der aus Leibnizkeksen oder anderen trockenen Keksen mit einer Schokoladenmasse aus Eiern, Zukker, Kakao und Kokosfett zusammengesetzt wird.
Kameruner: Schmalzgebäck aus Krapfenteig, kleiner als Silvesterkrapfen und ohne Füllung. → Silvesterkrapfen, Rezept Seite 190.
Karamel: Geschmolzener Zucker, der sich durch das Erhitzen hell bis kräftig braun färbt. Man karamelisiert Zucker meist mit Butter, hauptsächlich wegen der dabei entstehenden Geschmacksnuance.
Karlsbader Oblaten: Hauchfeine, meist runde Waffeln, dünn mit Mandeln und Zucker gefüllt, selten mit Schokolade überzogen.
Kartoffeltorte: Ursprünglich wurde die Kartoffeltorte in Krisenzeiten als sättigendes Gericht gebacken. Da sie großen Anklang fand, wurde sie für »gute« Zeiten zur Delikatesse aufgewertet. Etwa 300 g durchgepreßte gekochte Kartoffeln mit 50 g in Rum getränkten Rosinen, 50 g gewürfeltem Orangeat, abgeriebener Zitronenschale, 4 Eiern, 200 g Zucker, 1 Prise Salz, 100 g Mehl und/oder Speisestärke, 1 Päckchen Backpulver und 150 g geriebenen Haselnüssen verarbeiten, in einer Springform backen und mit Zuckerguß mit Rum überziehen.
Kletzenbrot = Hutzelbrot, Birnenbrot: Das Rezept für Hutzelbrot finden Sie auf Seite 150.
Klöben: In Schleswig-Holstein und Hamburg beliebtes Hefegebäck in Form eines Weckens, mit Trockenfrüchten angereichert.
Kneten: Die Bestandteile eines Teiges zunächst mit dem Rührlöffel, am besten aber gleich mit beiden Händen kräftig durcharbeiten, bis eine glatte, geschmeidige Masse entsteht.
Knüppel = Berliner Knüppel: Berliner Spezialität, sehr fettreiches Kleingebäck in Brötchenform.
Königsberger Marzipan: Ausgestochene Marzipanformen mit einem Reliefrand, der stets »geflämmt« wird (geflämmt = überbacken).

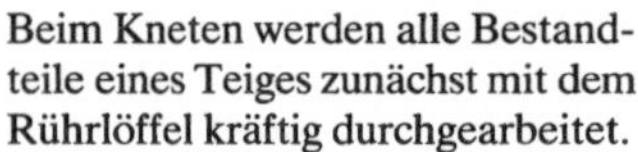

Beim Kneten werden alle Bestandteile eines Teiges zunächst mit dem Rührlöffel kräftig durchgearbeitet.

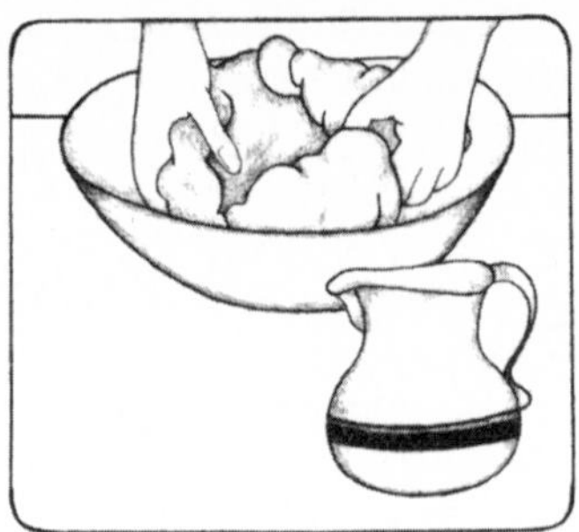

Am besten gerät ein Teig, wenn man ihn kräftig mit den Händen knetet; nur so hat man die gewünschte Konstistenz im »Griff«.

Krachgebäck: Ein Gebilde aus etwa walnußgroßen Windbeuteln, die mit Buttercreme gefüllt werden. Die Windbeutel pyramidenartig mit sehr steifem Karamel über einer umgestülpten Eisbombenform aufbauen. In Frankreich wird das Krachgebäck – dort heißt es croquembouche – in dieser Form als festliches Dessert zu Mokka angeboten.
Krokant: Konfektmasse aus mindestens 20% Mandeln oder Nüssen und karamelisiertem Zucker.
Lebkuchen = Pfefferkuchen: Gewürzgebäck aus Mehl, Zucker, Honig, Eiern und Fett, mit den speziellen Lebkuchengewürzen (fertige Gewürzmischungen im Handel) aromatisiert.
Lefser: Kleine, dünne runde Fladenbrote, ähnlich dem Knäckebrot, eine skandinavische Spezialität.
Liebesknochen = Eclair: Länglich geformtes Gebäck aus Brandteig, mit Mokka-Sahne gefüllt und mit Mokka-Zuckerguß überzogen.
Leipziger Lerchen: Törtchen mit eingebackener Mandelfüllung.
Liegnitzer Bomben: Gefüllte Honigkuchen in runder, bombenähnlicher Form. → Liegnitzer Honigkuchen, Rezept Seite 151.
Liwanzen: Böhmisches Hefegebäck, das in einer speziellen Muldenpfanne gebacken wird.
Lübecker Marzipan: Geformtes Rohmarzipan mit Zucker.
Mandelbrot: Dünne Gebäckscheiben aus je 1 Teil geriebenen Mandeln, Eiern und Zucker, nach Belieben auch zusätzlich mit Mehl und Butter angereichert.
Marillen: Österreichisch für Aprikosen.
Matze = Mazze: Knäckebrotdünnes Gebäck aus besonderem Mehl und Wasser ohne Sauerteig und Salz hergestellt; das jüdische Osterbrot.
Meringe = Meringue, Meringage, Meringel, Baiser: Schaumgebäck aus Zucker und Eiweiß.
Mirlitons: Blätterteigtörtchen mit Mandelfüllung, eine normannische Spezialität.
Mozartkugeln: Konfektkugeln aus Trüffel- und Marzipanmasse hergestellt, mit Schokolade überzogen.
Mozartzopf: Hefeteigzopf mit Zitronat und Orangeat, aus acht Strängen geflochten.
Muzenmandeln: Rheinisches Schmalzgebäck in Mandelform aus einem ähnlichen Teig wie die rheinischen Muzen. → Rezept Seite 192.
Napfkuchen = Gugelhupf: Rührkuchen oder Hefekuchen, nach

Lexikon der Backkunst

vielfältigen Rezepten in der Napfkuchenform oder Gugelhupfform gebacken. → Backformen, Seite 285.
Negerküsse: Zäher, weicher Zuckerschaum in Kuppelform auf einer Waffelunterlage, mit Schokolade überzogen.
Nidelwähe: Nidel ist die Schweizer Bezeichnung für Sahne. Die Nidelwähe ist ein mit Backpflaumen und Walnüssen gefüllter Mürbeteigkuchen, der mit einem Sahneguß überbacken wird.
Nonnenkräpfchen = Nonnenplätzchen: Kleine, kugelige, stark gewürzte Honigkuchen.
Nürnberger Lebkuchen: Lebkuchen, vorwiegend Elisenlebkuchen, die nach bestimmten Rezepten in Nürnberg industriell hergestellt werden.
Obers: Österreichische Bezeichnung für Sahne.
Oliebollen: Kleines Hefeteiggebäck, schwimmend in heißem Fett ausgebacken, eine holländische Silvesterspezialität.
Osterlamm: In kleinen Lammformen gebackener Biskuitteig, den Sie nach dem Grundrezept → Wiener Masse, Seite 31, herstellen können.
Othello-Masse: Biskuitteig für Mohrenköpfe, → Rezept Seite 133, aus dem Kleingebäck, aber auch Tortenböden hergestellt werden.
Palatschinken: Österreichische Mehlspeise, mit Obst, Konfitüre, Quark (Topfen) oder Creme gefüllte dünne Eierpfannkuchen.
Pane degli angeli: Italienische Bezeichnung für Engelsbrot, dünne Biskuitschnitten.
Patience-Gebäck: → Russisches Brot
Pâtisserie: Französische Bezeichnung für Konditorei und für alles Gebäck, das in einer Konditorei angeboten wird.
Pfefferkuchen: Braune Lebkuchen aus dunklem Teig.
Pfitzauf: Eierkuchenteig, der in kleinen Auflaufformen in Tassen oder Aluförmchen gebacken wird.
Pfundkuchen: Kuchen aus 500 g Teigmasse, zu gleichen Teilen aus Butter, Zucker, Eiern und Mehl/Speisestärke bestehend. Nach Belieben kann der Pfundkuchen mit Trockenfrüchten oder mit Kakaopulver und einem Zusatz von Backpulver angereichert werden.
Pie: Englisch/amerikanische Bezeichnung für gefüllte Teigkrusten aus Mürbeteig oder Blätterteig in runden oder viereckigen flachen Formen gebacken → Backformen, Seite 286. Die Füllung besteht aus Obst, Nußmasse (→ Sweet Pecannut Pie, Seite 60), Fleisch oder Geflügel.
Piroggen: Kleines russisches Hefegebäck, mit Fisch-, Fleisch- oder Gemüsefüllung als Beilage, mit Nußfüllung als Dessert oder Kaffeegebäck.
Pischinger Torte: Schokoladentorte aus Karlsbader Oblaten bestehend, mit Mandel-Schokoladencreme gefüllt und mit Kuvertüre überzogen.
Plattenkuchen: Ein Blechkuchen, meist aus leichtem, dünnem Hefeteig, mit Butterflöckchen belegt, gebacken und danach mit Zuckerguß überzogen. → Ländlicher Butterkuchen, Rezept Seite 231.
Platz = Blatz: Rheinische Bezeichnung für leicht gesüßtes Hefegebäck in Form eines Brotlaibes, vielfach aber auch in der Kastenform gebacken; in Franken ist Platz auch ein Blechkuchen z. B. Zwiebelplatz!
Plumcake: Englischer Kuchen aus schwerem Rührteig mit hohem Anteil an Trockenfrüchten, der flambiert aufgetragen wird.
Prasselkuchen: Sächsischer Blätterteigkuchen, auf dem Backblech gebacken, reichlich mit Streusel bestreut und mit einer Zukkerglasur überzogen.
Printen: → Aachener Printen
Profiteroles: Französische Windbeutel, die mit einer Eiercreme gefüllt und mit einer noch lauwarmen Sauce aus aufgelöster Schokolade übergossen werden. – Italienisch für kleine Windbeutel aus Brandteig mit Himbeeren und Sahne gefüllt und mit Himbeermasse überzogen; schweizerisch auch für Backerbsen.
Putitze: Kärntner Hefestollen, mit Mohn, Mandeln oder Nüssen gefüllt.
Räderkuchen = Rädergebäck: → Hobelspäne
Reiben: Feste Backbestandteile auf dem Reibeisen oder in der Mandelreibe zerkleinern.
Ricottatorte: Italienische Quarktorte auf einem Mürbeteigboden, mit einem Gitter aus Mürbeteig belegt.
Rodonkuchen: Feiner Rührkuchen in einer Napfkuchenform gebacken. Zum Teig werden nach Belieben geriebene Nüsse, geriebene Schokolade, Kakaopulver, Trockenfrüchte oder Quark gegeben. Der Kuchen wird zuletzt mit Kuvertüre überzogen.
Rosenküchlein: Mehrschichtige Mürbeteigplätzchen, schwimmend in heißem Fett ausgebacken. → Gelee-Rosen, Rezept Seite 223.
Rosinenbrötchen: Hefebrötchen, mit Milch, Zucker und Fett bereitet und mit Rosinen gemischt.
Rühren: Flüssige oder cremige Substanzen durch Rühren mit dem Kochlöffel, dem Schneebesen oder den Rührbesen der Küchenmaschine in eine homogene Masse verwandeln.
Russisches Brot: Leichtes bräunliches Gebäck aus Eiweiß mit Puderzucker und Mehl in Form von Buchstaben und Zahlen.
Sablé: Das Wort kommt aus dem Französischen und bedeutet eigentlich Sand. Der Sandteig, aus dem Sabléplätzchen bestehen, ist ein Mürbeteig aus 1 Teil Zucker, 2 Teilen Butter und 3 Teilen Mehl/Speisestärke. Die Plätzchen werden wie Heidesand (→ Rezept Seite 173) in Scheiben geschnitten.

Flüssige oder cremige Substanzen werden mit dem Rührlöffel oder dem Schneebesen zu einer homogenen Masse gerührt.

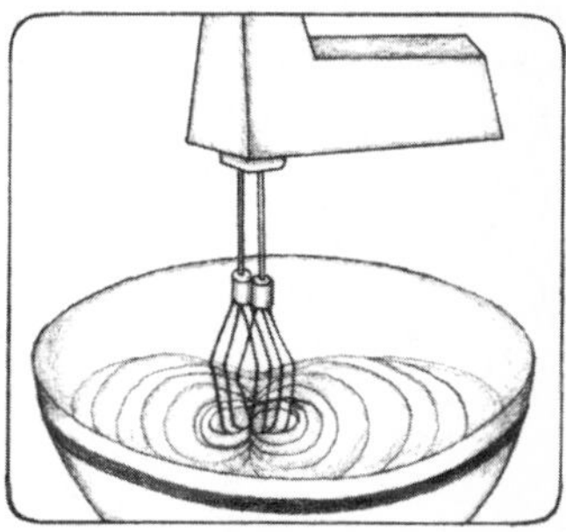

Rascher und müheloser rühren Sie flüssige oder cremige Substanzen mit den Rührbesen/Quirlen des elektrischen Handrührgeräts.

Sbrinzkuchen: Herzhafter Käsekuchen aus der Inneren Schweiz.
Schaumgebäck: → Baiser oder Meringe
Schlagen: Teig können Sie mit einem kräftigen Rührlöffel oder mit den Händen schlagen, nicht jedoch mit dem Rührgerät. Wichtig ist dabei, daß mit dem Rührlöffel oder mit den Händen der

Teig von unten hochgehoben und fest mit dem restlichen Teig zusammengeschlagen wird.
Schlagobers: Österreichisch für Schlagsahne.
Schlagrahm: Süddeutsch für Schlagsahne.
Schmant oder Schmand: Ostpreußisch für Sahne.
Schwäne: Kleine Brandteiggebilde, an die mit dem Spritzbeutel

Beim Schlagen eines Teiges kommt es darauf an, daß der Teig immer wieder von unten nach oben gehoben und fest zum restlichen Teig zurückgeschlagen wird.

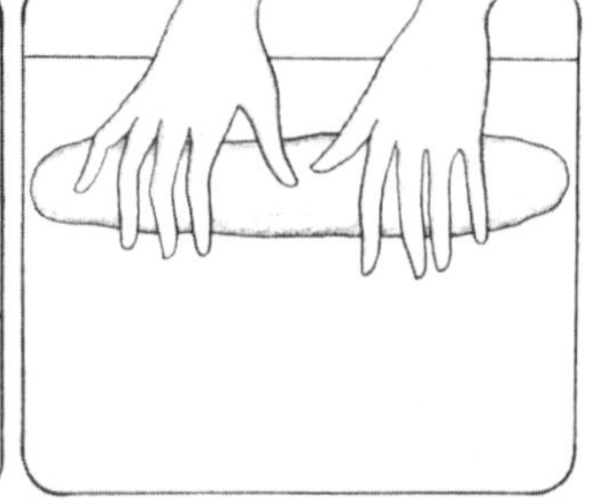

Geschlagener Teig wird anschließend geformt, meist gerollt. Den Teig auf leicht bemehlter Arbeitsfläche locker mit beiden Händen hin und her rollen.

Hälse und Köpfe gespritzt werden. Das fertige Brandteiggebäck wird halbiert und mit Sahne gefüllt.
Schmelzen: Fett, Nougat oder Schokolade bei sehr milder Hitze (Automatikplatte Schaltstufe I oder im heißen Wasserbad) bis zum Flüssigwerden erhitzen.
Schneeballen: Bällchen aus Brandteig, mit Rosinen und kleingewiegtem Orangeat gemischt, in heißem Fett schwimmend ausgebacken.
Schwaden geben: Für den Backvorgang im Backofen Dampf erzeugen, indem man auf den heißen Boden des Backofens Wasser schüttet.
Schürzkuchen: Mit dem Teigrädchen ausgeschnittene Teigstreifen, die in der Mitte einen länglichen Einschnitt erhalten, durch den zwei Ecken der Teigstreifen gezogen werden. Das Gebäck wird schwimmend in heißem Fett ausgebacken.
Scones: Frühstückshörnchen aus einem festen Rührteig mit Backpulver, die vor allem aus Australien bekannt sind. Sie werden mit Erdbeerkonfitüre und Schlagsahne verspeist.
Sieben: Feste Substanzen durch ein Sieb schütten, um größere Fremdstoffe oder Verunreinigungen, auch Klümpchen, zurückzuhalten.
Snack: Imbiß, der rasch mit der Hand verzehrt werden kann; in der Regel sind deshalb Snacks in mundgerechter Größe zubereitet.
Spitzkuchen: Dicke, kleine braune Lebkuchen in Trapezform, meist mit Schokolade überzogen.
Stäbchenprobe: Die beste Garprobe für Kuchen in der Form, für Stollen, Zöpfe und Laibe. Nach Ende der Backzeit, vor dem Herausnehmen des Kuchens aus dem Backofen, ein Holzstäbchen in die Mitte des Kuchens stecken. Bleiben keine Teigspuren am Holzstäbchen haften, ist der Kuchen durchgebacken.
St-Emilleion: Zarte, auf Pergamentpapier gebackene Mandelmakronen.
Strauben: Schwäbisch-bayerisch für Spritzkuchen. → Rezept Seite 191.
Streusel: Ein Gemisch aus Mehl, Butter und Zucker, das zwischen den Händen zu Streuseln verrieben wird und als Kuchenbelag dient. Das Verhältnis der Zutaten besteht meistens aus 2 Teilen Mehl, 2 Teilen Zucker und $1^1/_2$ Teilen Butter; für besonders feine Streusel werden aber ebenfalls 2 Teile Butter verwendet. Streusel kann mit Zimt oder Vanille aromatisiert werden.
Tarte au citron: Ein Mürbeteigboden, der mit einer feinen Creme aus Butter, Zucker, Eiern, Zitronensaft und Gelatine gefüllt und mit einer Zitronen-Zuckerglasur überzogen wird.
Teebrezel: Besonders zartes Teegebäck aus einem Teig von je 1 Teil Butter, Milch und Zucker. Butter, Milch und Zucker unter Rühren aufkochen, 2 Teile Mehl dazurühren, den Teig etwas abkühlen lassen und 3 Teile Eier unter den Teig ziehen. Brezeln aus dem Teig formen, auf dem Backblech backen und zuletzt mit Vanillinzucker bestreuen.
Terrassentorte: Mehrstöckige Torte. → Hochzeitstorte, Rezept Seite 137.
Tiger Cakes: Englische Mürbeteigtörtchen, mit Kaffee-Buttercreme gefüllt, gehackten Walnüssen bestreut und mit Karamel überzogen.
Topfen: Österreichische Bezeichnung für Quark.
Topfenstrudel: Eine österreichische Spezialität. Ein Strudel mit Quarkcreme gefüllt, die mit Rosinen angereichert ist; → Zwetschgenstrudel, Rezept Seite 224.
Touren: Das Zusammenschlagen von Blätterteig oder Plunderteig nach bestimmten Richtlinien. → Grundrezepte Seite 18.
Tränken: Gebäck mit Fruchtsaft, Zuckerlösung, Sirup oder Spirituosen beträufeln, bis es sich vollgesogen hat, oder in die jeweilige Flüssigkeit stellen.
Träublestorte: Schwäbische Bezeichnung für eine Mürbeteigtorte mit Johannisbeeren gefüllt oder belegt und mit Baisermasse überzogen.
Trüffeltorte: Trüffelmasse besteht aus Schokolade, Sahne und Zucker. Konfektkugeln, die wie Trüffel aussehen, werden ebenfalls Trüffeln genannt. Die Torte ist mit Trüffelmasse gefüllt und mit Trüffelkugeln garniert.
Türkenbrot: Süßes Hefebrot aus 500 g Maismehl und 500 g Weizenmehl, mit Rosinen gemischt.
Überbacken: Auch Überkrusten oder Gratinieren genannt. Gemeint ist das Bräunen der Oberfläche eines bereits garen Gerichtes oder Gebäcks durch starke Hitzeeinwirkung von oben. Zum Überbacken eignet sich am besten der Elektrogrill oder der Backofen, bei eingeschalteter Oberhitze und hoch eingeschobenem Backblech.
Unterheben: Am häufigsten wird vom Unterheben von Eischnee gesprochen. Am besten benützt man zum Unterheben den Kochlöffel und hebt die unter dem Eischnee befindliche Teigmasse immer wieder über den Eischnee, bis er völlig vom Teig bedeckt ist.
Unterziehen: Zum Unterziehen benützt man ebenfalls am besten den Kochlöffel. Man verrührt damit die Zutaten eines Teiges nicht rasch, sondern zieht sie langsam untereinander.
Vacharin: Schweizer Baisertorte mit viel Sahne und Früchten.
Vermicelli-Törtchen: Italienische Spezialität. Mürbeteigtörtchen mit einer Creme aus Milch, Speisestärke, Sahne, Vanille, Rum und pürierten Maronen (Eßkastanien) gefüllt.

Vol au vent: Großes Pastetenhaus, große Blätterteigpastete. → Rezept Seite 140.
Vorbacken: → Blindbacken.
Vorheizen: Den Backofen, das Waffeleisen, den Grill oder das Fett zum Fritieren auf die zu Backbeginn benötigte Temperatur bringen.
Wähe: Schweizer und Elsässer Bezeichnung für einen Kuchen vom Blech mit süßem oder salzigem Belag und mit einem Sahneguß überzogen.
Wasserbad: Für das Wasserbad wird in einem flachen, breiten Topf so viel Wasser zum Kochen gebracht, daß eine etwas kleinere Schüssel darin stehen kann, ohne daß Wasser aus dem Topf in die Schüssel gelangt. In der Schüssel werden empfindliche Substanzen zum Schmelzen gebracht oder schaumig gerührt. Das Wasser im Wasserbad soll nicht sprudelnd kochen, sondern eben unter dem Siedepunkt gehalten werden. Kocht das Wasser auf, gießt man etwas kaltes Wasser zu.
Wespennester: Ein Makronengebäck mit Mandelstiften und Schokolade, das im Backofen mehr getrocknet als gebacken wird.
Wiesbadener Törtchen: Waffelböden, mit einem Marzipanring versehen und mit Ananaskonfitüre gefüllt.
Wurzeltorte: Norddeutsche Bezeichnung für Rüblitorte (Rezept Seite 252).
Wirken: Runde Teigstücke durchkneten, um eine Lockerung zu erzeugen. Längliche Teigformen werden durch seitliches Einschlagen und Abrollen gewirkt.
Zuger Kirschtorte: Torte aus einem unteren und einem oberen Baiserboden und einem mit Kirschwasser getränkten Biskuitboden in der Mitte. Zusammengesetzt und verziert wird die Torte mit rosafarbener (Kirschsaft) Buttercreme und mit Kirschen.
Zürcher Salbeiküchli = Müsli Chüechli: Frische Salbeiblätter werden am Stiel in einen Ausbackteig getaucht und schwimmend in heißem Fett ausgebacken. Die fertigen Küchli mit Puderzucker besieben.

Im Wasserbad werden empfindliche Substanzen geschmolzen, erhitzt oder/und cremig gerührt.

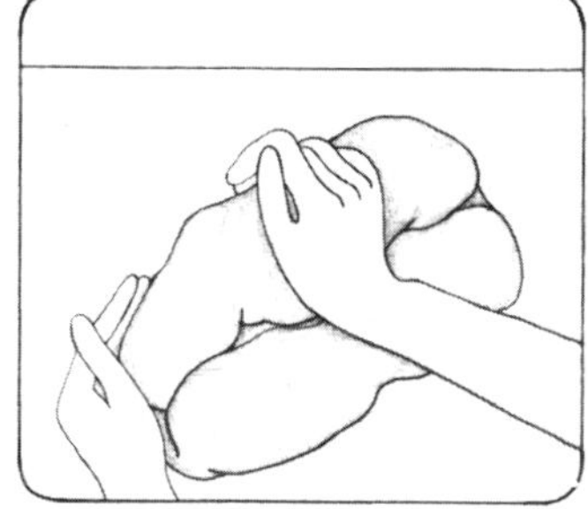

Beim Wirken werden Teigstücke auf der Arbeitsfläche eingeschlagen und etwas ausgerollt.

Kuchen im Gefriergerät

Wer gerne backt und ein Gefriergerät besitzt, kann ohne viel Mehraufwand stets über eine kleine »Konditorei« verfügen. Gebäck und Teig eignen sich mit wenigen Ausnahmen hervorragend zum Einfrieren. Kuchen, Hörnchen, Schnecken, Brot und Brötchen, immer gleich aus der zwei- bis dreifachen Menge gebacken und zu einem Teil eingefroren, ergeben im Laufe der Zeit beachtliche Vorräte. Zudem lassen sich Küchenmaschinen und Backofen optimal ausnützen, wenn gleich größere Mengen hergestellt werden, und der Aufwand an Küchenarbeit lohnt sich erst richtig. Selbst kleine Familien und Einzelpersonen kommen so in den Genuß des Sonntagskuchens – denn nicht sofort gebrauchte Portionen werden eingefroren. Am besten immer nur ein bis zwei Stücke zusammen verpacken, dann läßt sich bei Bedarf rasch ein bunter Teller zusammenstellen; außerdem tauen kleinere Stücke rascher auf, und überraschender Besuch bringt niemanden in Verlegenheit.

● Die ausführliche Tabelle über alle Gebäck- und Teigarten und über Backzutaten am Ende dieses Kapitels informiert auf einen Blick darüber, was sich besonders gut zum Einfrieren eignet und worauf jeweils zu achten ist.

● Zunächst die wichtigsten Grundsätze beim Einfrieren von Gebäck:

7 wichtige Gebote für das Einfrieren

1. Kuchen, die eingefroren waren, sollten nach dem Auftauen nicht erneut eingefroren werden. Die Qualität leidet darunter. Ausnahmen: Kuchen, die aus eingefrorenem rohem Teig gebakken werden, dürfen anschließend noch einmal eingefroren werden.
2. Kuchen, Torten und kleines Gebäck möglichst in Portionen einfrieren, die später auf einmal verbraucht werden können, da aufgetautes Gebäck nicht mehr lange lagern sollte.
3. Gefriergut stets sorgfältig und nur mit gefriergeeignetem Material verpacken und luftdicht verschließen.
4. Das Gefriergut stets an die kälteste Stelle im Gefriergerät legen (Kontakt mit Außenwänden und mit dem Boden des Geräts), wenn vorhanden natürlich ins Vorgefrierfach.
5. Neu eingelegtes Gefriergut nicht mit bereits gefrorenem in Berührung bringen.
6. Frisch eingefrorenes Gefriergut erst nach 24 Stunden dicht neben bereits vorhandenes Gefriergut legen.
7. Im Gegensatz zu allen anderen Gefriergütern dürfen Kuchen und Gebäck noch lauwarm eingefroren werden; dadurch behält das Gebäck auch über die Lagerzeit und das Auftauen hinaus den Geschmack größter Frische.

Richtig verpacken

Die Qualität von Eingefrorenem kann nur erhalten bleiben, wenn es luftdicht verpackt wird und das Verpackungsmaterial seiner Beschaffenheit nach keine ungünstigen Einflüsse auf das Gefriergut ausüben kann. Langjährige Erfahrungen haben ergeben, daß das Material zum Verpacken von Lebensmitteln, die eingefroren werden sollen, unbedingt folgende Qualitätsmerkmale aufweisen muß:

- Es muß lebensmittelecht sein (es gibt Kunststoffe, die nicht lebensmittelecht sind, beispielsweise Folien, in denen sonstige Verbrauchsgüter verpackt werden).
- Es muß kälte- und hitzebeständig sein. Temperaturen von −40° bis +60° dürfen dem Material nichts anhaben, denn beim Abspülen, bei Fertiggerichten auch beim Einfüllen kommen Temperaturen bis +60° vor und im Gefriergerät Temperaturen bis −40°.
- Es muß luft-, gas- und feuchtigkeitsundurchlässig sein, sonst könnten Oxydationsvorgänge einsetzen, außerdem träten ein erheblicher Vitaminabbau und das Austrocknen des Gefriergutes ein.
- Es darf keinen Eigengeschmack und keinen Eigengeruch entwickeln, da sonst Aromen unangenehm verfälscht werden, wie das bei nicht lebensmittelechten Folien geschehen kann.
- Es muß fett- und säurebeständig sein: Beide Substanzen sind in den Lebensmitteln enthalten. Das Verpackungsmaterial darf durch sie nicht angegriffen oder verändert werden.

Derartiges Spezialmaterial zum Verpacken von Gefriergut erhalten Sie in Schreibwarengeschäften, in Supermärkten, in Kaufhäusern und Lebensmittelgeschäften. Achten Sie beim Einkauf aber darauf, daß das Material auch speziell zum Einfrieren geeignet ist, denn Haushaltfolie, Kunststoffbeutel und Kunststoffdosen, die nur zum Frischhalten im Kühlschrank oder zum Transport dienen, werden an gleicher Stelle und in ähnlicher Aufmachung angeboten.

Verpackungsmaterial, das sich zum Einfrieren von Gebäck besonders gut eignet:

Alufolie: Zum Einfrieren von Gebäck ist extrastarke Alufolie in der Stärke von 0,025–0,07 mm das ideale Verpackungsmaterial. Sie läßt sich einfach handhaben, schmiegt sich auch unregelmäßigen Formen gut an und läßt sich zuverlässig luftdicht verschließen. Kuchen, die in der Alufolie auftauen, sind gleichzeitig gut vor dem Austrocknen geschützt. Außerdem kann das Gebäck in der oben geöffneten Alufolie im Backofen aufgetaut und aufgebacken werden.

Aluformen: Sie eignen sich hervorragend für Kuchen – gebacken oder ungebacken – und werden in verschiedenen Größen und Formen angeboten. In Aluformen können fertiggebackene Kuchen oder auch vorgeformter Kuchenteig eingefroren und später im Backofen bei der im Rezept angegebenen Temperatur aufgetaut, aufgebacken oder gebacken werden. Selbstverständlich müssen die oben offenen Aluformen vor dem Einfrieren gut verschlossen werden. Dazu wickelt man sie entweder in extrastarke Alufolie oder steckt sie in Gefrierbeutel.

Material aus Polyäthylenfolie: Es erfüllt fast alle Forderungen an ideales Verpackungsmaterial zum Einfrieren. Man sollte es lediglich nicht direkt mit reinem Fett in Verbindung bringen. Es ist schmiegsam, bei sorgsamer Behandlung mehrmals zu verwenden und in Form von Beuteln, Schlauchfolie und Planfolie in Rollen in verschiedenen Breiten und Größen erhältlich.

- Wichtig: Zum Einfrieren muß es die Stärke von 0,05 mm haben. Die wesentlich dünneren Frischhaltebeutel erkennen Sie deutlich am Griff. Bei mehrmaliger Benützung vorher gut prüfen, ob bestimmt kein noch so kleines Loch im Material ist (mit Wasser füllen). Nach Gebrauch gut heiß mit Spülmittel waschen, mehrmals heiß nachspülen und zum Trocknen aufhängen. Das Material wird entweder mit dem Schweißgerät, mit Gummiringen, mit Kunststoff- oder Metallklips oder mit Klebestreifen verschlossen.

Kunststoffdosen: Sie sind milchig durchscheinend und werden als Becher und eckige Dosen in verschiedenen Größen angeboten. Sie eignen sich gut für empfindliches Gebäck, für Streusel und für Obst, das vorgefroren wurde. Die Dosen werden mit Deckeln angeboten. Die Deckel müssen sehr gut schließen; im Zweifelsfall zusätzlich mit Klebestreifen sichern, damit sie einwandfrei luftdicht sind.

- Wichtig: Auch für den Kühlschrank werden Kunststoffdosen angeboten. Sie sind jedoch nicht zum Einfrieren geeignet. Achten Sie auf den Hinweis: unzerbrechlich, bis −35° kälte-, und bis +95° hitzebeständig.

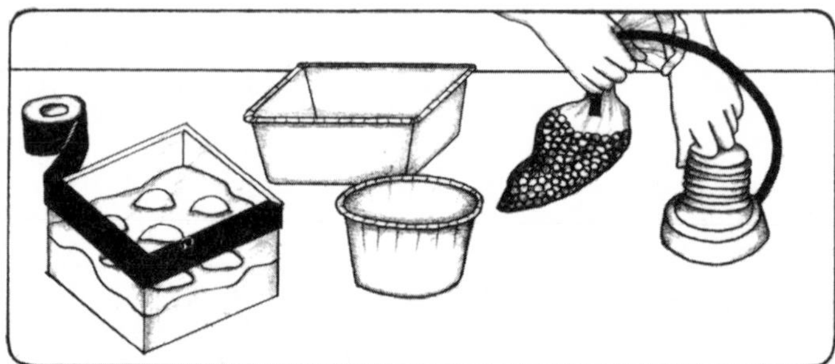

Kunststoffdosen, Aluformen und Joghurtbecher müssen mit Deckel oder Alufolie geschlossen werden. Deckel mit Klebestreifen sichern, Alufolie mit Gummiringen befestigen. Aus Plastikbeuteln die Luft aussaugen.

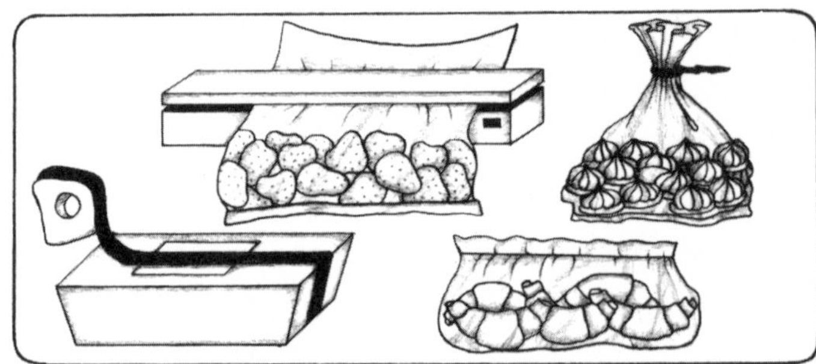

Empfindliches Gebäck am besten in Dosen verpacken. Kunststoffbeutel entweder mit dem Schweißapparat oder mit Spezialverschlüssen aus Plastik verschließen.

Klarsichtfolie: Sie gehört nicht zu den speziellen Verpackungsmaterialien zum Einfrieren, ist aber dennoch ein wichtiges Hilfsmittel, um beispielsweise einzelne Kuchen- oder Tortenstücke, Teiglagen oder Kleingebäck voneinander zu trennen, damit sie sich noch in gefrorenem Zustand voneinander lösen lassen; sie tauen dann rascher auf. Außerdem läßt sich die Verzierung einer Cremetorte beim Vorfrieren durch eine lockere Schicht aus Klarsichtfolie schützen.

Sonstiges Verpackungsmaterial: Joghurtbecher, Quarkbecher, Butterschachteln und Gläser von Marmelade oder Sauergemüse können Sie ebenfalls, gut gereinigt, zum Einfrieren verwenden. Sie eignen sich für Streusel, für Eimasse, Eiweiß, Eigelb, gerie-

Kuchen im Gefriergerät

bene Nüsse oder Sahneverzierungen. Immer darauf achten, daß diese Behälter nicht randvoll gefüllt sind und besonders sorgfältig verschlossen werden!
Zum Verschließen: Hierfür eignen sich je nach verwendetem Verpackungsmaterial Gummiringe, Draht- oder Plastikklips, frostbeständige Klebebänder und das Schweißgerät, mit dem Plastikbeutel luftdicht verschlossen werden.

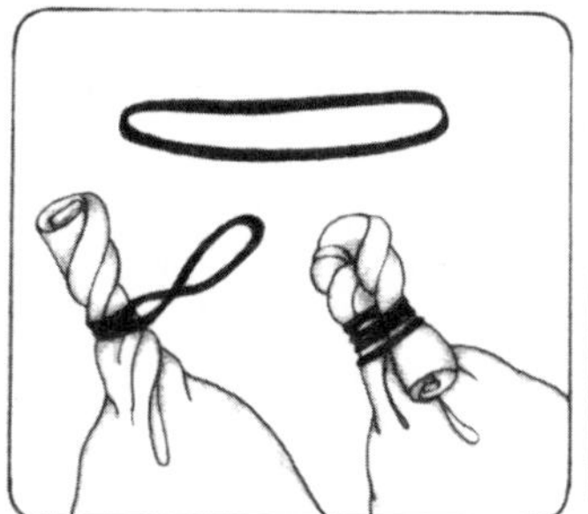

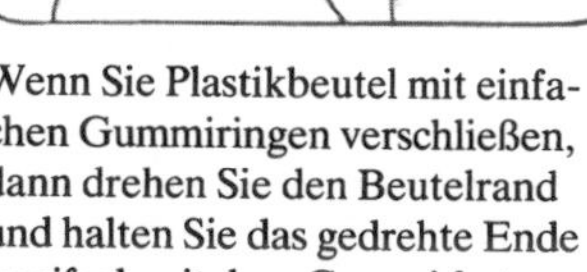

Wenn Sie Plastikbeutel mit einfachen Gummiringen verschließen, dann drehen Sie den Beutelrand und halten Sie das gedrehte Ende zweifach mit dem Gummi fest.

Wird eine Cremetorte vorgefroren, so schlagen Sie sie zunächst locker in Klarsichtfolie, damit die Verzierung nicht beschädigt wird.

Beschriften: Jedes noch so kleine Päckchen sollte unbedingt beschriftet werden. Aus der Beschriftung muß der Inhalt hervorgehen, das Einfrierdatum und Besonderheiten wie beispielsweise »halbierte Früchte«, »ganze Früchte« und so weiter. Entweder benützen Sie dazu kältebeständige selbstklebende Etiketten oder beschriftbare Klebebänder. Schreiben Sie darauf mit einem Kugelschreiber oder mit einem Filzstift. Es gibt auch Stifte, mit denen direkt auf Folie oder Kunststoff geschrieben werden kann.

Worauf es ankommt

Für welches Verpackungsmaterial Sie sich auch entscheiden: Wichtig ist, daß Sie vor dem Verschließen gut die Luft aus den Paketen streichen und das Verpackungsmaterial eng anliegt (Ausnahme Hefeteig. Er dehnt sich im Gefriergerät noch etwas aus, deshalb sollte die Verpackung nur locker anliegen). Bei Alufolie erreichen Sie dies durch Andrücken und doppeltes festes Umknicken der Ränder. Alufolie stets nur einmal zum Einfrieren verwenden, danach nur noch zum Frischhalten oder Abdecken im Kühlschrank. Durch jede Benützung entstehen kleinste, kaum sichtbare Risse – sie würden bei einer nochmaligen Verwendung das Gefriergut austrocknen lassen.
Bei Beuteln saugen Sie die Luft mit einem Trinkhalm oder einem Spezialgerät aus dem Beutel heraus. Dosen, Becher und Gläser niemals vollfüllen, denn das Gefriergut dehnt sich noch etwas aus. Stets 3 cm unter dem Rand freilassen. Deckel nötigenfalls mit Klebestreifen absichern. Dose ohne Deckel mit doppeltgefalteter Alufolie überziehen und die Folie straff durch einen Gummiring befestigen.

Richtig einfrieren

- Niemals zuviel auf einmal einfrieren. Die Menge, die innerhalb von 24 Stunden eingefroren werden darf, richtet sich nach dem Liter-Inhalt Ihres Gefriergeräts und geht aus der Bedienungsanleitung hervor.
- Das Gerät etwa 4 Stunden vor dem Einlegen des Gefriergutes auf »Super« schalten.
- Gefriergut, das noch gefroren verarbeitet werden soll, vorfrieren: Beeren oder Obst für Kuchenbelag, Streusel, Sahneverzie-

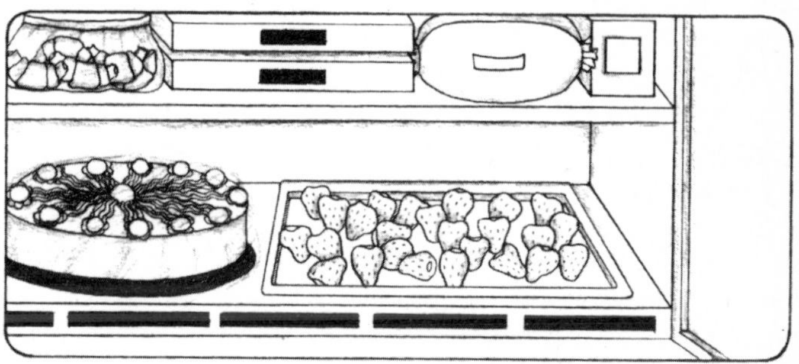

Zum Vorfrieren werden Torten leicht in Klarsichtfolie eingeschlagen, Beeren und Obst für Kuchenbelag auf einer Unterlage so ins Vorgefrierfach gelegt, daß sie sich nicht berühren. Hartgefroren verpacken und richtig einfrieren.

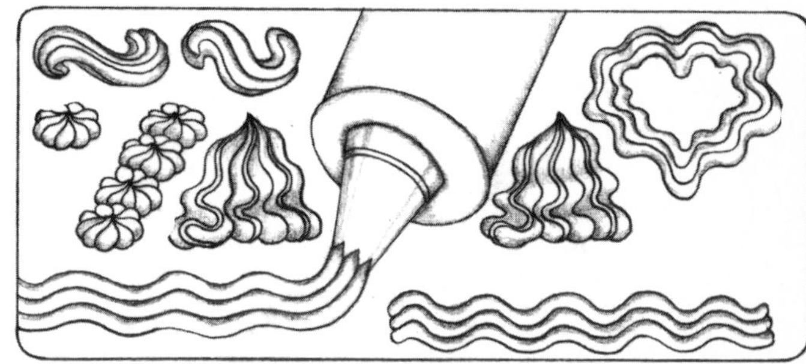

Sahneverzierungen auf Alufolie spritzen, im Vorgefrierfach hartfrieren lassen, dann verpacken und richtig einfrieren. Sahnereste werden auf diese Weise gut verwertet und sind später für Kuchen und Desserts im Nu aufgetaut.

rungen, Tortenstücke oder ganze Torten mit Verzierung unverpackt auf einer Platte ins Vorgefrierfach legen, je nach Größe 1–6 Stunden. Erst hartgefroren verpacken und endgültig einfrieren.
- Ist Ihr Gerät die erforderliche Zeit auf »Super« geschaltet, dann herrscht im Innenraum die tiefste erreichbare Temperatur, wodurch die nötige Gefriergeschwindigkeit garantiert wird.
- Die Kältefront in den einzelnen Paketen dringt bei dieser Temperatur in einer Stunde etwa 0,5 cm in das Gefriergut ein. Die Randzonen sind also rascher gefroren als der Kern.
- Frisch eingelegtes Gefriergut muß deshalb je nach Größe der Pakete bis zu 24 Stunden in tiefstmöglicher Umgebungstemperatur bleiben.
- Nach dem vollständigen Durchfrieren des neueingelegten Gefriergutes wird das Gerät auf die normale Lagertemperatur von −18° zurückgeschaltet. Die Lagertemperatur darf ohne Schaden für das Gefriergut auch tiefer sein als −18°; es schadet zum Bei-

Kuchen im Gefriergerät

spiel nichts, wenn das Gerät länger als erforderlich, auch tagelang, auf »Super« geschaltet bleibt (nur kostet es Strom). Dagegen tritt Qualitätsverlust ein, wenn die Temperatur längere Zeit höher als −18° ist.

Alles über Gebäck im Gefriergerät

- Man kann gebackene Kuchen, Gebäckstücke und Torten einfrieren. Vorteil: Aus dem Gefriergerät nehmen, auftauen lassen, nach Belieben kurz aufbacken – fertig!
- Es gibt also auch Kuchen, wenn überraschend Besuch kommt. Denn der Kuchen ist auf alle Fälle servierbereit, bis der Tisch gedeckt und der Kaffee gekocht ist. Er wird noch gefroren im Backofen aufgetaut und aufgebacken – vorausgesetzt, es handelt sich um keine gefüllte Torte, keinen Kuchen mit Guß und keine Biskuitroulade.
- Man kann aber auch den Teig einfrieren. Nachteil: Er braucht viel länger zum Auftauen und muß anschließend noch gebacken werden. Sie müssen also einplanen, wann es Kuchen geben soll.
- Zum Roh-Einfrieren eignen sich folgende Teigarten: Hefeteig, Rührteig mit Backpulver, Blätterteig, Quarkblätterteig, Honigteig, Brandteig, Mürbeteig. Alle anderen Teigarten eignen sich nicht zum Roh-Einfrieren, weil sie unverzüglich nach dem Bereiten gebacken werden sollen, um ihre Qualität zu bewahren.
- Wenn Teig roh eingefroren wird, dann am besten in einer ausgefetteten Aluform, in der er später gleich gebacken werden kann. Die Form aber oben gut mit Alufolie verschließen, eventuell die ganze Form noch einmal in Alufolie einschlagen.
- Vor dem Backen den Teig bei +20° unverpackt in der Form einige Stunden – je nach Größe – auftauen lassen und dann wie üblich backen, jedoch bei einer Temperatur, die um 20° höher ist als üblich.

Außerdem wird die Form eine Schiene tiefer in den Backofen geschoben, da Alufolie kein guter Wärmeleiter ist.
- Fertige Kuchen, die nach dem Auftauen noch einmal aufgebacken werden sollen, damit sie Duft, Frische und Knusprigkeit wiedergewinnen, schon bei der Vorbereitung nicht zu dunkel bakken und in Alufolie oder in der Form, in der sie gebacken wurden, einfrieren. Beim Aufbacken gegebenenfalls abdecken.
- Gebäck stets bei +20° auftauen oder antauen lassen und 10–20 Minuten aufbacken.
- Das Auftauen dauert bei großen Kuchen und Broten 6–8 Stunden, bei kleineren und flachen Stücken 30–40 Minuten. Trockenes Gebäck taut rascher auf als gefülltes oder Obstkuchen.
- Gefülltes oder mit Glasur überzogenes Gebäck darf nicht aufgebacken werden und muß ausschließlich bei Raumtemperatur vollständig auftauen.
- Bedenken Sie: Eingefrorenes Gebäck trocknet nach dem Auftauen schneller aus als nichteingefrorenes. Frieren Sie deshalb Gebäck stets in Portionen ein, die nach dem Auftauen rasch verbraucht werden können.
- Wenn Sie rohen Teig einfrieren, so formen Sie daraus flache, quadratische Pakete und bestreichen Sie die Oberfläche vor dem Verpacken zum Schutz vor dem Austrocknen mit Öl.

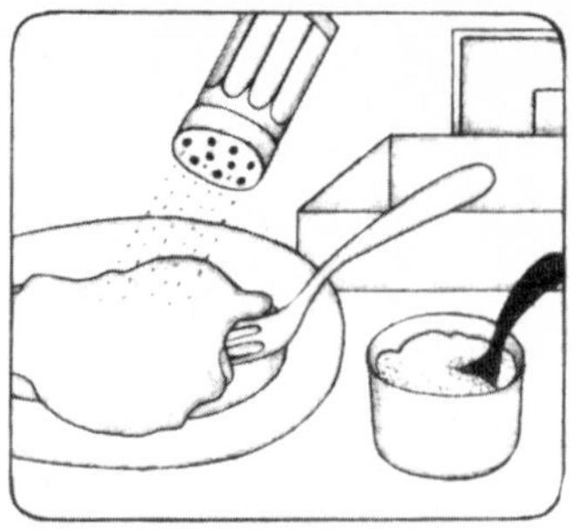

Bleibt Eiweiß übrig, so verquirlen Sie es leicht mit wenig Salz und frieren es in einer Dose ein. Nach dem Auftauen kann es wie frisches Eiweiß verwendet werden.

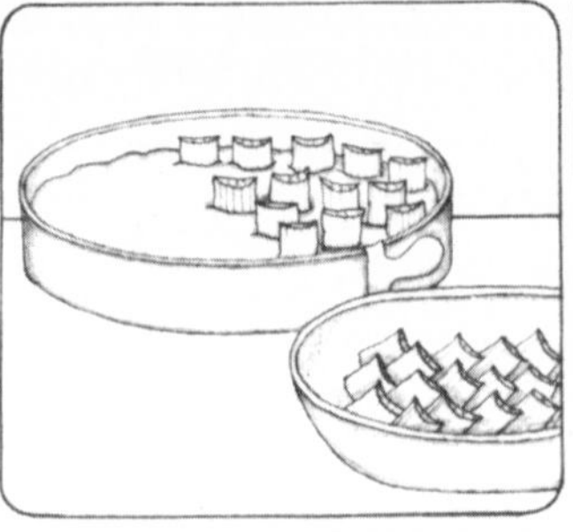

Obstkuchen kann mit vorgefrorenem Obst, das noch gefroren ist, belegt und anschließend gebacken werden. Die Vitamine werden bei einem »versunkenen« Obstkuchen am meisten geschont.

Große Gefriertabelle

Gefriergut	geeignet	haltbar Monate	Beim Einfrieren bedenken	Beim Auftauen bedenken	Ratschläge zum Verwenden
Kuchen und Teig					
Baiser	nicht geeignet				
Biskuitböden	gut	4–5	rund für Kuchen und Torten, rechteckig für Rouladen – Klarsichtfolie zwischen Schichtböden	2–4 Stunden bei +20° auftauen oder noch gefroren bei 180° 15 Minuten aufbacken	eventuell nur angetaut mit Obst belegen, mit Tortenguß überziehen oder mit Creme füllen
Biskuitgebäck, gefüllt	gut	1–3	mit Sahnefüllung und mit französischer Buttercreme gefüllt vorfrieren	2–5 Stunden bei +20° auftauen	noch leicht gefroren in Stücke schneiden – mit Puderzucker besieben
Biskuitteig, roh	nicht geeignet				

Kuchen im Gefriergerät

Gefriergut	geeignet	haltbar Monate	Beim Einfrieren bedenken	Beim Auftauen bedenken	Ratschläge zum Verwenden
Blätterteiggebäck	sehr gut	5–6	ohne Zuckerglasur einfrieren – in Dosen oder auf fester Unterlage verpacken	2–5 Stunden bei +20° auftauen oder noch gefroren bei 200° 10–15 Minuten backen	größere Stücke nach dem Backen völlig auftauen lassen – nach Belieben glasieren
Blätterteig, roh	gut	8	dünn ausgerollten Teig mit Klarsichtfolie belegen, in Lagen rechteckig verpacken	unverpackt bei +20° auftauen lassen	wie frisch verwenden, bei 200° backen

Backzutaten

Gefriergut	geeignet	haltbar Monate	Beim Einfrieren bedenken	Beim Auftauen bedenken	Ratschläge zum Verwenden
Blechkuchen	sehr gut	2–4	Obst-, Streusel-, Mohn-, Nuß- oder Zuckerbelag eignen sich am besten. Kuchen in Portionsstükken zwischen Klarsichtfolie verpacken	in der Verpackung bei +20° je nach Größe der Portionen 3–6 Stunden auftauen oder bei 175° im Backofen auf Alufolie etwa 20 Minuten aufbacken	je nach Belag mit Puderzucker besieben oder mit Zuckerglasur überziehen
Brandteiggebäck	sehr gut	5–6	die Gebäckstücke zum Füllen bereits halbieren, aber ungefüllt einfrieren	bei +20° etwa 30 Minuten auftauen lassen	das gefüllte Gebäck mit Glasur überziehen oder mit Puderzukker besieben
Brandteig, roh	gut	8	zeitsparender ist es, das fertige Brandteiggebäck einzufrieren	je nach Größe der Portionen bei +20° 3–6 Stunden auftauen lassen	wie frisch verarbeiten
Brötchen	sehr gut	5–6	die Brötchen möglichst ganz frisch, noch lauwarm, einfrieren	noch gefroren bei 175° 10–15 Minuten backen; 1 Tasse Wasser auf den Boden des Backofens gießen, dadurch werden die Brötchen knuspriger, und das Abplatzen der Kruste wird teilweise verhindert	wie frisch verzehren
Brot	sehr gut	8	ganze Brote, halbe Brote oder Brotscheiben einfrieren, immer aber in Portionen, die bei einer Mahlzeit verzehrt werden, denn Brot, das eingefroren war, wird nach dem Auftauen schnell trocken	große Brote oder Stücke bei +20° 4–8 Stunden auftauen lassen	Brotscheiben noch gefroren im Toaster rösten
Brote, belegte	sehr gut	2	stets mit Butter oder Margarine bestreichen und erst darauf den Belag geben. (Ungeeignet als Belag: Salatblätter, gekochtes Ei, Mayonnaise, Marmelade)	in der Verpackung 3–4 Stunden bei +20° auftauen	
Buttercremetorte	gut	2	ganze Torte oder Tortenstücke mit Klarsichtfolie überzogen vorfrieren, dann verpacken. Wichtig: keine mit Pudding bereitete Buttercreme einfrieren!	in der Verpackung bei +20° einige Stunden antauen lassen; noch angetaut in Stücke schneiden	nach Belieben zusätzliche frische Verzierungen anbringen
fritiertes Gebäck	sehr gut	3	die Gebäckstücke ohne Zuckerguß oder Streuzucker 1 Stunde vorfrieren, dann verpacken und völlig einfrieren	je nach Größe 3–4 Stunden bei +20° auftauen lassen oder bei 175° 10–20 Minuten im Backofen aufbacken	nach Belieben glasieren oder mit Puderzucker besieben
Hefe	sehr gut	4	in Würfeln von 30–50 g einfrieren; Gewichtsangaben auf das Päckchen schreiben	die noch gefrorene Hefe zerbröckeln, in lauwarmer Milch mit etwas Zucker zum Hefevorteig geben und darin auftauen und gehen lassen	wie frisch verwenden

Kuchen im Gefriergerät

Gefriergut	geeignet	haltbar Monate	Beim Einfrieren bedenken	Beim Auftauen bedenken	Ratschläge zum Verwenden
Hefekleingebäck	sehr gut	4	ohne Zucker oder Eigelbglasur einfrieren; auch ungebacken vorgeformt und gegangen einfrieren	gebackene Teile am besten bei +20° in der Verpackung auftauen lassen, dann in Folie einschlagen und 10 Minuten bei 200° aufbacken (ohne Alufolie aufgebackenes Gebäck verliert zuviel Flüssigkeit). Ungebackene Teile je nach Größe bei 220° bis zu 30 Minuten backen	nach Belieben das Gebäck mit Glasur überziehen
Hefekuchen	gut	5	im Ganzen oder in Stücken einfrieren	2–4 Stunden bei +20° auftauen lassen, aufgetaut in Alufolie einschlagen und bei 200° 10 Minuten aufbacken oder noch gefrorene Kuchen in Alufolie eingeschlagen bei 150° 50 Minuten aufbacken	
Hefeteig, roh	gut	3	am besten mit doppelter Hefemenge zubereiten und etwas mehr Zucker als üblich zugeben; den Teig ungegangen einfrieren; auch bereits belegt einfrieren, am besten in bereits ausgefetteten Aluformen, in denen der Kuchen später gebacken werden kann; Formen nur zu $^2/_3$ füllen	bei +20° 3–4 Stunden auftauen lassen, den Teig dann gehen lassen und wie frisch backen	
Honigkuchengebäck	gut	4	in der später gewünschten Form einfrieren	je nach Größe oder Dicke $^1/_2$–2 Stunden bei +20° auftauen lassen	nach Belieben glasieren und verzieren
Honigkuchenteig, roh	gut	1	zu flachen quadratischen Päckchen formen	im Kühlschrank etwa 5 Stunden antauen lassen, bis der Teig formbar ist	wie frisch verwenden
Käsekuchen (Quarkkuchen)	sehr gut	3	Quark mit Grieß, statt mit Speisestärke binden. Kuchen im ganzen oder in Stücken vorfrieren, dann verpacken und einfrieren	in der Verpackung bei +20° 4–5 Stunden auftauen lassen; noch angetaut in Stücke schneiden	nach Belieben mit Puderzucker besieben
Käse-Sahnetorte	sehr gut	3	ganze Torte oder Tortenstücke einfrieren; mit Klarsichtfolie überzogen vorfrieren, dann verpacken und einfrieren	in der Verpackung bei +20° je nach Größe 4–8 Stunden auftauen lassen; noch angetaut in Stükke schneiden	nach Belieben mit Puderzucker besieben
Knäckebrot	nicht geeignet				
Krapfen	→ fritiertes Gebäck				
Makronen	nicht geeignet				
Meringen	nicht geeignet				
Mürbeteiggebäck	sehr gut	5	Tortelettes mit Klarsichtfolie zwischen den einzelnen Törtchen einfrieren. Schichtböden ebenfalls mit Klarsichtfolie zwischen den Schichten einfrieren	2–4 Stunden bei +20° auftauen lassen oder noch gefroren bei 180° 15 Minuten auftauen	angetaut mit frischem oder angetautem Obst belegen, mit Tortenguß überziehen und vollständig auftauen lassen

Kuchen im Gefriergerät

Gefriergut	geeignet	haltbar Monate	Beim Einfrieren bedenken	Beim Auftauen bedenken	Ratschläge zum Verwenden
Mürbeteig, roh	sehr gut	3	als flache quadratische Päckchen verpackt einfrieren	im Kühlschrank etwa 5 Stunden antauen lassen, bis der Teig formbar ist; wenn zu weit aufgetaut, noch einmal kurz vor dem Formen oder Ausrollen in den Kühlschrank legen	wie frisch verarbeiten
Obstkuchen, gedeckt	gut	3	Semmelbrösel oder geriebene Nüsse auf den Boden streuen, damit er nicht durchweicht; gedeckte Obstkuchen eignen sich besser zum Einfrieren als ungedeckte	3–4 Stunden bei +20° auftauen lassen; noch gefroren bei 175° 30 Minuten aufbacken	ungedeckte Obstkuchen nach dem Aufbacken mit Tortenguß überziehen. Gedeckte Obstkuchen mit Zuckerguß überziehen
Obstkuchen, roh	gut	3	am besten den Boden und vorgefrorene Früchte getrennt einfrieren	Boden und Früchte bei +20° antauen, den Boden belegen und bei 220° 30–40 Minuten backen	den gebackenen Kuchen mit Guß überziehen oder mit Baisermasse verzieren und diese kurz überbacken
Pasteten	gut	3	ganz oder in Stücken einfrieren	noch gefroren bei 220° 10–20 Minuten aufbacken	beliebig füllen und heiß servieren
Pizza	sehr gut	3	belegte rohe Pizzen oder gegarte Pizzen einfrieren	rohe Pizzen noch gefroren bei 200° etwa 30 Minuten backen; gebackene Pizzen in der Verpakkung 1–2 Stunden bei +20° auftauen lassen	aufgetaute, gebackene Pizzen kurz aufbacken
Quark-Blätterteiggebäck	sehr gut	6	ohne Zuckerguß einfrieren; so verpacken, daß das Gebäck nicht zerbricht	je nach Größe der Gebäckstücke 1–2 Stunden bei +20° auftauen; noch gefroren bei 200° 10 Minuten aufbacken; größere Stücke nach dem Aufbacken eventuell noch vollständig auftauen lassen	das Gebäck mit Glasur überziehen
Quark-Blätterteig, roh	sehr gut	3	dünn ausgerollten Teig in Lagen mit Klarsichtfolie dazwischen zu rechteckigen Päckchen formen	2–3 Stunden bei +20° auftauen lassen	wie frisch verwenden, bei 200° backen
Quarkkuchen siehe Käsekuchen					
Rührkuchen	sehr gut	6	ganze Kuchen oder Stücke einfrieren, Stücke durch Klarsichtfolie trennen	je nach Größe 2–6 Stunden bei +20° auftauen lassen. Aufgetaute Kuchen in Alufolie einschlagen und bei 200° 10 Minuten aufbacken; noch gefrorene Kuchen in Alufolie einschlagen bei 150° 50 Minuten backen	
Rührteig, roh	gut	4	den Teig bereits in ausgefettete, mit Semmelbröseln ausgestreute Formen aus Alufolie füllen, in denen er später gebacken werden kann. Die ganzen Formen verpacken	den Teig in der Form unverpackt bei +20° etwa 4 Stunden antauen lassen, dann bei etwa 200° je nach Größe 30–60 Minuten backen	die gebackenen Kuchen beliebig verzieren
Sahnetorte	sehr gut	5	ganze Torte oder Tortenstücke einfrieren, mit Klarsichtfolie überzogen vorfrieren, dann verpacken und einfrieren	in der Verpackung bei +20° 4–6 Stunden antauen lassen	noch angetaut in Stücke schneiden

Kuchen im Gefriergerät

Gefriergut	geeignet	haltbar Monate	beim Einfrieren bedenken	beim Auftauen bedenken	Ratschläge zum Verwenden
Sahneverzierungen	gut	3	die geschlagene, mit etwas Zucker gesüßte Sahne in den Spritzbeutel füllen und Rosetten, Tupfen oder Streifen auf ein Brett spritzen. Vorfrieren, bis die Verzierungen hart sind, dann in Dosen füllen und verpacken		noch gefroren auf Kuchen, Torten oder Desserts legen und dort in wenigen Minuten auftauen lassen
Salzgebäck	sehr gut	9	in Dosen verpacken, damit das Gebäck nicht zerbricht	in der Verpackung 1–2 Stunden bei +20° auftauen lassen	
Stollen	sehr gut	8	im Ganzen oder in Stücken einfrieren; Stücke durch Klarsichtfolie trennen	ganze Stollen noch gefroren in Alufolie einschlagen und bei 160° 60–90 Minuten backen; Scheiben oder kleinere Stücke bei +20° antauen lassen, dann in Alufolie einschlagen und bei 200° 10–20 Minuten aufbacken	
Streusel, roh	sehr gut	4	Portionen, wie sie für Kuchen gebraucht werden, vorfrieren; in Beutel oder Dosen verpacken	noch gefroren auf den Kuchen streuen und backen; wenn nicht vorgefroren, bei +20° 1–2 Stunden auftauen lassen	
Strudelteig	sehr gut	5	nach dem Ausziehen den Teig mit Klarsichtfolie belegen, zusammenfalten und in flachen Päckchen einfrieren	in der Verpackung bei +20° 2–3 Stunden auftauen lassen	wie frisch verwenden
Strudel, gefüllt, gebacken	sehr gut	4	im Ganzen oder in Stücken einfrieren, zwischen einzelne Stücke Klarsichtfolie legen	bei +20° je nach Größe 3–5 Stunden antauen lassen; angetaut in Alufolie einschlagen und bei 175° 30–50 Minuten aufbacken	vor dem Servieren mit Puderzucker besieben
Waffeln, gebacken	sehr gut	3	die Waffeln durch Klarsichtfolie voneinander trennen	noch gefroren bei 220° etwa 10 Minuten im Backofen aufbacken	mit Puderzucker besieben, mit Sahne bespritzen und beliebig füllen und 2 Waffeln zusammensetzen
Weißbrot	gut	4	bei Stangenweißbrot beide Enden abschneiden, damit die Luft im Brot zirkulieren kann, und später die Kruste nicht so leicht abblättert; im Ganzen oder in Scheiben geschnitten einfrieren; Scheiben durch Klarsichtfolie trennen	ganze oder halbe Brote noch gefroren bei 180° 30–40 Minuten aufbacken; 1 Tasse Wasser auf den Boden des Backofens gießen; Weißbrotscheiben noch gefroren im Toaster rösten	
Windbeutel	→ Brandteiggebäck				

Backzutaten

Gefriergut	geeignet	haltbar Monate	beim Einfrieren bedenken	beim Auftauen bedenken	Ratschläge zum Verwenden
Butter	sehr gut	8	am besten ungesalzene Süßrahmbutter einfrieren	in der Verpackung im Kühlschrank je nach Portionsgröße etwa 12 Stunden auftauen lassen	aufgetaute Butter rasch verbrauchen
Eigelbe	sehr gut	10	leicht verquirlen, jeweils 4–5 Eigelbe mit einer Messerspitze Salz verrühren und einfrieren	in der Verpackung bei +20° je nach Portionsgröße 2–5 Stunden auftauen lassen oder im Kühlschrank 8–12 Stunden	wie frisch verwenden

Kuchen im Gefriergerät

Gefriergut	geeignet	haltbar Monate	Beim Einfrieren bedenken	Beim Auftauen bedenken	Ratschläge zum Verwenden
Eiweiße	sehr gut	10	das Eiweiß leicht verquirlen, ohne Salz einfrieren	im Kühlschrank über Nacht auftauen lassen	wie frisches Eiweiß zu Schnee schlagen
Eimasse	sehr gut	10	Eigelbe und Eiweiße leicht miteinander verquirlen, jeweils 2 Eier mit 1 Messerspitze Salz verrühren	im Kühlschrank über Nacht auftauen lassen	wie frisch verwenden
Margarine	gut	5		wie Butter	wie Butter
Quark	sehr gut	5	in Portionen, die zum Backen gebraucht werden, einfrieren	je nach Menge über Nacht im Kühlschrank auftauen lassen	aufgetauten Quark mit dem Schneebesen gut durchrühren, wie frisch verwenden
Sahne	sehr gut	3	ungeschlagen oder geschlagen einfrieren, am besten leicht gesüßt	in der Verpackung je nach Menge über Nacht im Kühlschrank auftauen lassen	für Sahnecreme und Sahneverzierungen wie frisch verwenden
Äpfel	gut	6	Falläpfel oder feste Äpfel schälen, in Scheiben schneiden, mit Zitronensaft beträufeln und einfrieren	antauen lassen, bis sich die Apfelstücke voneinander trennen lassen	den Kuchen damit belegen, mit Teig bedecken und backen
Aprikosen	gut	6	waschen, halbieren, entsteinen, die Schnittfläche in Zitronensaft und Zucker tauchen, vorfrieren, verpacken und einfrieren	noch gefroren verwenden	den Kuchenboden belegen und backen
Brombeeren	sehr gut	10	Beeren waschen, verlesen, gut auf Tüchern abtropfen lassen und vorfrieren, dann verpacken	noch gefroren verwenden	den Kuchen belegen, mit Tortenguß überziehen; die Beeren sind aufgetaut, wenn der Guß erstarrt ist; nach Belieben mit Sahne garnieren
Erdbeeren	gut	8	wie Brombeeren		
Heidelbeeren	sehr gut	10	wie Brombeeren		
Johannisbeeren	sehr gut	6	wie Brombeeren		
Stachelbeeren	gut	8	wie Brombeeren		
Kirschen, sauer	gut	8	waschen, gut abtropfen, entsteinen, vorfrieren, einfrieren	noch gefroren verwenden	den Kuchenboden belegen und backen
Kirschen, süß	gut	8	wie Kirschen sauer		
Mirabellen	gut	6	waschen, entsteinen, gut abtropfen lassen, vorfrieren, verpacken und einfrieren	noch gefroren verwenden	den Kuchenboden belegen, backen
Pflaumen	gut	6	waschen, entsteinen, wie zum Belegen gebraucht einschneiden; vorfrieren, verpacken und einfrieren	noch gefroren verwenden	den Kuchenboden belegen, backen
Rhabarber	sehr gut	8	Rhabarber schälen, waschen, in gleich große Stücke schneiden, gut abtropfen lassen; vorfrieren, verpacken und einfrieren	noch gefroren verwenden	den Kuchenboden belegen, mit Zucker bestreuen, backen
Zwetschgen	gut	8	wie Pflaumen		

Kuchen in der Vorratsdose

Die Vorratsdose steht hier natürlich stellvertretend für verschiedene Möglichkeiten, die sich anbieten, um Kuchen einige Tage frisch zu halten. Die meisten Kuchen werden ohnehin zum richtigen Zeitpunkt für einen bestimmten Anlaß gebacken. Bleiben einmal mehrere Stücke davon übrig, so wickelt man sie einfach bis zur nächsten Kaffeestunde in Alufolie ein. Sind von einem ganzen Kuchen nur einige Stücke abgeschnitten worden, so deckt man den Kuchen am besten mit einer großen Rührschüssel zu; darunter hält er sich ebenfalls einige Tage frisch.

- Mit Creme oder Sahne gefülltes Gebäck oder gefüllte Torten bleiben im Kühlschrank allerding nur 1–2 Tage frisch.
- Blätterteig oder Hefeteiggebäck schmeckt frisch am besten. Übriggebliebene Stücke können aber 1–2 Tage später noch einmal aufgebacken werden, vorausgesetzt, sie sind nicht mit Glasur überzogen.
- Mürbeteig-Kleingebäck, Lebkuchen, Honigkuchen, Früchtebrot oder inhaltsreiches Hefegebäck können in Dosen oder in Alufolie eingepackt ohnehin längere Zeit lagern.
- Wenn Sie Kuchen aus irgendeinem Grund einen Tag vor dem »Kaffeeklatsch« backen müssen, so wickeln Sie ihn noch lauwarm gut in Alufolie ein. Am nächsten Tag wird keiner merken, daß er bereits am Vortag gebacken wurde.
- Weihnachtsgebäck, das schon vier Wochen vor dem Fest gebacken werden soll, wie beispielsweise Weihnachtsstollen, wird ebenfalls in Alufolie oder in Klarsichtfolie gut eingepackt und in einem ungeheizten, aber gut gelüfteten Raum aufbewahrt. Allerdings muß der Stollen vor dem Verpacken 1–2 Tage »luftig« liegen, sonst könnte er schimmeln. Als beste Lagermöglichkeit für den Weihnachtsstollen wird ein unglasierter Steinguttopf empfohlen, den man mit einem feuchten Küchentuch zudecken soll. Wir bezweifeln allerdings, daß viele Haushalte über einen Steinguttopf in der erforderlichen Größe verfügen.
- Kleingebäck wird am besten in einer großen Blechdose aufbewahrt, deren Deckel luftdicht schließt. Solche Dosen werden heute in verschiedenen Größen in sehr hübschen Ausführungen in Läden angeboten, die Geschenkartikel verkaufen.
- Empfindliches Gebäck, das leicht bricht, sollte man lagenweise durch Pergamentpapier oder auch Küchenkrepp voneinander trennen. Zum Aufbewahren eignen sich aber auch Emailletöpfe, große Einweckgläser oder Keramikgefäße. Wenn die Deckel nicht wirklich dicht schließen, kommt unter den Deckel einfach Alufolie, die mit einem Gummiband festgehalten wird.
- Selbstverständlich sollten Sie verschiedene Gebäcksorten auch getrennt aufbewahren. Es kann sonst leicht geschehen, daß ein Geschmacks- und Geruchsdurcheinander entsteht, weil sich Düfte und Geschmäcker übertragen. Stehen Ihnen also nicht genügend Gefäße für die verschiedenen Gebäckarten zur Verfügung, so packen Sie jede Sorte für sich in Alufolie und bewahren Sie die Pakete in einem großen Gefäß auf.

Zum Schluß dürfen wir Ihnen noch den guten Rat geben, nützen Sie die vielen Möglichkeiten, die Ihnen dieses Backbuch vermittelt, und füllen Sie die Vorratsdosen und das Gefriergerät mit Ihren »Werken«! Gönnen Sie sich und Ihrer Familie oft das Vergnügen von Selbstgebackenem, und das nicht nur an Fest- und Feiertagen, sondern ab und zu auch einmal mitten in der Woche.

Zum Nachschlagen

Was möchten Sie backen?

Register der Gebäckarten

Was möchten Sie backen?

Hefeteig

Honigkuchenteig

Knetteig

Makronenmasse

Mürbeteig

Plunderteig

Rührteig

Sandteig

Was möchten Sie backen?

Was möchten Sie backen?

Alphabetisches Rezept- und Sachregister

A

B

C

Rezept- und Sachregister

D

E

F

G

H

N

O

P

Rezept- und Sachregister

Q

R

S

Rezept- und Sachregister

Die Autoren

Christian Teubner
war früher Konditormeister. Seit vielen Jahren ist er aber vielbeschäftigter gastronomischer Fotograf. In seinem Studio für Lebensmittelfotografie entstehen Meisterwerke kulinarischer Aufnahmen, und aus seiner Probeküche kommen verlockende Kreationen von neuen Rezepten. Christian Teubners Arbeiten sind in ganz Europa ein Begriff, denn wo es um Küche und Keller geht – ob Buch, Plakat, Film oder Zeitschrift –, erkennt man seine »Handschrift«.

Annette Wolter
gehört zu den führenden Kochbuch-Autoren im deutschen Sprachraum. Seit über fünfzehn Jahren sind Kochen und Haushalt ihr Ressort. Annette Wolter begann als Mitarbeiterin großer Frauenzeitschriften. Heute ist sie anerkannte Expertin im Bereich Küche und Keller, Autorin erfolgreicher Kochbücher und mehrfache Preisträgerin der »Gastronomischen Akademie Deutschlands«.

91.–160. Tausend

Redaktion: Erika Freund, München.
Layout: Manfred Lüer, Gräfelfing.
Einbandgestaltung: Gundula Freyse, München.
Zeichnungen: Ingrid Schütz, München.
Reproduktion der Farbbilder: Graphische Anstalt Ernst Wartelsteiner, Garching.
Satz und Druck: Druckerei Georg Appl, Wemding.
Papier: Praxiprint holzfrei glänzend gestrichen, geliefert durch Feinpapiergroßhandlung Hartmann & Mittler GmbH, München; Daunendruck OP 53 von Papierfabrik Scheufelen, Oberlenningen.
Bindung: Großbuchbinderei Monheim (Schwaben).

ISBN 3-7742-5200-9

29,80